LE JARDIN DES SENTIMENTS

Elizabeth Buchan

LE JARDIN DES SENTIMENTS

Traduit de l'anglais
par Marie-Lise Hieaux-Heitzmann

JC Lattès

Titre de l'édition originale
publiée par Macmillan London Limited :
CONSIDER THE LILY

Pour Eleanor Rose,
ma fleur toute spéciale

« Dans le jardin, il pousse plus
qu'un jardinier ne sème. »

Proverbe espagnol

PREMIÈRE PARTIE

DAISY

1929-1930

1

Tout a commencé lors d'un mariage, en juin 1929.

Matilda Verral — qui détestait le gaspillage, les chevaux et qu'on avait toujours appelée Matty — traversa le pont métallique qui franchissait la rivière, puis entra dans le jardin sud de Hinton Dysart. Derrière elle, un monticule herbeux dissimulait les restes d'un ancien édifice Tudor, un bouquet de chênes et de hêtres ainsi que le mur rouge rosé que le premier sir Harry Dysart avait fait construire pour clore la maison et le jardin. En face de Matty, se dressait la nouvelle maison — encore que le terme fût relatif. Une végétation sauvage, broussailleuse et rampante se jetait contre les magnifiques murs de la demeure et suçait la vie du bois et des pierres. Chiendent, orties et liserons bordaient la terrasse sous les fenêtres orientées au sud et le parterre en contrebas où quelques roses ligneuses luttaient pour survivre. Sur le mur est, une clématite Montana étranglait un rosier « Bobby James ». Luxuriante et pleine de trèfle, l'herbe haute bruissait contre les arbres, prenant possession d'un cercle d'ifs, jadis parfait, séparant la pelouse d'en haut de celle d'en bas.

C'était l'Eden, un Eden anglais que l'abandon avait privé de sa magie.

Matty n'en perdait pas une goutte, petite silhouette bien droite, bien habillée, nerveuse, glacée par le spectacle, sans trop savoir pourquoi. Peut-être était-ce le gâchis. Peut-être quelque chose dans l'atmosphère. Ou encore la fraîcheur du ruisseau envahi d'herbes qui reflétait les arbres en un spectre chatoyant et menaçant.

Elle sursauta lorsque deux invités, raides, étouffant dans

leurs vêtements, franchirent le pont et s'arrêtèrent près d'elle.

— Il suffit de suivre le chemin, dit l'un d'eux, supposant que Matty s'était perdue.

— Merci.

Elle s'obligea à redescendre sur terre et, marchant avec précaution à cause de ses hauts talons, traversa le jardin dévasté, comme ils l'avaient suggéré.

Cela faisait deux heures au plus que les cousines s'étaient habillées dans la chambre d'amis de leurs hôtes qui vivaient juste à l'extérieur du village de Nether Hinton. Ni Matty ni Daisy n'avaient amené leur femme de chambre de Londres. Or, les Lockhart-Fife n'en avaient aucune à mettre à leur disposition. Tellement choquant, s'indigna Daisy qui adorait plaisanter, c'est incroyable ce qu'il faut supporter à la campagne.

Jambes croisées, elle était assise dans un fauteuil capitonné recouvert de chintz et se polissait les ongles tandis qu'Ivy Prosser, une fille du village qui entendait bien améliorer sa position, relevait le défi de s'occuper des Londoniennes.

— Matty. Tes boucles d'oreilles ne vont pas avec ta robe, ou alors c'est à toi qu'elles ne vont pas.

En général, Daisy disait ce qu'elle pensait, mais comme elle était rarement méchante et avait beaucoup de bon sens, on la consultait souvent et lui pardonnait toujours. Cela faisait partie de son charme.

— Tu ferais mieux de me les prêter, Matty. Allez !

Sa cousine leva les yeux de son coffret à bijoux posé sur la coiffeuse jonchée de pots à couvercle d'argent, de brosses et d'un poudrier. Le miroir renvoyait l'image d'une chambre confortable, mais défraîchie, à l'anglaise ; la fenêtre à guillotine ne tenait ouverte qu'avec un morceau de papier journal et les lits jumeaux étaient recouverts d'une cretonne d'un rose pour le moins discutable. D'une main inexperte, Ivy brossait les cheveux fins et roux de Matty. Sous un chignon peu flatteur, le visage en triangle ne montra rien, mais Matty sentit en elle ses vieux démons se réveiller. Prenant ses boucles d'oreilles dans le coffret, elle les fixa à ses lobes où elles pendirent, opulentes, trop grandes.

— Je veux les porter, dit-elle en hochant nerveusement la tête.

Du coup, Daisy grinça des dents.

Dans la chambre, la tension s'amplifia. Daisy observa sa cousine — ses chevilles et ses poignets, si fins, la pâleur de son visage avec ses yeux café au lait légèrement exorbités qui se troublaient ou s'affolaient si aisément, sa lèvre inférieure, si étrangement renflée. Puis elle haussa les épaules. Ivy aida Matty à ôter sa robe de chambre pour révéler un corset en crêpe de Chine bordé de dentelle dont l'effet était inopérant sur sa silhouette sans rondeurs. Dans un bruissement de soie, Daisy, que la nature avait dotée de longs bras, de longues jambes, d'une fine silhouette et d'une poitrine ferme et épanouie, s'installa sur le tabouret à la place de Matty. Elle entreprit d'étaler sur ses pommettes un peu de fond de teint Ultra Amoretta d'Elizabeth Arden.

— Le mariage est-il une institution démodée? demanda-t-elle à son reflet. L'archevêque de Canterbury pose la question à Douglas Fairbanks Junior, dix-neuf ans, et à Joan Crawford, vingt-trois ans, star de cinéma et pin-up de collection. Les deux parties se refusent à tout commentaire mais se marieront de toute façon.

Elle fit une grimace.

Matty sourit malgré elle. Daisy mettait si souvent le doigt sur le côté burlesque ou irrévérencieux des choses, sur l'angle qu'elle-même percevait souvent mais n'avait jamais le courage d'exprimer. L'inattendu, le sarcasme provocateur ou le petit détail qui faisaient rire les gens et contribuaient à la légende de Daisy.

— Après tout, nous ne connaissons pas les Dysart, remarqua Daisy en portant son attention sur son cou. Alors pourquoi sommes-nous ici? Les gens devraient se marier dans l'intimité. Quand j'abandonnerai ma vie à un autre, pas question que des étrangers me dévisagent.

Matty leva les sourcils.

— Je croyais que tu voulais un grand mariage.

— Oui et non.

Daisy, qui avait le goût de l'éclat, ôta le couvercle du poudrier et secoua la houppette. Dans la chambre, l'odeur sucrée s'intensifia. Tout en se poudrant le nez, elle lança à sa cousine un regard noir.

— Quoi qu'il en soit, nous connaissons bel et bien les Dysart, poursuivit Matty. Nous avons rencontré Polly et son père au bal l'an dernier. Quant aux Lockhart-Fife, ils ne peuvent pas ne pas y aller, ce sont des voisins très proches ; sans mentionner l'insistance qu'ils ont montrée à nous amener.

— On pourrait rester là.

Ivy ramassa la robe de chambre de Matty, la lissa sans égards et l'accrocha.

Les regards des deux cousines se croisèrent par inadvertance dans le miroir. Cet échange trahissait une mésentente remontant à l'enfance, une accumulation d'irritation et d'impatience — exaspération de la part de Daisy, obstination désespérée de la part de Matty. L'instant passa : Daisy baissa les paupières, s'appliqua une généreuse couche de vaseline tout en s'interrogeant pour la énième fois sur la sagesse du Très-Haut qui vous imposait votre famille. Matty enfonça son chapeau sur sa tête, le fixa avec une épingle puis s'empara de son sac et de ses gants. Il était trop tard pour enlever ses boucles d'oreilles qui, il fallait l'admettre, n'allaient pas du tout. Matty quitta la chambre d'amis en reconnaissant qu'une fois encore on l'avait manipulée pour l'obliger à prendre la mauvaise décision. Il eût été si simple de tomber d'accord avec Daisy, de lui prêter ses boucles d'oreilles. Mais elle s'était réfugiée dans un orgueil qui ne lui avait jamais réussi.

La cage d'escalier était ornée d'une série de gravures représentant des chevaux et des oiseaux, entrecoupée de photographies des robustes Lockhart-Fife en tenue de cricket ou en uniforme colonial. Matty enfila ses gants en descendant, songeant à quel point il était plus simple de ne pas avoir affaire aux gens, combien le monde serait meilleur si elle était la seule à y vivre. Elle frissonna à la perspective de passer un après-midi entier à faire la conversation.

En haut, abandonnée aux soins exclusifs d'Ivy, Daisy s'aspergea abondamment d'Origan, le parfum de Matty, et pria la fille d'en répandre sur son mouchoir.

HARRY

Songe au lys, disait ma mère. C'est l'une des fleurs les plus célèbres et les plus célébrées. On la confond parfois avec d'autres plantes qui empruntent à son éclat — tel que le lys de Guernesey. S'il faut être précis, il s'agit d'une plante vivace, à bulbe, herbacée dont l'espèce s'apparente aux amaryllidacées, iris, orchidées et, singulièrement, n'est pas si éloignée de la famille des joncs ou des roseaux.

Et pourtant... et pourtant c'est une fleur qui garde son secret.

Emmailloté de trois sépales extérieurs, le bourgeon dissimule trois pétales intérieurs dont le sillon nectaire mène au cœur de la fleur. Là, fixé à un stigmate trilobé (j'aime employer les noms exacts : ils mettent le doigt sur le chaos des choses)... se trouve l'ovaire entouré de trois filaments. A leur extrémité, les anthères. Ployant sous leur pollen poisseux, elles se balancent librement et répandent une pluie d'or.

Quant à la fleur elle-même, elle diffuse un parfum érotique et entêtant, qui s'attarde dans les rêves et traîne dans la mémoire olfactive — mais jamais pleinement. Naturellement, là est son pouvoir.

Il y a bien longtemps, le lys était symbole de fertilité. Puis les chrétiens s'en sont emparés pour adorer Marie, la mère de Jésus : le lys, à la fois fertile et pur, a dès lors symbolisé à la perfection l'Annonciation. Une légende raconte que, lorsque la Vierge Marie est montée aux cieux, on a trouvé son tombeau rempli de lys.

La vision que sainte Catherine eut du Paradis se caractérisait par des anges couronnés de lys et à sa mort son sang coula d'une blancheur de lys. On faisait pousser des lys dans les jardins des monastères et dans les jardins de curés — variation anglaise acceptable — afin d'en orner l'autel de Notre-Dame ou les chapelles à elle dédiées.

Mais je trouve le lys trop fort et trop flamboyant pour la chasteté.

Voyez-vous, ce n'est pas le genre de fleur à pousser dans les sous-bois en compagnie des violettes et des bancs de clochettes. Le lys convient aux jardins où on peut le voir : élégant, enivrant, avec un mélange d'équilibre et d'insouciance. Il convient à la brève et douce saison d'été qui précède l'oubli.

Songez à la rose.

On la trouve à l'état sauvage dans l'hémisphère Nord, mais elle est étonnamment perméable à la domestication et se prête à tout usage en littérature et en peinture. Obéissante, voluptueusement variée, magnifique.

On prétendait que la rose rouge était l'emblème de la déesse de l'Amour, le symbole du sang des martyrs ainsi que la « fleur de Dieu » — les cinq pétales représentant les plaies du Christ et la couronne d'épines. Dans l'esprit médiéval, la rose incarnait bien des choses. Une couronne tressée de roses mystiques représentait le cercle fermé : le sein inviolé de Marie dans lequel seul Dieu pouvait pénétrer. Les roses témoignaient de l'amour et du chagrin, et les cimetières monastiques étaient des roseraies. Les légendes sur les roses atteignirent leur apogée au XIIe siècle où elles se mêlèrent à l'obsession des médiévaux pour la Vierge sainte.

Les Romains firent planter des roses en Bretagne afin d'adoucir ces confins reculés de l'Empire. Les croisés rapportèrent la rose de Damas comme trophée de guerre ; c'est d'elle qu'émane l'industrie du parfum (si vous avez, dans votre jardin, une rose aux origines damascènes, elle embaumera toujours). Plus tard, les redoutables femmes régnant sur les demeures seigneuriales élisabéthaines et jacobéennes broyèrent des pétales de roses avec des gommes, écorces et autres baumes précieux pour confectionner des pommes d'ambre, des eaux de toilette ou des pots-pourris.

Au cours du XIIIe siècle, la rose gallique, ou rose des apothicaires, se répandit en Europe. Elle est à l'origine des choses qui calment et réconfortent : les desserts sucrés, la melrosette, les sorbets aux pétales de rose, le gâteau à la rose, les liqueurs parfumées à la rose et, pour les dames, l'onguent de roses. Quant à la *Rosa x centifolia* (rose chou originelle), elle fit sa première apparition dans la peinture hollandaise au début du XVIIe siècle. L'impératrice Joséphine contribua à stimuler la mode des roses et, avec l'introduction en Europe des roses de Chine et des roses-thé remontantes, on planta fiévreusement des rosiers. En 1867, la première hybride de thé, « La France », fit ses débuts.

Rendez-vous compte de tout ce qu'il y a à savoir. Une vie n'y suffit pas. Ça ne finit jamais, répétait ma mère.

Les noms des roses se lisent comme les images d'un poème, ne pensez-vous pas ? Rosa gallica, alba, rosiers mousseux, rosiers de Portland, de Bourbon robustes, de Noisette, rosiers grimpants, rampants, rugosa, polyantha, floribunda, et ma dernière passion, la rose anglaise... Vous le voyez, j'aime moi aussi la forme et la texture de la rose. Des variétés sauvages et grimpantes aux roses musquées hybrides, dames ébouriffées à la coupe profonde.

Et la rose se faufile dans les tapisseries anciennes, les tableaux, les poèmes et les mythes. Simple et pourtant compliquée, d'une beauté presque vénéneuse, issue de maintes sources, mais anglaise, anglaise jusqu'au bout des épines.

Toute ma vie, et j'ai plus de soixante ans, j'ai étudié le lys et la rose. Leurs contrastes n'ont jamais manqué de fasciner un esprit ordonné comme le mien — allié toutefois à un tempérament avide de couleur et de mysticisme.

Tandis que vont et viennent les visiteurs de la pépinière, je pense aux échos et aux illusions qui sous-tendent cette histoire. Ils ne soupçonnent pas que je connais cet endroit mieux que quiconque : j'y ai été élevé. C'est — c'était — le domaine de mon enfance. Non, les visiteurs voient un homme d'âge moyen, plutôt petit, avec une moustache, un peu éteint, légèrement voûté, mais en bonne santé et désireux de rendre service. Parfois, je sers au comptoir et ils font la queue, leurs roses contre la poitrine, et posent mille questions auxquelles je réponds de mon mieux. Puis ils s'en vont, les cars et les voitures quittent le champ du bas, et le silence s'installe. Le passé s'éloigne furtivement, inexorablement.

Dans mes rêves, je retrouve la maison et le jardin du temps des belles années. Nuit après nuit, je traverse la pelouse circulaire protégée par son mur d'ifs et j'emprunte les marches de pierre jusqu'à l'habitation dont les fenêtres brillent, roses dans le crépuscule or et pourpre. J'espère y ressusciter l'atmosphère d'autrefois.

On ne peut jamais revenir en arrière, je le sais. Mais j'ai appris qu'il est bien dur d'être le dernier.

Comme je rêve, je plane, présence ailée : je vois tout... l'allée de tilleuls enchevêtrés, le parc, au-delà, la statue de pierre dans le jardin de ma mère. Sur ma droite, la rivière, longée de saules et de frênes, avec sa bordure d'anémones et de fritillaires au printemps. Je vois aussi la partie sauvage, ornée de coquelicots, le verger et le potager, colonisé par les légumes et la bourrache avec sa poussière d'étoiles bleues. Je m'arrête près de la maison et lève les yeux sur la roseraie entourée de murs où alba et Bourbon se rassemblent en un massif de vieilles roses et de penstémons. Dans mon rêve, c'est sans doute le mois de juin, car je roule un pétale de « Fantin-Latour » entre mes doigts. Il laisse une légère tache gluante sur ma peau.

Le temps s'embrouille. Parfois je suis jeune, parfois j'ai ma silhouette inclinée d'aujourd'hui. Mais je connais chaque plante, ici, tout comme je sais l'odeur de terre mouillée après la pluie venue de l'ouest, l'odeur sèche et chargée de poussière de l'été, l'odeur piquée de givre du fruit qui pourrit en automne — et mon cœur tressaute de douleur parce que cela ne m'appartient plus.

Alors, je me réveille dans le cottage de Dippenhall Street. Dans la chambre d'à côté, Thomas dort tranquillement, si différent du personnage inconstant de la journée. Et je suis seul.

Bientôt, une petite armée fondra sur la maison pour lessiver, réparer, astiquer. Des gardiens en blazer se tiendront près des portes et orienteront les visiteurs. « Comme cela sent bon », s'extasient invariablement ces derniers, car le pot-pourri de ma mère est célèbre ; puis ils marchent sur les tapis d'Aubusson avec leurs chaussures à semelles de caoutchouc et leurs survêtements couleur de bonbon à la poire.

Je rêve à nouveau.

Baignée de soleil, fleurant bon le propre, la maison m'entoure, son silence brisé par le seul carillon de la pendule près de la porte d'entrée. Je n'ai pas d'âge, je dévale le grand escalier qui conduit dans le hall principal, je jette un œil dans le salon puis tourne à gauche, dans la salle à manger. La table est mise pour une assemblée de vingt fantômes, serviettes damassées monogrammées dressées sur les assiettes. A une extrémité de la pièce, le portrait de ma mère me dit que je l'ai perdue — et cela, je ne souhaite pas qu'on me le rappelle. Je me détourne. A l'autre bout, un portrait de mon père. Peint quand il avait une cinquantaine d'années, il a encore ses cheveux blonds ; bienveillant, l'artiste s'est contenté de suggérer ses rides. Il est en tenue d'équitation, une jambe légèrement avancée. La coupe impeccable de sa veste est manifeste même pour qui ne fréquente pas Savile Row. Seuls ses yeux enfoncés, avec leur expression légèrement troublée et distante, suggèrent qu'il était en réalité tout sauf un gentleman-farmer anglais et un membre respecté du Parlement parfaitement satisfait de son existence.

Violemment saisi par les souvenirs, les miens et ceux des autres, je le fixe du regard et mon rêve se mue en ce vieux cauchemar.

Une fois de plus je me demande : Qui suis-je ? Quelle est ma place dans tout cela ?

2

Polly Dysart entra dans l'église de Tous les Saints, à Nether Hinton, au bras de sir Rupert, son père, accueillie par le silence impatient souvent de règle à l'arrivée de la mariée. Contrairement à Flora, sa fortunée cadette, elle n'était pas jolie, tout juste passable dans un style sain et gai. Aujourd'hui, toutefois, son apparence était à la hauteur de l'événement. Il est vrai que Polly était un tantinet trop ronde pour la robe de satin de sa grand-mère qu'on avait retaillée. Sa silhouette imposante ne correspondait pas au style du corset dans lequel on avait enserré sa taille et sa poitrine. Mais l'ensemble n'était pas si mal et le voile de dentelle de Honiton (délicatement lavé dans du thé par Robbie) ondoyait autour de son visage adouci et rosi d'émotion.

Le révérend Pengeally fit quelques remarques préliminaires. Quand Polly arriva enfin devant l'autel, Flora se laissa envahir par le soulagement. Sir Rupert avait été contre ce mariage, pour la simple raison qu'il trouvait James Sinclair loin d'être assez bien pour une Dysart, même si, pour un agent de change, il avait de l'ambition. Après une entrevue tendue entre son père et son fiancé, Polly avait sangloté dans le giron de Flora : elle se fichait comme d'une guigne de la famille de James, elle avait seulement très peur de perdre le seul homme susceptible de l'épouser. Flora, qui connaissait mieux que personne Polly et ses griefs permanents contre l'existence, n'avait rien répondu.

Elle lança un bref regard au profil sans intérêt du marié. La situation avait été épineuse. James était peut-être ambitieux, mais non dénué de sensibilité. Il prit naturellement ombrage des sous-entendus selon lesquels il manquait de crédibilité sociale et financière — d'autant que tout le monde savait les Dysart pauvres comme Job. Cela dit, ils possédaient quelque chose d'éminemment enviable : leur naissance, qui remontait le long fleuve des cours de justice seigneuriales, manoirs, chevaleries, guerres d'extermination réciproques et blasons.

— Voulez-vous prendre pour époux..., demanda le révérend, levant ses yeux de myope sur le visage voilé de Polly.

Naturellement, elle le prend, se dit sa sœur. Suffoquant sous le parfum des lys, Flora serra son bouquet dans sa main gantée.

— Oui, s'exclama Polly d'une voix forte.

Sur quoi Flora songea qu'il lui faudrait se mettre en quête d'une association d'aide aux agents de change nécessiteux en vue d'une généreuse donation.

Trop provincial, décida Susan Chudleigh depuis le bout

du banc. (Susan mesurait tout à la même aune : hors de Londres, point de salut.) Ce mariage est indiciblement provincial. Elle tourna la tête afin de repérer les invités à droite de l'église et ne vit personne de connaissance ou digne d'intérêt. Du moins, mes enfants sont-ils beaux, songea Susan avec complaisance en évaluant les hanches lourdes de Polly et la vague coupe à la garçonne sous le voile. Cependant, son visage se durcit quand son regard rencontra la petite silhouette qui se tenait à côté de Marcus. Elle avait beau faire, Dieu sait qu'elle essayait depuis vingt ans, Susan ne parvenait pas à aimer sa nièce, Matty.

Comme le banc était plein, Daisy était serrée contre sa mère. Les coups d'œil en douce et une certaine raideur de sa bouche la trahirent : Daisy devina ce que Susan pensait. Même à un mariage — non, surtout à un mariage — Susan se lançait dans l'analyse sociale et ne manquait jamais d'amuser la jeune fille.

La religion avait peu d'attrait pour Daisy ou, pour être précis, la variante anglicane avait le don de l'énerver. Elle ne faisait que prêcher des *Faites* et *Ne Faites Pas* et, au bout du compte, quand elle tentait de séparer le bon grain de l'ivraie, ses certitudes s'étiolaient. Aussi Daisy occupa-t-elle les intermèdes théologiques du révérend Pengeally à compter les robes à pois de l'assemblée. Il y en avait cinq, plus ou moins audacieuses dans le choix des couleurs. Daisy tira sur la jupe de sa robe aux dessins géométriques, plus longue que les autres, car c'était la mode, ce qui en accentuait le caractère.

Devant, de l'autre côté de l'allée centrale, était assise la famille du marié. De dos, on aurait dit une ligne ininterrompue de cols raides et de coupes de cheveux militaires, ponctuée de robes tristounettes et de coquets chapeaux de paille. Juste en face, les Dysart. Daisy entreprit de mettre des noms. Elle choisit une silhouette en costume de ville gris avec des cheveux blonds peignés en arrière et conclut que c'était Kit, le frère de Polly. A l'autre bout du banc, sir Rupert, un homme au cou de taureau avec épaules assorties. A en juger par l'angle de sa tête, il ne regardait pas sa fille mais un point au-dessus de l'autel. Derrière lui, une femme en manteau bleu marine et chapeau, lequel chapeau manquait visiblement de quelque chose. Elle aussi semblait regarder fixement quelque chose sur l'épaule de sir Rupert.

La veille au soir, au cours du dîner, les Lockhart-Fife avaient laissé entendre que sir Rupert avait fait la Grande Guerre et qu'il en gardait des séquelles, encore qu'ils fussent demeurés vagues à ce sujet. L'information avait été chuchotée et Daisy avait compris : les Chudleigh comptaient eux aussi des amis qui avaient survécu, certains brûlés, certains amputés ou avec une toux grasse chronique. Elle avait souvent remarqué qu'une partie de leur esprit avait été réduite en miettes dans la puanteur et le carnage de l'époque. Ces survivants effrayaient Daisy; ces hommes d'aujourd'hui étaient devenus, par quelque tour de passe-passe de l'histoire, des hommes d'hier.

— L'amour est un puits sans fond..., dit le révérend, qui approchait de sa conclusion.

Vraiment? Daisy n'avait pas remarqué que c'était le cas pour ses parents. C'était plutôt une tasse à thé, songea-t-elle en voulant donner un coup de coude à Marcus afin de partager la blague. Elle se ravisa.

A côté de Daisy, Matty tapotait son livre de prières de ses petites mains gantées — des « griffes », disait Marcus d'un ton aimable et protecteur. Elle posa les yeux sur ses mains : c'était vrai. La peau des gants en dissimulait l'apparence sèche et parcheminée. Elle lissa les rides sous les gants et tenta de penser à autre chose.

A l'autel, Polly se leva et laissa James la conduire à la sacristie. Sept minutes plus tard, exactement comme James l'avait prévu, ils redescendirent l'allée principale.

Dehors, un doux soleil de juin s'infiltrait entre les nuages, dardant des rais de lumière à travers l'avenue de tilleuls qui menait aux portes de l'église. Il avait plu en début de matinée, et les empreintes des sabots des chevaux étaient pleines d'eau. Par petits groupes, les invités bavardaient des scandales, de la chasse à courre et des méthodes de culture; les commérages allaient bon train. Polly aurait été vexée, peinée même, si elle avait su à quel point son mariage comptait peu, comparé à ces importants sujets de conversation. Néanmoins, les villageois, dont bon nombre avaient abandonné leurs tâches du samedi pour assister à la sortie, n'en perdaient pas une miette.

Mrs. Dawes, gouvernante et cuisinière des Dysart, ôta une tache de boue à sa bottine et regarda les mariés poser pour le photographe devant les grandes portes ouvertes.

— Pas mal, commenta-t-elle.

Mrs. Dawes n'avait aucune affection particulière pour Polly.

Ellen Sheppey dévisageait Polly en s'accrochant à son sac à main.

— Oui, approuva-t-elle. Mais pas aussi jolie que ma Betty, pas vrai, Ned?

Vaguement absent après deux pintes de bière au Plume of Feathers, son mari, jardinier à la grande maison, ne prit pas la peine de répondre.

— Je reconnais que ta Betty est plutôt avantagée, dit Mrs. Dawes, mi-figue, mi-raisin.

Veuve depuis des années, elle n'avait jamais réussi à produire de rejetons quand Albert lui fut enlevé. Elle tomba dans un silence plein de regrets puis ajouta :

— Ce n'est pas comme au bon vieux temps, pas, Ellen? Quand sir Rupert s'est marié, m'man m'a emmenée voir la grande tente installée sur la pelouse et le repas de mariage pour cinq cents personnes.

— Non, répondit Ellen en se dressant sur la pointe des pieds. C'était différent à l'époque. Le chat t'a mangé la langue, Ned? demanda-t-elle à son mari.

Le photographe émit une suggestion. Les Dysart et les Sinclair se rassemblèrent alors autour des mariés. Les Sinclair étaient de taille moyenne, avec une tendance à l'embonpoint; les Dysart dominaient. Polly et James étaient exactement de la même taille; Flora, trop habillée dans sa robe de demoiselle d'honneur en crêpe georgette, était même plus grande que sa sœur. Quant à sir Rupert, le torse bombé comme un militaire, il paraissait immense. Exemple d'élégance désinvolte, spécialité des Anglais, Kit dominait le groupe. Bronzé à la suite d'un récent voyage en Turquie et en Albanie, il se tenait légèrement à l'écart et observait les champs, au loin, comme s'il espérait être ailleurs. Nez long, yeux bleus sous de lourdes paupières, le visage de Kit était presque paresseux. Mais pas tout à fait. Il avait du charme, oui, un soupçon de profondeur agitée, tue — c'était, peut-être, le visage d'un solitaire.

Enfin libérés du photographe, Polly et James se dirigèrent vers la voiture qui attendait, laissant à leurs invités le soin de se rendre à Hinton Dysart par l'allée bordée de buissons détrempés. Au cours des siècles, les Dysart s'étaient obstinément refusés à emprunter le chemin, plus long, autour de l'église; ils s'étaient frayé à coups de petites épées et de cannes un passage qui faisait désormais partie de la topographie du lieu.

Le chapeau enfoncé jusqu'aux yeux, comme toujours, Matty traînait à l'arrière : elle voulait jeter un coup d'œil. Ayant passé le plus clair de sa vie à Londres, hormis quelques brèves incursions à la campagne du vendredi au lundi, elle réagissait en citadine et trouvait agréable le parfum du cimetière où virevoltaient des fleurs de tilleul. Mais vint un moment où elle ne put différer davantage la partie la plus éprouvante de la cérémonie. Elle emboîta le pas aux derniers invités.

Elle traversa le pont, s'arrêta et regarda à travers la bordure d'arbres. Plus loin, un minuscule abri à bateaux et un embarcadère fait de quelques planches. Même à cette distance, il était visible que la jetée pourrissait et que la rivière devait être curée. Quelques siècles plus tôt, elle avait creusé un anneau autour du terrain sur lequel était construite la maison, puis elle s'était dessiné un chemin vers Bentley à travers un mélange d'argile et de craie. Matty observait les herbes se balancer, tentant de deviner la profondeur de l'eau.

Ensuite elle tourna le visage vers la maison à la façade toute droite — le château de la Belle au Bois dormant — dont les fenêtres arrivaient presque à la pelouse. Un enchevêtrement de végétation et de statues recouvertes de mousse entourait la demeure. Cela a dû être superbe autrefois, se dit-elle en réalignant mentalement une urne de pierre et en dégageant un chemin. Ce l'était toujours, dans un style décrépi.

Une flottille de voitures était garée dans l'allée de graviers. Les chauffeurs bavardaient et fumaient. Embarrassée, Polly posait sur les marches menant à l'entrée principale. Son voile se soulevait et ondulait sous la brise.

— Ne bougeons plus ! s'exclama le photographe.

Un nuage de lumière explosa au visage des invités qui furent éblouis. Le groupe s'éparpilla et, avec un petit rire nerveux, la mariée rassembla sa jupe et courut à l'intérieur.

Une odeur d'herbe mouillée et de terre lourde et argileuse filtra jusqu'à Matty. Des étourneaux pépiaient dans l'énorme platane près de la rivière. Un collier de perles de pluie glissait le long de la balustrade des escaliers de pierre. Lentement, Matty monta les marches.

Elle posa un de ses souliers à haut talon sur le seuil et s'arrêta une fois encore. Malgré ses éternelles incertitudes, elle savait que le trouble et le chagrin ancrés depuis des lustres étaient prisonniers des murs de la maison, cernés, non exorcisés. De surprise et d'effarement, car ces deux sentiments lui étaient nouveaux, elle réprima un cri. Puis la dissonance s'évanouit, aussi vite qu'elle était venue. Seul l'écho en demeura. Inclinant la tête, elle entra vite dans la salle à manger.

Au même moment, conduite dans le hall par plusieurs invités fort intéressés, Daisy poussa une exclamation de plaisir. Elle découvrit une grande pièce carrée aux belles proportions, avec un plafond de stuc orné de fleurs et d'ananas, des chemins d'escalier persans usés sur un sol dallé de pierres, une cheminée Adam, des portraits de famille et un sofa recouvert de brocart fané, placé contre la cheminée.

— C'est... c'est parfait, dit-elle.

— Bravo, dit une voix derrière elle.

Daisy se retourna.

— Je suis heureux que cela vous plaise, précisa Kit Dysart.

— C'est le cas, vraiment.

Kit s'aperçut qu'il était le point de mire de deux yeux d'un bleu si foncé que l'iris se mêlait à la pupille. Ils étaient soulignés par des cils épais et brillants, loin d'être assez longs, à en croire leur propriétaire, de jolies pommettes, une bouche généreuse et un long cou. C'était un visage vif, frais, rayonnant de santé, auquel un chapeau curieusement incliné conférait quelque mystère. Mais la personnalité de Daisy ne tenait pas tant à l'arrangement de ses traits qu'à une fusion du corps et de l'esprit qui l'éclairait de l'intérieur.

Habituée à être dévisagée, elle attendit une seconde ou deux avant de demander :

— Votre famille a-t-elle toujours vécu ici ?

— Oui. A l'origine, c'était une demeure Tudor que mon trisaïeul, sir Harry, a démolie. Il avait acquis une jolie fortune en Inde puis était rentré pour bâtir une maison à la dernière mode.

— Les esclaves ?

— Grands dieux non! Sir Harry a fait fortune dans les épices. D'ailleurs, les esclaves venaient d'Afrique.

Daisy éclata d'un rire que Kit qualifia de soulagé.

— Alors tout va bien, remarqua Daisy. Vous êtes tout à fait respectable.

— Nous n'avons pas été présentés.

— Daisy Chudleigh. Mais qui attache encore de l'importance aux présentations?

— Hello, Daisy Chudleigh.

Son sourire frappa Kit au creux de l'estomac. Rayonnante, magnifique en robe et chapeau roses, apparemment inconsciente de l'effet qu'elle produisait, Daisy était extraordinaire, au vrai sens du terme.

Le regard planté sur la bouche carminée, il dit :

— Naturellement, ce genre de maison n'est plus du tout à la mode.

— C'est précisément ce que j'aime.

Kit lui rendit son sourire : la maison était importante à ses yeux, au point que si on lui demandait d'expliquer en quoi, il se retranchait derrière des monosyllabes. Si l'on insistait, il parlait de chair et de sang.

— Accepterez-vous de m'accompagner au repas de noces? demandait-elle. A condition, bien sûr, que vous ne deviez pas escorter une grand-tante ou autre.

— Les membres de ma famille sont des gens dont on peut se passer. Grand-tante Hetta vient de perdre son cavalier.

Il offrit son bras à Daisy.

— Ne sera-t-elle pas mortellement vexée? Ne va-t-elle pas changer son testament? s'enquit Daisy en posant un doigt sur son bras.

— C'est là un risque que j'accepte de prendre.

Pendant une seconde, Kit et Daisy se regardèrent. Puis il la conduisit dans la salle à manger.

Curieusement, Polly aurait aimé un grand mariage, mais son vœu n'avait pas été exaucé. Rupert informa sa fille qu'il était serré aux entournures et ce n'était pas comme si elle épousait le fils d'un duc. A ce reproche, Polly éclata en larmes, habitude qu'elle avait acquise au cours de ses fiançailles. Rupert, posant les yeux sur la nuque de sa fille où les cheveux commençaient à repousser, avait cédé à l'agacement.

— Evidemment, fit-il avec une froideur qui dissimulait en fait des émotions puissantes, il aurait pu en être autrement si tu épousais le fils Bowcaster.

Au bout du compte, Rupert vendit une paire de chandeliers et, en échange de leurs boîtes à cartes de visite en argent, sous-mains en cuir, paniers à pique-nique équipés et autres porte-toasts disposés dans la bibliothèque, on régala les invités de *consommé Madrilène, de filets de sole Bercy* et de *selle d'agneau bouquetière* (bref, de cochonneries françaises, pour s'exprimer comme sir Rupert), le tout arrosé de Château Haut-Brion 1913 et de Château Yquem. Les convives les moins en cour étaient relégués dans le salon et la bibliothèque. Les plus chanceux étaient installés dans la salle à manger, une des pièces les plus remarquables de Hinton Dysart : chacun des quatre murs était recouvert de fresques à l'huile, tellement en vogue vers 1760. La tradition familiale affirme qu'elles ont été peintes par un artiste italien qui était tombé malencontreusement amoureux de la plus jeune fille de sir Harry et s'était pendu dans la cave quand sir Harry l'avait banni de sa demeure. Les fresques étaient encore splendides et faisaient oublier les marques de fumée au plafond, la peinture écaillée sous les fenêtres et le moisi des volets de bois.

Matty remarqua ces détails. C'était précisément le genre de choses qui attirait son regard et, tandis que la conversation et les éclats de rire (principalement du côté de Daisy) montaient et retombaient, elle imagina l'ensemble de la maison. Cette demeure réclamait manifestement beaucoup d'attention, depuis les plâtres grisâtres jusqu'aux serviettes de table en lin aux ourlets défaits. Elle comprit d'instinct qu'il s'agissait d'une maison dont l'ossature était belle, le serait toujours, mais que les imperfections, à l'instar de taches de vieillesse, commençaient à gâcher. Elle observa alors le jardin, à travers la fenêtre, et se surprit à vouloir y être en ce moment, en train de marcher sur l'herbe mouillée de la pelouse plongée dans l'ombre.

— Miss Verral? dit son voisin tout en lui effleurant l'épaule. Vous avez certainement des nouvelles toutes chaudes de Londres. Est-il exact que le prince de Galles vende ses chevaux de steeple-chase parce que le roi l'en a prié ?

Les deux sujets qui t'aideront toujours à franchir les obstacles épineux de la conversation, lui avait enseigné tante Susan, sont la famille royale et les fantômes. Trébuchant sur le premier, Matty répondit, navrée :

— Je ne saurais dire, hélas.

— Oh!

Son voisin, un jeune homme au visage constellé de taches de rousseur et dont les cheveux étaient coiffés en arrière avec de la brillantine, eut l'air déçu.

Il faut que j'essaie, songea Matty avec frénésie.

— J'ai bien entendu quelqu'un mentionner le fait que..., commença-t-elle.

Mais elle fut interrompue par un homme d'un certain âge qui s'écria :

— Le socialisme? Le socialisme! Mais c'est le diable!

— Mr. Beaufort, protesta avec ferveur une femme dont les tresses s'enroulaient en macarons sur les oreilles. Le socialisme est arrivé et il nous faut vivre avec. C'est un fait. Nous voilà une fois encore avec un gouvernement travailliste.

— Et une femme dans le gouvernement, lança Matty qui se faisait un devoir de lire les journaux.

— Seigneur! s'exclama Mr. Beaufort en se tournant de l'autre côté.

Les regards de Matty et de la dame se croisèrent au-dessus des coupes de fruits. Elles échangèrent un sourire. Matty se sentit mieux.

Une heure plus tard, Polly était en jupon dans sa chambre, sa robe de mariée à ses pieds. Flora s'agenouilla pour la ramasser.

— C'est toi la prochaine, dit Polly gaiement pour masquer la peur qui commençait à la tenailler à l'idée de se retrouver seule avec James — sans compter le reste.

Flora lissa la robe et l'étala sur le lit de jeune fille de Polly.

— Je l'espère bien.

La mariée s'assit lourdement sur la courtepointe et envoya promener ses souliers de satin.

— A-t-on préparé ma garde-robe de voyage... et mes affaires de nuit? demanda-t-elle en jouant avec son alliance.

Flora..., hésita-t-elle en levant les yeux sur sa sœur. Tu viendras nous voir? Souvent, je veux dire. Et tu resteras assez longtemps?

Flora pressa la main de Polly :

— Bien sûr, idiote.

Polly désigna du doigt son couvre-lit :

— J'ai toujours détesté cette couleur, dit-elle d'un ton qui indiquait qu'elle faisait une découverte. Mais je sais maintenant que je ne veux pas le quitter.

— Habille-toi, Polly.

Flora lui présenta sa robe de départ pour sa lune de miel, en mousseline de soie. Polly frissonna.

— J'ai un petit peu peur.

Flora boutonna la robe dans le dos puis s'attaqua aux manches.

— Tout le monde semble survivre à cela, dit-elle prudemment, sa connaissance de la vie matrimoniale étant vague à l'extrême.

Flora observa Polly flotter tant bien que mal au-dessus des marches du grand escalier au bas duquel les invités s'étaient rassemblés. Elle se sentit coupable. Elle n'aimait pas James et moins encore la maison qu'ils avaient louée en bordure de Kensington.

Chacun se pressait pour les adieux. Polly tendit la main, son gant ridé au poignet car c'était plus ou moins la mode, et murmura des au revoir aux joues qui se pressaient contre la sienne.

— Bonne chance, Polly.

— Bonne chance, Mrs. Sinclair.

Flora l'embrassa plus fort que d'habitude pour compenser son manque de loyauté, puis Polly disparut sous une nuée de confetti dans la voiture qui attendait.

— Dieu merci, dit Flora à Kit pendant qu'ils la regardaient partir dans un crissement de graviers. Peut-être vont-ils tous s'en aller, maintenant.

Ses chaussures la serraient et elle sentait l'humidité sous ses aisselles. Kit lui donna un léger coup de coude et Flora regarda à sa droite.

— Oh, non.

Matty était juste à côté d'elle et avait manifestement tout entendu.

— Pardonnez-moi, la journée a été longue.

Désireuse de se rattraper de tant de grossièreté, Flora ajouta :

— Je suppose que les Lockhart-Fife et vous venez jouer au tennis demain après-midi.

— Oui, confirma Matty, c'est exact.

Les lendemains de grands événements laissent un curieux arrière-goût, aussi régnait-il chez les Dysart une étrange langueur. Après avoir ordonné aux jeunes de se secouer avec une bonne partie, Rupert emmena les adultes dans le salon où il ennuya Susan Chudleigh avec l'histoire de la famille tout en mangeant des toasts aux anchois arrosés de thé indien bien fort.

Kit avait extirpé du tiroir son vieux pantalon de flanelle et, dans la chambre de Polly, Flora avait réussi à mettre la main sur un short qui avait beaucoup vécu. Ils affrontèrent un couple d'enfants Chudleigh immaculés, à la mise impeccable qui, après quelques balles, se révélèrent excellents joueurs. On fit appel à la solidarité Dysart. Oubliant qu'il avait mal aux jambes et la tête lourde, Kit lança l'attaque. Marcus riposta avec des coups féroces et Daisy se montra également diabolique. Si elle n'était pas aussi puissante que son frère, elle était rapide et précise. L'avantage passait d'un camp à l'autre. Flora tenait la ligne de fond, Kit était au filet, les Chudleigh couvraient leur terrain alternativement, se hurlaient des encouragements et insultaient copieusement leurs adversaires.

— Allez, Kit, dit Daisy à un moment, on va gagner dans un fauteuil.

Provoqué, défié — et troublé par la silhouette blanche — Kit répliqua d'un magnifique coup droit à ras du filet. Marcus loba en fond de court. Flora rabattit dans le camp d'en face.

— On vous a eus ! cria Kit.

— Du tout, protesta Daisy en riant.

Et ainsi de suite. La balle allait et venait, les défis aussi. Matty, qui ne pouvait jouer parce qu'elle avait un souffle au cœur à la suite de rhumatismes articulaires, observait le match et acquérait la curieuse impression que Kit et Daisy tenaient une sorte de conversation privée.

Assise sur le banc, elle sirotait la limonade apportée par une femme inquiétante que la famille appelait « Robbie », et tomba dans son travers de réflexion négative. Pourquoi ne suis-je pas comme Daisy, rapide et libre ? Pourquoi me manque-t-il la connexion (Matty y pensait comme à une prise électrique) qui me lierait à la vie ? Qui me rendrait comme eux ?

Aucune de ces questions n'entraîna de réponse sensée et elle pensa à sa mère, qu'elle n'avait jamais vraiment connue, se demandant pour la dix millième fois si Jocaste aurait été du genre à aider sa fille.

Il faisait chaud. Matty repoussa la couverture de ses genoux et tripota son verre. De ses yeux vaguement étonnés, elle mesurait le monde au-dessus du bord. Je suis riche, se dit-elle, j'ai vingt-trois ans, ma santé se maintient, c'est déjà cela, et je dois absolument cesser de voir tout en noir.

— Ça y est ! hurla Daisy. Vous êtes cuits ! Renvoyez vos supporters !

La silhouette de Robbie portant de la limonade revigorante émergea à travers les tilleuls qui bordaient le court de tennis. Imposante, ondulant des hanches avec confiance, elle avait de longs cheveux noirs souples nattés au-dessus de la tête. Robbie n'était pas grosse, mais bien faite et enveloppée.

— J'imagine que vous vous amusez, miss Verral ?

Dans sa bouche, cela sonnait comme un ordre. Elle posa la cruche et essuya la sueur qui perlait à sa lèvre supérieure.

— Merci, oui.

Robbie s'était déjà fait une opinion sur Matty : une pauvre petite chose, il n'y avait pas d'autre mot. Elle remplit à nouveau le verre de Matty puis, à y regarder de plus près, changea d'avis. Miss Verral avait un menton obstiné, la demoiselle ne pouvait donc pas être que de la guimauve.

— Vivez-vous avec la famille depuis longtemps... miss... euh... ?

— Appelez-moi Robbie, miss Verral. Tout le monde le fait, dit-elle en réinstallant la couverture autour des genoux de Matty. Je suis là depuis vingt ans et j'ai élevé les trois. Ce sont un peu mes enfants, même s'ils n'aiment pas que je le dise. Ils remplacent sans doute ceux que je n'ai pas eus, ajouta-t-elle en se redressant. Mon fiancé a été tué en Belgique, vous voyez. Après ça, ça ne m'a trop rien dit de me marier. D'ailleurs, il n'y avait pas grand choix parmi ceux qui restaient. Voilà.

Non, je doute qu'il y en eût beaucoup d'assez bien trempés, songea Matty tandis que Robbie s'attaquait aux coussins qui lui soutenaient le dos. Sortis de leur hibernation dans la cabane, ils laissèrent échapper des nuages de poussière.

— Bien sûr, dit Robbie en s'acharnant sur un coussin, il en va autrement, de nos jours. L'argent, ajouta-t-elle avec un air de mystère en s'en prenant au deuxième coussin.

Matty doutait d'avoir bien entendu et n'avait de toute façon pas envie d'évoquer cette question. Elle détourna la conversation.

— Quand lady Dysart est-elle morte ?

— Quand les enfants étaient petits. Elle était américaine, vous savez. C'est elle qui avait de l'argent, mais naturellement, il n'en reste pas une miette.

— Merci, Robbie. Me voici maintenant confortablement installée.

Il arrivait à Matty de se monter inflexible et, une fois de plus, le regard de Robbie se posa brièvement sur son menton obstiné. Les deux femmes se jaugeaient — l'une, petite et nerveuse, au bord des découvertes, l'autre, habituée à mener les choses comme elle l'entendait.

— Laissez-nous de la limonade, cria Flora depuis le court. C'est une fournaise, ici.

Matty se pencha en arrière. Le soleil chauffait davantage à chaque minute et les silhouettes des joueurs se dessinaient nettement contre le vert éblouissant des tilleuls. Le ping de la balle sur le boyau, le frou-frou des pigeons et, surtout, la sensation de l'été qui gagnait du terrain, tout cela était comme un baume pour Matty.

Après le thé, Kit proposa aux Chudleigh un tour de jardin.

— La maison est en grand nettoyage ; inutile de déranger tout le monde.

Il les conduisit dans l'avenue bordée de tilleuls à l'arrière de la maison vers le saut de loup, seule barrière entre le jardin et les prés où paissait un troupeau. Puis ils se rendirent au vieil abri à bateaux et à la rivière scintillant au soleil de l'après-midi.

— Ce n'est plus comme avant, hélas, expliqua Kit en désignant le jardin. Mais un jour...

Matty comprit que cet « un jour » était très important pour Kit. Daisy souffla un nuage de fumée et ne dit rien.

— Cela m'est égal, Kit, dit Flora, je l'aime ainsi, sauvage et n'en faisant qu'à sa tête.

— Je suis d'accord, intervint Marcus, qui n'en pensait pas un mot mais trouvait Flora à son goût.

Ils descendirent à la rivière et longèrent le chemin de pêcheur au-delà du platane.

— Regardez la vue, lança Kit à un moment donné.

Disciplinés, ils scrutèrent l'horizon marqué par une crête basse s'inclinant en direction d'Alton. Le paysage n'était ni luxuriant ni profondément boisé, excepté de grandes taches de vert indiquant çà et là une poche d'argile. Le reste était constitué d'arêtes crayeuses courant le long des champs de blé déjà verts comme du jade.

— C'est beau, n'est-ce pas? dit Kit abruptement pour dissimuler ses sentiments.

Daisy écrasa sa cigarette du pied.

— Vous êtes profondément enraciné dans cet endroit, Kit.

Ses yeux lui lancèrent des éclairs qui disaient oui, absolument. Le petit groupe rebroussa chemin jusqu'au potager et au verger clos de murs à l'ouest de la maison.

— Voilà Sheppey, le jardinier, là-bas, près des framboisiers.

Les voyant approcher, Ned posa son sécateur et ôta son chapeau. Il était maigre avec un visage buriné et des ongles comme de la corne.

— J'espère que nous ne vous dérangeons pas trop, Sheppey.

— Oh non, Mr. Kit, répondit Ned sans sourire, mais ravi. J'étais seulement en train de vérifier les tuteurs des framboisiers. La récolte sera bonne, cette année.

— Excellent. Désolé pour les nectarines, répondit Kit en indiquant le mur sud où des centaines de trous de clous piquaient les briques.

— Oh, Mr. Kit. C'est ce bon sang de parasite qui les a eues.

Daisy consulta sa montre. Elle eut la brusque sensation

d'être exclue et eut grande envie de se retrouver à Londres où elle devait se rendre chez les Hanson plus tard dans la semaine. Elle recula d'un pas et son pied écrasa du verre brisé d'un châssis de couche.

Ils quittèrent le verger et allèrent voir le monticule herbeux où se dressait autrefois la maison Tudor. Matty commençait à être fatiguée et lentement envahie par la dépression. Dans le temps, les Dysart avaient œuvré à ce jardin. L'un d'eux avait planté les roses, un autre les iris. Un autre encore avait inclus la pelouse entourée d'ifs qu'il avait taillés et disciplinés, un troisième avait planté les tilleuls. Aujourd'hui, il ne restait aucune trace de leurs efforts.

A l'extrémité sud de la pelouse, l'allée disparaissait dans d'épaisses ronces entremêlées de lauriers trop hauts. Daisy pointa un doigt dans cette direction :

— Y a-t-il quelque chose au-delà ?

Le regard sombre, Kit dit d'une voix distante :

— Seulement un bout de jardin en friche.

Intriguée par la tonalité de sa voix, Matty observa les broussailles et son attention fut attirée par un mouvement dans les buissons — éclair de bleu parmi la verdure. Elle plissa les yeux et, sans prévenir, une profonde tristesse l'envahit. Une angoisse et une désolation qu'elle reconnaissait comme les sentiments familiers de son deuil d'autrefois. Puis le calme revint, laissant Matty livide, le souffle court.

— Ça va, Matty ? s'enquit Daisy.

Puis elle expliqua à Kit et Flora que Matty avait parfois des « crises ». Matty devint aussi rouge qu'elle était blanche l'instant d'avant.

— Je vais parfaitement bien, merci.

Ce qui ne l'empêcha pas de laisser Marcus glisser sa main sous son coude. Ils rentrèrent en silence, Matty agrippée à Marcus, si naturel, si rassurant au point qu'elle crut avoir imaginé l'incident.

3

L'histoire de Nether Hinton présentait un modèle qui, si l'on prenait le temps d'y réfléchir, s'appliquait à bien des communes du sud de l'Angleterre. Court-circuitée par les grands événements, dont le chemin de fer, bercée de temps à autre par de petits changements, satisfaite d'elle-même, centrée sur sa petite existence, Nether Hinton semblait régie par ses propres lois.

A l'origine, la paroisse s'étendait sur plus de onze mille hectares (comprenant des zones proches de Farnham, Aldershot et Fleet) et les quarante hectares de Nether Hinton sont enregistrés dans le *Domesday Book*[1] légués à l'évêque de Winchester au profit des moines de ce saint centre. A la dissolution des monastères, Nether Hinton fut saisie par la Couronne et, après l'intercession d'un Dysart rompu à la politique, rendue au doyen et au chapitre. Au fil des ans, des parcelles de la paroisse furent dispersées. Résultat, on ne distinguait plus les circonscriptions payant la dîme et les diverses loyautés établies de longue date.

Nether Hinton était bordée de forêts célébrées par les noms des pubs, Horns, Old Horns et North Horns. A Barley Pound, au sud du village, on trouve encore des vestiges des occupations romaine et normande. Tout près, une petite colline herbeuse porte des traces éparpillées de mortier et de maçonnerie dont les experts affirment qu'elle cache un des châteaux de Guillaume le Conquérant. Au sud, coule l'Harroway qui permettait aux commerçants saxons de naviguer jusqu'au port méridional.

Nether Hinton n'est pas dénuée de trésors. On y a exhumé, par exemple, les mosaïques enfouies et, lors d'une partie de chasse au perdreau, trouvé une cachette de pièces d'or. Qui sait ce qu'on n'a pas encore découvert ? Dans les taillis, les marais, les courants, le parc, les champs et les collines, la flore est riche et variée. Phénomène rare, des brique-

1. Créé sur l'ordre de Guillaume le Conquérant, ce registre recense toutes les terres d'Angleterre en en précisant la taille, la valeur, le propriétaire, etc. (*N.d.T.*)

teries et des tuileries cohabitaient. De nombreuses sources naturelles continuent à donner de l'eau — même pendant la sécheresse légendaire de 1921.

Après l'agitation de la Guerre civile, dont quelques actions d'importance se déroulèrent au village, Nether Hinton s'installa dans son existence tranquille et se succédèrent à différentes époques une fabrique de soieries, une cressonnière, une forge, un séchoir à houblon, une brasserie, une épicerie, une fabrique de paniers — sans compter deux piloris opérationnels.

A part Hinton Dysart, Nether Hinton s'enorgueillissait de plusieurs grandes maisons menées dans la tradition, dont l'une était, affirmait-on, hantée par un chevalier assassiné par son serviteur. On prétendait entendre parfois les roues de sa voiture attelée dans l'allée.

Hinton Dysart était situé à l'ouest du village, dans Well Road. La route serpentait entre les champs qui, l'été, s'étalaient gaiement tels des mouchoirs de coquelicots, d'oreilles de lièvre, de moutarde des champs et de camomille puante. Elle était encore pavée par endroits, si bien qu'à l'occasion des voitures y soulevaient des nuages de poussière. Elle menait directement au Borough dans le centre du village, et ressortait, via Pankridge Street, en direction de Turnpike Road qui, à l'instar de nombreux péages, était doublée par un chemin tracé par les resquilleurs.

A l'époque des labours, les freux s'élevaient au-dessus des équipes de laboureurs, balayés par le vent qui tournoyait jusqu'au sommet des crêtes, et la nuit tombait sur les chevaux qui rentraient à pas lents à l'écurie dans un bruit de chaînes et de harnais. Pendant les journées d'hiver crépusculaire, le sol résonnait au bruit des sabots, au crissement de l'épandeur de fange, aux cris des journaliers récoltant les choux « JANUARY KING ». Des rangées de betteraves à sucre et de pommes de terre sous de la paille luisaient sous le givre. En été, des nuages de mouches volaient au-dessus des moissons ondulantes, des champs de blés moyettés et des prairies luxuriantes. Une odeur douceâtre de foin coupé parsemé de fleurs et de houblon en train de sécher chatouillait les narines. Des porcs fouillaient le sol de leur groin, des volailles creusaient l'herbe détrempée et les buissons de fruits. Les cours d'eau nourrissant les bancs de cresson ruisselaient, frais et clairs.

Par un jour de vent, comme cet après-midi de juin, on pouvait entendre le murmure du blé, le craquement des branches d'orme et de chêne au-dessus des champs de houblon et le croassement des corbeaux qui sonnait comme une boîte en fer-blanc rouillé. Et depuis Well Road, vaches et moutons tachetaient l'horizon comme sur les images bizarrement dessinées des livres d'heures enluminés du Moyen Âge. C'était le sud de l'Angleterre, tout simple, et satisfait de l'être.

Dans la boulangerie à l'extrémité supérieure du village (qu'on appelait « Chez Taylor d'en haut » par opposition au « Taylor d'en bas », situé à l'autre bout) il faisait trop chaud et la poussière de farine flottait en suspension. Les étagères étaient remplies de la fournée du matin, et Jacko chargeait la brouette en chêne avant sa tournée. Dans l'arrière-boutique, Mr. Taylor entourait la porte du four de bandes de pâte afin de préserver la chaleur pour la livraison de Cobourgs.

Mrs. Taylor toussait quand Ellen Sheppey poussa Simon Prosser à l'intérieur de la boulangerie. Les deux femmes échangèrent un regard au-dessus de la tête de Simon.

— Une tranche de votre gâteau de riz, s'il vous plaît, Mrs. Taylor, demanda Ellen.

» Il a encore faim, ajouta-t-elle avec ses lèvres au-dessus de la tête du garçon. Elle chercha son porte-monnaie dans son sac. Simon était à moitié aveugle. Il avait un pied bot — et une mère qui ne s'occupait guère de lui.

Mrs. Taylor cessa de tousser et prit sous le comptoir un moule rond dans lequel elle avait fait cuire le gâteau de riz qui avait empêché certains villageois de mourir de faim en des temps difficiles.

— Je vais t'en donner une part de plus pour emporter chez toi, Simon, dit-elle, ses poignets décharnés ruisselant de sueur. Mais prends bien garde de tout manger. N'en donne pas aux autres.

Simon prit le gâteau, repoussa le papier huilé, mordit à belles dents — et disparut. Retournée par la pitié qui lui donnait toujours le sentiment d'être inutile, Ellen le regarda s'éloigner dans la rue, brûlant d'envie de le prendre dans ses bras pour qu'il se fonde dans son corps généreux qui s'affaissait peu à peu.

— Ces mouflets s'en prenaient joliment à lui, dit-elle. Je les ai remis à leur place.

— Il y a des endroits où « merci » c'est de l'étranger, fit Mrs. Taylor en rangeant le gâteau. Il faut dire que je ne m'attends pas à autre chose.

Ellen rit et les deux femmes passèrent un bon quart d'heure à papoter : une revue détaillée du mariage Dysart et la prochaine session de confitures à la boulangerie. Ellen prit congé :

— A bientôt, alors. Au fait, donnez-moi un de vos puddings bien nourrissants pour mon homme.

Mrs. Taylor mit la main devant sa bouche et toussa, créant un nouveau nuage de poussière.

— Et soignez votre toux, ajouta Ellen.

Dirigée maintenant par son petit-fils, d'âge moyen et peu aimé, la brasserie de Mr. Barnard jouxtait la cour du maréchal-ferrant, dans une ancienne remise à grains dont une partie avait été réservée à la fabrication de boisson gazeuse au gingembre et de limonade. Les femmes, toutes vêtues de blouses et de bottines identiques, étaient déjà au travail — multiplicité de courbes annihilant toute prétention à l'uniformité. Elles parlaient tranquillement entre elles, élevant soudain la voix quand quelqu'un plaisantait. Les bouteilles propres et leurs bouchons de céramique s'empilaient à côté d'elles.

Perpétuellement dégoûtée, Ellen noua autour de sa tête un carré de calicot et serra bien fort : elle était écœurée en pensant à tout ce qui faisait référence aux ingrédients dans les cuves. Kat Harris choisit cet instant pour hurler de rire, ce qui fit jouer ses cheveux ondulés comme des copeaux de bois dans l'eau. Ellen fronça les sourcils et détourna les yeux.

Elle récura un faitout en terre rouge pour y préparer la grosse commande de boisson au gingembre en provenance de Farnham. Elle y mesura de la racine de gingembre, de la crème de lie de vin, de la levure et des essences, ajouta la quantité requise d'eau de source et couvrit le tout avec un des épais linges propres empilés sur le banc. Puis elle tourna son attention vers le contenu des récipients qu'elle avait préparé deux jours plus tôt. Le liquide effervescent bouillonnait, les bulles montaient à la surface pour éclater dans le silence qui était tombé dans la remise. Tandis qu'Ellen écumait, le regard vide de Simon Prosser la hantait, ravivant en elle des choses sombres qu'elle ne comprenait pas et tentait d'oublier.

— Eh, l'interpella son amie Madge Eager, je t'ai parlé d'Alf et de sa...

Les mains encombrées d'un faitout rempli, Ellen se retourna et se prit le pied dans la barre de fer qui fixait la table au mur. Elle perdit l'équilibre. Le liquide se répandit par terre dans un chuintement. Le récipient lui tomba des mains et elle s'écroula lourdement sur le genou.

— Eh..., répéta Madge.

Ellen s'affala au milieu du tissu trempé et poisseux. La douleur lui battait derrière la rotule et courait le long de sa jambe.

— C'est rien, fit-elle en se mordant les lèvres.

— Attends, dit Madge en jetant sa cuiller pour aider Ellen à s'asseoir sur le banc. Grande gourde, va.

— Mon genou.

Ellen s'adossa contre le mur, essuya les traces de chaux qui maculaient ses cheveux. Elle resta un moment sans pouvoir parler.

Madge releva prestement la blouse trempée et posa une main sur le genou d'Ellen qui enflait déjà. Lèvres serrées, Ellen s'efforçait de se calmer. Elle avait envie de fondre en larmes, de sangloter bruyamment. A sa douleur, se mêlaient de la crainte, de la pitié pour tous ceux qui étaient perdus et blessés, ainsi que le constat de son impuissance à régler certaines situations.

Madge essora un linge trempé dans l'eau fraîche et en entoura la jambe blessée.

— Je peux pas faire mieux, ma belle. Ça devrait empêcher que ça enfle trop.

Ellen sortit un mouchoir de sa poche et se moucha.

— Quelle maladroite ! J'avais la tête ailleurs.

— T'en fais pas.

Madge effleura le visage carré d'Ellen et, du gras du pouce, essuya l'humidité sous les yeux de son amie.

A la fin de l'après-midi, la douleur s'était atténuée, mais

Ellen avait du mal à plier le genou. Ellen se déplaçait prudemment et abattait moins d'ouvrage que de coutume.

— Mesdames, s'il vous plaît.

Elle était en train de nouer une compresse fraîche quand Mr. Barnard Junior entra et réclama l'attention de sa voix chevrotante. Il affichait comme toujours un air inquiet qui donnait l'impression que son affaire était un fardeau insoutenable. Peut-être était-ce le cas. La brasserie était une des principales sources d'emploi du village et sa production — boisson gazeuse au gingembre, limonade et un peu de cidre de cerise — était réputée dans la région. A vrai dire, Mr. Barnard se vantait d'être connu jusqu'à Winchester, mais Ellen n'en croyait pas un mot.

Avec les années, il avait mis au point des astuces pour compenser son manque d'autorité naturelle et grimpait sur une chaise pour s'adresser à ses ouvrières. Son col amidonné exigeait l'attention et il semblait lui-même rincé par la chaleur de juin. D'une main aux ongles rongés, il tira sur la chaîne en toc de sa montre gousset afin de vérifier l'heure — geste qui lui épargnait d'avoir à regarder son auditoire.

— Mesdames, s'il vous plaît, un peu de calme.

A ces mots, les visages se levèrent, ce qui lui donna la confiance requise. Il reprit :

— Les choses ne vont pas très bien, ces temps-ci, il est donc nécessaire de congédier temporairement... quelques-unes... d'entre vous.

Un lourd silence s'installa dans l'atelier et plusieurs esprits eurent vite fait de trouver mille raisons de ne pas être du lot. Barnard était malin : la survie passait avant l'esprit de corps.

— En la circonstance, il n'y a rien à faire.

Déconcerté par le silence pesant et hostile qui régnait, Barnard hésitait à conclure, honteux de sa piètre performance.

— C'est ce que disait le type qui n'arrivait pas à bander, murmura Madge à Ellen.

Ellen ne réussit pas à sourire.

— C'est l'époque qui veut ça, poursuivit Barnard. Les choses vont mal.

C'était vrai. La semaine dernière, le Dr Lofts était rentré en rapportant la nouvelle qu'une fabrique de couvertures de

Winchester avait licencié quarante hommes, et Bob Prosser était revenu de chez son frère à Southampton en racontant que ça allait de mal en pis sur les docks. Il n'y avait pas à discuter les faits. Restait seulement à espérer qu'avec le retour de Ramsay MacDonald au gouvernement, il ferait comme il avait dit et réduirait le chômage.

— Pour l'instant, il me suffit que quatre d'entre vous s'en aillent, précisa Barnard en se balançant d'un pied sur l'autre. Je vais en choisir quatre dont les maris travaillent encore; vous ne pourrez pas dire que je suis injuste.

Le plus drôle, pensa Ellen, c'est que Barnard suggérait qu'il agissait en toute équité. Il fallait lui reconnaître ça. Mais ce qui n'était pas drôle — ha-ha — c'était qu'elle se trouvait dans le champ de mire. Juste à côté, Madge fixait obstinément le sol des yeux, refusant de regarder son amie. Son bougre d'Alf avait été gazé dans la Somme et n'avait pas accompli une journée de travail depuis qu'on l'avait ramené à la maison, sifflant et faisant des bulles. Ellen serra ses mains dans ses poches.

Elle plia le genou : sa rotule semblait mal posée dessus.

— Je dégage, dit-elle d'une voix calme.

Madge répondit sans lever les yeux :

— Ça pourrait être pire, ma belle.

Quand on lui eut remis sa paye, Ellen rentra chez elle, péniblement. Elle devait s'arrêter souvent pour souffler. On lui avait bel et bien donné son compte. Barnard lui avait même fourré dix shillings de plus dans la main qu'elle avait mis deux secondes à accepter sous le prétexte que si Barnard voulait s'acheter une conscience elle n'allait pas chipoter. Elle s'arrêta devant Pilgrim's Cottage pour jeter un coup d'œil à son genou et ce qu'elle vit l'affola un peu. La peau était toute gonflée et entourée de violet comme une tarte aux quetsches. Après tout, songea-t-elle, qui s'occupe de ses genoux à cinquante-quatre ans ? Elle lâcha le bas de sa robe.

Elle fit une nouvelle pause au bout de Croft Lane et regarda en haut de la crête, là où on disait qu'il y avait une villa romaine. Le ciel était strié d'azur et de crème et Hinton Dysart scintillait au soleil.

Juin était un mois curieux : plein de repères et de signes. Sa mère était morte en juin — elle avait juste cessé de lutter, avait toujours considéré Ellen, épuisée de rude labeur.

C'était avant la Grande Guerre. Ned et elle s'étaient mariés en juin et Betty avait été amenée dans le monde à force de cajoleries le 30, juste avant minuit. Dix-sept ans plus tard, jour pour jour, Betty était partie épouser Sam Ellis, épicier à Winchester. Elle laissa un grand vide derrière elle, un vide inconfortable auquel ils ne faisaient pas trop allusion.

Clifton Cottage était l'unique habitation dans le champ au sud de Hinton Dysart. Derrière la maison, en haut de la crête, s'étendait le Harroway où elle et Ned s'étaient souvent promenés alors qu'il essayait de décider s'il allait l'épouser ou non, la toucher ou non.

C'était un homme prudent, que son mari.

L'élan ayant mis la prudence en déroute, Ned avait fini par attirer Ellen à lui. Elle avait pressé son visage contre sa chemise qui sentait la terre et les fraises. Alors elle lui avait permis d'embrasser sa main, puis sa bouche.

Ellen était dans l'appentis en train de passer la lessive dans l'essoreuse quand elle entendit Ned dans l'allée du jardin. Ravie de cette interruption, elle empila le linge dans la corbeille et traversa la cuisine.

— Ellen, dit Ned en s'installant près de la cheminée pour dénouer ses lacets. Où es-tu, ma fille ? J'ai faim.

Une bottine tomba par terre, il l'envoya du pied dans la niche près du fourneau. Dans l'encadrement de la porte, Ellen l'observait.

— Tu ressembles de plus en plus à ton père, lança-t-elle un peu sèchement. Tu es pire, même.

Ned offrit à sa femme un de ses regards lents et profonds :

— Et toi, tu es une femme redoutable.

— Veux-tu que je t'allume le chauffe-eau pour prendre un bain ?

— Pas la peine.

C'est alors qu'il remarqua qu'Ellen boitait.

— Mais qu'est-ce que t'as fabriqué, ma parole ?

Sa réponse étouffée par le claquement de la porte du four, Ellen expliqua en servant le repas :

— Je n'ai pas fait attention.

Et, comme souvent quand on repense à une blessure, elle eut envie de pleurer. Au lieu de quoi elle tartina de la sauce sur une tranche de pain.

— Pas de chance.

Ned mordit dans la tourte et sauça avec un morceau de pain. Ne souhaitant pas lui gâcher son dîner, elle attendit qu'il eût fini de manger pour lui annoncer la nouvelle. Il la prit bien, sa seule réaction consistant à bourrer sa pipe avec plus de vigueur que d'ordinaire. Elle versa du thé dans deux chopes d'une théière brune où était inscrit « Littlehampton-on-Sea ». Puis elle en poussa une devant lui.

Les doigts de Ned, épaissis par le labeur et un début d'arthrose, s'enroulèrent autour de la chope d'où la vapeur s'échappait.

— Ne t'en fais pas. On va se débrouiller.

Ellen comprit à cet instant que Ned n'avait jamais approuvé de la voir travailler. C'était une découverte surprenante — un de ces petits repères significatifs qui marquaient sa vie d'épouse et demandaient réflexion. Ellen s'installa dans son fauteuil et tira à elle son panier à ouvrage. Elle attendit de voir si Ned allait faire d'autres commentaires à propos de l'argent.

— J'ai attaché les framboisiers.

— Alors tu dois être content.

— Pas autant que si j'avais de l'aide.

— Tu dis toujours ça.

Ellen ôta la barrette qui retenait ses cheveux, la replaça correctement et plissa les yeux pour tenter d'enfiler son aiguille.

— En tout cas ils t'ont, toi.

Ned souffla un grand nuage de fumée et observa le pommier Rhymer à travers la fenêtre.

— C'est vraiment navrant, dit-il avec un petit air signifiant qu'il n'y pouvait rien, ce qui eut le don d'agacer Ellen.

Elle avait souvent entendu ça et eut un petit sourire acerbe tout en tirant sur son aiguille. L'argent, ou plus exactement le fait d'en manquer, unissait en une étrange ressemblance son ménage, si économe du moindre sou, et les Dysart, qui n'avaient pas les moyens de repeindre leur maison ni d'employer suffisamment de jardiniers.

— Tu as dû avoir chaud, remarqua-t-elle. Je t'ai rapporté de la limonade pour demain.

Plus tard, avant d'aller se coucher, ils firent le tour de leur jardin, qui n'était pas très grand, mais extrêmement productif. Le désordre de Ned énervait parfois Ellen — elle rêvait de rangées impeccables de chrysanthèmes ou de bégonias — mais son mari tenait à le laisser ainsi, joyeux mélange de fleurs et de légumes qui le ragaillardissait.

Tandis qu'ils allaient de plante en plante, le crépuscule s'alourdissait sur les champs. De temps à autre, elle coupait une plantation particulièrement exubérante. Ellen lui montra un iris blanc en forme de papillon, il se pencha pour l'examiner. Les difficultés de la journée s'estompaient, et elle se sentait en paix.

Ned prit Ellen par le bras. Comme son genou lui faisait mal, elle s'appuya sur son mari. S'ils voulaient se confier l'un à l'autre, c'était sans doute le moment.

— Ne t'inquiète pas, ma grande. Nous demanderons à la maison s'ils ont du travail. Tu as fait de ton mieux.

Il lui pressa le bras. Ellen savait qu'elle venait d'obtenir tout le réconfort auquel elle pouvait aspirer. Elle n'avait pas besoin de plus.

— Tu sais, Ned, ce vieux bouc m'a achetée avec dix shillings...

Le Dr Robin Lofts n'était pas grand, loin de là, mais il l'était encore trop pour se tenir debout dans maints cottages où il faisait ses visites à toute heure du jour ou de la nuit. Les patients qui avaient accepté le nouveau médecin le taquinaient à ce sujet.

— Ça fait partie du métier d'avoir mal au cou, docteur.

— Comme d'avoir mal aux dents à force de sourire, hein ?

Rolly Harris, depuis six mois le beau-frère de Robin, avait la plaisanterie un peu lourde. Mais comme, Dieu sait pourquoi, il semblait faire rayonner sa sœur Ada jusqu'à l'aveuglement, Robin lui pardonnait.

L'atelier de forge de Rolly était situé dans le Borough entre Taylor d'en-haut et les boutiques. Bien battue, bien fréquentée, jonchée de morceaux de harnais, de cuir balafré et de vieux fers à cheval, la cour de Rolly était, comme toujours, pleine de gens venus bavarder. L'école finissait juste et quelques gamins passaient le temps avant le thé.

Travaillant sur un cheval d'attelage, Rolly se redressa et cria à un apprenti d'Eastbridge House qui menait une alezane pour sa première ferrure :

— Emmène-la et attache-la au poteau.

Perdue, désorientée, les flancs secoués d'énervement, le souffle court, la jument secoua la queue et hennit furieusement.

— Passe-moi la lime, demanda Rolly à Robin qui s'exécuta.

Rolly jeta le vieux fer sur le tas de ferraille et para le sabot exposé. Des miettes de corne allèrent rebondir sur le tablier de cuir troué de Rolly.

— Donne-moi un coup de main, demanda-t-il en mesurant le sabot pour le nouveau fer. La jument n'a encore jamais été ferrée et il va falloir l'amadouer.

Robin était fatigué, mais Rolly sollicitait rarement un service, alors qu'il en rendait beaucoup. En ce moment même, le temps de s'organiser — maison et consultation — Robin vivait gratuitement chez Rolly qui accueillait déjà deux frères et une sœur.

— D'accord, dit Robin, se débarrassant de sa veste et retroussant ses manches.

Rolly ôta les pinces de la forge, donna un coup de marteau sur le fer rouge qu'il plongea dans le réservoir d'eau. Puis il l'ajusta. Une odeur de corne brûlée s'ajouta à celle de cheval, de caoutchouc pourrissant et de poussière.

— Tu pourras enduire les sabots quand j'aurai fini.

Robin fit ce qu'on lui demandait. Le cheval tremblait de chaleur, les mouches tournoyaient furieusement, la sueur coulait, luisait sur ses mains, et le sabot disparut sous une couche noire.

— Voilà, murmura-t-il. Beau comme un sou neuf.

Rolly traversa la cour.

— J'ai entendu dire que Jack Batts est finalement allé à l'hôpital, lança-t-il en inspectant l'œuvre de Robin.

— Oui. C'est une bonne nouvelle, mais les Huggins ne m'ont pas laissé entrer chez eux. Ils ont dit qu'ils voulaient que l'ancien docteur revienne et qu'un étranger n'avait pas à fourrer son nez dans leurs affaires.

— Ouais, je vois.

Rolly lâcha le sabot et Robin ajouta :

— Je ne le prendrais pas si mal si c'était vrai. Quand j'ai fait remarquer à grand-mère Huggins que j'étais là depuis six mois et que ma sœur t'avait épousé, elle a rétorqué qu'elle se fichait de qui épousait qui mais qu'il n'était pas question que des gredins d'étrangers aillent fureter du côté de sa poitrine.

Rolly éclata de rire.

— Méfie-toi de cette Vera Huggins. Elle est idiote et malveillante.

Rolly fit le tour du cheval dont il caressa le nez noir.

— C'est bientôt fini, mon gars, fit-il avec douceur.

Il attendit que le cheval se tînt parfaitement immobile, le prit par la bride et, tout en l'apaisant de la voix, le conduisit délicatement entre les bras du cabriolet.

Aucun des deux hommes ne remarqua Flora Dysart descendant de cheval près de la grille. Non que Flora l'eût souhaité, d'ailleurs : elle n'avait rien de particulier à faire et trouvait agréable de rester là à observer la scène. Elle tira sur ses gants qu'elle fourra dans ses poches et passa les rênes de Guenièvre par-dessus sa tête.

Johnny Daniel et Sammy Prosser se tenaient près de la grille. Sammy s'empressa d'ôter sa casquette :

— Puis-je la conduire ?

Elle sourit devant tant d'empressement et lui tendit les rênes.

— Dis-moi, Sammy, comment va Simon ? Voilà longtemps que je ne l'ai vu.

— Il va bien, répondit Sammy qui s'affairait avec Guenièvre, entendant bien montrer son habileté à Johnny.

Amusée, Flora suivit sa jument dans la cour où l'on ajustait la dernière boucle au harnais de l'attelage.

— Miss Flora, vous avez un problème ? s'enquit Rolly, manifestement enchanté, en s'essuyant les mains sur son tablier.

— Guenièvre a perdu un ou deux clous au camp de César. Avez-vous le temps de vous en occuper, Rolly ? Cela va-t-il être long ? Non que cela importe, naturellement.

Flora avait tendance à laisser ses phrases se bousculer si bien qu'elles s'emmêlaient souvent.

— Je ne veux pas lanterner Ada. Je veux dire que je ne doute pas que votre dîner soit prêt et beaucoup de gens attendent à ce que je vois.

— Pour vous, miss Flora...

Rolly jeta un rapide coup d'œil à la forge, encore pleine

de vie, et hocha la tête. Flora passa un doigt sur le nez de sa jument, flattant et caressant sa monture; Robin nota qu'elle savait exactement où poser une main rassurante. Ainsi, c'était une Dysart. Debout près des brancards du cabriolet, il s'autorisa un examen approfondi et vit une fille avec une natte dans le dos, grande et bien bâtie portant des jodhpurs et une chemise de lin à manches courtes. Elle semblait ouverte, charmante et inoffensive.

— Amène-toi, Sammy, ordonna Rolly.

A contrecœur, le garçon lui remit Guenièvre, coiffa sa casquette visière dans le dos puis retourna à son poste, près de la grille, où il demeura, l'air important.

— Eh, les garçons, ce ne serait pas l'heure du thé, par hasard? Ne faites donc pas attendre vos mères.

Les deux gamins s'éloignèrent, leurs souliers à clous claquant sur le sol. Flora s'appuya contre une pile de roues. Une mouche bourdonnait calmement au-dessus de sa tête, les hommes devisaient tranquillement, Guenièvre regardait en l'air tandis que Rolly arrimait sa postérieure. Et il y avait l'odeur de cheval, chaude et apaisante. Heureuse, Flora ferma les yeux et appuya la tête contre un support en bois. Puis elle les rouvrit et plissa les yeux à travers le soleil.

— Vous devez être le frère d'Ada, dit-elle à Robin. Le nouveau médecin.

— C'est exact, dit-il en grasseyant encore un peu les R comme dans le Hampshire.

— Vous êtes de Alton et...

Flora s'interrompit brusquement. Elle s'apprêtait à ajouter « et vous habitez chez Rolly en attendant que votre maison soit en état, ce qui, compte tenu du fait que vous venez de vous installer, doit vous coûter une fortune », mais elle s'aperçut que ce serait grossier.

Robin comprit son hésitation. Il constatait avec amusement que son statut social était analysé minutieusement par la famille. Il avait conscience de représenter un problème pour les experts en la matière — pas tout à fait villageois, mais pas non plus de la haute société. Il savait pertinemment qu'un événement aussi considérable que son arrivée avait alimenté la chronique pendant des semaines dans chaque pub et à chaque porte. Mais il ne s'était pas attendu à ce qu'on en discutât avec autant de détails.

— Je ne suis pas véritablement un étranger, miss Dysart. Mes parents vivaient du côté de Clare Park ; ils ne se sont installés à Alton qu'avant la guerre.

— Mais vous avez fait vos études à Londres. Il vous faut comprendre que vous êtes désormais marqué comme si vous veniez de Sodome et Gomorrhe.

— Je saisis parfaitement, dit Robin en fourrant dans ses poches ses mains tachées de peinture. N'est-ce pas un bon point pour moi que ma sœur ait épousé le maréchal-ferrant ?

— Naturellement.

— Alors je devrais entreprendre sans tarder d'épouser une fille du cru.

Flora le dévisagea. Robin était mince, presque délicat, d'une taille légèrement en dessous de la moyenne. Il avait une peau claire constellée de taches de rousseur qui, lorsqu'il était épuisé, tournait au gris. C'était le cas aujourd'hui. Il semblait plus âgé qu'elle ne s'y attendait : le résultat de trop d'années passées à étudier sans relâche, sans éclairage décent et sans se nourrir correctement. Ce mélange de jeunesse et de maturité le rendait extrêmement séduisant — surtout avec cette grosse tache de peinture sous l'œil droit.

— Epouser une fille du coin ? répéta Flora qui contemplait sa cravache et oublia, une fois de plus, de faire attention à ce qu'elle disait. Si vous voulez. Cela prouverait que vous êtes là sérieusement.

Il leva un sourcil comme pour dire, Et pourquoi pas ?

Flora sut instantanément qu'en suggérant qu'il jouait à être médecin, elle avait mis les pieds dans le plat.

— Maidy a un problème ? s'enquit-elle après une seconde de silence embarrassé.

Elle désignait la porte arrière où la plus jeune sœur de Rolly se tenait, en pleurs.

— Elle sort de l'école pratique et elle va être placée à Farnham.

— Je comprends. Pauvre Maidy. Elle ne veut pas quitter la maison.

— Non, miss Dysart, effectivement.

Robin et Flora se regardèrent. Ils n'étaient pas du même monde. Flora se sentit mal à l'aise.

— Maidy a demandé à Mrs. Dawes s'il y avait du travail à la maison ?

Robin n'eut aucune pitié et pas plus envie de la ménager :

— On gagne mieux sa vie à Farnham.

La sueur apparut sur les lèvres de Flora. Elle sortit ses gants jaunes en crochet et tenta de les enfiler, mais, sous le regard de Robin, elle eut bien du mal. Il détourna les yeux. Elle était grande, jeune, arrogante sans le savoir et vulnérable, mais sa chair avait la douceur du beurre frais, perlé d'humidité estivale qui accélérait curieusement les réactions de Robin.

— Rolly va aller chercher votre jument.

Il ne fit aucun effort pour aider Flora à monter sur le dos de Guenièvre, mais une fois dessus, elle se sentit en terrain plus ferme. La jument hennit affectueusement et fit danser sa queue. Flora saisit les rênes.

— Je ne voulais pas vous offenser, docteur. L'ai-je fait ?

Il avait conscience qu'il n'aurait dû attacher aucune importance au fait que Flora fût à cheval et pas lui, c'eût d'ailleurs été le cas normalement. Il haussa les épaules et recula :

— Non, bien sûr que non.

Flora fit effectuer une volte à sa monture.

— Au revoir, Rolly. Bonne chance, Maidy, à bientôt.

— Je ne pense pas, miss Dysart, avait-il lancé, coupant court aux adieux. Maidy n'aura sa journée que pour Noël.

Robin ne sut jamais pourquoi il avait prononcé ces mots, car il n'avait jamais admiré les gens qui insistaient lourdement.

A mi-chemin de Well Road, la charrette d'os qui se dirigeait vers la fabrique de colle et de bourre de laine dépassa Flora. Pendant quelques instants, le charretier et elle furent au même niveau. La carriole rebondissait, répandant sur la route des asticots tombés des os.

L'odeur donna la nausée à Flora qui donna des jambes pour mettre sa jument au trot.

HARRY

J'ai oublié de préciser une chose : les lys sont gourmands. Demandez à n'importe quel jardinier. Il leur pousse des racines qui, tels de faux bourdons enfouis, sucent les bienfaits de la terre au profit des fleurs. Trompettes évasées scintillant au soleil, elles attendent d'être violées par les abeilles.

Naturellement, les lys ont leurs ennemis. J'ai observé pendant des années ma mère se battre contre les limaces. Au bout du compte, elle décida que la seule solution était de mettre du gros sable autour du bulbe au moment de la plantation. J'ai souvent pensé à ces mollusques mortellement blessés rampant avant de mourir de mille coupures.

Ma mère n'a jamais aimé les lys, mais mon père, si. C'est drôle, non ?

— La reine des fleurs, chérie, disait-il.

Pour lui faire plaisir, ma mère en a planté dans tout le jardin, alors devenu célèbre. Ils y sont toujours. Le joli lys de la Madone, *Lilium candidum*, le lys royal, *Lilium regale*, l'« Achille » ainsi que l'exotique et savant « Magie Noire ».

Non, ma mère préférait les roses. Elle les comprenait, elle les aimait, avec leurs maladies et leurs parasites.

« La cercope a remis cela », disait-elle, l'air enjoué, ou les pucerons ou le cladie. Je crois qu'elle aimait la convivialité de la rose : sa façon de compléter naturellement les autres plantes. Elle admirait sa fertilité — sa fertilité généreuse, remontante, aux bourgeons bien gros, et sa propagation aisée.

Ni elle ni mon père n'apprécieraient l'autoroute qui

passe désormais près d'Odiham, ni les lotissements de maisons en brique qui enlaidissent le village, ni la lueur des néons, le soir, sur Farnham, ni la forêt d'antennes de télévision qui remplace le bruissement des hêtres.

Peu importe. Rien ne peut, ni ne devrait, demeurer immobile. Pas même les familles. Elles changent, se brisent, se resserrent, s'éparpillent — ou arrivent à une issue fatale.

Comme la nôtre.

Quand on choisit de jardiner, ou plus exactement, quand le jardinage s'impose à vous, en fait, il n'y a que les fleurs qui comptent. Je taquinais souvent maman à ce propos et lui disais qu'elle n'avait jamais dépassé les hors-d'œuvre. Plus tard, l'architecture du jardin prend de l'importance : le squelette qui soutient la chair, si vous préférez — le contraste dans le feuillage et la structure, la forme d'une feuille par rapport à une autre. Pensez à la forme bouillonnante d'un hosta ou à l'*Alchemilla mollis* (manteau de Notre-Dame) dont les fleurs d'un jaune acide et les feuilles dentelées écument le long d'une bordure. Pensez à l'allium avec sa tête sphérique de fleurs violettes en forme d'étoile (qui, comme nous, se raidissent et se dessèchent dans la mort). Ou à la cardamome qui, comme Falstaff, se fraie un chemin dans la vie en tanguant et en tempêtant. Mettez ces caractéristiques perpétuelles en contraste avec les couleurs acryliques des dahlias modernes ou le côté évanescent d'une plante annuelle. Voyez-vous ce que je veux dire quand je parle de progression ?

Pour le novice en matière de jardinage, les premières étapes sont les plus difficiles. Il y a beaucoup à apprendre, a écrit miss Gertrude Jekyll, grand jardinier s'il en fut. Mais contrairement aux leçons d'amour ou de haine, ou même d'argent, elles sont agréables, si agréables ; de plus, on ne se fait jamais mal en quittant le droit chemin, on apprend, c'est tout. Le débutant, affirmait miss Jekyll, devrait être déconcerté et perplexe tout à la fois, car cela fait partie d'une voie pré-tracée ; le chemin de la perfection. Chaque pas est plus léger, moins gêné par la boue jusqu'à ce que, petit à petit, le postulant devienne novice, et le novice profès. Vous aviez tellement raison, Miss Jekyll. Un jardin est un fabuleux abécédaire. « Il enseigne la patience et le soin attentif : il enseigne l'application et l'économie. Et surtout, il nous enseigne la confiance totale. »

4

Polly avait légué à sa cadette réticente un certain nombre de tâches confiées à la fille de la maison. Aussi, quand le téléphone sonna huit jours après le mariage, Flora était-elle dans l'entrée en train de se battre avec un arrangement floral pour le moins douteux. Comme Ellen, perchée en haut d'un escabeau, agitait un plumeau, Flora lâcha les deux branches de pois de senteur sur le tas de fleurs coupées et décrocha l'appareil.

— Hinton Dysart.

— Allô? Allô? Oh, vous êtes là. Ici Susan Chudleigh. J'aimerais parler à miss Dysart, je vous prie.

— C'est elle-même.

Réprimant un soupir, Flora tira une chaise à elle à l'aide de sa jambe et s'assit. Elle comptait se rendre à Roke Farm à cheval pour voir comment se portait leur poulain, Myfanwy, passer par Wheeler's Dell et Itchel Manor, avec pour finir une visite à Danny. Mais elle avait le sentiment que Mrs. Chudleigh allait lui mettre des bâtons dans les roues.

— Ravie de vous entendre, miss Dysart, et merci encore d'avoir convié de parfaits étrangers comme nous au mariage de votre sœur.

Susan Chudleigh ne se répandait pas exactement en compliments — elle était trop intelligente pour cela — mais on n'en était pas loin.

— Appelez-moi Flora, Mrs. Chudleigh, je vous en prie.

Flora fit danser les ciseaux au-dessus de son genou et en appuya délicatement les pointes sur la chair généreuse de ses cuisses, se disant qu'elle aimerait bien pouvoir tailler dedans.

— Soit, Flora. Je ne vous retiendrai pas longtemps mais j'ai une petite proposition à vous faire.

Flora leva les yeux au plafond qui avait grand besoin d'un coup de peinture : les « petites propositions » avaient bien souvent le don de prendre la journée.

— Mr. Chudleigh et moi avons décidé d'être audacieux cette année ; nous avons loué une villa près d'Antibes pour août et septembre. Nous nous demandions si votre frère et vous-même aimeriez vous joindre à nous ? Vous y seriez les bienvenus.

Kit serait le bienvenu, voulez-vous dire, songea Flora.

— Ce sera sans cérémonie. Rien d'élégant, ajouta Mrs. Chudleigh.

Flora, qui se constituait un petit dictionnaire mental des euphémismes dans les relations sociales, en conclut immédiatement que « rien d'élégant » signifiait exactement l'opposé : les shorts fatigués et les vêtements repris en crêpe georgette seraient exclus.

— Quelle idée épatante (Susan Chudleigh était le genre de personne qui vous faisait employer ce genre de mots), Mrs. Chudleigh. Nul doute que Kit et moi serions ravis de venir.

— Naturellement, ce n'est pas Biarritz, mais bien des gens préfèrent ce coin-là. Nous tomberons sûrement sur des amis à nous.

Flora ignorait que cette phrase devait en fait se lire ainsi : puisque Matty a proposé de tout payer, Ambrose Chudleigh avait insisté pour des vacances aussi bon marché que possible, d'où l'élimination de Biarritz.

Flora jeta un coup d'œil à la pendule et les ciseaux disparurent à côté de la chaise.

— Quelle charmante attention que de penser à nous !

— Eh bien, je ne crains pas de vous dire que Marcus... et Daisy sont tombés sous votre charme à tous les deux. Nous en avons discuté et cela nous a paru une excellente façon de mieux vous connaître. D'autant que vous serez beaucoup trop occupée l'an prochain avec la Saison.

Elle prétendait être dans le secret des plans de l'entrée dans le monde de Flora, ce qui fit ciller cette dernière. Mrs. Chudleigh enchaîna d'une voix acidulée :

— Puis-je en conclure que vous acceptez, Flora ?

Flora ouvrit les lèvres avec effort :

— Mrs. Chudleigh, c'est une invitation tout à fait délicieuse et je sais que mon frère et moi brûlons d'accepter, mais je dois d'abord en parler à mon père. Puis-je me permettre de vous rappeler ?

» Doux Jésus ! s'exclama-t-elle en reposant le combiné sur la table avant de s'éloigner sous le regard interloqué d'Ellen.

Kit et son père étaient enfermés dans l'« Echiquier ». Les bottes d'équitation de Flora résonnèrent sur les dalles tandis qu'elle dévalait en courant le couloir de la cuisine (blanc à l'origine, aujourd'hui d'un crème miteux) devant le débarras des affaires de dehors — imperméables, manteaux aux doublures effilochées, vestes de cheval déchirées et collection de chapeaux non réclamés — puis devant l'armurerie avec ses râteliers presque vides.

On avait baptisé cette pièce l'Echiquier parce qu'elle recelait les actes, les lettres, la Bible familiale, un arbre généalogique encadré aux inscriptions en écriture gothique, ainsi que l'accumulation moins romantique des factures et autres documents d'affaires. Noyé dans un nuage de fumée de pipe, Rupert regardait par la fenêtre, debout. Et à voir ses épaules, il était clair que les choses allaient mal. C'était la réunion comptable mensuelle que tous craignaient — et comme Rupert n'avait aucun don pour la finance et se montrait incapable de laisser Kit, doué pour ça, prendre les décisions, le résultat était prévisible : Rupert devenait sarcastique et Kit abandonnait la partie.

Kit se demandait souvent si son père agissait ainsi uniquement pour enquiquiner le monde ou s'il détestait ses enfants au point de leur refuser systématiquement toute autonomie. S'il lui avait posé la question, Rupert aurait sans doute répondu à son fils que rien ne provoquait davantage le désir d'emmerder le monde chez les gens d'âge mûr que la vivacité et l'intelligence de la jeunesse et que Kit n'avait qu'à attendre son tour.

— Puis-je vous interrompre ? risqua Flora, le souffle court.

— Si c'est indispensable, Flora.

Rupert admit à contrecœur la présence de sa fille. Si seulement l'argent n'existait pas, se dit Flora pour la énième fois.

— Est-ce urgent ? demanda Rupert en se replongeant dans la contemplation de la cour de la cuisine.

Sous certains angles, le visage de sa fille réveillait chez Rupert des souvenirs de chagrin et de culpabilité, aussi évitait-il de la regarder.

— Kit. Papa. Mrs. Chudleigh nous invite à passer l'été avec eux à Antibes. Qu'en pensez-vous ?

Kit s'adossa au fauteuil, l'air un tantinet triomphant :

— Je pensais bien qu'elle le ferait.

— Kit !

Il fit rouler son crayon sur une facture :

— Il ne faut pas longtemps pour comprendre comment fonctionne Mrs. Chudleigh.

— Horrible mégère, tout juste bonne à être stérilisée, commenta son père sans bouger de la fenêtre.

Rupert pouvait se montrer étonnamment cru.

— Je suppose que vous voulez y aller ?

Kit ne laissa rien voir. Il était aux aguets.

— Si vous ne voulez pas qu'on y aille, père, s'empressa de répondre Flora, nous n'irons pas.

— Mais j'ai envie d'y aller, moi.

« La ferme ! » fit-il en silence à sa sœur. Puis il s'adressa à son père qui, selon une tactique éprouvée que Flora et lui connaissaient bien, leur montrait un dos de marbre.

— Père, dit Kit, pourquoi n'iriez-vous pas faire un saut à Ardtornish pour chasser à l'approche ? Un peu de changement vous ferait du bien.

C'est alors que Flora comprit l'importance de l'enjeu pour son frère. Troublée, légèrement inquiète, elle consulta sa montre :

— Je dois y aller. Une foule de choses m'attend.

— Vous êtes invité quand vous voulez, père, insista Kit. Vous me l'avez dit vous-même.

Kit avait visé juste : l'idée des Highlands, humides, tourbeuses, des manteaux de pluie qui vous enveloppent, des fougères et des mousses détrempées, de l'eau couleur de rouille, presque de sang, de la péninsule de Morven, tout cela dévia l'attention de Rupert :

— Pourquoi pas, après tout ? Je pourrais emmener Danny.

Flora et lui avaient gagné, mais il était prudent de ne pas

s'attarder sur le sujet. Kit attira le livre de comptes et revint à leur précédente conversation :

— Allons-nous vendre la prairie de Lady, alors, père ?

— Non, lança Rupert dont les yeux d'un bleu plus clair que ceux de son fils retrouvèrent leur expression belliqueuse. On ne doit jamais vendre ses terres. Il faut s'y accrocher même si le bateau coule. Comprenez-vous ?

Rupert s'apprêtait à enfourcher son cheval de bataille, et pour le devancer, Flora intervint :

— Si nous manquons d'argent, pourquoi ne pas demander au cousin Andrew, à Boston, de nous aider ? Tout le monde sait qu'il roule sur l'or.

A peine eut-elle achevé que Flora eut conscience de sa stupidité. Andrew était un cousin issu de germain de feu leur mère. Il était riche, condescendant et aussi peu enclin à faire la charité que Rupert à l'accepter.

— Je ne crois pas que ce soit une bonne idée, objecta Kit en foudroyant sa sœur d'un regard qui disait « Mais pourquoi défaire mon beau travail ? »

— Non, reconnut Flora.

Rupert pivota sur lui-même et ôta sa pipe de sa bouche. Flora sentit son estomac se nouer à la perspective d'une confrontation. Mais Rupert se contenta d'un :

— Il suffit, Flora. Vous parlez à tort et à travers, comme toujours.

— Excusez-moi, bredouilla-t-elle en regardant à nouveau sa montre sans la voir. Je n'ai pas réfléchi. Je veux dire, c'est juste que cousin Andrew...

— Cousin Andrew n'a rien à voir avec nous, coupa son père.

Flora perçut au timbre de sa voix qu'il parlait d'une chose sans importance, ce qui accrut le désespoir de la jeune fille. Elle chercha de l'aide auprès de Kit, mais il tourna la tête en direction de la porte. Le message était clair : Laisse-le-moi.

— Filez, dit Rupert. Nous sommes occupés.

Rien n'était jamais exprimé, mais le tissu d'incompréhension, d'habitudes ancrées dans l'immuable, de répression, de peines muettes, tout cela pesait. La natte en bataille, les poings serrés dans les poches de son cardigan, Flora se balançait d'un pied sur l'autre. Trop jeune à dix-huit ans, manquant encore d'expérience et de connaissances pour dénouer les fils qui ligotaient sa famille, elle s'agrippa au seul fétu de paille disponible :

— En tout cas, la France va être très agréable, fit-elle gaiement.

A Eton, Kit passait pour un solitaire, mais pas dans le sens où il n'avait pas d'amis. Joueur de cricket, le coup de poing facile, lauréat d'un prix de dissertation anglaise, de l'esprit dans le style sec et subversif, il attirait l'attention des autres élèves. Mais avec lui, on ne savait jamais à quoi s'attendre. Il était parfois si froid et si distant qu'on ne lui tirait pas trois mots. Il lui arrivait aussi, à des moments cruciaux, d'hésiter, abattu par une crise intérieure, et si ce manque d'enthousiasme ne le desservait pas auprès de ses camarades, il mettait en rage ses professeurs qui attendaient mieux d'un garçon si prometteur.

Il quitta Eton, imperméable à l'attitude satisfaite de ses amis — dont certains étaient brillants — qui considéraient Eton puis Oxbridge comme la récompense dorée de la vie. Kit était ravi de cette répugnance instinctive. Ses yeux portaient devant, pas derrière. Il ne regardait jamais en arrière. Jamais.

Cependant, les chimères revêtent bien des formes, et celle de Kit lui rendit visite au cours de l'été 1926. Lors de chevauchées avec Max Longborough de Constantinople au Yémen, les deux hommes avaient traversé des plaines envahies par la fièvre et des défilés montagneux. Ils avaient côtoyé la pauvreté et la famine et découvert des lieux où les fleurs poussaient dans les orbites des crânes abandonnés au bord de la route. Il était tombé amoureux du Moyen-Orient et, plus encore, du désert. Max et lui avaient connu la faim, la soif qui dessèche les lèvres et le sable aveuglant, mais la dureté du désert et ses exigences s'étaient infiltrées dans le sang de Kit et y coulaient en même temps que son enracinement à Hinton Dysart. Devait-il, pouvait-il s'y installer ? Kit y réfléchissait souvent — mais abandonner sa maison lui arracherait le cœur.

Pour Kit, la Provence au mois d'août évoquait le Moyen-Orient — ou presque. Le même air intense faisait étinceler des terres qui n'avaient pas vu la pluie depuis des mois, et le ciel d'émail, immense, impitoyable avec la garrigue dessinée dessous, délavée, presque blanche à l'aube, lui rappelait le désert. Là s'arrêtait la comparaison. La Provence était langoureuse tant elle regorgeait de parfums : résine, thym écrasé, ail, pain frais, pierre chaude, terre brûlante. La nuit, les criquets chantaient jusqu'à ce que le soleil daignât se glisser au coin de la Villa Lafayette, posant un doigt de lumière sur la piscine turquoise et les pots sculptés d'où retombaient des géraniums.

De la chambre de sa fenêtre, Kit, nu, regardait le soleil et fumait sa première cigarette de la journée. Il était cinq heures et demie du matin et cette nuit-là, il avait fait trop chaud pour dormir. Il s'étira, enfila son maillot de bain, traversa pieds nus l'aile des « garçons », serviette sur l'épaule et sortit.

Il longea la terrasse et leva les yeux en direction de la fenêtre de Daisy. La Villa Lafayette était une maison à deux étages avec des volets, qu'on avait laissée vieillir en paix pendant des générations jusqu'à ce que le sud de la France devînt à la mode. Heureusement, les tuiles originelles et les arcades avaient survécu à l'installation frénétique de nouvelles salles de bains, d'une salle de billard et d'une décoration uniformément blanche car c'était en vogue.

Lorsque Kit se glissa dans l'eau pour traverser la piscine à la nage, il éprouva un léger frisson. Des bulles de lumière brisaient sa vision et l'eau s'ouvrit dans un claquement. Une fois au bout, il se tourna et entama une nouvelle longueur. Quand il fit surface, Daisy attendait.

Elle avait passé un peignoir bleu fleur de lin qui rehaussait l'éclat de ses yeux et soulignait ses cheveux bruns.

— Chut ! murmura-t-elle en posant un doigt sur ses lèvres et en désignant la maison.

Il nagea en petit chien et leva les yeux. Incapable de dormir, il avait imaginé en détail le corps de Daisy, mince mais avec une poitrine épanouie, et il s'était demandé si un autre que lui trouvait fascinante cette combinaison unique, cette volupté et ce côté garçon. Il se hissa sur le bord, s'assit à côté d'elle, passa sa main dans ses cheveux en arrière et se pinça le nez.

— Est-ce qu'on n'est pas bien ? dit Daisy.

Elle mit ses mains en arrière et laissa ses pieds barboter dans l'eau.

Kit passa un doigt sur le bras de Daisy qui avait la chair de poule :

— Que faites-vous debout de si bonne heure ? Je voyais en vous une adepte du sommeil réparateur.

— Je vous attendais.

— Parfait.

— Il va encore faire chaud.

— En est-il jamais autrement ?

Daisy posa ses pieds rafraîchis sur la pierre et serra les genoux.

— J'adore la chaleur. J'adore les odeurs. J'adore être ici.

— Aucun sujet de récriminations ?

Kit observa la partie de la nuque de Daisy qui remontait dans ses cheveux relevés.

— Pourquoi y en aurait-il ? fit Daisy qui hésita à être franche. Hormis un mal de ventre quand je suis arrivée.

— J'ai connu ça à Constantinople, et il n'y avait pas de commodités dignes de ce nom.

Elle eut un sourire incertain devant l'intimité du sujet.

— Y retournerez-vous ?

— J'ai toujours la tentation de passer mon temps à voyager. Mais je dois penser à la maison.

Le commentaire de Daisy surprit Kit :

— Vous avez besoin d'une ancre, Kit Dysart. Faute de quoi vous êtes du genre à dériver à perpétuité.

Il se redressa, intrigué par ce point de vue si nouveau, et y réfléchit sérieusement :

— Que voulez-vous dire ?

— Ai-je raison ?

— Je ne sais pas, Daisy.

— J'ai raison, fit-elle simplement.

Daisy était en terrain connu. Elle n'était pas particulièrement fière de son talent car il lui venait sans effort : elle possédait l'instinct de parvenir à ces conclusions, voilà tout.

— Peut-être, dit-il.

Le soleil blanchissait le pourtour en pierre de la piscine et leur éclairait le dos. Le silence était total, précédant le moment où le soleil va s'accrocher à la journée. Déjà brune, la peau de Kit était soyeuse et chaude et Daisy avait envie de la toucher. Elle tourna le visage pour regarder Kit.

— Une ancre ? dit-il.

Daisy trembla soudain.

— Chut, dit-elle en jetant un coup d'œil vers la maison. On pourrait nous entendre.

Dans la chambre qu'elle partageait avec Daisy, Matty ouvrit les yeux. Réveillée par l'écho des voix sur l'eau, elle se leva pour voir ce qui se passait et le regretta. Elle vit Kit se mettre debout et tirer Daisy par la main. Daisy fixa Kit avec ce regard qui, Matty le savait, attirait l'autre dans une intimité à laquelle il est impossible de résister. Daisy perdit à moitié l'équilibre, son peignoir glissa, révélant un costume de bain magnifiquement porté — mais c'était sans importance, tout lui allait, de toute façon. Kit saisit le peignoir, Daisy résista, puis elle l'ôta et il tomba dans la piscine. Elle était là, debout, se moquant de Kit en riant, ses cheveux éclatants. Puis elle plongea dans l'eau. Kit la suivit et l'attira à lui, Néréide mouillée, noisette. L'espace entre leurs visages se rétrécit puis s'effaça. Comme une fleur géante, le peignoir tournoya et sombra.

Matty laissa retomber le voilage de mousseline et s'assit sur son lit. Les draps étaient humides et froissés après cette nuit passée presque entièrement à transpirer et à regarder dans l'obscurité. La chaleur la suffoquait et, peu après son arrivée, ses yeux s'étaient cernés de noir. Elle remarqua avec dégoût qu'elle commençait à avoir des plaques de chaleur sur les bras.

Elle se rendit à la salle de bains, fit couler de l'eau froide et jeta sa chemise de nuit sur le sol. La baignoire était beaucoup trop grande et elle était obligée de s'allonger pieds pointés, comme une danseuse, pour trouver son équilibre, mais l'eau fraîche lui sauvait la vie. Respirant profondément, elle se glissa sous la surface et y demeura aussi longtemps qu'elle put.

Cette nuit, le vieux rêve était revenu, celui de la dernière fois qu'elle avait vu ses parents. Matty avait cinq ans. Chevauchant leurs juments arabes, qu'ils avaient élevées dans la maison familiale de Damas, leurs visages qui reflétaient leur parfaite éducation s'harmonisaient parfaitement avec leurs sahariennes kaki sur mesure. Sa mère portait un carnet rempli de notes sur la flore et la faune — Matty le possédait toujours — et les sacoches de selle de son père étaient bourrées de bocaux de spécimens. Dans son rêve, elle les voyait grimper à cheval jusqu'en haut de la dune et longer la crête. Et de là où elle était, elle savait qu'ils avaient complètement oublié leur fille.

Matty scrutait ses pieds tendus. Elle n'était pas certaine de pouvoir un jour pardonner à Stephen et Jocaste Verral d'avoir manifesté si clairement à cet instant qu'elle n'était pas importante à leurs yeux — le besoin que Matty avait d'eux ne les avait d'ailleurs pas frappés non plus. En particulier quand ils se mouraient, dans une tente étouffante, de la typhoïde qu'ils avaient attrapée en buvant de l'eau croupie dans l'oasis de Sanaa.

Matty s'assit dans la baignoire et s'adressa aux corps de ses parents allongés sur des lits de camp de l'armée et de la marine comme elle les avait vus pour la dernière fois :

— Je ne savais pas que vous étiez si petite, Maman, mais j'imagine que c'est le résultat de la mort. Nous rétrécissons en mourant, je suppose. Je veux juste dire que, d'une certaine façon, vous serez fière de moi. Je gâche tout, en ce moment, mais il suffit que je grandisse. J'essaie. C'est en partie dû au fait que vous me manquez, mais aussi je ne crois pas que vous m'ayez légué vos meilleurs talents, rien qu'un mélange des pires.

Elle s'interrompit avant d'ajouter :

— Vous ne savez pas ce que c'est que d'être abandonnée.

Immense, blanche, la serviette de bain enveloppait Matty. Elle traînait par terre tandis que celle-ci retournait dans la chambre. La journée serait longue et bruyante. La gaieté de Flora. Les blagues de Marcus. Le mépris froid et constant de sa tante. Kit et Daisy. La serviette tomba sur le sol et Matty s'autorisa à regarder par la fenêtre.

La piscine était vide. Seul un pétale de géranium vagabond en brisait l'éclat de cristal.

Avec ses jupes de coton plissé et ses hauts à dessins géométriques, ses chapeaux de paille bon marché qu'elle avait l'art de rendre incroyablement chic, et son don d'attirer le regard, Daisy dominait les vacances. Ils étaient jeunes et, Matty excepté, débordants d'énergie ; Daisy les conduisait, avec Kit pour proche collaborateur, à des parties de natation, des pique-niques et, le soir, à des expéditions dans des chemins constellés d'éboulis de la garrigue aromatique où ils marchaient pendant des kilomètres le long des falaises, regardant le soleil se glisser dans la mer qui s'obscurcissait.

Un soir qu'il faisait trop chaud pour aller bien loin, ils s'assirent pour se reposer. L'air embaumait le thym et la sauge; dans l'eau, les poissons allaient et venaient parmi les rochers. Marcus s'installa sur un rocher au bord de la falaise et jeta des cailloux dans la mer en contrebas. Flora lui passait des munitions et frottait une branche de thym entre ses doigts. Même à six heures du soir, le soleil était violent et elle tira son chapeau sur son visage. Cela lui permit d'observer Marcus qui commençait à l'intriguer; elle se demandait ce que cachaient ce teint si anglais et cette moustache si impeccablement taillée.

Daisy jeta son châle sur ses épaules.

— Avez-vous attrapé des coups de soleil? demanda Kit qui s'approcha si près que leurs cuisses se touchèrent presque.

— Brûlée jusqu'à l'os. Le soleil, la mer et la perspective d'un dîner aillé. Le rêve.

Kit fit courir ses doigts sur la pierre plate :

— Personne ne vous embrassera, dit-il dans un souffle.

— Vraiment? plaisanta Daisy, provocante.

Les doigts de Kit s'immobilisèrent brusquement. Qu'êtes-vous en train de me faire? demanda-t-il à Daisy en silence, son désir se mêlant à un cocktail de soleil, de vin, de semi-nudité.

— Votre cousine, demandait Flora à Marcus. Viendra-t-elle, ce soir?

— Je le suppose.

— Est-ce qu'elle ne s'ennuie pas? s'inquiéta Flora. Elle paraît si... elle semble, enfin, elle n'a pas l'air de s'amuser beaucoup.

— Matty se sent toujours à l'écart, intervint Daisy. C'est le fardeau de son existence et il n'y a rien que nous puissions faire pour l'aider.

Sur quoi elle se leva et épousseta sa jupe.

— Allez, on y va. Pourquoi ne pas dîner sur le port ce soir? Cela nous changerait.

Il fut aisé de persuader Susan Chudleigh d'abandonner pour un soir son rôle de chaperon. Elle n'imposa qu'une condition :

— Matty vous accompagne, dit-elle, persuadée de ne pouvoir supporter une soirée en tête à tête avec sa nièce. Elle a besoin de se changer les idées.

Marcus et Kit firent monter les filles dans la conduite intérieure d'Ambrose Chudleigh et négocièrent les virages de la côte avec plus de fougue que d'adresse. Marcus conduisait tandis que Kit sortait la tête par la vitre pour l'avertir des affleurements rocheux. Ils avaient pour destination le Café de la Marine, sur le port.

— Si authentique, si *canaille*, remarqua Daisy.

Après le repas, ils comptaient se lancer à la recherche d'un casino.

Ils dînèrent dehors, dans l'obscurité sans air, avec pour spectacle des barques de pêche et la digue. Les tables étaient occupées par les habitués, quelques touristes et un contingent grossissant d'exilés britanniques — artistes paradant en chemisettes de coton, leurs épouses arborant des pulls marins à rayures, des écrivains et des journalistes affirmant que leur moteur créatif rouillait dans l'étouffante Angleterre. Kit s'installa à côté de Matty : les remarques qu'avait faites Daisy sur sa cousine l'intriguaient.

— Je n'ai pas encore eu l'occasion de vous demander si ces vacances vous sont agréables. Vous me semblez souffrir de la chaleur.

Les cheveux plats de Matty pendouillaient sur son visage, et sa poudre de riz collait aux perles de sueur. Elle repoussa l'assiette de porcelaine contenant du *loup de mer* et émietta du pain entre ses doigts :

— C'est vrai, répondit-elle faiblement. Je trouve la chaleur éprouvante.

— C'est une question de volonté, dit Kit. Obligez-vous à ne pas y penser.

C'était une nouvelle approche pour Matty, aussi chercha-t-elle désespérément quelque chose d'intéressant à répondre :

— Je vois, dit-elle en s'acharnant sur son pain.

— Vraiment ?

Kit eut un sourire alangui, si fréquent chez lui. Quand il faisait cela, seul un coin de sa bouche se relevait, signifiant l'amusement, suggérant l'ironie. Le sourire faisait partie de son charme et, à cet instant, le cœur de Matty se mit à chanter : elle tomba amoureuse. Leurs visages étaient éclairés irrégulièrement à la lumière des chandelles et, habitée d'une faim toute nouvelle, Matty ne le quitta plus des yeux. Kit but un peu de vin et fit une nouvelle tentative :

— Racontez-moi comment était Daisy quand elle était petite, demanda-t-il d'une voix sourde.

Sa question était transparente et, creusant dans l'entrelacs de sentiments inconnus jusqu'alors, Matty eut conscience de son désespoir.

— Vous vous entendiez bien quand vous étiez petites ?

— Non, répondit-elle avec son petit hochement de tête caractéristique. Nous sommes trop différentes. Je suis quelqu'un de très calme.

— Vraiment ? fit Kit sans réfléchir.

— Daisy avait des amies. Moi pas tellement parce que... parce que j'étais souvent malade à l'époque.

Kit poussa le verre de vin de Matty vers elle :

— Buvez un peu. Il est un peu râpeux mais revigorant.

Il l'observa tandis qu'elle obtempérait.

— Pourquoi étiez-vous malade ?

— Je ne sais pas. Depuis ma toute petite enfance, à Damas...

— Damas ! Que faisiez-vous là-bas ?

— J'y habitais. Mes parents élevaient des chevaux arabes et possédaient une petite plantation de roses jusqu'à ce que...

Kit posa son verre :

— Que quoi ?

Soudain, les autres semblèrent faire beaucoup de bruit.

— Jusqu'à ce qu'ils meurent, de la typhoïde. J'avais cinq ans.

— Oh ! Je suis désolé.

Kit avait l'air distant et Matty était persuadée d'avoir dit une bêtise. Comme s'il refusait d'accepter ce qu'elle venait de lui confier. Un moment passa, il reprit :

— Des roses, dites-vous ?

Matty sourit et la flamme de la bougie éclaira son visage :

— Des « Autumn Damasks ». On les appelle aussi « Quatre Saisons ». Leur parfum est intense.

— Oui, je sais.

Pendant un instant, Kit se retrouva assis dans une cour intérieure à Bokhar, en train de boire du thé, des roses foisonnant sous les oliviers. La bougeotte, si familière, le reprit. Le rire de Daisy le ramena à la réalité :

— Ne sois pas ridicule, Marcus, dit-elle à son frère assis en face d'elle. Nous n'aurons jamais une nouvelle guerre. Ils l'ont décidé dans un wagon.

Marcus alluma une cigarette :

— L'ignorance de ma sœur est incommensurable ; ne faites pas attention à elle.

— J'ai parfaitement le droit, mon cher frère, d'avoir une opinion. Qu'elle soit juste ou fausse est une autre histoire.

— *Touché.*

Kit leva son verre en direction de Daisy, dont les joues avaient pris la couleur des roses de son souvenir :

— Si j'étais vous, Marcus, je ne serais pas aussi grossier envers votre sœur. Les femmes ont une façon redoutable de réclamer vengeance.

— Mon sauveur ! fit Daisy en envoyant un baiser à Kit.

Kit s'obligea à reporter son attention vers Matty :

— Vous vous y connaissez en roses ?

— Un peu seulement, répondit-elle avec sérieux. J'ai conservé les registres et les carnets de mes parents, mais je n'en ai jamais planté.

— J'ai l'impression que vous devriez essayer.

Et moi j'ai l'impression que vous vous ennuyez, pensa Matty en buvant autant de vin que possible.

Kit tourna son regard vers la forêt de mâts et vers les lumières qui éclairaient violemment le bout du port. Un bateau de pêche entra. Portée par l'eau, on entendait distinctement la discussion de l'équipage. Aiguillonnée par l'alcool, Matty saisit sa chance :

— Vous connaissez le Moyen-Orient ?

Kit pivota vers elle.

— Plutôt bien. Il est envoûtant, n'est-ce pas ? Surtout le désert. Net, impitoyable. J'ai fait deux séjours à Damas. Vous savez encore à quoi elle ressemble, non ?

— Si, bien sûr.

Du moins ai-je cela en commun avec lui, se dit Matty. Mais elle eut ensuite une pensée moins noble : pas Daisy. Elle reprit :

— Savez-vous que la loi martiale a été déclarée à Jérusalem et que les Arabes franchissent la frontière syrienne?

— C'est vrai? s'exclama Kit en la regardant avec intérêt. Vous êtes sûre?

— C'est l'heure du jeu, *mes amis*, lança Daisy en repoussant sa chaise et en ouvrant les bras comme pour embrasser le monde. *Allons.*

Kit rit de la voir ainsi jouer la *patronne* et bondit sur ses pieds. Matty le perdit. Elle but une gorgée de vin et sentit le liquide descendre dans sa gorge. Elle avait toujours su que son caractère recelait un coin sombre où la colère et la jalousie se rencontraient et cohabitaient. Elle recevait si peu d'attention, si peu d'affection alors qu'on en prodiguait à profusion à Daisy. La rage bouillonnait en Matty et, horrifiée par son intensité, elle resta assise.

Tendant la main à Kit qui s'en empara, Daisy valsa jusqu'au front de mer :

— Ange, mon ange, chantait-elle. Je crois que je suis pompette.

Derrière elle, Flora sourit dans l'obscurité et laissa Marcus la prendre par le coude.

— Vous êtes pompette, dit Kit en attirant Daisy à lui, c'est vrai, mais ça me plaît.

Il la prit par les poignets. La mer clapotait en chatoyant de lumière autour du port. Au-delà, c'était la nuit. Daisy aspira une grande bouffée d'air :

— C'est vraiment trop beau, murmura-t-elle au visage tout proche du sien.

Si Susan Chudleigh n'avait pas laissé le soleil lui obscurcir l'esprit, elle aurait pu réfléchir et étouffer l'affaire dans l'œuf. Après tout, Daisy était pratiquement fiancée à Tim Coats. Mais elle n'en fit rien. Après une année épuisante de réceptions, d'œuvres charitables et d'organisation domestique peu satisfaisante, elle était ravie de baisser la garde et de laisser la complaisance prendre le pas. Quelle importance si Kit et Daisy étaient manifestement fous l'un de l'autre? C'était un beau parti. Socialement, il avait tout pour lui, beaucoup plus que Tim Coats — Susan imaginait ce que donnerait lady Dysart sur le papier à en-tête. Hinton Dysart était un phare, un peu moins étincelant qu'autrefois, sans doute, mais toute médaille a son revers. Hélas, Kit ne brillait pas du point de vue pécuniaire, contrairement à Tim, riche par la grâce de son père qui avait fait fortune dans la fabrication de tapis. Néanmoins, Kit et Daisy formaient un couple magnifique et, malgré son indifférence à tout ce qui n'était pas mondain, Susan était touchée, comme tout le monde Villa Lafayette, par la charge érotique qui régnait entre eux.

Si Ambrose Chudleigh voyait clairement les choses, il était encore plus las. L'état de l'économie mondiale l'inquiétait sérieusement — les Américains avaient exigé le remboursement de tous leurs prêts en Europe et la demande diminuait, même aux Etats-Unis. Qu'est-ce que cela présageait ? s'inquiétait-il auprès de son épouse. Ce n'est pas à moi qu'il faut poser une telle question, répondait-elle, c'est votre problème. Ambrose était tellement soucieux qu'il s'était arrangé pour écourter ses vacances et rentrer à Londres dès la fin du mois d'août pour une opération de sauvetage. Il ne se sentait pas disposé à interférer dans les histoires d'amour de sa fille.

— Mais si les marchés s'effondrent, remarqua sa femme tandis qu'allongés dans leurs lits jumeaux ils écoutaient les jeunes qui rentraient de dîner et traversaient le jardin, il faut marier Daisy à l'un ou à l'autre.

Elle refit mentalement ses calculs et se demanda si elle n'avait pas commis une erreur en préférant Kit.

Il y eut un silence, brisé par le rire étouffé de Flora sous la fenêtre.

— Dans quoi a-t-elle investi ? s'enquit Susan.

— Qui, Matilda ? soupira Ambrose. Ne soyez pas aussi abrupte, Susan. Vous savez parfaitement que je ne puis dévoiler ce genre de renseignements et, de toute façon, qui sait ce qui va arriver ?

— Je me demandais simplement.

— Eh bien, cessez.

— Allons-nous nous en tirer, Ambrose ?

Sa réponse fut accompagnée par le bruissement des draps amidonnés :

— Nous n'avons plus grand-chose à perdre. Vous le savez.

Silence.

— Rien n'est plus pareil, dit Susan dans le noir.

— Que voulez-vous dire ?

— Depuis la guerre. Elle a tout brisé.

Pressentant qu'il n'allait pas dormir beaucoup, Ambrose alluma la lampe de chevet puis prit ses somnifères et un verre d'eau. L'eau fit briller sa moustache.

— Puisque vous en parlez, je dois vérifier le portefeuille de Matty. Nous avons le devoir de le sauvegarder.

— C'est bien d'elle !

Pour la millième fois, sa femme soupira amèrement en songeant à la façon dont ils surnageaient de justesse dans le genre de monde auquel elle aspirait :

— C'est bien d'elle d'avoir tout l'argent et pas vous.

Cette réflexion était injuste. Totalement injuste. Ce n'était pas la faute d'Ambrose si sa sœur Jocaste avait épousé un homme riche. (D'autant que Jocaste s'était montrée généreuse avec son frère au point de lui léguer la propriété du 5 Upper Brook Street.) Ambrose écrasa la pilule entre ses dents, grimaça sous le goût d'aloès puis se rallongea pour chercher à dormir dans la chaleur de la nuit.

5

La bouillabaisse contenait du mulet et des langoustines, et la rouille était bien épaisse. A une table voisine, un marin à la bouche déformée attrapait le poisson avec sa cuiller et trempait son pain dans le liquide. Le métal s'engouffrait entre ses lèvres abîmées et le marin faisait une grimace chaque fois qu'il avalait. Le restaurant, *caboulot* bondé, faiblement éclairé sur le Cap, était ce genre d'endroit aussi fascinant à observer que propice à la conversation.

— Succulent, dit-elle, intriguée par le côté informel de la chandelle et de la nappe en papier.

Cela correspondait à l'image qu'elle se faisait de la France : couleur, chaleur, oubli des contraintes.

— Exactement comme je l'aime.

Afin de jouir de moments de solitude avec Daisy, Kit avait persuadé Marcus d'emmener Flora et Matty au restaurant de l'autre bout du quai. Je saurai me tenir, avait-il promis, et il était certain que Mrs. Chudleigh n'y aurait vu aucune objection. Marcus n'était pas un empoté. A condition que j'aie un peu de temps avec Flora, avait-il marchandé. Parole de gentilhomme, avait relancé Kit. Jamais de la vie ! avait protesté Marcus qui avait parfois de l'humour.

Un garçon remonta le gramophone installé près du bar en zinc. Le disque grésilla. C'était une chanson d'amour trahi. Son ton désespéré ébranla Daisy qui reposa sa cuiller.

— Que c'est mélancolique, j'en suis toute bouleversée.

La porte s'ouvrit, le courant d'air souffla la chandelle. Kit la ralluma avec son briquet. Les ombres projetées par son éclat dansèrent la danse de Saint-Guy à travers le papier blanc.

— Je déteste vous savoir triste. Surtout en ce moment, dit-il en refermant son briquet d'un claquement sec.

Daisy l'observa le lâchant sur la table :

— Il faut bien l'être parfois. Après le luxe de se sentir heureux.

— Je sais. Mais j'ai une prière à vous faire. Ne soyez pas trop triste ce soir.

— Avez-vous de quoi écrire ?

Il prit un crayon dans sa poche intérieure et le lui tendit. Elle dessina sur la nappe un visage avec deux grands yeux.

— Une question, Kit. Est-il plus stupide d'être triste ou d'être heureux ? Naît-on avec une tendance au chagrin ou est-ce que ça pousse comme les dents ?

D'un coup de crayon, Daisy ajouta à sa création une bouche aux coins abaissés.

Elle avait l'art de poser des questions provocantes, des choses qui vous atteignaient presque à l'os. Il lui renvoya son compliment :

— Peut-on être trop heureux ?

Il l'était éperdument, en compagnie de Daisy, dans l'obscurité au milieu du murmure confus.

Elle arracha un bout de cire à la chandelle :

— Il est sans doute un peu déraisonnable d'être trop heureux, mais ça ne veut pas dire qu'il ne faut pas l'être. Je ne crois pas qu'on puisse éviter le malaise ou la douleur.

— Daisy ! Arrêtez, voulez-vous ?

Kit lui arracha le crayon des mains et, d'un trait, fit sourire le visage sur le papier.

— Voilà. C'est moi. Je vous ai enlevée et vous parlez de douleur et de malheur.

Elle plissa le nez :

— Mais Kit, il faut bien réfléchir à ces choses de temps en temps.

— Pas ce soir, protesta Kit alors que, précisément, il y pensait.

La porte battit tel un métronome. Le barman l'ouvrit et la cala, dévoilant une mer plate et scintillante enfermée dans un cadre. Le *caboulot* était grouillant et enfumé. Au bar, des pêcheurs en pantalon bleu et aux bras ravinés par le temps buvaient du marc. Attablés, des hommes plus âgés en costume de lin régalaient des plus jeunes en pantalon moulant et en chemise marine cintrée.

— Teri ! *Encore.*

— J'arrive, *Monsieur.*

— Teri, mon poussin, fit une voix plaintive. Où es-tu ? Tu me fais attendre.

Des voix faisaient contrepoint à la musique et le populaire Teri s'affairait. De temps à autre, il adressait une remarque à une femme vêtue d'un haut marin à rayures et d'un pantalon bleu qui, assise au bout du bar, buvait de l'anis. Son verre maculé bien serré dans une main, elle observait la salle à travers la fumée sous sa frange teinte au henné ; les ongles écarlates de sa main libre tambourinaient sur le bar. Une cigarette brûlait dans un cendrier près d'elle et la fermeture en broderie diamantée de sa pochette attrapait et réfractait la lumière. Elle semblait parfaitement à l'aise dans un environnement familier.

— Je me demande qui c'est, remarqua Daisy, intriguée.

— Peut-être une des...

Kit s'interrompit à temps. Daisy s'adossa contre sa chaise et dévisagea Kit :

— Je sais bien ce que vous voulez dire. Vous pouvez le dire, vous savez, ajouta-t-elle en observant la femme avec un intérêt redoublé tout en attrapant les cigarettes de Kit. Je me demande quelle est son histoire. Si seulement je parlais mieux le français.

— Peut-être a-t-elle été surprise en flagrant délit d'adultère et jetée à la rue par un époux irascible.

Kit s'empara de la main de Daisy, qui lâcha le paquet de cigarettes.

— Vous voilà prévenue.

— Agiriez-vous ainsi ? demanda Daisy, pensive. Pas de pardon ? Pour une petite histoire de chair ?

— On ne peut réparer un vase en miettes, fit Kit avec sérieux.

— A condition de le considérer en miettes.

Sa réponse ébranla Kit car il s'imagina qu'elle en connaissait plus que lui sur le sujet de l'infidélité. Il s'imagina aussi qu'il surprenait Daisy dans le lit d'un autre et éprouvait l'outrage de la trahison.

— Si jamais je..., commença-t-il.

Mais, se doutant de ce qu'il allait dire, elle l'interrompit :

— Allons, vous êtes grotesque.

C'était pourtant vrai. Rien n'était décidé entre eux. Kit trempa son pain dans la *bouillabaisse*. Daisy était différente de toutes les femmes qu'il avait rencontrées. A des années lumière des jeunes filles maladroites et plutôt joyeuses dont le yeux le suppliaient de les remarquer lors des bals ou des soirées. Autrefois, Kit avait pitié d'elles : jouissant d'une liberté limitée, leur désir de se marier par nécessité était prévisible. Pas étonnant qu'assises là, ornées des perles de leur mère et chaperonnées de toute leur chasteté, elles lui parussent sans défense — et il oubliait que, si l'une d'elles l'avait attirée, le pouvoir aurait tourné.

Daisy, elle, était d'une autre trempe. Il se demandait pourquoi. Comme ses cheveux châtains, elle débordait de vie. Il y avait chez elle quelque chose de l'attaquant. Une promptitude à la querelle. Il savait d'instinct que Daisy bouclerait ses valises et le suivrait pour un voyage pénible, éprouvant et bruyant jusqu'au luxe nonchalant du Moyen-Orient. Tout en mangeant, Kit se figurait traversant le désert avec Daisy tandis qu'un vent chaud s'accrochait à leurs vêtements.

— Daisy, pouvez-vous vous arracher un instant à Fifi ou Dieu sait qui ? Je veux parler de vous.

Les yeux scintillant de joie, Daisy poussa la bouteille contenant la chandelle pour mieux voir Kit :

— C'est fou ce que j'aime parler de moi. Je suis un sujet tellement fascinant.

Il y eut un silence.

Après une seconde, toute taquinerie s'effaça de son visage. Daisy tendit la main et la posa doucement sur la joue de Kit.

— Kit, chéri, dit-elle doucement et avec un son si curieusement étouffé que Kit voulut lui emprisonner la main.

— Que m'avez-vous fait, Daisy? Je suis arrivé libre à la Villa Lafayette.

— Vous n'étiez pas libre. Personne ne l'est.

— Sommes-nous donc prisonniers?

— Absolument.

— De qui?

— De quoi? dirais-je, en ce qui vous concerne. De votre maison, bêta!

Il réfléchit.

— Je suppose que vous avez raison, mais j'espère que vous avez tort.

Daisy esquissa le geste de libérer sa main.

— Non, dit-il. Laissez-la-moi.

— Kit, chéri, j'ai une crampe.

A contrecœur, il lui permit de reposer sa main.

— Que voulez-vous de moi? demanda-t-elle enfin. Une ancre?

Kit n'était pas homme à prononcer des phrases définitives non plus qu'à prendre des décisions hâtives. Pourtant, sans l'ombre d'une hésitation, il dit :

— Vous. Pour toujours.

Les pupilles dilatées dans la pénombre, elle tenta de percer le mystère de son sourire inégal.

— Kit, vous a-t-on jamais dit que vous devriez être acteur de cinéma? Vos cheveux fous et vos yeux rêveurs feraient merveille.

— Daisy.

Exaspéré, affolé, épris tout à la fois, Kit avait l'impression de dévaler plusieurs routes en même temps :

— Daisy, soyez sérieuse.

— Pour toujours, répéta-t-elle, songeuse.

— C'est ce que je viens de dire.

— Je n'ai pas un sou vaillant, vous devriez être au courant. Oui, je sais, mes parents donnent le change. Tout juste. Matty nous aide, vous savez. Mais je me marierai sans dot.

Kit prit la carafe et remplit les deux verres.

— Pourquoi parler d'argent? Je n'y ai pas fait la moindre allusion.

— Oh si, mais sans vous en apercevoir, évidemment. D'ailleurs, l'argent est important.

— Pas à ce point.

En prononçant ces mots, il comprit que Daisy avait mis le doigt sur la seule question qui pesait véritablement sur ses décisions.

— Vous vous trompez, Kit. Je ne suis pas allée à Eton mais je sais le poids de l'argent même s'il est relatif.

— Dieu merci, vous n'êtes pas un garçon. D'ailleurs, Eton n'est pas tout ce qu'on en dit.

Daisy haussa les épaules.

— Matty et moi avons partagé une gouvernante dont l'ignorance n'avait d'égale que son habileté à lécher les bottes de mère. Résultat, je n'ai pas deux sous de culture.

Elle sortit le bout de sa langue et sourit.

— Mais après tout, les filles sont censées être idiotes, n'est-ce pas ?

Voilà qu'elle le taquinait de nouveau. Kit ne répondit pas car c'était précisément l'opinion généralement acquise et exprimée dans les vestiaires et les salles d'études glaciales d'Eton.

— Ne soyez pas si susceptible, dit-il.

— Ne soyez pas si collet monté.

La conversation s'écartait du chemin choisi par Kit.

— Allez, ça suffit, dit-il en reprenant l'initiative. Dansons.

Il attira Daisy tout contre lui. Elle sourit, se lova contre son épaule et appuya sa joue contre la sienne. Les cheveux de Daisy sentaient le romarin et la verveine, sa peau était douce et musquée. Sous sa robe, ses seins se pressaient contre lui. Elle sentit son corps réagir, se raidir. Lentement, ils firent le tour de la piste de danse. Installés au bar, harcelés par leurs propres souvenirs, les vieux les observaient.

— *Etes-vous anglais*, lança la femme au bar quand ils passèrent près d'elle.

— *Oui*, répondit Kit. *Oui. C'est ça*.

— Alors venez bavarder avec moi, les Anglais. J'ai besoin d'une dose de cette vieille Alma Mater.

Kit et Daisy échangèrent un regard et Daisy murmura :

— Ce sera amusant.

A contrecœur, Kit ôta son bras du bras nu et chaud de

Daisy et la conduisit au bar. D'un coup de sandale en liège, la femme poussa deux tabourets dans leur direction.

— Moi, c'est Bill.

— Daisy Chudleigh et Kit Dysart.

Daisy tendit la main et les griffes rouges l'effleurèrent.

Bill se pencha au-dessus du bar et tira sur le minuscule tablier du serveur.

— Vous buvez de l'anis ? s'enquit-elle pour ajouter, sans attendre la réponse. Un pour chacun de mes invités et un double pour moi, Teri, mon ange, sois un chou.

Elle sourit, dévoilant de magnifiques dents blanches.

— J'espère que ça ne vous ennuie pas de parler à une vieille croûte. Je ne vous retiendrai pas longtemps et vous n'aurez qu'à classer ça dans la rubrique « Bonnes actions dans un monde sans pitié ».

Kit balança son verre sur son genou.

— Je vois que vous vivez ici.

— Tout juste, mes pigeons. C'est chez moi, maintenant.

Bill versa de l'eau dans son verre et Daisy regarda l'alcool se métamorphoser de cristal en nuage. Elle but une petite gorgée et avala en se pénétrant de cette nouvelle expérience. Bill trinqua avec Daisy.

— Santé.

— Pourquoi avez-vous quitté l'Angleterre ?

Daisy n'était pas sûre d'apprécier l'anis et plissa le nez à ce goût étrange. Bill lui lança un regard presque mauvais :

— Doux Jésus, je croyais que c'était évident, mais j'oublie que cette bonne vieille Angleterre laisse ses jeunes vierges dans une totale ignorance. Parce que, ma chère enfant, fit-elle après avoir bu goulûment, ça me plaît ici. Mais j'aimerais savoir comment ça va là-bas.

Kit leva les yeux de son verre.

— Pas bien. Nous avons un gouvernement travailliste mais un chômage galopant. Sans compter l'impôt sur le revenu.

— Je sais, je sais. Imaginez : des socialistes à tous les coins de rue.

— Non. Des chômeurs à tous les coins de rue.

— Ça, c'est moche, commenta Bill.

Daisy eut le sentiment qu'elle n'en pensait pas un mot. A côté du verre de Bill, il y avait une pochette de soie brodée d'idéogrammes chinois. Daisy observa Bill s'en emparer, y prendre une pincée d'une substance poudreuse et sombre qu'elle mélangea à du tabac avant de rouler le tout dans du papier à cigarettes.

— Laissez tomber, moi je dis, lança-t-elle en s'affairant. La vie est moins chère ici, et plus agréable, par-dessus le marché, et personne n'attend rien de vous. D'un autre côté, elle peut être étrangement décevante, ajouta-t-elle en fronçant légèrement les sourcils sous sa frange.

Elle lécha le papier à cigarettes. A côté de Daisy, Kit ne bougeait pas. Bill rejeta ses cheveux en arrière et les évalua tous deux du regard :

— Vous m'avez l'air plutôt sympathiques, tous les deux. Jeunes, insouciants. Encore des enfants, en fait.

— Vingt-cinq ans, protesta Kit.

— Vingt-deux. Je viens de les avoir, ajouta Daisy, un tantinet sur la défensive.

— Croyez-moi si vous voulez, mais vous vivez vos meilleures années... avant d'en avoir trop appris sur vous-mêmes.

— Est-ce une mauvaise chose? demanda Daisy tout en mouillant son doigt pour y prendre un petit bout de la substance brune restée sur le bar. D'en apprendre sur soi, veux-je dire.

— Ça dépend ce qu'on trouve, mes agneaux.

Bill alluma sa cigarette et respira profondément. La fumée s'échappa entre ses dents brillantes et s'enroula autour de Kit et Daisy.

— Tenez, fit Bill en tendant sa cigarette maculée de rouge. Servez-vous. C'est moi qui régale.

— Merci, fit Daisy en tendant la main.

— Non, dit Kit au même instant. Non, merci.

Et il écarta la main tendue de Daisy. Bill ferma les yeux.

— A vous de décider, lança-t-elle d'une voix à la fois pointue et lointaine. C'est votre affaire.

— Kit, protesta Daisy contrariée de son intervention. Cela vous ennuie?

Il hésita, prit le menton de Daisy dans sa main et répondit :

— Oui, cela m'ennuie. Enormément. Ce truc est dangereux.

Bill rouvrit les yeux. Elle avait maintenant les pupilles dilatées.

— Ai-je l'air dangereuse ?

— Cela ne vous regarde pas, Kit, dit Daisy en se libérant. Vous n'avez pas à me dire ce que je dois faire.

Kit lui prit la main.

— Venez avec moi.

— Non.

— Ne nous querellons pas.

— Vous n'êtes pas en train de vous quereller, intervint Bill en tirant une nouvelle bouffée, vous êtes en train de parler de sexe.

Kit rejeta la tête en arrière et éclata de rire.

— Merveilleux. Mais cela suffit.

Il posa bruyamment de l'argent sur le comptoir et, sans autre forme de procès, attrapa Daisy par le bras et la fit sortir. Elle était hors d'elle :

— Mais qu'est-ce qu'il vous prend, à la fin ?

— Le sexe ! leur cria Bill. Vous verrez que j'ai raison.

Daisy s'aperçut qu'elle rougissait malgré elle. Une fois dehors, elle s'arracha à l'étreinte de Kit et se réfugia dans l'ombre près du parapet.

— Vous n'auriez pas dû faire ça, dit-elle enfin. J'étais contente de parler avec elle et j'ai le droit d'agir à ma guise.

Kit alluma tranquillement une cigarette qu'il tendit à Daisy. Puis il en alluma une autre pour lui :

— Désolé. Mais ce truc est dangereux, Daisy. J'en ai vu beaucoup au Moyen-Orient. Croyez-moi.

— Qu'avez-vous vu, au juste ? demanda Daisy appuyée contre la pierre chaude.

— Des gens dont c'était pratiquement le seul but dans l'existence. Leur famille souffrait et, s'ils étaient vraiment accrochés, ils mouraient d'une sale mort.

— Pourquoi ?

— Parce que l'opium crée une dépendance. Parce que le besoin d'opium peut surpasser tout le reste. Parce que, ajouta-t-il aidé par le vin qu'il avait bu, parce que les rêves qu'il provoque sont incontrôlables et illusoires.

— Mmm, fit Daisy qui pointa du doigt dans la direction de Kit. Vous avez essayé.

— Oui.

— Et ?

Kit se retrouva dans ses souvenirs. Attiré par les promesses de la drogue, par le désir de voir ses sens engourdis, il en avait pris volontairement. Son hôte attentif lui en avait proposé et Kit — jeune, curieux, loin de chez lui — avait accepté.

Naturellement, la drogue avait été le prélude à d'autres choses.

Envoyé avec instruction de plaire, le garçon était comme du café clair sur les draps, et la chaleur les baignait tous deux de sueur. La sensation de la peau sur la sienne avait été inoubliable ; tout comme la sensation qui prenait source au bas de son ventre pour s'épanouir dans tout son corps. Dans l'obscurité, il avait oublié de quel sexe il était, seul comptait d'être rassasié, apaisé.

— Et ?

— Et c'est pourquoi je sais combien c'est dangereux.

Daisy regardait au-delà des quais et réfléchissait aux sous-entendus. Parfois, une bulle de lumière brisait la surface de la mer quand un poisson se mouvait entre deux eaux. L'odeur caractéristique de la marée se mêlait à celle, aigre-douce, des égouts. Derrière les quais, l'ombre noire des oliviers sur la colline au-dessus du village grimpait jusqu'à la crête ; on voyait aussi des ombres plates de pierres là où l'on avait creusé des terrasses à flanc de coteau.

— Il faut que j'en juge par moi-même, comme vous.

— Il faut surtout que vous soyez prudente.

Kit s'approcha de Daisy et ses mains se glissèrent à nouveau sur ses poignets. Puis il l'attira à lui et elle se calma. Il la serra si fort qu'elle faillit crier.

— Racontez-moi, dit-elle enfin. Dites-moi tout.

Kit n'était pas d'un naturel confiant, mais c'était l'occasion de sauter le pas. Hésitant, abandonnant son ironie coutumière, il parla à Daisy du corps couleur café et de sa défloration survenue dans le délire de la drogue.

— Un garçon ? fut tout ce qu'elle dit, atterrée et aiguillonnée à la fois.

Comme la plupart des amants, elle était plus jalouse d'un passé où elle ne figurait pas que de la chose en soi. Mais elle était également émue au-delà de toute expression à l'idée de partager le secret de Kit. Après un moment, elle enfouit son visage au creux de l'épaule de Kit, eut une brève pensée pour Tim Coats, qui l'attendait en Angleterre, puis l'oublia.

— Je crois que je comprends, Kit... Embrassez-moi.

Les lèvres de Kit était chaudes et sèches sur celles de Daisy. Elles effleurèrent sa joue, s'attardèrent sur son cou si tentant puis se nichèrent à la naissance de l'épaule. Il murmura quelque chose qu'elle ne comprit pas. Elle posa une main sur chacune de ses joues et l'attira. Il releva la tête. Une boucle de cheveux retomba sur son front. Il regarda Daisy sans dissimuler son désir.

— Oh Kit, dit-elle, suis-je assez garçon pour vous ?

Sur quoi il l'embrassa goulûment sur la bouche, puis baissa violemment la bretelle et embrassa le sein libéré. Elle le laissa faire.

Tout au désir qui parcourait leur être, ils avaient aussi conscience de s'appartenir, de sentir leurs corps s'accorder et la joie brûlante d'avoir rencontré l'âme sœur. Car Kit ne doutait pas que Daisy fût la femme qui guérirait toutes ces choses obscures et indéfinies qui se nichaient en lui. Et Daisy, elle, savait que Kit l'acceptait telle qu'elle était.

Quand ils s'arrachèrent l'un à l'autre, la bouche de Daisy était enflée et endolorie et la lèvre supérieure de Kit perlée de sueur. Dans un gémissement, il la lâcha. Elle vacilla légèrement et remit sa bretelle en place.

Ce fut à son tour d'être audacieuse :

— Est-ce tout ?

Il fourra ses mains dans ses poches et s'obligea à penser aux colonnes de chiffres et aux factures impayées :

— Vous savez bien que oui.

— Pas de jambes couleur café emmêlées entre les draps ?

Les factures impayées demeurèrent sans effet. Tremblant de frustration, Kit entoura de ses mains le visage de Daisy et le releva pour le faire jouer dans le clair de lune :

— Non, réussit-il à répondre.

Elle était à moitié désolée, à moitié rassurée, car il arrivait à Daisy d'être effrayée par sa propre impatience de vivre sa vie et par son intense curiosité :

— D'accord, Kit chéri. Je vais apprendre à être patiente, mais embrassez-moi encore.

Kit s'exécuta volontiers. Tandis que sa bouche s'attardait au-dessus de celle de Daisy, Kit dit, avec son demi-sourire :

— Je veux bien attendre.

Daisy se serra contre la longue silhouette qui se penchait sur elle. Les grillons chantaient en rythme.

Les Dysart n'avaient jamais aimé traîner au lit : c'était un trait de famille. Le petit groupe avait beau être rentré bien après quatre heures du matin, Kit et Flora étaient sur la terrasse dès sept heures trente. Assis côte à côte à la table du petit déjeuner, ils observaient les allées et venues du jardinier qui, son arrosoir à la main, allait le remplir à la citerne en bas de la pente.

Flora inspecta les coups de soleil sur ses bras et tendit une jambe pour l'examiner :

— C'est sec, tout ça.

— Cold cream, conseilla Kit en repoussant les croissants.

Flora gratta sa peau qui pelait.

— J'en ai mis des tonnes et des tonnes, répondit-elle en levant la peau morte à la lumière. Regarde, Kit, c'est fascinant. On voit la structure en transparence.

— S'il te reste une once de pitié, Flora, fais-moi grâce.

Kit versa du lait chaud dans son café qu'il but à grandes gorgées en levant les yeux sur la chambre des deux cousines. Flora lança un regard à son frère. Elle l'avait déjà observé dans les affres de l'amour, mais elle s'apercevait maintenant, non sans une étrange appréhension, que c'était la première fois qu'il avait cet air-là. Flora était aussi suffisamment vive pour comprendre que, quoi qu'elle pût en penser — envie que Daisy pût avoir son frère, jalousie d'avoir à le partager — elle devait garder cela pour elle.

— Tu es sacrément touché, n'est-ce pas, Kit ?

— Au-delà de toute raison, dit-il dans l'intention de la duper, mais il se détendit et ajouta, sans fard : oui, très.

Flora ne put résister à lui envoyer une pique :

— J'imagine que tu n'es pas le seul. Daisy voyage beaucoup. Tu sais qu'elle a un petit ami à Londres. Matty me l'a dit.

Elle regretta immédiatement ses paroles car Kit se referma comme une huître. Fin de l'entretien. Flora et lui arboraient la même expression quand ils se trouvaient dans une situation délicate, mais Flora savait que Kit se retirait plus vite et plus totalement que les autres.

— Boucle-la, ma vieille, et mange.

Elle se servit de confitures de cerises noires. Kit lui offrit les croissants :

— Prends-en deux, ça te fera encore grossir.

Elle lui fit une grimace tandis qu'il buvait son café au lait. Histoire de le prendre au mot, Flora étala du beurre sur son croissant puis se ravisa et le gratta, avant de se demander comment elle allait oser le remettre dans le beurrier. Dommage, elle avait vraiment envie de discuter avec Kit. Elle voulait son avis et voilà qu'il était dans un de ses moments intouchables. Puis elle pensa : C'est ridicule. Ce n'est pas à son frère qu'on demande conseil pour ses histoires d'amour.

Mais était-ce une histoire d'amour que cette rencontre poissante et vaguement répugnante entre Marcus et elle la nuit dernière ?

Elle essaya de la décrire en d'autres termes et, comme elle était honnête, elle trouva le mot « parodie ».

Visiblement, Marcus n'était pas un grand stratège en la matière et il avait mal choisi le moment de se presser contre Flora, qui était ignorante et nécessitait du doigté. Ce n'était guère surprenant car l'émotion la plus forte dont Marcus se souvenait était sa peur hystérique quand sa mère l'avait expédié en pension à l'âge de sept ans. Depuis lors, jamais plus il n'avait fait confiance aux femmes ni ne les avait comprises. Pourtant, Flora l'attirait de façon primaire et, à l'instar de sa sœur, il était curieux. Sans l'ombre d'un préliminaire, il s'était emparé de Flora sous l'olivier et l'avait embrassée. Sa moustache faisait comme un... comme un rongeur prenant racine autour de sa bouche, il sentait le vin et le cognac et l'instinct de Flora lui disait que tout cela était une comédie. Ecœurée, elle l'avait repoussé et l'avait supplié de cesser. Après quoi chacun avait poliment souhaité bonne nuit à l'autre.

Toute de noir vêtue, impeccable avec ses rubans blancs qui voletaient, Adèle, la bonne, arriva sur la terrasse par une porte-fenêtre et tendit un télégramme à Kit.

Kit s'empara du coupe-papier :

— J'espère qu'il n'y a rien de grave, dit-il en déchirant l'enveloppe.

— Encore une chaude journée, Adèle, dit Flora qui polissait son français de nursery.

Les traits olivâtres d'Adèle demeurèrent impassibles :

— *Oui, mademoiselle.*

— Fait-il toujours aussi chaud à cette époque de l'année ?

— Pas toujours, mademoiselle. C'est l'année de *la grande chaleur*.

Incapable de poursuivre la conversation, Flora abandonna et contempla le jardin. Le soleil était déjà cuisant. Elle soupira et frotta ses souliers sur un plant de thym qui s'était frayé un chemin entre les dalles. Ce n'est qu'alors qu'elle remarqua l'air figé et dérouté de Kit. Oh mon Dieu ! pensa-t-elle. Père a encore fait des siennes.

— Que se passe-t-il ?

Il lui lança le télégramme : CRISE FINANCIÈRE STOP RENTREZ STOP IL FAUT TROUVER SOLUTION STOP RUPERT STOP PS AVERTISSEMENT STOP LES CHUDLEIGH N'ONT PAS UN PUTAIN DE PENNY VAILLANT STOP

— N'en tiens pas compte, le pressa Flora. Je t'en prie.

— As-tu bavardé, Flora ?

— Bien sûr que non.

— Excuse-moi, dit Kit en repoussant sa chaise pour se lever. Alors où père a-t-il été chercher que je doive être l'agneau sacrificiel ?

— Mrs. Chudleigh a dû lui parler de Daisy et toi. Elle est rapide comme l'éclair.

— Naturellement.

Kit se tint près de la balustrade et fit courir son doigt le long de la pierre :

— En ce cas, quel rôle Daisy et moi jouons-nous dans les plans de père ? Je suppose qu'il me signifie de ne pas m'engager car il entend me faire faire un mariage d'argent.

C'en fut trop pour Flora :

— Si tu aimes Daisy, épouse-la. C'est très simple.

— Ce n'est pas simple, objecta Kit en faisant face à sa sœur. Je ne sais pas quelle catastrophe père a faite, mais il a raison sur un point. Nous devons conserver Hinton Dysart.

Flora essuya la confiture de sa bouche :

— La chute de la maison est-elle importante ? L'est-elle vraiment, Kit ? Un assemblage de briques et de pierres, quelques documents marqués « Dysart ». De toute façon, que veut dire père ? A-t-il perdu tout notre argent ou seulement un peu ? Ne ferais-tu pas mieux de t'en enquérir ?

Sous la chaleur, le beurre s'était transformé en petite flaque jaune et les bols étaient cernés de croûte séchée. Si éclatant, si exotique il y a un instant, le jardin était maintenant dur et indifférent.

Oh ! Kit. Flora s'adressait en silence à son frère qui se renfermait une fois de plus. Je vois poindre les ennuis et, si je pouvais épouser un homme riche et arrêter toutes ces imbécillités, je le ferais de bon cœur.

— Allô.

— Allô, père, m'entendez-vous ?

— Pardon ?

— M'ENTENDEZ-VOUS ?

— Inutile de crier.

— Que s'est-il passé ? Pourquoi dois-je rentrer ?

— J'ai perdu beaucoup d'argent en bourse, si vous tenez à le savoir.

Kit encaissa le choc.

— Combien, père ?

— Enormément. A vrai dire, presque tout notre capital. Quelque chose va de travers dans le marché boursier. Il s'affole et je n'ai pas fait confiance à Hepworth pour régler cela.

Kit commençait à saisir. Tandis qu'il prenait un verre de sherry, un voisin ou quelqu'un de ce genre avait donné un tuyau à son père, à la suite de quoi il avait dit à Hepworth, leur gestionnaire, d'aller au diable après n'avoir pas suivi ses conseils.

— Est-ce grave, père ? J'ai besoin de savoir.

— Très, répondit Rupert pesamment. Très grave, en fait, et j'ai le sentiment que le marché ne va pas mieux se comporter.

Leur conversation était émaillée de craquements. Le volume s'amplifiait et diminuait constamment. Kit bouscula son père.

— N'y a-t-il aucune chance de récupérer nos pertes ?

Kit entendait nettement son père souffler de la fumée ; il aurait tant voulu pouvoir lui arracher la pipe de la bouche.

— Je crains que non, hélas, répondit Rupert de son ton le plus sec.

Kit mit sa main dans sa poche de pantalon.

— Je veux que vous rentriez à la maison, poursuivit son père. Je suis certain que vous êtes comme cul et chemise avec cette Chudleigh et cela doit cesser immédiatement. Ce n'est pas le moment de vous laisser entraîner.

Comme il s'y attendait, Kit ne décela pas le moindre signe indiquant que son père était navré.

Apprenant que Kit devait rentrer en Angleterre pour affaires, Susan Chudleigh se montra caustique :

— Evidemment, dit-elle en traînant sur chaque syllabe pour dissimuler — sans y parvenir — sa rage. Votre père a besoin de votre présence s'il se passe quelque chose de grave.

Elle saisissait les implications des ordres de Rupert et relisait dans sa tête la lettre bavarde qu'elle lui avait écrite, cherchant l'erreur qu'elle avait commise.

— Il va de soi que je vous excuse l'un et l'autre. Car je ne doute pas que Flora n'aimerait pas rester sans vous.

— Cela lui serait égal, vous savez.

— Bien sûr que non, voyons.

Susan n'entendait pas se montrer accueillante gratuitement. Elle avait d'autres plans pour Marcus — qui pouvait toutefois flirter à l'envi — et, maintenant que Kit quittait la scène, Flora n'y avait plus sa place. Kit dévisagea son hôtesse, espérant qu'aucun des traits durs de ce visage n'apparaîtrait sur celui de Daisy. S'il est vrai qu'il avait à maintes reprises croisé des femmes comme Susan, jamais il n'avait imaginé à quel point ce genre de créature pouvait être dangereuse, surtout une fois lâchée dans la nature.

— Je tiens à vous remercier de votre amabilité, réussit-il à dire.

Il laissa Susan, qui partit à la recherche de sa fille. Elle la trouva dans son bain, un masque de boue sur le visage.

— Assieds-toi, lui dit-elle. Je veux savoir ce qui s'est passé.

Daisy obéit, soulevant un nuage d'eau parfumée. Ses yeux dessinaient deux taches claires au milieu du masque qui se mit à craqueler quand elle répondit :

— Mais de quoi parlez-vous ?

— Réfléchis. Qu'as-tu fait de travers, hier soir ? Tu t'es jetée à la figure de Kit Dysart ?

— Mais de quoi parlez-vous ?

— Tu le sais parfaitement. Tu sais aussi bien que moi

que tu espérais lui mettre le grappin dessus. Eh bien ! sache que tu as tout saboté. Il repart.

— Ne dites pas n'importe quoi, maman, il reste tout le mois de septembre.

Susan observa les traînées de boue sur les épaules de sa fille :

— Non, petite dinde. Il s'en va demain... par le train de nuit.

Elle regarda Daisy se rallonger dans la baignoire et ajouta :

— Alors, qu'as-tu à répondre ?

— Rien du tout, maman. Sans doute quelque chose à régler chez lui. Je le verrai à Londres.

— Oh, je ne crois pas, Daisy. Je crois qu'il décampe. On l'a mis en garde. Point final.

Susan tira sur la poignée actionnant la bonde. Il y eut un bruit creux.

— Non.

— Tu es encore plus sotte que je ne le pensais. Kit Dysart aurait fait un bon mari si tu t'étais remuée, remarqua Susan en croisant les bras. Mais je suppose qu'il avait des inconvénients. Maintenant, il te reste Tim et tu ferais bien de te reprendre parce que tu n'es plus de la première jeunesse. J'espère que Tim n'aura pas vent de ce petit intermède.

Daisy sentit sa confiance s'ébranler. Etait-il arrivé quelque chose à Kit cette nuit ? Avait-il soudain eu peur de se faire piéger, avait-il encore à l'esprit cette histoire de garçon ? Ses pensées tourbillonnaient comme l'eau du bain. Et pourquoi, se demanda-t-elle, blessée, n'était-il pas venu la prévenir en premier ?

— Est-ce tout ce qui vous intéresse, maman ?

Daisy voulait être seule, réfléchir, voir si elle devait faire confiance à Kit, mais sa mère s'incrustait. Alors elle dit :

— Si un mariage suffit à sauver notre budget, je n'aurai qu'à amener le premier homme venu à demander ma main.

Soudain, sa mère s'assit et sortit son étui à cigarettes de la poche de sa robe de lin flammé :

— Non, Daisy, cela ne suffit pas, répondit-elle tandis que son visage trop maquillé s'adoucissait un peu. Je veux que tu sois heureuse. Mais il faut bien être raisonnables et pratiques. N'importe qui ne fera pas l'affaire. Kit, lui, était convenable... et titré.

— Ah oui, titré.

— Si seulement...

Susan entamait l'habituelle litanie. Daisy l'interrompit :

— Si seulement nous avions l'argent de Matty. Oui, je sais. Mais nous ne l'avons pas. Maintenant, écoutez-moi, maman. Je ne me suis pas remuée, comme vous dites, et je ne l'ai pas amené à me demander en mariage, mais la chose était entendue. Alors si Kit s'en va... je n'y crois pas, fit-elle en enfouissant brusquement son visage dans ses mains.

» S'il s'en va vraiment, il ne faut rien en conclure. Pas tant que je ne sais pas ce qu'il en est.

Susan regarda sa fille, intriguée, comme si elle faisait une découverte :

— Tu y tiens vraiment ?

De la cendre de cigarette tomba sur le sol en dessinant un arc de cercle.

— S'il vous plaît, laissez-moi, supplia Daisy.

Susan se leva, lissa les plis de sa jupe (une copie d'un modèle de chez Patou confectionnée dans un sous-sol) et se dirigea vers la porte, laissant derrière elle une nuée de Chanel n°5 :

— Les Dysart ramèneront Matilda avec eux, cette damnée fille ne semble pas supporter la chaleur. Marcus et toi demeurerez ici comme prévu et j'ai appelé Annabel pour lui demander de nous rejoindre. Cela va te remonter le moral. Du moins nous n'aurons plus à supporter Matilda et sa face de carême.

Sur quoi elle ouvrit la porte et s'en alla.

En robe de coton bleu et souliers assortis, Matty, qui longeait le couloir, fut le témoin d'une scène étrange : Daisy assise dans une baignoire vide, le visage strié de boue, pleurant dans un gant.

HARRY

La fin de l'été est le temps d'ôter les fleurs mortes et de s'assoupir dans une chaise longue en sirotant un Pimm's — à mon âge c'est exactement ce que je devrais faire, mais ce n'est pas le cas. (Avez-vous remarqué à quel point les gens — surtout les jeunes — aiment qu'on se comporte selon son âge ?) Ceux qui ne jardinent pas (« En existe-t-il ? » demande Thomas d'un ton résigné) pourraient s'imaginer que le jardinier se repose au plus chaud de l'été pour jouir du résultat de ses plantations, tailles et autres tâches multiples au lieu de rêver de l'automne et du parfum qui monte d'un feu d'herbes et de branchages. Quelque chose me pousse : le fait de savoir qu'il ne me reste que peu de temps et la répugnance à en perdre.

Je regarde mes bras dont la chair s'amollit et je ne puis imaginer que ces mêmes bras, alors bruns et musclés, ont serré les poignées de ma Harley-Davidson tandis que je remontais dans un bruit d'enfer la grande allée de Hinton Dysart, habillé de cuir des pieds à la tête, pour annoncer à mes parents que j'étais renvoyé d'Oxford après avoir fait le mur une fois de trop.

(Cela, mes amis, se passait il y a bien longtemps, et je ne crois pas que ce fût une expérience vaine. Grâce à cet incident, je suis parti en France et j'ai appris la vie.)

Dans la Chine ancienne, il existait une malédiction : puissent vos rêves se réaliser. D'une certaine façon, j'ai atteint mon étoile ; pourtant je ne me sens pas maudit. Je me sens satisfait, absorbé dans le travail que je préfère.

Par exemple, j'ai mené une petite étude sur les plantes

les plus populaires de la pépinière et les résultats sont intéressants. En tête — évidemment — vient la lavande, et pourquoi pas ? Deuxième : *Euonymus*, fusain « Emerald 'n Gold », excellent couvre-sol, qui étouffe les mauvaises herbes et attire l'œil. Troisième : le choisya « Sundance » avec ses feuilles d'un jaune éclatant et ses fleurs odorantes. Quatrième : la Potentille « Red Ace ». Cinquième : Spirée « Goldflam ». Sixième : un nouveau venu, le lavatère « Barnsley ». Ses jolies fleurs rose bonbon aiment la chaleur et sont conçues par la nature pour se balancer sous la brise estivale...

A propos d'été, je suis enchanté des résultats de ma dernière expérience. L'an dernier, je me suis approprié un massif desséché orienté au sud à l'extérieur du jardin clos et j'ai entrepris de recréer le *maquis* à Hinton Dysart. C'est un endroit peu commode et broussailleux et je ne pense pas que les gardiens s'en soient véritablement offusqués. J'ai planté des lavandes et de la sauge de Jérusalem, le *Galanthus corcyrensis*, perce-neige qui fleurit en automne, et le *nivalis* qui aime rôtir au soleil, des iris amoureux de la sécheresse, le *Convolvulus cneorum*, belle-de-jour grise et blanche que j'aime tant. Juste un petit avertissement : sous un climat doux et humide, les plantes de maquis ont des tiges disproportionnées, elles nécessitent d'être sévèrement taillées au printemps, mais l'effort est mince comparé à l'immense récompense.

Le soir, quand il fait chaud, je monte inspecter le massif et je respire le thym — cela me rappelle ma jeunesse, mon séjour en Provence et, naturellement, Thomas, que j'ai connu là-bas.

Une dernière chose. Les jardiniers appartiennent à une curieuse race. Bavards, obsessionnels, ils se lancent dans de farouches compétitions comme des seigneurs de l'industrie — il en a toujours été ainsi. A l'instar du jardinier du *Richard II* de Shakespeare, ils perçoivent le monde en termes de jardin. L'alpha et l'omega. Je suis comme cela, je le sais. Ma mère était pareille. Tous autant que nous sommes — jeunes, d'âge moyen, grassouillets, osseux, mal attiffés, trop habillés, riches et pauvres, intelligents ou non — nous nous trouvons encerclés dans une passion partagée qui en exclut toute autre.

Installé à la caisse, j'observe les visiteurs déambuler : sous le tunnel de glycine, sur la pelouse circulaire qui mène au jardin spécial où ils s'attardent avant de rebrousser chemin vers la roseraie entourée de murs. Tremblant de plaisir, fouineurs, inquisiteurs, âpres au gain, désireux d'apprendre, ou même avec un sac plastique caché. Rien que ce matin, j'ai surpris une vieille dame en imperméable Burberry et bottes de caoutchouc vertes se prendre une bouture de *Ceanothus* « Trewithen Blue ». Et cette autre, avec sa main pleine de diamants qui a arraché une pousse de la bordure herbacée. Plus tard, je suis allé inspecter la blessure : la Dame aux Diam's avait pillé la *Tradescantia virginiana* (ou misère ou éphémère de Virginie) — mère m'a enseigné tous les noms. Ou, dit-elle en me montrant les composants de la plante et en écartant ses feuilles alternes, Moïse-parmi-les-joncs. Tu vois, mon chéri, là où ils ont caché le nouveau-né jusqu'à ce qu'on le trouvât.

6

Ce même jour, dès la fin de l'après-midi, tout était arrangé. Les Dysart et Matty partiraient pour Nice le lendemain après le déjeuner et prendraient le train de nuit pour Paris. Le voyage durerait un jour et demi.

Le téléphone était toujours occupé, de même que Kit qui faisait d'incessants allers et retours à Antibes. On se scandalisa qu'il n'y eût plus de wagons-lits disponibles en première classe, on fut soulagé quand les responsables des chemins de fer comprirent enfin qu'il était impensable de voyager en seconde classe. On consulta l'indicateur des chemins de fer, on débattit des dispositions à prendre pour le dîner, on pria la pauvre Adèle de compter et de recompter les bagages — malles, cartons à chapeaux, nécessaires de toilette en crocodile, sacs de golf, raquettes de tennis, le tout en trois exemplaires. L'organisation du départ déclencha à la Villa Lafayette une activité fébrile qui masqua l'autre drame.

Comme toujours quand les plans ne se déroulaient pas comme prévu, Susan s'en prit à Matty. Sa rage éclatait sans retenue :

— Quel soulagement ce sera de ne plus te voir errer comme une âme en peine ! l'informa-t-elle pendant le thé. Sans compter que tu as l'air épouvantable. Tu es pleine de... pleine de taches de rougeur.

Matty se mordit la lèvre inférieure.

— Je suis désolée, tante Susan.

— Tu n'es vraiment pas une compagnie, tu sais. N'as-tu donc aucune conversation, Matty ? Je ne comprendrai jamais comment tu dépenses tant d'argent pour toi avec si peu de résultats.

Matty savait qu'il ne fallait surtout pas chercher à se défendre, aussi endura-t-elle le sermon qui l'accusait pêle-mêle de ne pas apprécier les gouvernantes françaises, les expéditions chez Mainbocher, les sous-vêtements de soie et les meilleurs soins médicaux (auxquels ses cousins ne pouvaient hélas prétendre) non plus que l'excellente maison où Matty s'incrustait depuis vingt ans. Pour sa part, la jeune fille pensait que Marcus se moquait éperdument de tous les éléments cités et que, loin de tout observer de l'extérieur, Daisy avait largement profité des gouvernantes françaises et de la lingerie de soie de Matty. Au vrai, Daisy parlait un meilleur français qu'eux tous.

Fumant avec rage, Susan faisait les cent pas dans le salon blanc comme un reptile doré crachant son venin. Matty l'écoutait d'une oreille tandis que l'autre écoutait la voix intérieure qui la conjurait de ne pas faire attention : Susan ne pouvait pas lui faire véritablement du mal.

Faux. Sa tante lui faisait de la peine, très souvent. Et, sur un point essentiel, elle avait raison. Matty était une intruse — un vilain petit canard orphelin tombé dans un nid déjà occupé par un oiseau de paradis.

Matty ne trouvait rien à objecter, aussi tendit-elle le bras pour observer une piqûre de moustique sur son poignet. Il paraissait pâle et spongieux mais était en fait dur et chaud.

— Et autre chose, Matty, cesse de gratter ces horribles piqûres, pour l'amour du ciel. C'est répugnant.

— Laissez-la tranquille, maman. Inutile de la harceler perpétuellement.

C'était Daisy qui rentrait d'une promenade solitaire sur la plage. Elle s'installa sur le sofa et alluma une cigarette qu'elle fuma nerveusement.

Matty se demanda si elle préférait Daisy quand elle était aimable plutôt qu'impatiente. N'empêche, un coup de pied dans le tibia valait mieux qu'un coup de pied dans le ventre. Elle lui jeta un regard en coin et, parce que ses propres sentiments pour Kit l'avaient rendue plus sensible, elle se surprit à éprouver quelque compassion pour sa cousine. Daisy avait l'art de prétendre n'avoir aucun souci au monde, mais aujourd'hui, une blancheur nouvelle au coin de la bouche disait à Matty le trouble profond que ressentait Daisy. Elle tenta de paraître désinvolte :

— Je suis sûre que tante Susan ne le pensait pas.

Daisy haussa ses épaules nues et parla d'autre chose :

— Le temps change. Le vent se lève.

C'était vrai. Le ciel était mauve et les feuilles bruissaient dans les arbres.

— Seigneur, il se fait tard, lança Matty en se levant d'un bond. Je viendrai vous dire au revoir tout à l'heure. A moins que vous ne préfériez que je le fasse dès à présent.

— Tu n'encombreras pas les Dysart, n'est-ce pas, Matilda? Tu ne mettras pas leur bonne volonté à rude épreuve?

Susan se demanda pourquoi elle faisait ces réflexions : peu lui importait le sort des Dysart. L'habitude, sans doute.

— Non, tante Susan, répondit Matty, les yeux rivés au tapis. Je vous verrai à Londres. Y a-t-il quoi que ce soit que je puisse faire en attendant votre retour?

Daisy lâcha enfin avec méchanceté :

— Fiche le camp, Matty. Dépêche-toi de partir.

— Finalement, qui se montre désagréable? remarqua Susan alors que la porte se refermait sur Matty.

— Moi, répliqua Daisy en sortant dans le jardin.

Kit la découvrit assise sur un banc de pierre près de la piscine. Le *mistral* prenait de la force et elle regardait les branches du figuier danser à son rythme.

Kit se tint devant la silhouette blottie.

— Hello, Daisy.

Elle serra les poings sur ses genoux.

— Hello, Kit.

— Toute la journée j'ai essayé de vous parler, mais j'ai dû aller en ville pour tout organiser.

Daisy regarda ses mains et en remarqua les jointures blanches sous le bronzage :

— J'étais là.

— Mon père m'a demandé de rentrer. Dès que possible.

— Il faudrait être aveugle et sourde pour ne pas s'en apercevoir. Adèle est hystérique, ajouta Daisy qui réussit à sourire.

Il s'installa près d'elle.

— Daisy, nous avons parlé d'argent, l'autre soir, vous vous rappelez?

Elle hocha la tête.

— Eh bien mon père est en plein désarroi financier et ma présence est requise.

Il desserra les mains de Daisy et leurs doigts se mêlèrent.

— Ecoutez, Daisy, c'est important. Je ne puis prendre aucune décision dans l'immédiat. En ce qui nous concerne, veux-je dire.

— Si seulement je n'avais pas évoqué le sujet.

Daisy avait été si certaine que Kit repousserait les objections qu'elle avait formulées dans le *caboulot*. Elle avait passé le plus clair de la journée à se convaincre qu'il ne tiendrait pas compte d'une crise financière et que sa mère finirait par admettre son erreur. Elle s'était persuadée que Kit s'engagerait vis-à-vis d'elle, ici, tout de suite, qu'il lui dirait — métaphoriquement, bien sûr — venez avec moi, le reste ne compte pas.

Kit n'était pas venu, et la vision d'un chevalier sur son destrier (un chameau, en l'occurrence) s'effaça. A sa place, se dressait Susan, un sourire à la je-te-l'avais-bien-dit incurvant sa bouche impitoyable, et Kit s'affairant avec son guide des chemins de fer et ses étiquettes de bagages.

— Je pensais que cela ne...

Furieuse d'être furieuse, triste qu'il ne partageât pas ses sentiments, Daisy libéra sa main :

— C'est étrange, Kit, poursuivit-elle. Je croyais que nous nous connaissions mieux.

Peut-être Kit ne l'aimait-il pas? Pas vraiment. Autrement il souhaiterait que les choses fussent fixées, non? Daisy avait été si sûre. Lorsque Kit avait avoué pour le garçon, le doute s'était insinué en elle mais elle n'y avait attaché aucune importance. Maintenant, c'était différent et Daisy comprit qu'elle était plus choquée et affolée par cet épisode qu'elle ne l'avait cru. Kit la dévisageait, plein de désir et de tendresse, mais sans se départir de son air détaché. Les cheveux au vent, tapotant du doigt son passeport dans sa poche intérieure, Kit était déjà parti, devina Daisy en frissonnant.

Par essence, les idylles sont éphémères — et celle de la Villa Lafayette avait pris fin avec la sonnerie du téléphone. On rappelait Kit. Daisy avait l'impression qu'il retournait de bon gré au monde des télégrammes et de la colère. Dans le cœur de la jeune fille battaient deux rythmes contradictoires : le besoin de Kit et la déception de le trouver plus conventionnel et moins dangereux qu'elle ne se l'était imaginé.

Non. Peut-être cela n'avait-il rien à voir avec la sécurité. Le côté honnête de Daisy l'obligea à se demander si elle n'était pas surtout déçue de constater que Kit ne l'avait pas fait passer avant tout.

Le *mistral* soufflait entre eux, glacial. Daisy prit sa tête dans ses mains :

— Avez-vous de quoi lire pendant le voyage ?

— Oui.

— Si Matty respire difficilement, ses gouttes sont dans sa mallette en crocodile, expliqua-t-elle en se relevant pour lisser sa jupe. Je pensais préférable de vous prévenir.

— Daisy, ne partez pas ainsi.

— Je pensais faciliter les choses. Vous êtes en train de me dire que finalement vous ne souhaitez pas m'épouser. Vous êtes en train de me dire que nous avons eu de bons moments mais que c'est fini.

Kit fut tellement surpris qu'il éclata de rire :

— Non, Daisy. Non ! Ce n'est pas cela du tout, protesta-t-il.

AVERTISSEMENT STOP LES CHUDLEIGH N'ONT PAS UN PUTAIN DE PENNY VAILLANT STOP RUPERT

Son esprit fut traversé par l'image de Hinton Dysart un matin de printemps, incrusté dans un entrelacs de verts et bercé par le roucoulement des pigeons ramiers. Suivit l'image plus sombre qui lui donnait toujours envie de fuir... aussi loin, aussi vite que possible. Il était au bord de la colère :

— Soyez patiente, Daisy.

On l'a mis en garde. Les mots de Susan firent leur chemin dans l'esprit de Daisy, tranchants comme un rasoir.

— Daisy.

Kit glissa ses bras autour d'elle et la serra très fort. La poussière montait de la route et le vent claquait autour d'eux. Daisy trembla de froid dans la prison de son corps :

— Etiquettes de bagages et coups de téléphone. Voilà à quoi cela se réduit. Je crois que nous devrions mettre un terme à cette conversation. Elle est inutile.

Kit prit Daisy par les épaules et l'obligea à affronter son regard :

— Mais comprenez-vous ?

Folle de désespoir, elle se fâcha :

— Qu'y-a-t-il à comprendre ? laissa-t-elle échapper.

Dans la lumière déchaînée qui faiblissait, son visage pâlit, rusé, indéchiffrable. Ses yeux se plissaient de rage et ses cheveux perdaient leur éclat. Pendant un moment, sa beauté et son assurance disparurent. Elle sembla perdre pied.

Puis la colère de Daisy s'évanouit aussi vite qu'elle était venue :

— Je suis désolée, Kit. C'était impardonnable.

— Je dois rentrer à Hinton Dysart, répéta-t-il comme s'il s'adressait à une enfant. Je ne puis l'abandonner, non plus que mon père, et je n'ai rien à offrir à une épouse en ce moment, hormis une montagne de dettes.

Une question brûlait les lèvres de Daisy : « Depuis quand une immense maison et un immense jardin ne sont-ils rien ? » Mais elle dit :

— Et moi, n'ai-je rien à vous offrir ?

— Je vous en prie, supplia Kit.

Debout près du pot de pierre sculptée, elle ôtait les fleurs mortes des géraniums. Tout en regardant les pétales fanés céder au mistral, elle contemplait les blessures d'une histoire d'amour — ses humiliations, ses sables mouvants, ses promesses vaines.

— Je croyais que ce serait différent, Kit, dit-elle tristement. Je croyais que nous allions réussir.

Sa mère avait raison. On avait mis Kit en garde.

— Daisy !

Toutes les rivières, si claires soient-elles, coulent sur de la boue. A la passion de Kit pour Daisy, se mêlaient un sédiment — et une prudence — qui remontaient à loin.

— J'aimerais tant vous faire comprendre, Daisy, ma chérie. Tout va bien. Croyez-moi.

— Oh, Kit !

Dans un de ses gestes aussi gracieux qu'imprévisibles, Daisy se tourna vers Kit et ses bras se tendirent vers lui, vers sa poitrine, puis autour de son cou.

— Etes-vous certain ?

Elle appuya son corps contre le sien pour lui faire dire : Venez avec moi.

Tenté de tout envoyer au diable, brûlant au contact de Daisy, Kit hésitait. Trente secondes s'écoulèrent qui allaient teinter le reste de son existence.

Dans une bouffée de géranium froissé, Daisy le laissa aller, fit demi-tour et entreprit de traverser la pelouse qui menait à la terrasse.

— Je vous verrai à Londres, lança-t-elle.

— Daisy !

Paniqué devant cet adieu péremptoire, Kit courut maladroitement, glissa et tomba sur un genou. Grimaçant de douleur, il se redressa tandis que la silhouette de Daisy se faufilait dans l'ombre, lointaine, absente, ailleurs. Il la rattrapa en boitillant et saisit une bretelle de sa robe rose :

— Ne dites pas cela sur ce ton.

Daisy attendit que Kit l'eût lâchée :

— Je comprends, Kit, vraiment. Ecoutez, il y a un moment que je voulais vous en parler. Il y a quelqu'un d'autre... qui veut m'épouser.

Sa beauté était revenue et, dans cet après-midi tourmenté, elle paraissait éclairée par le drame du moment et une émotion qu'il ne reconnaissait pas.

— Il s'appelle Tim, et je vais probablement dire oui.

Kit lui prit si violemment le bras qu'elle cria.

— Vous inventez cette histoire, protesta-t-il.

— Non.

— Je ne puis le croire.

Daisy s'éloigna dans un haussement d'épaules.

— On s'est bien amusés, n'est-ce pas, Kit ? J'ai adoré les moments que nous avons passés ensemble.

— Amusés...

Le mot s'attarda dans le soir tombant. Immobile, Kit la regarda s'éloigner en direction de la maison.

— Oui, c'est cela, lança-t-elle par-dessus son épaule. J'y penserai quand je rentrerai à Londres.

— Daisy. Ecoutez...

Kit était cloué sur place.

— Il n'a pas fallu grand-chose, n'est-ce pas ? fit une voix quasi désincarnée.

— Pour faire quoi ? appela-t-il, oublieux des habitants de la villa. Pour faire quoi, Daisy ? hurla-t-il, ahuri.

— Pour être renvoyée à plus tard.

Daisy disparut derrière les rideaux de la porte-fenêtre.

Ne mets pas leur bonne volonté à l'épreuve. Ne mets pas leur bonne volonté à l'épreuve.

Le train de nuit qui allait de Nice à Paris lui ressassait le message et Matty, un livre qu'elle n'avait pas ouvert sur les genoux, l'écoutait. Parfois, il était dur et métallique comme tante Susan, parfois il murmurait au rythme du train qui montait et descendait les pentes en glissades.

Peut-être la tête lui tournait-elle un peu, enfiévrée qu'elle était après des piqûres infectées, car d'étranges pensées filtraient son esprit. Elles s'attardaient, tentatrices, hors d'atteinte. Matilda essayait de les saisir — papillons rebelles aux couleurs audacieuses emprisonnés dans ses pensées.

Dans le compartiment, le miroir se balançait au rythme du train, et le reflet de Matty devint une composition aux angles multiples. Il y avait ce visage tacheté, si différent de la beauté de Daisy, beauté que Matty ne posséderait jamais. Le démon de la jalousie s'éveilla. Si peu aimable comparée à Daisy, si peu intéressante, si informe.

Ne mets pas leur bonne volonté à l'épreuve.

Au dehors, la France défilait, les lumières des villes et des villages perlaient le chemin. Il faisait déjà plus frais, et quand le train apparut entre les collines des Alpes-Maritimes, une odeur de pin se superposa à celle de la fumée.

Matty versa de l'eau dans le lavabo et entreprit de faire sa toilette avant le dîner. Deux ans auparavant, alors qu'elle feuilletait des périodiques américains, elle était tombée sur un article qu'elle n'avait jamais oublié depuis ; il était signé Emma Goldman, une féministe américaine. Elle avait écrit : « La véritable émancipation ne commence ni aux urnes, ni au tribunal. Elle commence dans l'âme de la femme. »

Matty se rappelait parfaitement le choc éprouvé à la lecture de ces mots — le sentiment d'avoir rencontré quelque chose d'audacieux, aux possibilités considérables. Naturellement, elle n'envisageait pas l'hypothèse que cela s'appliquât à elle — Emma Goldman était beaucoup trop héroïque pour l'âme blottie dans la frêle carcasse de Matty.

Et pourtant. Et pourtant.

Ne mets pas leur bonne volonté à l'épreuve.

Elle repensa à la Villa Lafayette, des sensations multiples s'entremêlant avec force — le soleil, la mer, l'intensité de tomber amoureuse, la jalousie. Marcus et Flora. Daisy et Kit. Les piqûres. Les nuits baignées de sueur. Les désirs étranges.

Il ne voudrait pas de moi, se dit Matty, serrant mentalement une silhouette lointaine qui lui parlait de Damas et de roses. Jamais. Mais, rien de surprenant à cela. Moi non plus, je ne voudrais pas de moi.

Elle commença à s'habiller.

Le train entra en gare de Paris avec un cri strident et s'arrêta dans un tourbillon de vapeur. Pendant un moment, la paix régna, puis les porteurs quittèrent le quai pour entrer dans les wagons-lits. La fumée s'étalait en couches sous le toit, les fenêtres étaient libérées de leurs lanières de cuir et les portes s'ouvraient brutalement. Un flot de passagers descendit du train.

Matty marqua une pause avant de négocier le saut sur le quai avec ses chaussures à hauts talons. Un porteur vint lui prêter secours. Malgré le manque de sommeil, car elle avait passé la nuit à réfléchir, elle était vêtue avec élégance d'un tailleur de crêpe georgette gris et d'un chapeau cloche. Un foulard de soie verte flottait autour de son cou et des boucles d'oreilles en émeraude scintillaient au petit jour. Elle était suivie de Flora qui se sentait engoncée et empêtrée dans sa robe de soie et son manteau assorti.

Un porteur héla un taxi, y empila les bagages et aida les trois passagers à prendre place. Sous le coup du cognac qu'il avait bu après le dîner, épuisé de sa nuit sans sommeil, Kit laissa un pourboire trop généreux et grimpa après les jeunes filles.

Il était encore tôt, mais les réverbères de la ville étaient déjà éteints. Une armée nocturne était en train de se disperser — nettoyeurs de cloaques et réparateurs de rails de tramways dont les torches d'acétylène crachotaient des étincelles violettes qui viraient au jaune dans l'aube, — mais pendant cette demi-heure à peu près, la ville était comme suspendue, à moitié nocturne, à moitié diurne, dans la lumière perlée.

Une voiture à cheval avait mal calculé son chemin et gisait en travers de la rue, si bien que le chauffeur opta pour une autre route qui les emmena à travers les ruelles miteuses et les *quartiers* délabrés. Kit aperçut la course précipitée d'une prostituée et de son souteneur, et le pas chancelant d'une opiomane sortant d'une *fumerie* de l'avenue Bosquet. La beauté dans le sinistre le saisit, et ce n'était pas la première fois. Le monde interlope parisien, par exemple : secret, violent, plein d'*oubliettes* mystérieuses et de rêves paradisiaques, érotiques, nourris de drogues, souvent fatals. Il aurait voulu, lui aussi, tituber dans l'aube naissante.

La voiture traversa le quai de la Mégisserie où les *clochards* s'ébrouaient ; chez les grainetiers, les coqs chantaient. Le soleil se levait derrière Notre-Dame et l'odeur de pain chaud et de café moulu embaumait l'air.

La beauté des immeubles et de la Seine époustoufla Kit. Il avait mal aux jambes et à la tête d'avoir trop bu, et la fatigue et la gueule de bois se distinguaient mal de la douleur d'avoir perdu Daisy.

— Oh, regardez, s'exclama Flora, tassée dans la voiture. Des fleurs. Des tonnes de fleurs.

Kit obéit et jeta un œil à travers la vitre. Mais tout ce qu'il put discerner fut les lignes fuyantes d'un visage déformé. Le sien.

Sur le pont, la brise fraîchit lorsque le ferry s'éloigna du port de Calais. Un écheveau de mouettes criardes suivait le sillage. De temps à autre, elles plongeaient à la recherche d'un poisson ou de quelque détritus, puis prenaient à nouveau leur essor dans le ciel scintillant.

Sous l'effet de la fatigue, Kit éprouva de façon plus aiguë le changement de température. Il releva le col de son imperméable et abaissa son chapeau sur ses yeux. En contrebas, l'eau bouillonnait, vert glacé, mouchetée d'ordures et de pelures d'oranges. La côte française s'éloignait, hors de vue. On servait des boissons au bar des premières classes et un déjeuner au restaurant. Kit ne voulait rien et, à moins que sa gueule de bois ne disparût, il y avait de fortes chances qu'il ne mangeât ni ne bût plus jamais.

Il s'affaissa sur le bastingage et se laissa éclabousser d'écume. Une mouette s'éleva, une épluchure de melon dans le bec. A cet instant, Kit comprit à quel point il éprouvait colère et amertume.

Kit, enfant chéri. Ne m'importunez pas. Je ne puis... je ne puis le supporter. Si vous alliez plutôt jouer avec vos sœurs. Laissez-moi en paix, cher petit, soyez gentil.

L'écho d'un vieux souvenir, avec ses mensonges et ses trahisons qui se mêlaient aux plus récents, fermentait dans l'esprit de Kit. S'y ajoutait la certitude qu'il aurait dû dire quelque chose à Daisy mais s'en était gardé. C'était trop tard.

Tim Coats. En tout cas, Flora l'avait prévenu.

Le bateau tangua, projetant Kit contre la rambarde. Il eut la nausée. Son estomac le brûlait, comme l'envie acide et corrosive de saisir Tim Coats à la gorge, serrer, voir sa peau se tacher de bleus. Le briser.

Inquiète pour son frère, Flora l'observait à travers la fenêtre du restaurant. Matty et elle prenaient leur déjeuner, excellent au demeurant. En particulier le beurre salé anglais et la sauce à la menthe. Flora se jeta dessus comme sur des amis perdus de vue depuis des lustres, elle mangea goulûment, se régalant de la moindre bouchée. Son repas achevé, elle abandonna Matty à sa seconde tasse de café, se rendit sur la passerelle et s'installa à l'abri du vent à un endroit d'où elle pouvait surveiller Kit.

Il était penché au-dessus du bastingage et Flora oublia toute sensation de bien-être. Dieu seul savait à quoi il pensait, et où il en était avec Daisy, mais elle soupçonnait que les choses n'étaient satisfaisantes ni pour l'une ni pour l'autre. La brise s'était muée en vent ; Flora enfonça son chapeau solidement sur son crâne et fixa l'épingle dans l'épaisseur de sa natte enroulée. Elle était heureuse de rentrer. Le séjour à la Villa Lafayette lui avait offert une belle distraction, mais c'était un curieux endroit. Flora y avait entrevu les sentiments adultes et leurs conséquences — qui l'avaient rendue mal à l'aise. Songeant à cela, le souvenir plus que déplaisant de la moustache de Marcus chatouillant sa lèvre supérieure s'imposa à elle. Flora rougit violemment.

Puis elle bâilla et se pencha en arrière. Une des premières choses qu'elle ferait une fois à la maison serait d'aller voir Danny et les chiens, puis Myfanwy, le poulain. Avec un peu de chance, les mûres seraient à point, aussi prévit-elle une expédition dans Itchel Lane. Dieu que c'est réconfortant, songea-t-elle, comme je suis anglaise. La douceur dura précisément une minute et demie. Flora avait oublié qu'ils revenaient pour affronter des problèmes d'argent, Rupert et les manœuvres qu'il faudrait effectuer afin de résoudre leurs problèmes. Quelles manœuvres? se demanda-t-elle, manquant une fois de plus de trouver une solution.

— Inutile d'y penser, l'avait avertie Kit la veille au cours du dîner dans le train alors qu'elle suggérait de chercher du travail.

Sur quoi il lui avait fait les gros yeux et interdit d'évoquer les affaires de famille devant Matty.

— Si l'on en croit père, les femmes et le travail ne vont pas ensemble.

— Mais ce serait une bonne idée, pourtant, insista-t-elle, consciente de ne pas être convaincante. Beaucoup de femmes se mettent à travailler, de nos jours.

— Que pourrais-tu faire?

— Ne pourrait-elle apprendre la dactylographie? interjeta Matty de façon tout à fait inattendue.

— Naturellement, répondit Kit après réflexion. Mais cela ne mènerait sans doute pas Flora bien loin.

» Ecoute, ma vieille, avait-il repris à l'adresse de Flora, tout en faisant tinter son verre en signe d'avertissement, tu ne pourrais pas même franchir le seuil de la maison. Père te séquestrerait comme Barbe-Bleue plutôt que d'avoir une fille qui travaille.

Je me débrouillerai, se dit Flora en plissant les yeux à demi. Nous nous débrouillerons. La dactylographie? Travailler dans un bureau ne la tentait guère. La médecine? Elle s'accorda la vision d'elle-même à Nether Hinton, tenant les rênes d'une charrette anglaise tirée par un poney, une sacoche noire de médecin à côté d'elle. Mais la médecine ne se réduisait pas à sillonner un village. Ne serait-ce que les examens. Père? Kit avait raison. Il la séquestrerait — ou l'équivalent en plus moderne.

Flora n'avait ni l'entregent, ni les connaissances, ni l'habitude de se prendre en charge pour opérer des changements radicaux. Dégrisant, mais vrai.

Elle prit son exemplaire de *The Green Hat*, de Michael Arlen et en lissa les pages. Daisy le lui avait recommandé et, maintenant, elle comprenait pourquoi : l'héroïne ressemblait beaucoup à Daisy.

Ses pensées errèrent çà et là puis, au bout d'un moment, Flora s'endormit.

Trois autres femmes déjeunaient au restaurant. L'une était jeune et mal fagotée dans des vêtements hors de prix. La deuxième, engoncée dans des fourrures inutiles, maquillée de rouge à lèvres écarlate et vaseline aux paupières, ne paraissait pas mieux qu'au naturel — mais comme elle était indubitablement belle et que la sexualité aguichante lui sortait par tous les pores de la peau, les hommes rôdaient autour. A une table opposée, une dame plus âgée en feutre gris et sage tailleur de tweed tenait à la main un verre de cognac à l'eau comme si sa vie en dépendait.

Afin de se donner du courage, Matty commanda la même chose. Lorsque le steward le lui apporta, le restaurant fut soulevé par un tintement de porcelaine; elle planta ses pieds sur le tapis. Sa main trembla légèrement quand elle porta son verre à ses lèvres, et Matty fut encouragée. Libérée de la chaleur de la Villa Lafayette, elle se sentait mieux. Plus forte. Plus déterminée. Plus proche de l'image de la jeune femme qu'elle aspirait à être un jour. Elle avala une autre gorgée.

Si Matty devait faire ce qu'elle avait prévu, ce devait être maintenant, quand son courage était au plus haut et ses inhibitions au plus bas. C'était le moment — mais sa terreur était telle qu'elle crut s'évanouir. Deux minutes plus tard, la moitié de son verre était vide; le cognac l'avait réchauffée et la soutenait. Chère Emma, dit Matty comme une prière, qui que vous soyez, sachez que vous êtes responsable de bien des choses et qu'en ce qui me concerne, j'espère que vous ne vous trompez pas.

Elle se leva, laissa le serveur écarter son fauteuil et l'escorter à la porte du restaurant. Dehors, le vent s'en prit immédiatement à son chapeau et lui gronda dans les oreilles. Les vagues lui lançaient de l'écume au visage. Kit était toujours debout près du bastingage, le regard fixé sur les côtes françaises pourtant évanouies. Marchant avec précaution sur la passerelle dans d'inopportunes chaussures à talon, Matty s'approcha.

— Veuillez m'excuser, dit-elle avec douceur.

Kit ne l'avait évidemment pas entendue car il ne répondit pas.

— Veuillez m'excuser, répéta-t-elle en lui effleurant le bras.

Surpris, Kit tourna la tête et baissa les yeux sur sa compagne de voyage. Plus tard, il se rappellerait à quel point elle supportait mal la fatigue. Elle semblait malade, paniquée, et si petite. Le vent fit claquer une mèche de cheveux sur sa joue, elle la repoussa d'une main tremblante.

— J'espère que je ne vous dérange pas trop.

D'ordinaire courtois, Kit afficha une expression peu amène. Matty se ratatina intérieurement.

— Non, répondit-il en dissimulant mal sa réticence. Bien sûr que non. Puis-je vous aider en quoi que ce soit?

Matty perdit tout courage et balbutia :

— Je me demandais seulement à quelle heure nous devions accoster.

Kit repoussa toutes pensées désagréables de dettes à payer, de décisions à prendre sur ce qu'il convenait de vendre, ou garder, comment rester solvable. Il consulta sa montre :

— Dans une heure. Vous sentez-vous bien?

— Parfaitement bien, je vous remercie.

Il y eut un silence.

— Puis-je aller vous chercher quelque chose à boire? s'enquit-il en luttant contre le bruit du vent.

— Non. Non, je vous remercie. Le repas était exquis.

Après ce bref échange, Kit parut oublier sa présence et porta son regard sur la mer crénelée de blanc. Matty posa les yeux sur la passerelle, sur son pied tendu contre la houle. Quelqu'un avait fait tomber un scone aux raisins secs, il gisait, petit tas de miettes blanches et noires. Devant l'indifférence de Kit, la colère s'infiltra en Matty, et le démon décharné cogna dans sa poitrine. Elle tira Kit par la manche :

— J'aimerais vous demander autre chose, lâcha-t-elle.

La moitié des mots se perdirent et Kit tendit l'oreille.

— J'aimerais vous demander quelque chose! hurla-t-elle dans le vent.

— Oui, dit-il l'air pincé.

Matty se découragea presque devant son visage de marbre, mais sa colère enflait. Vas-y! Propulsée par la rage, Matty reprit :

— Je me demandais...

Le spectre d'Emma Goldman faisait jaillir la vision d'un rêve immense et audacieux. Matty siffla entre ses dents :

— Je crois que vous devriez m'épouser.

7

Suivit une réaction sidérée, critique, déchaînée, et parfois profondément méchante.

Flora lança un seul regard à son frère, un regard incrédule, tandis qu'ils roulaient de la gare de Farnham en direction de Nether Hinton. Puis elle éclata en sanglots.

— Mais Matty déteste les chevaux, Kit. Elle ne les supporte pas. Elle me l'a dit. Ils lui donnent des cauchemars. Tu ne peux pas l'épouser.

— Flora!

Dans l'état second qui habite souvent qui vient de franchir le Rubicon, Kit était agacé de voir sa sœur si malheureuse. Il ajouta :

— C'est le cadet de mes soucis.

— Kit... mais pourquoi, au nom du ciel?

Flora se moucha bruyamment et tenta de se concentrer sur quelque chose de moins compromettant. La voiture filait entre les champs aux gerbes de blé aux rangs disciplinés. La campagne déployait sa palette de couleurs anglaises, bleu-gris, vert, et or d'après moisson. Flora fouillait dans ses ressources limitées à la recherche d'une comparaison exacte.

— C'est pour l'argent, n'est-ce pas, Kit? Matty est comme ces pauvres femmes en Afrique qu'on vend pour leurs parures nasales ou leurs anneaux autour du cou. La maison ne vaut vraiment pas cela. Pas pour quelqu'un comme Matty.

— Pourquoi pas pour Matty?

— Elle — elle n'est pas ton type, Kit. D'ailleurs, tout le monde sait que tu aimes Daisy et que tu n'aimes pas Matty, et on doit épouser la personne qu'on aime.

Tout à fait exact, se dit Kit. L'expérience lui avait enseigné qu'il en allait autrement, et il était ému de voir sa sœur défendre l'amour romantique.

— De toute façon, je ne puis revenir sur ma parole.

— Bien sûr que si. Il n'est pas trop tard, insista-t-elle en se mouchant une fois encore avant de ranger son mouchoir dans son sac. Pourquoi diable l'as-tu suggéré, d'abord?

Kit envisagea de lui révéler la vérité: Matty l'avait attrapé quand l'alcool, les remords, la colère et la jalousie l'avaient affaibli, quand une ligne de conduite semblait aussi bonne qu'une autre et, pour une fois, il avait agi sans réfléchir. Et puis il y avait cette autre vérité, brutale, il fallait l'admettre: Matty avait de l'argent, elle lui en offrait à la pelle, et tout ce damné gâchis était uniquement une histoire d'argent.

— Une transaction financière, si vous préférez, avait-elle remarqué, pâle sous le ravage causé par les moustiques. Vous avez besoin d'argent. J'en ai.

— Et vous, que voulez-vous? avait-il demandé.

Et elle lui avait dit:

— Je veux une maison où je me sente chez moi. Un endroit où je puisse être moi-même. Vous l'avez.

Elle avait reculé, tanguant sous la houle sur ses absurdes talons hauts, et annoncé le montant de sa fortune.

» Il est, avait-elle ajouté, parfaitement possible de vivre en harmonie réciproque si les deux parties s'accordent à être honnêtes.

Kit avait cru saisir un éclair de colère dans ses yeux bruns. Du coup, il n'avait pas perçu le désespoir.

— Oui, avait-il dit, sa gueule de bois obscurcissant le côté raisonnable de sa réponse. Oui, j'accepte.

Comme les choses avaient été directes, songea-t-il dans un brouillard. Sans complications ni tromperies. Pas de déceptions, pas de trahisons. Un simple marché conclu sur la passerelle n°4. Le vent s'acharnait méchamment sur les cheveux de Matty, qui abandonna toute tentative de maintenir son chapeau sur sa tête. Tendue pour lutter contre le roulis, bouche ostensiblement fermée, elle se tenait à part cela totalement immobile; il fut contraint de lui demander si cela ne l'ennuyait pas de le laisser seul.

— Pourquoi, pourquoi as-tu fait cela, Kit? s'enquit Flora, étonnée et malheureuse.

Malgré la nature du marché, Kit savait une chose: puisqu'il avait choisi d'accepter la proposition de Matty, il lui devait d'être loyal:

— Matty est très bien, répondit Kit à sa sœur. Ne t'inquiète pas.

Il glissa son bras sous le sien :

— Je compte sur ton aide, Flora.

Elle refusa de le regarder.

— Promets. Pas de scènes. Pas de regrets. Rien que ton appui.

— Je suppose que les changements sont inévitables.

Flora détestait le changement et s'en méfiait.

Peut-être Matty et elle seraient-elles amies, échangeraient-elles des confidences et se feraient-elles mutuellement confiance. Peut-être pas. Au fond d'elle-même, Flora considérait Matty comme une faible.

Tyson ralentit la voiture, tourna dans Croft Lane et passa devant l'église. Flora regarda en direction de Dick's Wood : l'attelage de Rob Frost avait travaillé et tous se reposaient maintenant entre les bras de la charrette et broutaient dans leur sac à picotin. Rob et ses chevaux se séparaient rarement ; il était assis à fumer sur un sac de chanvre à quelques pas de là, vêtu comme toujours de la tenue de travail de son père et de bandes molletières de la guerre qu'on ne pouvait le persuader d'abandonner.

Ils étaient chez eux. Observant les traits tirés et troublés de Kit, Flora se sentit coupable et se reprit :

— C'est promis, Kit, pas de drame.

La maison était comme ils l'avaient laissée, excepté que les impressions étaient plus aiguës après l'absence — fumée de feu de bois, cire et humidité. Après le brio de la France, c'était à la fois familier et différent : sombre, assourdi, mélange de gris, de blancs tristes, de verts sombres, de bruns. Flora renifla et sourit.

— Bonjour, Robbie, lança-t-elle à la silhouette qui attendait au pied des marches.

Bronzée après quinze jours passés à Brighton, le tour de taille encore épaissi après des dîners sur le front de mer composés de bière brune, de poissons et de frites, Robbie avait paressé suffisamment au goût de Flora. Elle s'avança, grande, énergique.

— Comment va ma fille préférée ?

Flora réussit à arborer un sourire dont Robbie ne remarqua pas qu'il était contraint.

— Le postier n'a pas été surmené pendant que vous étiez partie, tança-t-elle. Seulement deux cartes postales de France.

Flora ne se départit pas de son sourire.

— Mais je suis sûre que vous aviez beaucoup trop à faire pour penser à moi, et moi qui m'inquiétais de savoir si vous alliez bien et si vous étiez prudente.

Robbie tapota la soie sur les épaules de Flora :

— Très joli, ma chère, mais un peu trop français pour ici. Il semble que l'étranger vous ait réussi, encore que je vous trouve la mine un peu tirée. On dirait que vous avez un peu trop bamboché, Mr. Kit, ajouta-t-elle en se tournant vers lui.

Planté devant l'âtre vide, Rupert attendait ses enfants dans le salon en fumant la pipe. La dernière fois qu'il était allé en France...

...Août 1914

C'était le chaos. Le *Livre de guerre* du Comité central de coordination à Whitehall faisait plusieurs milliers de pages et mentionnait chaque déplacement, problème, question et ouvrage de bibliothèque emprunté par un soldat en puissance. Au cours des deux premières semaines de guerre, ces règlements avaient exigé 120 000 chevaux : les tramways livraient leurs soldats, les fermiers leurs chevaux de trait, les gentilshommes leurs pur-sang, et une force frémissante et piaffante fut pressée dans les coursives des bateaux en partance.

Avec eux, s'en allèrent 80 000 hommes, 80 000 fusils, cartouchières et rations de réserve. 80 000 cœurs battant d'un mélange d'appréhension, de chauvinisme, d'un « on-les-aura » et de l'idée que la guerre qui les attendait agirait comme une sorte de désinfectant pour évacuer le laxisme de l'Angleterre édouardienne.

Comme les chevaux avaient crié quand les grues avaient saisi les lanières autour de leur corps ! Comme ils étaient morts de terreur et de vertige dans les soutes ! Comme ils tremblaient de froid sur les quais pavés de Boulogne ! Comme leurs palefreniers transpiraient et vomissaient dans les soutes balancées par le roulis ! L'un d'eux, Eric Danfer, avait passé l'arme à gauche dès l'arrivée à Boulogne, première victime de la guerre.

— Sir, demanda une nouvelle recrue, nommé Danny Ovens, que dois-je faire de Danfer ?

Rupert leva les yeux sur les corps penchés par les fenêtres, accrochés aux réverbères, en une foule grouillante sur la colline derrière la ville et vit, se détachant parmi les tricolores, deux habits noirs.

— Donnez-le aux religieuses, répondit-il sèchement pour dissimuler son émotion.

Le camp était à quatre miles de la ville. Le chemin passait par les rues embouteillées puis en haut d'une colline assez raide d'où l'on dominait la mer. Il faudrait du temps avant que les montures des officiers fussent déchargées — pourtant, l'officier de transport faisait de son mieux —, le major sir Rupert Dysart piétinait donc les galets avec ses hommes sous une chaleur écrasante.

Quand l'obscurité tomba sur le village de toile malpropre et que l'intendant eut refusé d'échanger un penny de plus contre des francs, une houle de guêtres passées au blanc, d'hommes chauds et de bière assaillit les narines. Des civils montèrent de la ville pour regarder le campement. Comme beaucoup étaient des femmes, des bruits de rires et de chairs qui se frottent jaillirent des ombres et des rares coins à l'abri.

Une dame, avec de grands yeux et des cheveux frisottés, accosta Rupert tandis qu'il déambulait en haut de la colline. Elle était plus âgée que les autres, mais fraîche, attirante et consentante. Elle avait du poil châtain entre les jambes et sous les bras, des cuisses musclées et une jolie poitrine sous sa basque de coton. Après, Rupert s'allongea à côté d'elle, reconnaissant, rassasié car, depuis deux ans, Hesther ne l'accueillait plus dans son lit.

Ce soir-là, Rupert passa de longues heures avec elle, heureux du seul fait d'être vivant, de respirer, de sentir la serge de l'armée frotter sa peau et la chair de la femme sous ses lèvres. Il oubliait que lui aussi était plus vieux que la plupart des autres officiers et qu'il avait laissé une maison, des enfants et une femme qui n'avait pas d'amour à lui donner et qu'il en était venu à détester...

— Voici nos voyageurs, dit Robbie en franchissant le seuil de la porte pour se positionner dans le champ de mire de Rupert. Ils ont visiblement souffert du périple, sir, alors soyez aimable de ne pas les retenir trop longtemps. Il leur faut un bon décrassage.

Le soleil d'automne glissait ses rayons obliques à travers les fenêtres et révélait des taches nues sur le tapis, mais la pièce parut glaciale et Flora frissonna.

— Sherry? proposa Rupert comme si ses enfants l'avaient quitté une heure auparavant.

Sans attendre la réponse, il emplit un verre qu'il tendit à Flora :

— Pourquoi tremblez-vous ainsi? Allez donc vous habiller si vous avez froid.

Quand Flora revint dans une robe moins sophistiquée davantage appropriée pour le déjeuner, Rupert et Kit étaient lancés dans une profonde discussion. Flora trouva que son père avait davantage de cheveux blancs que dans son souvenir, mais il est vrai que jamais elle n'avait osé l'observer de près. Le regard de Rupert l'intrigua :

— Kit m'a fait part de la nouvelle. Il ne perd pas de temps.

L'intonation indiquait clairement l'approbation.

A la vérité, Rupert avait été pris de court à cette annonce, mais à quoi bon perdre sa salive alors qu'au fond, c'était une bonne nouvelle. Il posa son verre de whisky sur son genou et reprit :

— Je vais tout de suite prendre contact avec mon agent et mon notaire.

Tel était le terrain sur lequel opérait Rupert. Il n'était pas homme à demander si Kit était heureux, s'il aimait cette jeune fille qu'il s'apprêtait à épouser.

Le déjeuner se déroula en relativement bonne intelligence et, quand Flora abandonna les hommes à leur porto, Rupert installa confortablement sa corpulente personne et alluma un cigare :

— Bonne poulinière, croyez-vous? demanda-t-il à son fils en tapotant son étui à cigarettes en argent.

— Grands dieux, père, comment le saurais-je?

— Les hanches, mon garçon. C'est cela qu'il faut regarder. Que croyez-vous qu'on fasse avec les chevaux? Pas question d'acheter chat en poche. On en veut pour son argent. Sans compter qu'il nous faut un héritier.

Kit se refusait à songer au corps de Matty. Il se rappela avec effort ses hanches non existantes et en repoussa les implications.

— Puis-je vous rappeler, père, que c'est Matty qui a l'argent ? Peut-être ferait-elle bien de me regarder de près.

— C'est ce qu'elle a fait, mon garçon. Et elle a aimé ce qu'elle a vu. Une maison. Un titre. Un beau jeune homme sans aucun vice apparent.

— Dites-moi, père, pourquoi êtes-vous toujours aussi cynique ?

L'espace d'un instant, les doigts épais se contractèrent et laissèrent des marques sur la table polie.

— Seriez-vous grossier, mon garçon ? Ou nous êtes-vous revenu francisé ?

Le regard de Rupert passa brièvement sur Kit pour se poser sur le portrait d'un Dysart mort depuis des lustres.

Kit roula sa serviette en boule et la jeta sur la table ;

— Puis-je vous demander de m'excuser, père ? J'ai à faire.

— Kit !

Kit s'arrêta dans l'encadrement de la porte :

— Père ?

— Vous n'êtes pas le premier à qui cela arrive, vous savez.

— De se vendre pour un plat de lentilles ?

Rupert partit d'un de ses rires si rares et éteignit son cigare :

— Ce n'est pas exactement ainsi que je baptiserai vingt-cinq mille livres, mais oui, si vous voulez.

Cette nuit-là, le sommeil ne vint pas aisément et Kit erra entre deux mondes, bercé par des bateaux et des trains. Un point lumineux dansa devant lui, s'agrandit, s'élargit avant d'exploser en cercles éblouissants. Puis il se retrouva à cheval sous un ciel accablant, se dirigeant vers un horizon délavé. La sueur coulait sur ses épaules et sous ses bras ; l'odeur de crotte de chameau agressait ses narines et les yeux des garçons arabes étaient limpides et cerclés de poussière. Kit avançait, honteusement excité, poursuivi par la sensation d'une perte terrible.

Tu peux changer d'avis avant qu'il ne soit trop tard, avait dit Flora. Mais un caillou qui dévale une colline prend de la vitesse. Depuis les trente secondes d'hésitation dans le jardin de la Villa Lafayette et cette gueule de bois fort mal venue, la pierre ricochait et rebondissait sur la pente, inexorablement. Rupert ne perdit pas un instant pour informer le rédacteur de la page mondaine du *Times*. On put lire l'annonce et la commenter à l'envi. Se retirer maintenant serait humilier Matty, et Kit y répugnait. On décida d'une date, on alerta les traiteurs, on fit faire des heures supplémentaires aux couturières. Matty fut submergée de compliments ; certains étaient sincères, d'autres non.

Oh oui ! Il était beaucoup trop tard pour que Kit pût changer d'avis et les préparatifs étaient si avancés que nul gentleman ne l'aurait seulement envisagé.

— Doux Jésus ! s'exclama Polly de cette manière particulièrement irritante qui la caractérisait.

Elle était affalée sur un sofa démodé dans le salon du matin de sa maison d'Askew Road.

— Tu te vends au diable, n'est-ce pas, Kit ?

Polly était enceinte et cela la rendait léthargique. Le malheur voulait que de surcroît cela l'enlaidît, avec des rubans de cheveux mous lui dégoulinant autour du crâne.

— Du moins auras-tu de l'argent.

— Au nom du ciel, rétorqua Kit poussé à employer un ton sec, tout le monde ne parle que de cela.

— Mais n'est-ce pas de cela qu'il s'agit ? répliqua Polly qui coula un regard à son frère, ce qui ranima son visage. N'est-ce pas, Kit ? N'est-ce pas pour cela que tu l'as fait — parce que la famille est en plein désastre ?

Kit encaissa le coup sans broncher et comprit qu'il était confronté à un problème supplémentaire : protéger Matty des commérages. Elle s'était peut-être offerte comme une marchandise de prix, mais ce n'était pas une raison pour que la moindre matrone de Mayfair à Knightsbridge fît des gorges chaudes sur la nature exacte des relations des fiancés.

Il entreprit donc de répandre — discrètement — l'information que son prochain mariage était le résultat d'un coup de foudre qui les avait frappés tous les deux en vacances.

— Avez-vous conscience que c'est un suicide ? protesta Max Longborough au téléphone depuis l'Old Cataract Hotel à Assouan. Qui est cette fille ? Êtes-vous devenu fou ?

— Non, répondit Kit alors que c'était exactement ce qu'il éprouvait. Soutenez-moi, mon vieux ! Je vous en prie.

— Je vais faire mieux que cela. Je vous enlève. Venez avec moi à Petra. Si cette fille vous aime, elle attendra.

— Tout est arrangé, je le crains, Max. Je ne puis faire machine arrière. Ni ne le dois.

— La chevalerie est morte avec le roi Arthur, mon garçon, et il est absolument inutile de vous martyriser vous-même pour quelque notion surannée de parole de gentilhomme.

— Désolé.

— Vous vous enchaînez pour la vie, fils. Ne préférez-vous pas ce que je vous offre ?

— Si, mais c'est impossible.

Dans son arabe plus qu'approximatif, Max voua aux gémonies toutes les femmes puis demanda :

— L'aimez-vous ? Etes-vous *bouleversé* ?

— Naturellement, voyons, mentit Kit.

— Foutaises, rétorqua Max.

Kit l'imagina fumant rageusement et criant dans le récepteur.

— Vous ne l'aimez pas, jamais de la vie, c'est évident, reprit Max.

MONTE CARLO

MON TRÈS CHER KIT STOP JE SUIS DÉSOLÉE STOP DÉSOLÉE STOP C'EST MOI QUI VOUS AI CONDUIT À AGIR AINSI STOP ME PARDONNEZ-VOUS D'AVOIR ÉTÉ AUSSI SOTTE STOP JE COMPRENDS PARFAITEMENT AU SUJET DES ÉTIQUETTES DE BAGAGES ET DES COUPS DE TÉLÉPHONE STOP VRAIMENT J'AI ÉTÉ SOTTE ET ÉGOÏSTE STOP SI VOUS PERSISTEZ À ÉPOUSER QUELQU'UN D'AUTRE JE VOUS EN SUPPLIE PAS MATTY STOP ELLE NE VOUS AIME PAS STOP JE VOUS EN SUPPLIE PERSONNE D'AUTRE QUE MOI STOP DAISY

JE NE PUIS RECULER MAINTENANT STOP KIT

NE COMPRENDS PAS STOP VAIS ESSAYER STOP M'AVEZ-VOUS PARDONNÉ STOP AUTREMENT NE PUIS LE SUPPORTER STOP DAISY

— Excellent travail, vraiment, lança Susan Chudleigh, glaciale, quand elle arriva Upper Brook Street. Très malin de ta part.

— Daisy est-elle rentrée avec vous ? s'enquit Matty.

— Je l'ai expédiée à Monte Carlo avec Annabel pour quelque temps. Elles peuvent séjourner chez les Beauchamp. Ton télégramme lui a causé un grand choc et elle avait besoin de s'échapper. Tu dois le comprendre, je suppose.

Le couvercle du coffret à cigarettes en verre rose grinçait sous l'ongle de Susan.

— Tu comprends, Matilda, n'est-ce pas ? Naturellement ?

— Naturellement.

Susan laissa ses yeux s'attarder méchamment sur la robe du soir de Matty, en crêpe, de chez Molyneux, et sur ses sourcils crayonnés.

— As-tu couché avec lui, Matilda ? C'est cela ? Sûrement ce ne peut être que pour l'argent.

Voyant que Matty ne répondait pas, Susan eut un sourire dédaigneux :

— Ah, c'est donc ça. Eh bien ! Jamais je ne t'aurais crue capable de ruer dans les brancards. Je trouve cela plutôt osé de ta part.

— Tante Susan, ce n'est rien de la sorte. Je ne pourrais en aucune façon faire une telle chose.

— Non. Eh bien, peut-être pas, après tout, approuva vaguement Susan d'une voix faible.

Cela l'obligeait à chercher, en vain, la raison pour laquelle Kit Dysart — qui pouvait obtenir l'héritière de son choix — jetait son dévolu sur ce poulet plumé qu'était sa nièce. Après tout, conclut-elle, je suppose qu'une héritière en vaut une autre, surtout après vingt ans de mariage, et peut-être Kit n'est-il pas regardant.

Matty s'arma de courage et demanda :

— Comment va Daisy ?

Susan tripota le shaker sur la table des boissons.

— D'humeur dangereuse, dirais-je. Cependant, poursuivit-elle tandis que la glace tintait dans le verre, il va falloir que je m'en occupe. Encore des soucis en prévision.

Elle planta la baguette à cocktail dans le marasquin.

— Je crois que Daisy pense que tu n'as pas agi correctement. C'est aussi mon avis.

— C'est sans doute le cas, approuva Matty.

Cet échange réduisit à néant son peu de confiance en

soi. *Clic*, faisaient les glaçons dans le verre de Susan qui tourna le visage vers Matty :

— Bon sang, Matilda, pourquoi diable nous as-tu fait une chose pareille ? Pourquoi Kit Dysart — alors que tu aurais pu persuader n'importe quel homme de Londres de t'épouser ? Est-ce ta façon de nous remercier de tout ce que nous avons fait pour toi ? Si tu veux tout savoir, je suis persuadée que tu es foncièrement méchante, voilà tout.

Vous voyez, dit Matty à ses parents, Emma l'ayant temporairement abandonnée. Si vous n'étiez pas morts, rien de tout cela n'arriverait.

Marcus était le seul membre de la famille Chudleigh à exprimer son inquiétude pour Matty :

— Et toi ? demanda-t-il. Es-tu certaine que c'est ce que tu veux ?

Habituée à l'hostilité ou à l'indifférence, Matty fut prise de court.

— Après tout, ajouta Marcus avec un œil sur le flacon de whisky, tu en prends à perpétuité, or je ne te crois pas taillée pour le rôle de maîtresse des lieux. Sans compter qu'ils sont une drôle d'engeance. Le vieux est un tantinet maboule, à mon avis. Ça date de la guerre, prétend-on.

Des images se formèrent. Matty se vit servir du thé et des gâteaux à la kermesse annuelle, donner des dîners et organiser des thés d'après chasse. Oh ! mon Dieu, songea-t-elle, qu'ai-je fait ?

Marcus poursuivit sur sa lancée :

— Kit voudra que cela en jette, c'est le genre. Je veux dire, nous te connaissons mieux que les autres et pour être honnête...

Quelque chose s'ébranla en elle. Et comme ce n'était pas familier, Matty ne sut pas immédiatement que c'était une protestation :

— Oh non !

— Non quoi ?

— Tu ne me connais pas le moins du monde, Marcus. Tu n'as pas idée de ce que je suis.

Marcus céda à l'invitation du flacon et se servit deux doigts de pur malt. Ce faisant, il évalua sa cousine :

— C'est effectivement ce que je commence à percevoir,

rétorqua-t-il d'une voix aux multiples nuances dont aucune n'était flatteuse.

Visiblement, cette conversation voguait vers des eaux profondes et émotionnelles, aussi nagea-t-il en direction du rivage :

— Quoi qu'il en soit, je tiens à te dire que je n'approuve pas. Je trouve que c'est une idée folle et, insista-t-il en se levant pour souligner son argument, excessivement déloyal à l'égard de Daisy. En tant que frère de Daisy, je t'en veux.

Plus tard, tandis qu'ils prenaient en silence un consommé, Matty eut une idée assez précise de ce que Don Quichotte avait dû éprouver quand il s'était lancé contre les moulins à vent.

A la fin du mois d'octobre, Daisy revint de Monte Carlo, chapeautée à la française, hâlée, époustouflante. Elle repartit presque immédiatement pour séjourner avec Annabel dans le Yorkshire. Elle ne reparut que la semaine du mariage. Elle ne dit pas un mot à Matty.

Trois quarts d'heure avant la cérémonie avec une conscience aiguë de la multitude de tissus hors de prix qui bardait son corps, Matty descendit l'escalier du 5 Upper Brook Street. Daisy l'attendait au bas des marches et il lui fallut une immense maîtrise de soi pour ne pas tourner les talons et regrimper l'escalier quatre à quatre.

L'entrée et le salon étaient remplis d'arrangements floraux de Constance Spry qui, faveur accordée à Susan, était arrivée en personne avant la réception de la veille au soir pour ficher ce qui avait curieusement l'air d'un chou dans une composition architecturale de fleurs blanches. L'effet était très chic. A côté, était disposé le bouquet de Matty, une spirale raide et japonisante de lys de serre.

Le verre de Daisy penchait dangereusement et le champagne maculait la jupe de sa robe à étages en crêpe. Son visage intelligemment maquillé était beau, implacable — et pompette :

— Mes compliments, Matty. Tu as réussi.

Le cœur de Matty, qui battait déjà à tout rompre, s'accéléra à la perspective d'une scène qui, si elle avait été évitée jusque-là, couvait manifestement.

— Je ne vois pas ce que tu veux dire, mentit-elle.

— A d'autres, Matty. Nous savons tous ce qu'il en est vraiment de cette pantomime, répliqua Daisy en se raccrochant à la rampe. Tu as gagné.

Elle avala d'un trait ce qu'il lui restait de champagne.

— Mettons les choses ainsi... et pardonne-moi d'être brutale. Nous voulions toutes les deux le même homme. Mon erreur est de n'avoir pas compris que nous chassions sur le même territoire.

— Daisy. Je t'en prie !

— On dit que tout le secret de l'attaque est dans la surprise, je constate que c'est le cas. Peut-être devrais-tu t'engager dans l'armée, Matty.

Daisy sembla saisie par cette idée et observa sa cousine d'un air songeur :

— Naturellement, je serais la première à admettre que tous les coups sont permis en amour comme à la guerre.

— Tu as trop bu.

Matty ramassa sa traîne et s'apprêta à contourner Daisy qui fronça les sourcils et laissa tomber son verre sur le parquet.

— Une minute, Matty, dit-elle d'une voix devenue si calme qu'elle en était exaspérante. Pas d'insultes. C'est comme ça avec moi.

Matty essaya encore :

— Daisy, pourquoi ne pas aller boire un peu de café ? Les voitures ne vont pas tarder.

— Je suis saoule, et alors ? Ce n'est pas mon mariage.

Elle brossa la tache de champagne et répéta avec lenteur et précision :

— Ce n'est pas mon mariage, n'est-ce pas ? Ne t'inquiète pas, ajouta-t-elle en claquant des doigts, personne ne le saura. Toi excepté.

— Daisy, s'il te plaît.

— « Daisy, s'il te plaît. » As-tu dit s'il te plaît quand tu as demandé à Kit de t'épouser ? Cela fait preuve d'une excellente éducation, tu sais. De dire « s'il te plaît » quand on fait sa demande.

Elle surprit Matty en se penchant en avant pour lui prendre le menton dans la main :

— S'il te plaît, Matty, je vais dire — s'il te plaît écoute-moi, j'ai très envie de te dire quelque chose et je veux te le dire droit dans les yeux.

Les pensées s'affolèrent en Matty : envole-toi ; endure la souffrance ; goûte la joie ; affronte ce qui adviendra.

Puis Matty recouvra son calme, mit ses mains dans le dos et répondit d'une voix posée :

— Veux-tu le dire dans l'entrée où l'on risque d'entendre ?

— Je me moque totalement de l'endroit où je le dis, rétorqua-t-elle en serrant si fort le menton de Matty que celle-ci eut les larmes aux yeux. Je veux que tu te rappelles le jour de ton mariage comme celui où nous avons été honnêtes l'une envers l'autre.

En dentelle de Honiton et tiare de la famille Verral, les boucles d'oreilles de sa mère lançant mille feux, Matty devint plus pâle que son voile ancien. Elle s'obligea à affronter le regard de sa cousine. Daisy l'observa d'un œil scrutateur puis, brusquement, laissa tomber sa main et recula. Dans un éclair fulgurant de culpabilité, Matty vit des larmes teintées de khôl glisser sur les joues de Daisy.

— Des larmes de champagne, fit Daisy en s'essuyant le nez du revers de la main, ce qu'elle réussit à faire avec grâce. C'est trop bête.

Matty se mit à trembler devant l'énormité de ce qu'elle avait déclenché. A son instigation, trois cents invités empesés et soyeux attendaient dans l'église St-Margaret's de Westminster. A la réception, suffisamment de nourriture pour satisfaire la cour du roi Soleil commençait à se racornir. Les fleuristes avaient été dévalisés et les cousettes avaient veillé toute la nuit. Deux familles étaient sens dessus dessous.

Contre toute attente, Matty avait joué avec une *grande finesse*. Résultat, un homme qui n'éprouvait rien pour elle attendait de l'épouser et de l'emmener à travers la brume épaisse jusqu'à une vie nouvelle, et le visage exquis de sa cousine tournait au *minois* chagriné.

Indifférente aux faux plis, Matty serra ses bras autour de sa poitrine à s'en faire mal. Le tissu de sa robe se plissa sous ses doigts et elle le frotta du pouce. La panique lui coupait le souffle.

Daisy observa la silhouette à demi écroulée et elle retrouva une lueur de bon sens :

— Là, là fit-elle, impatiente, j'aurais mieux fait de me taire.

Elle desserra les bras de Matty :

— Arrête, Matty, et j'arrêterai aussi. Autrement tu n'y arriveras jamais.

Matty tira sur ses mains prisonnières :

— Dis ce que tu as à dire, Daisy.

Les talons de Daisy crissèrent faiblement sur le parquet tandis qu'elle se redressait :

— Ça n'a plus aucune importance.

— Parle, Daisy.

Cet ordre surprit grandement Daisy. Elle mit sa main sur sa bouche :

— J'allais parler sous le coup du dépit et de la colère, mais je vais le faire sous le coup du chagrin, Matty, et j'espère que tu t'en souviendras.

— Pour l'amour du ciel, Daisy, dis ce que tu as à dire !

Ouvrant les mains en signe d'impuissance, Daisy courba la tête et dit :

— Quand il viendra à toi, ce soir, c'est à moi qu'il pensera.

— Naturellement, voyons. A qui d'autre ?

Réduite au silence sous le choc, Daisy releva la tête et fixa des yeux la mariée de satin et de diamants.

— Tu ne t'imagines tout de même pas, reprit Matty, que je voyais les choses autrement. Je ne suis pas stupide. Mais je pense que toi, tu ne devrais pas oublier que Kit avait de sérieux ennuis.

— C'était mon mauvais caractère, cet horrible télégramme, son père... tout cela, commença Daisy en s'acharnant sur la rampe. Pourquoi toi, Matty ? N'aurais-tu pu laisser aller les choses, malgré le fait que tu me détestes à ce point ?

L'intimité de la haine est aussi puissante et révélatrice que celle de l'amour. Les cousines se regardèrent et se découvrirent.

Elles entendaient la famille s'apprêter au départ dans le salon. Matty leva son voile et l'abaissa sur son visage. Sous l'abri de la soie, elle était d'une pâleur fantomatique :

— Ne comprends-tu pas ? J'étais la seule à pouvoir l'aider.

— Mon Dieu, je ne savais pas que tu étais si dure.

Daisy acheva de vomir. Ce fut long et bruyant, mais cela lui rendit sa sobriété. Le dernier verre de champagne englouti, son estomac s'était rebellé. Daisy savait qu'elle avait commis une erreur considérable et grimpa l'escalier en hâte. Une fois en haut, elle se fourra les doigts dans la gorge pour accélérer le processus.

Sur la cuvette des toilettes, était inscrit en lettres noires ROYAL DOULTON. Daisy les fixait si intensément du regard qu'elles se mirent à danser devant ses yeux brouillés de larmes. Au bout d'un moment, elle se hissa sur ses coudes et posa sa tête entre ses mains, attendant que le monde se stabilisât.

— Tu en as trop fait, ma belle, dit-elle à voix haute.

Vomir vingt-cinq minutes avant le mariage de Matty n'avait hélas pas purgé l'orgueil bafoué de Daisy, ni son exaspération devant son propre comportement, ni sa peine.

Il est vrai que perdre quelqu'un est une longue affaire — un deuil de l'espérance et de l'espoir, une ratification de la solitude. C'est voir disparaître quelque chose d'unique... car d'abord, entre Kit et elle, il y aurait eu la passion, puis les liens de confiance et d'affection pour les unir l'un à l'autre au fil des ans.

Requiem pour quelque chose qui n'a pas vécu. Elle s'imagina une pierre tombale dressée au milieu du naufrage sanglant de son cœur. Tant bien que mal elle se hissa sur ses pieds, s'assit au bord de la baignoire et se laissa aller à pleurer.

— Je vous aime, avait murmuré Kit dans les jardins de la Villa Lafayette tandis qu'il respirait le parfum de ses cheveux.

— Comment ? avait défié Daisy, qui n'avait pas lu le *Roi Lear*. Dites-moi.

— Voyons.

Il avait déposé un baiser sur sa paupière et l'avait maintenue fermée de ses lèvres. Puis il s'en était pris à la seconde.

Daisy s'était lancée la première :

— Vous pourriez faire une demande en mariage dans les règles.

Kit avait abandonné ses paupières pour se concentrer sur sa nuque, si fascinante :

— Pas encore, avait-il dit en fermant les yeux à demi. Vous devez attendre que j'y sois prêt.

Le soleil descendait dans la mer et, dans le soir embrumé de mauve, il l'avait embrassée à qui mieux mieux jusqu'à ce qu'elle éprouvât la douceur de l'abandon.

Jamais il ne la demanda en mariage dans les règles.

On frappa violemment à la porte de la chambre.

— Dépêche-toi, Daisy, cria Marcus. Les parents s'agitent. Ça va?

— Parfaitement bien, mentit-elle.

Daisy releva sa jupe, prit son mouchoir calé dans le haut de son bas et se leva.

— Tu n'as pas l'habitude d'être contrariée, dit-elle à son reflet dans le miroir. Tu as horreur de ça.

Elle ouvrit le tiroir et fouilla parmi les gants et les ceintures. Au fond, cachée sous un foulard rose, une photographie. Prise en France. Elle avait saisi Kit debout au bord de l'eau, les manches roulées au maximum, le pantalon retenu par une ceinture de pêcheur en cuir. Il ne savait pas qu'on le photographiait et le cliché révélait l'image d'un jeune homme au visage rêveur et aux cheveux délavés par le soleil. Elle s'assit sur le tabouret de la coiffeuse et lui dit au revoir.

— J'espère que tu penses que tant de souffrance en vaut la peine, espèce d'imbécile obstiné, murmura-t-elle.

Puis elle caressa la bouche imprimée. Son doigt remonta jusqu'aux yeux, hésita, puis elle s'arracha à cette caresse. Pendant quelques secondes, elle rassembla des fragments de souvenirs. Ils devraient durer longtemps.

Une minute plus tard, assise à sa coiffeuse, elle refaisait son maquillage. Ses cheveux châtains humides encadraient son front et ses joues. Elle les frotta entre ses doigts. Son rouge à lèvres était mal mis et elle l'étala impatiemment. Sous des cils encore emmêlés, ses yeux prirent une nouvelle expression.

Fourrant à nouveau son mouchoir dans son bas, Daisy remit ses jarretelles en place, lissa sa jupe et piqua son corsage de boutons de rose blancs et de capillaire. Un pétale de rose tomba sur le crêpe, elle l'épousseta.

Quelque chose était achevé qui ne se répéterait pas.

8

17 janvier 1930

Il faisait un temps épouvantable ce jour là, écrivit Susan Chudleigh à sa cousine qui se mourait d'ennui dans l'Argyll sauvage, une des plus belles purées de pois londoniennes. Matilda voulait se marier à St-Margaret, mais j'avais décidé que ce serait St-James et que je ne céderai pas. Le croiras-tu ? cette fichue gamine a eu une crise de nerfs et a failli s'évanouir. Résultat, j'ai dû céder. Cela dit, les diamants Verral étaient impressionnants et le champagne le meilleur qu'Ambrose pût offrir. (Je dois dire, Maud, que je suis immensément soulagée de ne plus l'avoir sur les bras.)

Daisy était ensorcelante en vert foncé ; elle s'est en outre parfaitement comportée. J'ai l'impression que le fils Portlington s'est toqué d'elle ; quant à Tim Coats (très, très riche) il se montre toujours aussi enthousiaste. Le marié a fait un remarquable discours et j'étais en mauve et blanc.

Quels que soient mes sentiments à l'égard de Matilda, sache que j'ai réussi à lui offrir un mariage très élégant, malgré les sombres avertissements d'Ambrose quant à la nécessité d'être économes, etc., et à l'état de la Bourse. Pendant la réception, une énorme foule s'est rassemblée devant le 5 Stanhope Gate (où avait lieu la réception) mais j'ai donné ordre de ne renvoyer personne. Pourquoi ne pas les laisser jouir du spectacle ? Procure-toi le dernier numéro du *Tatler*. Ils sont partis dans le Devon pour quelques jours. Après quoi ils séjourneront plusieurs mois au Moyen-Orient, le temps des travaux à Hinton Dysart.

Oui, Ambrose s'inquiète de la situation financière, merci de poser la question. Pourquoi l'Amérique se laisse-t-elle aller à sombrer ainsi, je me le demande. C'était irresponsable et maintenant tout le monde en pâtit...

Susan regarda fixement la lumière grumeleuse et atténuée qui filtrait à travers la fenêtre, une *moue* de mécontentement et de mauvaise humeur ourlant sa bouche. Puis elle sonna la femme de chambre, désigna l'âtre et observa sans un mot la servante dressant une pyramide de morceaux de charbon.

Le feu siffla, la fumée tourbillonna en petits nuages en haut de la cheminée et Susan ouvrit son livre de comptes, qu'elle consultait tous les lundis matin. La colonne des « dépenses » atteignait maintenant une somme colossale. C'était extraordinaire comme les petites choses — fleurs, bas, confetti, thés au Ritz — s'additionnaient vite. La colonne des « recettes » consistait désormais en un blanc inquiétant. Matty ne dédommagerait plus sa tante.

Susan regrettait beaucoup cette absence.

SEFTON HOTEL,
DAWLISH
9, janvier 1930

Chère tante Susan,
Je suis navrée de ne pas vous avoir écrit plus tôt, mais le voyage s'est révélé épuisant et j'ai passé les dernières quarante-huit heures alitée afin de récupérer. Mais je tenais à vous remercier, d'abord d'avoir organisé le mariage. Ensuite de vous êtes occupée de moi pendant toutes ces années. Je voulais aussi vous dire à quel point j'étais désolée que ce fût pour vous un devoir plus qu'un plaisir.

Voilà, ça y est, je l'ai dit.

L'hôtel est confortable et bien tenu par Mrs. Peters. Elle a un certain charme, avec des boucles blondes et un profil aquilin intéressant. C'est un grand soulagement d'être dans un endroit où l'on se sent comme chez soi et où il est inutile de s'habiller. La vue de notre suite est un enchantement, même à cette époque de l'année, et il y a beaucoup d'oiseaux. Kit fait de grandes promenades et nous nous retrouvons pour le dîner...

L'écritoire portable pesait lourd sur les genoux de Matty. Elle l'ajusta et se tortilla pour s'installer plus confortablement. Il était tentant d'écrire la vérité, ne serait-ce que pour se soulager du fardeau. Tentant mais mal avisé.

Parfois, les silences entre Kit et elle étaient si oppressants que Matty fut à plusieurs reprises tentée d'ordonner qu'on fît ses bagages pour rentrer à Londres. Mais elle perdait alors le souffle et la vie se réduisait pour elle à tenter de se libérer de l'étau qui enserrait sa poitrine. Non que Kit se montrât inattentionné, loin de là, mais il affichait la courtoisie et la politesse d'un étranger. Ce qu'il était, naturellement. Matty se demandait ce qu'il advenait aux personnes célèbres lorsqu'elles avaient réussi un coup spectaculaire. Un nouveau Premier ministre, au lendemain des élections, se réveillait-il, comme elle, avec un arrière-goût de « Et maintenant ? » Rembrandt avait-il donné un dernier coup de pinceau au portrait de Saskia, son épouse, puis éprouvé le sentiment qu'il n'y avait plus rien à faire après la magnificence de sa création ?

Matty s'empara de sa plume. « Le poisson est excellent », écrivit-elle avant d'inspecter la pointe. Rien de mal à donner ce genre de renseignements. L'ennui est qu'il n'y avait rien d'autre qu'elle eût envie de raconter à sa tante. Du poisson.

— Ta tante est un véritable piranha, avait remarqué Kit en dégustant une sole sauce crevette.

— Qu'est-ce que c'est ?

— Un poisson carnivore.

Sur quoi ils s'étaient regardés et avaient éclaté de rire — pour la première fois — de partager cette plaisanterie, ce qui les avait éloignés du terrain brûlant quand Matty avait mentionné Daisy par inadvertance et que Kit s'était renfrogné.

Du poisson, songea Matty en reprenant sa plume.

En haut d'une colline
11 janvier

Daisy chérie, ma bien-aimée,
J'écris ceci en regardant la mer depuis le seul endroit que j'ai pu trouver à l'abri du vent. Pardonnez ces gribouillages. La mer est déchaînée, le ciel plombé et la pluie des plus pénétrantes, mais je veux que vous sachiez qu'au mariage vous étiez encore plus belle que de coutume, j'ai failli en mourir. Jamais je ne vous ai tant aimée. Jamais je n'éprouverai pour quiconque ce que j'éprouve pour vous.

C'est la dernière fois que je vous le dis, et la dernière fois que je puis ou veux vous écrire. Kit.

Tremblant et toussant, Kit se mit debout. La pluie arrivait de la mer en rideaux et lui fouetta le visage. Puis ce fut le tour du vent. Il fourra la lettre dans la poche de son imperméable, releva son col, entreprit la pénible marche dans l'herbe détrempée parsemée d'éboulis. Les mouettes hurlaient, la pluie se glissait entre son col et son cou et lui coulait dans le dos. Kit toussa de nouveau, sentit les pattes de la fièvre courir le long de ses membres et cogner dans son crâne. Il s'y abandonna.

UPPER BROOK STREET
14 février

Cher Kit,
Merci de votre lettre. Ne vous inquiétez pas, inutile d'en dire plus. Daisy.

L'enveloppe, d'une écriture noire et violente, était adressée aux bons soins de Max Longborough, The Old Cataract Hotel, Assouan. Daisy la déposa sur le plateau d'argent de l'entrée, pour la levée du soir, et s'empara du petit bouquet qu'on venait de livrer. « Avec les compliments de Mr. Turner », lisait-on sur la carte, et dessous, griffonné à l'encre noire, « Très chère, faites un heureux, dînons ensemble ».

Un second arrangement, des orchidées, plus élaboré, celui-là, était posé à côté du premier. La carte indiquait : « Portlington ». Aucune des deux cartes n'intéressait Daisy mais les bouquets étaient ravissants. Ils ajouteraient un merveilleux petit quelque chose à sa robe du soir aérienne, qui nécessitait une touche supplémentaire ici ou là — faute de quoi elle et sa robe mourraient d'ennui. Peut-être les orchidées de Portlington piquées à sa taille. Et le gardénia de Turner juste ainsi à l'épaule, pour mieux profiter de son parfum. Daisy n'allait certainement pas s'autoriser à penser qu'elle pouvait porter n'importe quoi n'importe où.

Elle prit le gardénia, le respira et ses cheveux, qu'elle laissait pousser, tombèrent sur l'écran lumineux de son visage. Respirant profondément, elle s'obligea à assembler les bribes de sa volonté. Les petits bouquets ornementaux et ce genre de choses devaient avoir leur utilité. Elle s'y emploierait. C'étaient les épingles à quoi s'accrochait son avenir. Chapeaux, robes, thés cérémonieux, *thés dansants*... Après tout, les choses ont l'importance qu'on décide de leur accorder, et au diable si les blessures d'amour saignaient encore.

Pique, nique, douille, c'est toi l'andouille. Daisy prit les orchidées de Portlington.

— Ça va, ma grande? appela Marcus réfugié dans le salon, un verre de whisky à la main.

— Oui, bien sûr.

— Ressasser devant un miroir n'a jamais donné rien de bon, tu sais. Cela entraîne une panique immédiate et une virée hors de prix chez Elizabeth Arden.

Daisy éclata de rire :

— Marcus, que tu es bête!

THE OLD CATARACT HOTEL
ASSOUAN
21 avril 1930

Chère Flora,
Nous voici à Assouan après un voyage épuisant. En fait, c'était un peu trop pour moi, Kit m'a donc laissée à l'arrière dans un camp de base tandis que Max et lui chevauchaient dans le désert, jouant les Bédouins ou quelque chose de ce genre. (Je vous en supplie, ne lui racontez pas que je vous ai dit cela.) J'espérais vous écrire avec une bonne nouvelle, mais finalement il n'en est rien. Peut-être lors de ma prochaine lettre...

Je m'amuse bien, bien plus que je ne l'imaginais, et j'ai beaucoup plus de souvenirs d'enfance que je ne l'aurais cru. Quoi qu'il en soit, nous allons passer quelques jours ici afin de visiter les sites, puis nous descendrons le Nil en bateau et entreprendrons tranquillement le voyage du retour via Damas (parce que j'ai envie de voir la maison de mon enfance), puis le grand théâtre d'Ephèse. Après quoi nous traverserons l'Italie en voiture. Nous devrions éviter la canicule.

Kit va bien, il est tout bronzé et très excité. Max et lui bavardent des heures durant et je tombe souvent de sommeil quand il vient se coucher.

Assouan est fascinante. C'était autrefois une des villes égyptiennes les plus importantes parce qu'elle était située sur la frontière septentrionale avec la Nubie; apparemment il y avait un marché actif d'or, d'ivoire, d'esclaves et d'épices. J'ai acheté des bijoux et une ou deux belles toiles que j'ai hâte de vous montrer. Avec mes meilleures pensées. Matty.

PS : J'espère vraiment que les entrepreneurs travaillent avec toute la célérité requise et que ce n'est pas trop atroce. Kit aimerait savoir s'ils ont commencé le toit et s'ils ont reçu ses instructions.

HINTON DYSART
30 juin 1930

Mon frère chéri,
Pour dire les choses crûment, c'est l'enfer. La poussière s'accumule en tas monstrueux et il n'y a pas de toit sur les greniers. Père écume de rage à cause du désagrément ; il s'est retiré dans sa chambre et refuse d'en sortir. Robbie se montre exécrable avec moi, mais résolument joyeuse avec père, qui a horreur de ça. Tous deux me terrifient et les domestiques menacent de rébellion. Pendant ce temps, je vous imagine, Matty et toi, douillettement installés en première classe et profitant de merveilleuses expéditions, et je trouve que *ce n'est vraiment pas juste*. Mais à quoi bon, n'est-ce pas le sort des femmes seules ? Miss Glossop m'a bel et bien avertie des périls encourus. En conséquence, à la suggestion de Polly, je lui envoie Robbie en vacances (question : garder notre braillard neveu est-il reposant ?), et je traîne père de force à Ardtornish. J'ose espérer qu'à ce point de ta lecture tu te sens coupable.

Je ne puis supporter de voir la maison dans cet état, pire qu'une porcherie. Quant à Mrs. Dawes, elle s'est presque évanouie dans les bras d'Ellen, hier, parce qu'elle avait vu deux rats ! Le chef entrepreneur, avec qui je me suis liée d'une profonde amitié, m'a promis que tout serait achevé pour Noël. Où ai-je déjà entendu cela ?

Exaspérément,
Flora.

PS : Le nouveau docteur est plutôt sympathique. Vraiment. C'est curieux — bien qu'il soit d'extraction très modeste et que ses parents aient habité près de Clare Park, on ne le dirait pas quand on le voit car il présente terriblement bien et il est très moderne.

PPS : J'ai l'impression que mon monde s'écroule et que chacun s'en moque.

Avant que les ouvriers ne fissent davantage de dégâts, Flora et Mrs. Dawes avaient décidé de déblayer les pièces de la vieille nursery en haut de la maison. Flora se tenait dans l'encadrement de la porte de la salle d'étude, où des mains cachées la ramenaient de force dans le monde secret de son enfance. Le plancher de la nursery avait été le domaine exclusif des sœurs Dysart. Kit, auréolé du prestige des pensionnaires, en avait été tenu à l'écart. Ces heures silencieuses, parfois lassantes, passées ici étaient imprimées en Flora comme des rayons X.

Neuf heures du matin, leçons. Onze heures du matin, lait et biscuits. Midi précis, brève promenade. Déjeuner à treize heures, suivi d'une demi-heure allongées par terre à plat dos, indispensable à une bonne tenue, tandis qu'une miss Hunter/Glossop/Etc leur faisait la lecture et que Polly et Flora jouaient à La-Première-Qui-Voit-La-Culotte-Rose, dominées par des meubles immenses aux angles étranges. Quinze heures, reprise des leçons. Dix-sept heures, thé. Tartines beurrées sur une assiette de porcelaine fleurie, et gâteau sans rien dedans.

Flora se rappelait que miss Glossop n'aimait pas la dynastie des Hanovre mais magnifiait les Plantagenêt (« si chevaleresques »), les Tudor (« si intelligents et si parfaits pour l'Angleterre ») et les Stuart (« si romantiques et condamnés par le destin »). L'ensemble composait une chronique réductrice où figuraient à satiété de la lamproie, des tonneaux de malvoisie et des petits gentilshommes en velours noir. Pendant les leçons d'anglais, miss Hunter se concentrait sur l'analyse grammaticale, qui sonnait comme un nom de maladie, mais apprenait aux petites à distinguer un substantif d'un adjectif. La géographie consistait uniquement à faire tourbillonner un globe terrestre.

Ce système d'éducation n'avait pas fait de Flora une jeune femme cultivée. Cependant, cette routine, étroite, confinée s'était révélée vitale — car elle lui avait donné un cadre, et surtout une enfance. Les deux sœurs avaient eu besoin de miss Glossop, miss Hunter et les autres pour s'en sortir.

HOTEL ROMANA
ROME
5 juillet 1930

Chère Flora,
T'a-t-on jamais dit que la patience est une vertu ? Rappelle-moi de le faire à mon retour.

Sérieusement, je suis sincèrement désolé que les choses aient été si pénibles pour toi à la maison, et j'espère que la solution Ardtornish s'est révélée efficace. Tâche que père y reste le plus longtemps possible. Dès mon arrivée, le 15, je reprendrai le flambeau.

Aurais-tu l'extrême gentillesse de demander à ton « ami l'entrepreneur » s'il a bien reçu ma lettre concernant : 1. le remplacement des fenêtres du salon, 2. l'éventualité de poser le nouveau modèle de radiateurs ? Il n'a pas répondu sur ces deux points.

Matty paraît aller bien et fait beaucoup de tourisme. Elle passe le plus clair de son temps dans des galeries d'art tandis que je traîne parmi les ruines. Curieusement, quand elle voyage, c'est une autre personne, elle paraît presque animée — te rappelles-tu comme elle était déprimée en France ? Elle me dit avoir hâte de rentrer à la maison.

Ton frère qui t'aime,
Kit

PS : Qu'est-ce que cette histoire ridicule à propos de rester vieille fille ? A ton avis, à quoi doit servir le grand tra-la-la de l'année prochaine ?

Ce que Kit ne précisait pas dans sa lettre, c'était que les journées se déroulaient beaucoup plus aisément lorsque Matty et lui avaient prévu des activités différentes.

115 BRYANSTON COURT
LONDON W1
23 octobre 1930

Chère Matty,
Te sens-tu mieux ? Je l'espère de tout cœur. Le Dr Lofts m'a promis qu'il te surveillerait de près.

Tu le vois d'après l'en-tête, j'ai quitté le club et suis maintenant installé dans notre nouvel appartement londonien. Il est raisonnablement spacieux, avec un beau salon de réception. Il est certainement assez grand pour les déjeuners que nous donnerons lorsque nous lancerons Flora dans le monde l'an prochain. Je crois que tu le trouveras confortable.

J'ai engagé une gouvernante-cuisinière, mais je te laisserai choisir la femme de chambre. Mrs. Waters m'assure qu'il existe un bon bureau de placement dans Edgware Road. (J'espère que tu es impressionnée de me voir ainsi prendre en main les affaires domestiques.)

Cependant, en ce qui concerne les finitions de l'appartement, nous devons attendre que tu sois suffisamment remise pour y venir toi-même. Il lui faut ta patte.

Nous avons eu beaucoup de chance de quitter l'Egypte à temps car il semble y régner une sale ambiance. Au Caire, des émeutes antibritanniques ont fait six morts. Espérons que les choses ne s'envenimeront pas davantage.

Cela me fait penser que j'ai vu un homme arpenter la rue près de Marble Arch. Il brandissait un placard dont le message m'a fortement marqué :

J'ai trois métiers
Je parle trois langues
J'ai combattu trois ans
J'ai trois enfants
Et trois mois de chômage
Je ne désire qu'une chose : un boulot.

Je l'ai observé longuement et sa situation difficile m'a fait bouillir de rage et de pitié. Il n'est pas juste que de telles choses se produisent.

Ton affectionné,
Kit

PS : Petit ragot qui devrait t'amuser. On a vu le prince de Galles quitter l'immeuble après l'heure de l'apéritif. Peut-être y a-t-il un ami ?

Mrs. Christopher Dysart, inscrivit Kit, conscient de devoir s'appliquer à le faire. Il avait une épouse, mais ce fait, indiscutable, ne l'avait pas frappé outre mesure : il portait son mariage comme un costume trop neuf. Il plaça l'enveloppe sur la pile en attente et reprit sa lettre en cours à un certain Mr. Raby, un homme d'affaires qui lui avait été recommandé et offrait l'avantage d'être indépendant de tout lien précédent avec les Dysart.

Pour vous brosser la situation, sachez que la famille a récemment souffert des suites d'investissements malencontreux et qu'il en résulte un grave embarras. Toutefois, mon épouse entend rapidement faire usage de la partie de son capital dont elle peut disposer. J'aimerais connaître vos idées quant à ce qui pourrait se révéler à la fois sûr et de bon rapport.

Pour ce qui me concerne, voudriez-vous consulter le portefeuille Dysart et voir si l'on peut sauver quelque chose. Si tel est le cas, j'aimerais que cela demeurât séparé du compte de mon épouse. Je m'intéresse au développement de la radio sans fil dont je suis convaincu qu'elle deviendra un appareil domestique — et la création récente de la British Broadcasting Company me conforte dans cette opinion. J'aimerais investir dans une société mettant au point une machine qui se branchera sur les réseaux d'électricité et comprendra un haut-parleur incorporé...

Kit trouvait du réconfort à réorchestrer la fortune familiale, d'autant qu'il voulait s'occuper l'esprit. Voilà vingt-trois jours il avait dit au revoir à Daisy, et il lui arrivait quelquefois — il bénissait ces jours — de pas penser à elle.

QU'EST-CE QUE CETTE GROTESQUE HISTOIRE DE RADIO STOP CONSULTEZ-MOI AVANT DE PRENDRE DÉCISIONS STOP POURQUOI NE PAS FAIRE APPEL À NOTRE HOMME STOP JE RÉPÈTE VOUS DEVEZ ME CONSULTER STOP RUPERT STOP PS RENTREZ À LA MAISON

5 UPPER BROOK STREET
26 novembre 1930

Matty,

Dieux du ciel! Tu es bien courageuse d'inviter la famille Chudleigh à Hinton Dysart pour Noël, et je rends hommage à ta bravoure, ou serait-ce que tu as la peau dure?

C'est impossible, tu en conviendras. Il va de soi que nous nous croiserons à l'occasion, et que je serai polie, mais je ne tiens pas à te voir, ni Kit, et encore moins à Hinton. J'ai également persuadé maman de ne pas venir.

Si égoïste et égocentrique que cela puisse te paraître, c'est ce que je ressens et je tiens à être honnête.

Ne t'en fais pas, je pars avec Tim Coats et ses amis skier en Bavière, ce qui promet d'être follement amusant. J'ai hâte de humer l'air de cette nouvelle Allemagne dont on me rebat les oreilles.

Je n'aurais jamais pu me persuader de te dire cela avant car tu ne m'as jamais paru posséder le don du bonheur, mais sois heureuse si tu le peux et prends soin de lui.

Daisy

CLIFTON COTTAGE
NETHER HINTON
5 décembre 1930

Chère Betty [Ellen lécha la pointe du crayon qui ne mesurait plus que quatre centimètres.] J'espère que tu vas bien et que tes veines ne te font pas trop souffrir. J'ai très envie de te voir. Ton père et moi nous demandions si nous pourrions venir pour le Nouvel An quand nous aurons une journée de repos.

Il s'est passé des choses importantes, ici. Le jeune Mr. Kit s'est marié et tout ça, et ils ont refait complètement la maison. C'est tellement différent, maintenant, que tu ne la reconnaîtrais pas, peinture fraîche, toit neuf, fenêtres neuves. C'est vraiment beau et maintenant qu'elle est rentrée de lune de miel, Mrs. Dysart a commencé à refaire l'intérieur. Mais je ne peux pas dire que c'est à mon goût.

Bien en vue, seul ornement sur le rebord de la cheminée, la photographie de Betty sembla approuver Ellen d'un signe de tête. Du moins, c'est ce qu'elle imagina, même si Ned lui répétait qu'elle perdait la boule. Ellen écrivait toujours à sa fille en faisant face à son image rondouillarde et quelque peu floue. Elle aimait sentir qu'elles étaient directement en contact, comme si les années avec la petite fille aux deux nattes et au tablier imprimé n'étaient pas si loin.

Ellen tourna la page et décrivit Matty au verso. Au bout d'un paragraphe, elle leva les yeux.

— Tu sais, j'ai l'impression que ça va pas très bien entre ces deux-là, dit-elle à Ned.

— Qu'est-ce que ça a de nouveau ? Le maître non plus n'avait pas une minute pour sa femme.

— C'est le contraire, tu veux dire. Elle ne pouvait pas le sentir.

Ellen se demanda un instant si elle allait céder au plaisir de répandre des ragots.

— Je t'ai dit ce que Madge a entendu ? reprit-elle enfin.

Ned adorait les commérages autant qu'Ellen, mais lui, ça ne le tracassait pas.

— Raconte, ma fille.

Ellen choisit ses mots avec soin :

— Eh ben, si tu veux savoir, Madge dit que lady Dysart en pinçait pour son propre frère. Plutôt moche, je trouve, ajouta-t-elle dans l'espoir d'éclaircir sa conscience.

— Et moi, je dis fourre pas ton nez où t'as rien à faire, Ellen.

> Ton père dit [Ellen savait que Ned avait parfaitement raison. Elle mouilla de nouveau son crayon et puis fut récompensée d'un trait foncé sur la page.] que je fourre mon nez partout mais n'empêche, je ne crois pas que miss Polly ou miss Flora aient été ravies du mariage de Mr. Kit avec Mrs. Dysart. Malgré l'argent. Et Mr. Kit ne tient pas en place et Mrs. Dawes dit qu'il voulait épouser quelqu'un d'autre. Voilà.

— Ce serait pas l'heure du thé ? remarqua Ned en se mettant debout.

Il se tint derrière sa femme et lui massa doucement la nuque là où il savait qu'elle avait toujours mal.

Ellen lâcha son crayon et planta ses yeux sur la photographie :

— Je suis horrible ces temps-ci, tu ne trouves pas, Ned ?

Le jeune visage de sa fille approuva d'un signe.

— Je vieillis, reprit-elle.

— Très juste, répondit Ned en serrant tendrement les épaules de sa femme.

Paniquée, Ellen pivota sur elle-même :

— Ned, tu le penses vraiment ?

— Mais c'est la vérité, ma fille.

Le visage dissimulé, Ned se pencha pour mettre du charbon dans le fourneau puis il posa la bouilloire.

— Tu peux frapper aux portes du paradis à tout instant.

— Arrête, Ned.

— Sérieux, ma fille.

— C'est pas pour tout de suite, répliqua Ellen tristement en frottant son genou encore enflé. Va falloir que tu me supportes encore un certain temps.

— On mange ? proposa Ned en ranimant le feu tout en jetant un œil à la tourte dans le four du haut. Ou si tu fais la grève ?

L'odeur de viande cuite et de pâte emplissait la pièce et la bouilloire entama sa danse vaporeuse.

> Ça me rappelle [écrivit Ellen à Betty], la recette de la tourte au corbeau. N'oublie pas d'ôter la peau, autrement ta tourte sera amère, et mets une couche de bon bœuf et un peu de bacon gras. Assaisonne. Mouille légèrement. Recouvre de pâte...

HINTON DYSART
NETHER HINTON
HAMPSHIRE
10 décembre 1930

Cher Mr. Hurley,
Votre nom m'a été recommandé par lady Foxton et Mrs. d'Arborfield. J'ai eu récemment une ou deux déconvenues et je souhaite consulter quelqu'un comme vous dès que possible début janvier.

Votre secrétaire pourrait-elle prendre contact avec moi à l'adresse ci-dessus afin que nous arrangions cela ? J'aimerais souligner le caractère urgent de cette affaire.

Sincèrement vôtre.

Matilda Dysart

HARRY

Les jardins sont comme les familles, ne pensez-vous pas ? Chaque fois que la saison se répète, elle fait appel au passé : chaque plante est liée à ses parents. Chaque enfant qui naît est déterminé par ce qui s'est passé avant sa conception. Ce cycle se perpétue jusqu'à ce qu'il soit brisé ou usé — et les secrets sont perdus.

Alors, chacun de nous arrive avec une marque, gravée comme le poinçon d'un orfèvre. Avec les plantes, c'est la chance qui détermine si oui ou non le soleil brille et si la pluie tombe au bon moment et en bonne quantité. La chance, et l'amour du jardinier qui veille sur elles. Certainement, la façon dont nous portons le fardeau de notre passé dépend de nous, mais à nous aussi, il faut de la chance.

Chaque été, lorsque le jardin grommelle de sa propre générosité et que les visiteurs piétinent les allées du jardin clos, je m'en souviens.

J'ai eu de la chance.

Deuxième partie

MATTY

1930-1931

1

L'odeur d'une maison de campagne anglaise est unique : ses habitants peuvent en respirer, partout dans le monde, un parfum qui s'en approche et dire « Ah, oui ! ». Dans la jungle de Malaisie, à cheval au milieu des terres africaines ou en train de s'éteindre parmi les coquelicots des Flandres, ils ont rêvé de l'heure du thé dans la bibliothèque, de tweeds humides et de chiens mouillés fumant près du feu. Amidon, Miror, sueur d'homme enfermée dans des garde-robes, venaison pendant dans des celliers, jambon bouilli, moisi dans la cave et odeur plate de terre froide s'infiltrant par la fenêtre un matin de décembre.

Au cours des semaines précédant Noël, les odeurs de Hinton Dysart se firent aiguës, épicées. Hissé depuis Lee Wood, un arbre de Noël répandait ses aiguilles sur le sol du hall d'entrée, des bûches de pommier dégageaient leur senteur depuis les cheminées, des peaux d'orange et de mandarine exhalaient leur parfum dans la salle à manger et Mrs. Dawes enveloppait la cuisine de cannelle, clous de girofle, épices multiples — et cognac. Sous ces assauts nouveaux, balayées les odeurs résiduelles de peinture, d'huile de lin, de bois neuf et de chintz récemment tendu.

— On se sent davantage chez soi, maintenant, dit Flora à Matty tandis qu'elles prenaient le thé devant l'âtre, les ouvriers enfin partis. La maison ne paraît plus aussi étrangère. Cela ressemble plus à avant. En plus beau, naturellement, ajouta-t-elle aimablement car elle venait d'interpréter avec justesse l'air paniqué de Matty.

Elle ajouta que Matty ne devrait pas prendre ses commentaires pour autant de critiques. Matty, déconcertée par sa belle-famille, passa une nuit blanche à se demander si elle n'en avait pas trop fait pour améliorer l'état de la maison.

Les invités — ses premiers invités — étaient attendus la veille de Noël. Flanquée de Ivy, Matty parcourait la maison en tout sens, vérifiant la poudre dentifrice et les sels dans les salles de bains, les biscuits McVities dans les boîtes en fer-blanc sur les tables de chevet, s'assurant qu'il y avait suffisamment de serviettes de toilette, d'oreillers, d'épingles à cheveux, de papier buvard, d'encre... et priant de passer l'examen avec succès.

— Kit, fais quelque chose, je t'en supplie ! s'écria Flora. Elle joue les mouches du coche et cela rend père grincheux.

Un verre de gin-tonic roboratif à la main, Kit finit par découvrir sa femme la tête dans une armoire à linge.

— On m'envoie te calmer. Une protestation générale s'élève contre l'intensité de l'activité qui règne ici.

La réponse de Matty fut étouffée.

— Je t'en prie, Matty, insista gentiment Kit. Pourquoi ne viens-tu pas lire le journal au salon ? Prends au moins un verre, ajouta-t-il en lui tendant le gin-tonic.

Matty le regarda à peine.

— Plus tard. je veux seulement m'assurer que...

Elle extirpa une pile de serviettes de toilette. Kit observa le tailleur de tweed beige et rouille de Matty, remarquablement coupé et très comme il faut, sur lequel Matty avait noué un des tabliers de Mrs. Dawes.

— Vraiment, Matty, nous avons des domestiques pour faire ce genre de choses. Inutile de...

— Pourrais-tu me passer la liste qui est sur la table, s'il te plaît, Kit ?

Kit obéit. Il avait déjà remarqué qu'elle pouvait se montrer extrêmement obstinée :

— Cela ne va pas devenir une habitude, n'est-ce pas ?

— Je ne pense pas, répondit Matty dont les yeux furetèrent de toutes parts. On ne peut s'attendre que les gens fassent les choses à votre place si on n'est pas prêt à leur montrer. C'est tante Susan qui me l'a dit, précisa-t-elle avec un sourire inattendu.

Il s'aperçut qu'il lui souriait à son tour.

— Tu as sans doute raison.

Il but une gorgée de gin-tonic.

— Zut ! C'était pour toi.

Matty se hissa jusqu'aux serviettes de table rangées sur la dernière planche. Elle était beaucoup trop petite et une pile s'écroula à ses pieds. Elle s'empressa de se pencher pour les ramasser. L'amusement de Kit disparut et ses bonnes intentions furent balayées par une irritation soudaine. Déçu de sa propre conduite, honteux, coupable d'éprouver ces deux sentiments, Kit posa le verre et s'en alla.

Les invités — Polly, James et le jeune William, grand-tante Hetta, lady Foxton et Max Longborough — arrivèrent tous ensemble par le train de quinze heures trente qui partait de Waterloo ; Tyson passa les prendre à la gare de Farnham. Dès qu'ils pénétrèrent dans le hall, tous firent des remarques sur la renaissance de Hinton Dysart et entreprirent de se dépouiller d'une montagne de manteaux, gants, bottes et écharpes.

Lady Foxton laissa tomber un immense, fabuleusement onéreux et tout aussi affreux manteau d'hermine dans les bras d'Ivy, non sans lui ordonner d'en prendre très grand soin.

Polly balaya d'un œil critique les dalles cirées, les rampes restaurées avec peine et le plafond de plâtre :

— Eh Matty ! Vous en avez fait des changements, n'est-ce pas, Kit ? dit-elle en posant un baiser sur la joue de ce dernier. C'est vrai, je n'aurais même pas reconnu la maison. C'est si... si cossu. J'espère quand même qu'il reste quelque chose du vieux Hinton Dysart.

Ses remarques correspondaient à celles de Flora et Matty, qui s'était avancée pour l'accueillir, se figea sur place et s'aperçut qu'elle disait au bébé, sans le penser :

— Comme il est mignon.

Au tout début de leur mariage, Kit demanda à Matty si elle voyait un inconvénient à ce qu'ils fissent chambre à part. Comme s'il s'agissait d'une pure formalité. Ainsi donc, la veille de Noël, Matty, qui occupait l'ancienne chambre d'Hesther, s'éveilla seule dans l'obscurité diffuse du petit matin et respira l'air hivernal qui montait du jardin. Elle demeura un moment allongée, détendue, s'attendant comme toujours à entendre du bruit — les seaux de lait qui s'entrechoquent, les leviers de vitesses qui grincent — pour jouir plus encore du silence. Elle se souvint que la vie avait changé.

Au bout de deux minutes à peine, Matty ouvrit les yeux et repoussa les draps. Les roses sur les rideaux de chintz se gonflaient puis se ratatinaient sous l'effet du courant d'air de la fenêtre ouverte. Des vaguelettes d'air glacé lui effleuraient le visage.

Peut-être... peut-être cette fois. Matty se concentra et espéra qu'elle aurait la nausée. Mais elle eut beau essayer, ce fut en vain, et elle comprit pourquoi quand elle roula sur elle-même. Elle se redressa, alluma la lumière et examina la tache sur sa chemise de nuit.

— Je ne vais pas pleurer, dit-elle à son ventre creux et à ses cuisses souillées. Pas cette fois.

Elle avait déjà pleuré deux fois quand une tache rouge avait abîmé ses sous-vêtements et les draps en Egypte et quand, à Rome, le médecin lui avait dit : « Là, là, un peu de patience. Avec vos problèmes et votre constitution, Mrs. Dysart, inutile de vendre la peau de l'ours. »

Matty ne se sentait ni patiente, ni résignée, simplement frustrée, désespérant de son corps et ignorante parce qu'elle n'en savait pas assez pour arranger les choses.

Elle retomba dans sa vieille manie :

Tu n'es pas étincelante, Matty, tu ne joues pas au tennis, tu ne peux amener ton mari à t'aimer. Ni... ni devenir enceinte.

Et si... et si je ne pouvais pas avoir d'enfants ?

Matty se couvrit les jambes de sa chemise de nuit. Le plaisir et le réconfort éprouvés lors de son réveil s'étaient dissipés dans les incertitudes de sa nouvelle vie.

Une fois qu'elle eut fait sa toilette, Matty se glissa entre les rideaux pour regarder par la fenêtre. Des éclats de lumière opale s'inclinaient sur le jardin que le givre et l'hiver avaient aplani. Elle eut la chair de poule.

Cette nuit, elle avait longtemps espéré que Kit viendrait lui dire bonsoir. Elle l'entendit monter l'escalier et prendre le couloir. Elle savait que c'était lui car elle avait appris à reconnaître le bruit de ses pas. Tremblante d'angoisse et d'espoir, elle guettait un coup à la porte.

Mais rien. Matty dessina un cœur sur la vitre. Les traits ne se rejoignaient pas et il figurait plutôt une pierre. Elle l'observa et admit ce qu'elle avait refusé d'admettre jusque-là : lorsqu'elle avait épousé Kit, elle ne s'était pas rendu compte de ce dans quoi elle se lançait. Elle ne se doutait nullement que l'absence de bonheur pouvait s'étendre à l'infini.

Le visage de Daisy lui apparut en surimpression. C'est à moi que Kit pensera, avait-elle averti. Oh oui, avait reconnu Matty en toute ignorance. Tu crois vraiment que je ne le sais pas ? J'ai bien réfléchi à tout, Daisy. Mais ce n'était pas vrai : elle ne savait pas ce que signifiait tenir à la main les orties de l'amour non partagé, jour après jour, nuit après nuit. Ou de sentir qu'une autre se glissait dans son lit.

— Elle est toute neuve, avait expliqué Kit à Matty en pliant une robe de chambre de soie bleue en cachemire sur la chaise de la chambre de l'hôtel Dawlish.

Et il toussota. Neuve, la chemise de nuit de Matty, en finette, comme il aimait tant, et qui se boutonnait jusqu'en haut, l'était aussi. (« Pour l'amour du ciel, Matilda, avait explosé Susan, tu ne peux mettre ça pour ta lune de miel ! »)

Comme il faisait glacial dans la chambre et qu'un courant d'air s'insinuait méchamment sous la porte, Matty l'avait boutonnée jusqu'en haut et y avait caché ses pieds. Kit trembla et envoya promener ses chaussons. Jetant un bref regard à ses pieds, Matty fut heureuse de constater qu'elle avait eu raison de penser qu'ils étaient beaux et forts avec des ongles parfaitement soignés. Elle aimait cela. Il toussa de nouveau avec un net sifflement.

— Cela vous ennuierait que j'éteigne la lumière ?

Matty fit signe que non. Kit éteignit donc et demeura quelques instants près de lit avant de se glisser au côté de Matty.

Ça y est, se dit-elle, surprise par le côté ordinaire de l'événement.

— Kit, fit-elle en roulant entre ses doigts le haut du drap. Je sais que ce n'est pas ce que vous vouliez.

Il ne bougea pas.

— Matty, croyez-vous que ce soit vraiment le moment d'évoquer cela ?

— Pas si vous ne le souhaitez pas.

— Le souhaitez-vous ?

Matty réfléchit à cette conversation comparable à la boîte de Pandore.

— Non, se hâta-t-elle de répondre. Non.

— Alors nous sommes d'accord.

Kit défit les boutons de sa veste de pyjama, l'ôta et la bouchonna entre eux. Retenant son souffle, Matty tendit la main et effleura de bout du doigt une épaule lisse. Le sang battait dans ses tempes. Kit ne bougea pas et elle resta pétrifiée d'avoir osé cela. Il finit par rouler vers elle pour l'entourer de ses bras. Elle était fraîche, il était brûlant. La bouche de Kit caressa légèrement le cou de Matty, qui respira une odeur masculine d'eau de Cologne et de tabac et sentit la forme d'un corps mâle avec ses steppes, ses terrasses et ses plaines inconnues. Ne sachant si elle devait mettre ses bras autour de lui, elle attendit.

— Essayez de ne pas avoir peur, dit-il en lui toussant dans l'oreille. Je vais prendre soin de vous.

Comme Matty aimait Kit, elle n'avait pu s'empêcher de le prendre par la nuque. Kit avait eu un mouvement de recul. Léger, mais suffisant.

— Excusez-moi, dit Matty en enlevant prestement sa main.

— Ecoutez. Ne pourriez-vous enlever cela ? suggéra Kit en se bagarrant avec les boutons de la chemise de nuit. Je crois que cela simplifierait les choses.

Elle voulut l'aider mais le tissu s'était enroulé autour de ses chevilles.

— Doux Jésus, remarqua-t-il, c'est plus efficace qu'une ceinture de chasteté.

Le dernier bouton ôté, Matty se libéra. Dans l'obscurité, elle entendit Kit prendre sa respiration, puis il toucha sa poitrine.

Le bout de son sein était si petit, si adolescent que Kit avait l'impression de caresser une poupée de porcelaine plate et froide. Elle est si petite, comme une enfant, se dit-il. Et ce qu'il avait réussi à faire surgir de désir mourut. Dans un effort pour le réveiller, il se pencha sur Matty et l'embrassa. Sa bouche était dure et sèche sur celle de Matty.

— Je vous en prie, murmura-t-elle, je vous en prie.

Kit ferma les yeux et se concentra sur le souvenir d'un garçon arabe et de chaude excitation. Il pensait à Daisy à la Villa Lafayette, dans son vieux maillot de bain, ses seins si ronds, ses cheveux si brillants. Eclairés de l'intérieur. Un étau lui serra le cœur. Il s'allongea sur les seins de poupée de porcelaine de sa femme et gémit — et il sentit sa main descendre le long de son dos.

— Je vous en prie, murmura-t-elle. Il va falloir m'aider.

Sous le choc de cette situation délicate pour l'un et l'autre, la tête légère à cause de la fièvre qui montait, Kit fit courir sa main le long des os d'oiseau qui soulevaient à peine la peau aux hanches, puis entre ses jambes.

— Tout va bien, Matty, fit-il d'une voix rauque. Je vais faire en sorte que tout aille bien.

Prisonnière des liens de la jalousie, de l'apitoiement sur soi, de la maladie et de son cœur affamé, Matty fit un effort suprême pour se libérer et lutta pour faire don à Kit de son amour. Lui, à son tour, surpris par la générosité et la ferveur qu'il avait dénouée dans ce petit corps, fut réconforté.

Plus tard, alors qu'ils étaient allongés l'un près de l'autre, il dit :

— Je crois que j'ai la grippe.

Il ne lui avait pas fait mal cette fois-là, non plus que les autres fois, mais l'éclair d'intimité entre eux ne s'était jamais reproduit. Ils s'unissaient avec réserve, avec de plus en plus d'adresse, mais jamais plus ils ne s'abandonnaient à l'émotion. A une ou deux reprises, alors que Kit était au-dessus de Matty et posait le regard sur ses yeux égarés, il surprit une certaine expression — de peine, de profonde attente. Puis s'immisçait le soupçon désagréable que Matty l'aimait et Matty, se rendant compte de ce qui se passait en lui, dissimulait ses sentiments.

Scritch. Le doigt de Matty crissa sur le givre et traça le nom de ses parents, Jocaste et Stephen. Puis elle dessina un berceau. « Dodo, l'enfant, do », écrivit-elle avant de tout effacer du poing.

Elle était vide, vide, vide.

Dix minutes plus tard, sagement vêtue d'un tailleur de tweed, d'un chapeau, de gants et de bas épais, Matty descendit en douce par l'escalier de service et tomba sur Ivy qui apportait le thé du matin.

— Excusez-moi, madame.

Surprise de voir sa maîtresse debout de si bonne heure, Ivy s'aplatit contre le mur.

— Tout va bien, Ivy. Je... j'ai simplement envie d'un peu d'air frais...

Matty se hâta de descendre; ses chaussures de marche martelaient le sol. Bientôt elle sortait par la porte de derrière.

Une fois hors de l'abri de la maison, le froid se fit plus cinglant. L'air s'engouffra dans les poumons de Matty, qui fourra ses mains dans ses poches et traversa la pelouse en direction de la rivière. Les graviers crissaient sous ses pas. Déjà elle se sentait mieux.

Elle s'arrêta près du pont et leva les yeux sur le platane immobilisé par le gel. Rien ne bougeait dans les arbres ni dans les massifs. Aucun battement de pouls dans l'entrelacs des choses mortes et de la terre durcie. Seul le bord givré sur les lames d'herbe semblait posséder quelque vie tandis que la lumière jouait sur les cristaux de glace. Le souffle de Matty réchauffait l'air et le sang la quittait pour couler sur le calcaire qui devenait lourd et humide.

Ses pieds étaient gourds. Elle traversa la pelouse du bas puis le cercle d'ifs en direction de la maison, laissant des traces de pas sur le tapis blanc. Elle s'arrêta près de la terrasse pour jeter un dernier regard au jardin endormi — et, soudain, elle serra les poings dans ses gants.

Malgré la lumière parcimonieuse et incertaine, Matty distinguait d'autres empreintes sur la pelouse. A côté des siennes, d'autres marques, petites, nettes, qui s'accordaient à la perfection.

Non seulement je suis vide, mais je suis folle, fut sa première pensée. La seconde fut plus rationnelle : quelque part, un enfant jouait. Elle pivota au son de cailloux cliquetant sur les marches derrière elle et réprima un cri. Là, dans l'escalier, une petite fille.

— Qui es-tu? appela-t-elle.

Comme sous l'effet d'un diapason qu'on fait résonner, l'air vibra dans l'oreille de Matty avec un son si aigu qu'elle eut mal. Elle secoua la tête et les choses qui l'entouraient — marches, haie d'ifs, pelouse — se tordirent subtilement comme les reflets dans un vieux miroir. Désorientée, elle s'accrocha à la balustrade de pierre et, même si sa texture, incrustée d'une sorte de mousse, s'imprimait à travers son gant, elle savait indubitablement que sa main reposait sur de l'air. Elle avait les orteils et les mains gelés.

La petite fille se retourna et planta sur Matty deux yeux

d'un bleu clair troublant et familier. Elle portait un bon manteau à col de velours, des guêtres et un béguin. Des mèches de cheveux blonds délavés s'en échappaient et son menton était gercé par le froid. Pour autant que Matty pût en juger compte tenu de son manque d'expérience, elle avait environ cinq ans et possédait le sérieux d'une enfant qui se concentre sur quelque chose. Après avoir scruté Matty du regard, elle continua de monter l'escalier.

— Attends, appela Matty. Qui es-tu ? Comment t'appelles-tu ?

La petite n'y prêta aucune attention et grimpa jusqu'en haut des marches où elle s'arrêta, tint les basques de son manteau et sautilla autour d'une vasque de pierre. Elle semblait absorbée et pleine de retenue ; mais de temps à autre, ses yeux pointaient en direction de Matty.

— S'il te plaît, attends, insista Matty en courant dans l'escalier avec un sentiment d'étrangeté tandis que son chapeau s'envolait dans l'herbe où elle l'abandonna. D'où viens-tu ?

L'enfant sourit et Matty se trouva immobilisée sur les dalles. La note était maintenant si perçante, si douloureuse, qu'elle appuya fortement les mains sur ses oreilles de toutes ses forces. Matty se sentit vidée et malheureuse, si malheureuse.

Mais ce n'est pas ma douleur.

A genoux, Matty appuya si fort que tout devint noir. Quand elle rouvrit les yeux, l'enfant avait disparu. Elle se remit péniblement debout pour regarder la pelouse, mais c'était trop tard : les empreintes des pas s'évanouissaient.

A l'arrière-plan, s'attardait l'écho d'un malaise de tous ordres. Puis tout cessa.

Ses genoux la piquaient. Matty s'assit sur les marches et s'aperçut qu'elle sanglotait : de frayeur, pour l'enfant qui n'était pas dans son corps, du désir profond de posséder quelque chose, quelqu'un, qui eût besoin d'elle — parce que manifestement elle devenait folle — de chagrin amer car, petite fille de cinq ans, elle s'était retrouvée seule. Pour sa vie, qui n'était qu'un immense gâchis.

— Ça va, Mrs. Kit ?

Matty pleurait si fort qu'elle n'avait pas entendu grincer la roue d'une brouette, ni remarqué la silhouette de Ned

Sheppey, emmitouflé dans une veste de velours et un cache-nez.

Ned ramassa le chapeau de Matty et répéta sa question. Elle rougit d'avoir été surprise en pleurs par le jardinier et de ce qu'il irait raconter à Ellen et à Mrs. Dawes.

— Merci, Mr. Sheppey. J'allais rentrer. J'aime les promenades matinales.

Il semblait aimable et dépourvu de curiosité. Le bon sens vint à la rescousse de Matty : peu importait ce que Ned avait vu ou non.

— Merci, dit-elle en acceptant son chapeau qu'elle se vissa sur le crâne. Mr. Sheppey, avez-vous des petits-enfants ?

— Oui, madame, mais ils n'habitent pas là, répondit-il immédiatement sans paraître réfléchir.

— Ivy a-t-elle une fille qu'elle amène jouer ici, ou Mrs. Dawes une petite-fille ?

Avec ses joues striées de larmes et ses cheveux en bataille, Matty rappelait à Ned sa propre fille.

— Non, Mrs. Kit.

— Mais alors...

— Oui, Mrs. Kit ?

Vision, possession ou effondrement passager, tout cela était trop compliqué pour en discuter avec Mr. Sheppey. Matty s'obligea à mettre debout son corps douloureux, se frotta les yeux avec son mouchoir et dit la première chose qui lui vint à l'esprit :

— Que faites-vous avec cette brouette, Mr. Sheppey ?

— J'emporte le muguet dans la remise pour le rempoter dans la meilleure porcelaine. Comme ça, je l'ai de bonne heure pour la maison. Je le fais toujours à cette époque de l'année. C'est une tradition, si vous aimez mieux. Il sent bon à l'intérieur.

Il prit un plant et le lui tendit comme si ce geste était le plus naturel du monde, et Matty quitta la marche pour inspecter le tas qui ne lui disait pas grand-chose.

— Très joli, Mr. Sheppey.

Mr. Sheppey portait des mitaines en crochet d'où sortaient ses doigts crevassés aux ongles noirs. La façon dont il enroulait sa main autour du plant intéressa Matty. C'était un geste de jardinier, plein d'aisance, né d'une longue pratique.

— Vous devez avoir mal aux mains avec ce froid, remarqua Matty en désignant son index droit maculé de terre et de sang séché. Il faut soigner cela, Mr. Sheppey. Cela pourrait s'infecter.

— On s'habitue, Mrs. Kit. Mon père disait qu'on ne peut pas jardiner sans se salir les mains. Il a été chef jardinier ici pendant plus de trente ans. Mais merci quand même.

Ned reposa le muguet dans la brouette. Il semblait heureux de rester à bavarder dans le froid, mais Matty voyait bien qu'il l'observait de près.

— Aimez-vous jardiner, Mrs. Kit?

— Moi? s'étonna-t-elle en ouvrant les mains pour inspecter ses doigts protégés par des gants de prix. Je n'y ai jamais réfléchi... mais...

— Lady Dysart aimait ça. Elle avait plein d'idées. Les choses ont changé. Il y a trop à faire et je suis tout seul, alors je m'en tiens au potager et au verger, à part deux ou trois bricoles.

— Oui, répondit Matty, apaisée par le doux accent du Hampshire.

Mr. Sheppey parut comprendre qu'elle était troublée et continua à parler :

— Je fais aussi des pots de narcisse pour le printemps, et aussi pour le parfum. Ils sont dans la serre. Aimeriez-vous choisir les pots pour la maison?

— Je crois que cela me ferait plaisir, Mr. Sheppey.

Une pensée saisit Matty :

— Peut-être devrais-je de toute façon venir voir ce que vous faites dans le jardin.

Ils échangèrent un regard et, pour différentes raisons, aimèrent ce qu'ils virent.

— Alors bonne journée, Mrs. Kit.

Ned remit le plant en place avec une petite tape amicale, porta sa main à sa casquette et souleva les bras de la brouette.

Matty le regarda s'éloigner, saine silhouette dans un monde réel, et entreprit de se convaincre qu'elle n'avait rien vécu que de banal.

— Vous m'avez fait une sacrée peur, lança Robbie quand Matty retrouva sa chambre. Me voilà qui me fais un sang d'encre et votre petit déjeuner qui refroidit.

Matty se débarrassa de ses gants qu'elle lâcha sur le lit et envoya promener ses chaussures. Robbie chercha une autre entrée en matière. Elle jeta aux souliers un œil satisfait :

— Vous n'êtes quand même pas allée dehors ? Vous aurez attrapé la mort. C'est vraiment dommage, ajouta-t-elle en poussant Matty jusqu'au fauteuil avant de l'y coincer avec un plateau. Mangez, Mrs. Kit.

Le Lapsang Souchong répandait un parfum doux et fumé qu'elle adorait. Avec sa cuiller, Matty ôta une feuille de thé puis but avidement. Après quoi elle prit une rôtie en triangle et du beurre.

— Voilà qui est parfait, Mrs. Kit.

Robbie s'attaqua au lit et claqua la langue en remarquant la tache sur le drap :

— Avez-vous pris le tonique dont je vous ai parlé ?

Matty ferma les yeux une fraction de seconde :

— Oui, miss Robson.

— Oh bon, alors, ça n'est pas grave. Il y aura d'autres mois. Cela dit...

Robbie changea les draps, sans se soucier du fait que la moindre fibre de Matty se rebellait contre son manque de discrétion et la présomption que Matty était désormais sa propriété.

— Il faut essayer mieux que ça. Il y a des choses à faire pour empêcher cette visite mensuelle.

— Vraiment, miss Robson !

L'idée que Robbie pût lui faire un sermon sur sa fertilité terrassait Matty qui était à la fois horrifiée et fascinée.

— Mrs. Kit.

Robbie avait dit cela comme si elle se retrouvait dans la nursery, avec ce ton que Matty en était rapidement venu à détester, tout à fait Jeune-Demoiselle-Veuillez-Vous-Tenir-Correctement.

Elle devança la leçon :

— Miss Robson, il s'agit d'un sujet personnel qui ne souffre pas de discussion.

Mais Robbie ne s'avouait pas vaincue si facilement et au fil des ans elle avait remporté bien des batailles dans les devoirs de sa charge.

— Inutile de monter sur vos grands chevaux.

Robbie s'acharna sur les draps. Matty mordit dans une

rôtie et l'observa : miss Robson débordait d'énergie et nul doute qu'une force redoutable se tapissait sous la serge bleue.

— Il vous faut un héritier au plus vite, vous savez. C'est votre devoir. C'est pour ça que vous êtes là.

Matty releva le menton.

— Miss Robson. Voilà qui suffit.

Robbie secoua une paire de bas de soie.

— Contentez-vous de vous occuper de vous, oubliez le reste et les autres. Vous aurez bien le temps après. Lady Dysart nous a donné Mr. Kit au bout de neuf mois, jour pour jour. Cela dit, je crois que je vais lui dire deux mots à celui-là. Il ne devrait pas filer à Londres aussi souvent.

Matty oublia toute tolérance :

— Miss Robson, vous n'entreprendrez rien de la sorte.

— Ne vous en faites pas, Mrs. Kit, dit Robbie avec gentillesse tout en roulant un bas. On est comme ça entre Mr. Kit et moi, expliqua-t-elle en croisant deux doigts. Et Flora. On n'a pas de secrets. Il a eu besoin de moi, vous savez, précisa-t-elle en roulant le second bas. Tous, d'ailleurs, et je les ai sauvés. Alors laissez-moi faire. Si vous voulez bien m'excuser de parler ainsi, je sais le prendre, Mr. Kit.

Vraiment ? songea tristement Matty.

— Mais, miss Robson...

— Pas de mais, s'il vous plaît, Mrs. Kit.

Robbie posa le deuxième bas près du premier. On aurait dit deux beignets posés à côté du porte-jarretelles de Matty.

— Je suis là pour vous aider, reprit Robbie. Je reviens dans dix minutes pour faire couler votre bain.

Matty avait achevé son petit déjeuner lorsque Kit frappa à la porte de sa chambre :

— Désolé de te déranger. Je vais prendre mon petit déjeuner et je suis affreusement en retard. Tout le monde l'est, semble-t-il.

Il sourit à sa femme. Les joues de Matty rosirent.

— Tu ne me déranges pas.

— Que vas-tu faire, aujourd'hui ?

— Seigneur Dieu ! s'exclama Matty en repoussant sa tasse à thé. Je ne dois pas traîner. Lady Foxton voudra certainement être servie dans sa chambre.

Kit plongea les mains dans ses poches.

— Cesse de t'affoler pour tout, Matty. Tu as un tel goût de la perfection que la maison est désormais tenue on ne peut mieux.

Matty savait qu'elle avait réussi à l'agacer. Elle savait également que si Kit avait risqué une remarque similaire à Daisy, celle-ci aurait rétorqué : *Mais, mon chéri, c'est ce qui me rend si fascinante.*

Au bout d'un moment, Kit demanda :

— Te portes-tu bien ?

— Oui, naturellement. Pourquoi cette question ?

— J'ai croisé Robbie dans le corridor.

— Ah.

Matty avait envie de hurler : « Comment oses-tu parler avec Robbie de quelque chose d'aussi personnel ? Cela ne la regarde pas. C'est entre nous. »

Kit haussa les épaules :

— Nous aurons plus de chance la prochaine fois, Matty.

Est-ce que les couples qui ne se comprennent pas réussissent à avoir des enfants ? Matty supposait que oui, mais elle se demandait également si le fait que Kit ne l'aimait pas expliquait cet échec répété. Un grain de blé ne germerait pas en terre stérile et il n'y avait rien d'humide ou de nourrissant en Matty.

Kit fit un effort pour adoucir l'atmosphère :

— C'est très agréable ici, Matty. Grâce à toi. Tu possèdes un véritable don pour ce genre de choses.

Matty sentit la tension l'envahir car elle avait craint d'apporter trop de modifications aux choses d'Hesther :

— J'ai ôté quelques meubles car c'était un peu entassé. J'espère que cela ne t'ennuie pas trop.

— Oui, c'était sans doute trop encombré. Je crois me rappeler que mère aimait que tout soit encombré.

Kit s'intéressait peu au sens du détail dont jouissait Matty et dont il était lui-même totalement dépourvu. Il avait seulement remarqué que, sous son court règne, Hinton Dysart était devenue une véritable maison où il faisait bon vivre. Il avait donné à Matty carte blanche, lui demandant simplement de tenir compte des désirs de Rupert et de Flora. Il leur est difficile de s'adapter, avait-il expliqué avec sérieux. Agiras-tu avec circonspection ?

Matty se montra astucieuse. L'une de ses premières initiatives consista à s'asseoir régulièrement avec Rupert et à l'écouter. Puis elle avait réfléchi aux occupants de la maison, et à la maison proprement dite. Résultat, rien n'était trop élégant ou discordant, mais tout était propre, astiqué et frais. Les repas étaient servis à l'heure. Il y avait des fleurs partout et des coupes de pots-pourris odorants dans les salons. Curieusement, les zones impossibles à gérer étaient devenues agréables, les coins sombres lumineux et plaisants, et l'équilibre intérieur de la maison s'était déplacé.

— T'en sortiras-tu avec toutes ces allées et venues pendant les fêtes de Noël? Surtout avec grand-tante Hetta et lady Foxton? demanda Kit.

Grand-tante Hetta exigeait apparemment une attention de chaque instant et la fourniture régulière de cachets destinés à lutter contre un intestin paresseux.

Matty fit une petite grimace :

— A trois shillings la boîte, nous allons friser la banqueroute.

Kit se dirigea vers la porte.

— Ne permets pas à lady Foxton de te malmener.

Matty s'empara de son carnet. Aujourd'hui, veille de Noël, verre de sherry suivi d'un déjeuner pour le village et dîner de Noël pour trente-quatre personnes auquel étaient priés Mr. Pengeally et son épouse, qui avait des vues sur l'emploi du temps de Matty. Le plan de table prévoyait que Mr. Pengeally serait assis à côté de Matty. Comme il avait du poil dans les oreilles, ce qui lui répugnait, Matty ne se réjouissait pas à cette perspective. Le rendez-vous du lendemain de Noël[1] était prévu dans la grande allée... boissons prises à cheval... pique-niques, collation froide pour ceux qui rentraient chez eux et, naturellement, thé au retour des chasseurs.

— Regarde-moi, Matty, ordonna Kit dans l'encadrement de la porte. Sauras-tu t'en sortir? Un simple mot et je mets un terme à tout cela.

Elle afficha un grand calme :

— Même à grand-tante Hetta et ses cachets?

1. *Boxing Day*. Jour férié en Angleterre et au Pays de Galles. Le lendemain de Noël est toujours une véritable fête au cours de laquelle les réjouissances se poursuivent. (*N.d.T.*)

Kit était incapable de dire quand Matty plaisantait ou non. Il eut un sourire poli :

— Même à grand-tante Hetta.

— Parfait, dit-elle en se levant de sa chaise, pieds nus dans ses bas. Tout va bien et tout est organisé

Elle s'avança vers Kit et lui posa timidement la main sur le bras :

— Je peux très bien y arriver, tu sais.

Et cela recommença, cet infime, mais incontestable, recul. Dans une tentative de le dissimuler, Kit prit la poignée de la porte. Je voudrais que Daisy fût morte, songea Matty, et son démon lui cogna les côtes.

— Bravo. C'est agréable de penser que les vieilles traditions se maintiendront à Noël. A tout à l'heure, Matty.

A cet instant, Matty était près de le haïr.

Mrs. Dawes était d'humeur belliqueuse. Consciente de cela, Matty louvoya entre les obstacles pour mettre au point avec elle les détails du déjeuner et du dîner. Une fois tout réglé, elle commit son erreur :

— Le thé de chasse dans le salon, s'il vous plaît, Mrs. Dawes. Crumpets, muffins, sandwiches, cakes aux fruits et biscuits au gingembre.

Mrs. Dawes jura intérieurement et dit à voix haute :

— Vous voulez dire la bibliothèque, madame. Ça se passe toujours dans la bibliothèque.

— Je crois que nous serons plus confortablement installés au salon.

— Ça ne va pas plaire à miss Flora.

Mrs. Dawes pensa aux nappes supplémentaires qu'il lui faudrait et qui n'étaient pas sorties. Elle eut l'air de préparer une mutinerie :

— Ça ne va pas leur plaire, madame, et à moi non plus madame, d'être prévenue seulement maintenant.

— Mrs. Dawes, tenta Matty, il me semble...

— Impossible, madame.

Que ferait Jocaste? Que ferait Emma Goldman? Et, plus à propos, que ferait tante Susan? La réponse était enfantine. Matty ne tint pas compte de la dernière remarque de Mrs. Dawes et demanda :

— Avez-vous reçu la crème d'anchois que nous avons commandée de Farnham ? C'est ce que mon mari préfère.

— Trois pots, madame.

— Parfait. Alors nous n'avons rien oublié, n'est-ce pas ?

Matty sourit pour exprimer sa bonne volonté et indiquer à Mrs. Dawes qu'elle pouvait se retirer :

— Toute la famille a-t-elle pris son petit déjeuner ?

Mrs. Dawes secoua la tête avec difficulté :

— Non, madame.

— Je vais voir ce qui se passe, dit Matty en se levant de son bureau situé dans le salon du matin. Merci mille fois pour tout ce travail. Mrs. Dawes, enchaîna Matty tandis que la cuisinière titubait presque jusqu'à la porte, le thé sera servi au salon. Est-ce bien clair ?

Mrs. Dawes ne répondit pas.

Ragaillardie par cette petite mais significative victoire, Matty se rendit dans la salle à manger. Des feuillages ornaient le hall d'entrée et le houx égayait les abords de l'arbre de Noël. Elle passa la tête par la porte. La desserte était copieusement garnie de plats d'argent scintillants remplis de rognons, de bacon, d'œufs brouillés ainsi que de deux théières. La famille, attablée, bavardait en mangeant. Kit brandissait une fourchette où était piqué un bout de rognon :

— Te rappelles-tu quand il nous a ramenés à travers le camp de César et le Paradis et...

— Oh oui ! Et ce jour-là, tu t'es fait coller à ton examen.

— J'en porte encore les cicatrices, dit Kit en exhibant une jambe. Je me doute bien que tu t'en souviens, Polly.

Flora pouffa de rire et se leva pour reprendre du thé. Elle était en tenue d'équitation et sa solide charpente était mise en valeur sous la taille marquée et la coupe sévère. Ses cheveux étaient nattés autour de la tête et elle affichait un teint éclatant de santé, dépourvu de toute trace de poudre.

— L'ange déchu, lança-t-elle d'une voix sentencieuse.

Rupert tendit sa tasse :

— Resservez-moi aussi, Flora.

C'était la première fois que Matty voyait son beau-père aussi détendu avec ses enfants.

— Espérons que le temps se maintiendra, remarqua-t-il en regardant par la fenêtre. C'est exactement ce qu'il nous faut.

— Taïaut ! cria Polly en tapant du couteau sur la table.

Aucun ne remarqua Matty près de la porte. Seule, l'estomac noué, elle les observa un long moment, puis s'éloigna.

2

Fidèle à elle-même, Flora s'éveilla à l'aube le lendemain de Noël et trébucha dans sa chambre obscure, les cheveux emmêlés et le souffle glacé. La veille au soir, elle était trop fatiguée pour faire une toilette digne de ce nom : ses yeux collaient et de la pelure d'orange s'était logée sous ses ongles.

— Tu es une souillon, murmura-t-elle en se regardant dans le miroir et elle ajouta : grosse souillon.

Pour pénitence, elle se lava de la tête aux pieds avec ardeur.

Vêtue d'un pantalon de Kit et d'un pull-over, elle sortit dans la maison endormie et prit le chemin des cottages, à Jonathan's Kilns, respirant l'air frais à pleins poumons.

Dans les champs, tout était calme et tranquille. Elle fila entre les haies — hors du temps, quasi intactes — sur les feuilles mortes, cassantes au-dessus, humides et tendres dessous, et à travers l'herbe gelée, avant de reparaître dans la brume près du cottage. Un observateur aurait pu la prendre pour l'émissaire aux cheveux de lin d'un temps où la terre n'était que rivières et forêts.

Brazen, la chienne de chasse, gémit dans son chenil au bout du jardin de Danny. Flora s'arrêta et murmura :

— Brave fille.

Puis elle ôta une touffe de poils cannelle à son cou. Brazen lui donna un petit coup d'épaule, poussa sa truffe humide dans sa nuque. Flora sourit.

Danny était debout depuis une heure et s'occupait de ce qu'il appelait sa famille. La chasse locale était riche et Danny était valet de chenil depuis que Rupert l'avait ramené de Londres au village. Rupert lui procurait le logement de fonction et, en échange, Danny donnait un coup de main pour les chevaux des Dysart. (Il lui arrivait aussi de remplacer Tyson, le chauffeur, mais les passagers devaient s'assurer qu'il n'avait pas bu trop de whisky.) Comme les chevaux et les chiens étaient une passion pour Danny, c'était un boulot peinard, comme il disait avec son fort accent cockney.

Danny attendait Flora, qui venait toujours le voir avant un rendez-vous de chasse, aussi la bouilloire était-elle sur le feu. Quand elle arriva, il était en train de verser du lait chaud dans des seaux pour les chiennes pleines qui restaient là. Elle le salua d'un signe de tête. Dans l'autre enclos, c'était un tourbillon de langues pendantes et de queues agitées. Le bruit était assourdissant. Emoustillée, Flora éclata de rire parce que la journée commençait, parce qu'elle avait froid et parce que c'était parfois tellement amusant d'avoir froid — parce que tout cela était si réjouissant.

— Combien de couples chasseront-ils ? hurla-t-elle en essayant de couvrir le vacarme.

Elle s'empara d'un seau de lait.

— Aïe, c'est chaud ! fit-elle en grimaçant.

— Quinze.

Taciturne au point de préférer le silence dans les meilleurs moments, Danny ne se donnait jamais la peine de dire bonjour. Flora lui tourna le dos car elle savait qu'il détestait voir quelqu'un gâter ses chiens, posa le seau, trempa ses doigts dedans et laissa Bouncer les lécher.

— Voilà, mon chien. Oui, c'est bon.

— Arrêtez, miss Flora.

Danny se moquait des convenances, ou de la politesse à l'égard de ses supérieurs, car Danny était un esprit libre qui s'était éveillé à la chaleur de leur âtre. A l'exception de Rupert, personne ne connaissait véritablement Danny. On savait seulement qu'il était arrivé en boitant à Hinton Dysart depuis la Somme, étranger avec un pied gelé dans les tranchées et une jambe écrasée, et un attachement indéfectible envers Rupert, un penchant pour la poésie sentimentale, la solitude et la boisson. Toutes choses que Rupert (contrairement à ses idées) lui fournissait, envoyant promener les membres de la famille qui soulevaient des objections.

Danny déverrouilla le premier enclos et fit signe à Flora. Elle prit le seau, se faufila entre les flancs palpitants et les museaux mouillés et versa le contenu dans la mangeoire. Le bruit s'amplifia de façon spectaculaire.

— Voilà, mes jolis.

Danny s'essuya le nez du revers de la main et flatta la femelle qui se lovait à ses pieds :

— Pas si bon, Lady, ma belle ? Qu'est-ce qui se passe ?

Lady pleurnicha et Flora s'accroupit sur le ciment près de Danny :

— Est-elle malade ?

Danny retourna doucement la chienne pour examiner l'autre flanc.

— Maidy-lady, fit Flora en la caressant, pas question que le meilleur nez de la meute soit hors d'usage.

Lady enfouit sa tête dans le pantalon de Danny. Avec la tendresse d'un amant, il étendit ses doigts sur sa poitrine et écouta.

— Regardez, Danny, remarqua Flora en désignant une tache rouge entre les griffes d'une des pattes antérieures. Elle boite.

Danny ne s'adressait jamais à un humain s'il pouvait s'adresser à un animal :

— Comment as-tu attrapé ça ? fit-il en prenant le museau de la chienne entre ses mains. Espèce de petite idiote. Pourquoi ne me l'as-tu pas dit plus tôt ?

Jadis, le mystérieux don de Danny avec les animaux l'aurait envoyé au bûcher. Intimidée et respectueuse, comme toujours, Flora regarda l'homme et la bête communiquer et en conclut que les choses iraient mieux si elle s'occupait des animaux et abandonnait toute idée de comprendre sa famille. Ou elle-même, à y bien réfléchir. Lady piqua du nez et sa queue se fit toute molle. Danny la repoussa doucement et se leva :

— C'est la boucherie pour les chiennes crevées.

Flora huma l'air et se releva.

— Les chiens devraient trouver la voie sans problème. C'est le temps idéal.

— Ça dépend.

Flora savait qu'il se refusait à répondre. Elle croisa les bras et attendit qu'il eût ramassé les gamelles et refermé l'enclos.

Danny s'arrêta pour mettre dans sa bouche une cigarette Blue Prior, faite avec du tabac local; il la fuma en traversant la cour entre les poules qui s'éparpillaient. Il était à ce moment suffisamment apprivoisé pour raconter les derniers potins :

— Le nouveau fermier d'Hampton a mis trois champs à labourer. Ça va fiche la voie en l'air. Sans doute qu'il n'aime pas la chasse à courre, ajouta-t-il en ôtant un brin de tabac à sa lèvre.

— Mr. Terence élève du gibier à plume, remarqua Flora. Il devrait comprendre.

— Très juste, sacré nom.

Danny poussa la porte du cottage; ils entrèrent dans la maison, impeccablement tenue, de Danny.

Abreuvée de thé, Flora retourna à Hinton Dysart sous un tonnerre d'aboiements. Flora n'avait jamais trouvé à redire aux silences et aux bizarreries de Danny, contrairement à Polly, qui voyait en lui un intrus inquiétant.

— Père et lui sont si bizarres quand ils sont ensemble, se plaignait Polly. Je ne comprends pas. Danny semble faire davantage partie de la famille que nous.

Flora était bien obligée de le reconnaître, et comme elle était à cet âge où ses propres sentiments la perturbaient, elle ne savait que répondre. En tout cas une chose était sûre, Rupert, bouteille dans la poche, descendait la route en soldat qu'il avait été, deux fois, voire trois ou quatre fois par semaine, pour se rendre au cottage de Danny, et cela du plus loin qu'elle s'en souvenait. Puis, le teint rouge, parfois agressifs, parfois larmoyants, tous deux ressortaient. Ils allaient à l'occasion faire une petite virée à Odiham, et Flora les voyait quelquefois rentrer à la tombée de la nuit, avec d'infinies précautions. Elle se sentait inévitablement maladroite, embarrassée et, curieusement, abandonnée à son sort.

Une fois, elle avait vu Danny nu, qui se lavait près du feu dans sa cuisine, silhouette mince, à la peau blanche, avec des poils blonds sur la poitrine et une cicatrice à la cuisse. Paralysée par les formes qui se balançaient entre ses jambes et par la façon dont il les prenait dans ses mains tandis qu'il se lavait, Flora n'en avait pas perdu une miette, ne plongeant à l'abri que lorsqu'il s'empara d'une serviette. Elle courut chez elle et ne fit jamais le rapport entre cette vision et les sensations de son propre corps. Elle n'avait même rien raconté à Polly.

Well Road était glissante et elle était obligée de marcher au milieu de la chaussée. Une voiture arriva en haut de la pente dans sa direction, louvoyant entre les flaques gelées, et ralentit :

— Bonjour.

Robin Lofts abaissa la vitre de sa Ford qui avait connu des jours meilleurs. La poignée manquait d'huile.

— Bonjour, répondit Flora, qui s'arrêta. Avez-vous passé un bon Noël ?

— Noël ? Qu'est-ce que c'est ? Jamais entendu parler.

Robin plia les bras sur le volant et sourit. Flora comprit qu'elle n'était pas censée s'apitoyer sur son sort. Sous son chapeau, son visage était gris d'épuisement.

— Je suis si fatigué que je puis à peine parler.

— Oh, vous m'en voyez navrée ! Alors vous ne sortirez pas aujourd'hui ?

Robin se pencha tant que son front toucha ses mains. Il leva les yeux.

— Grands dieux, non, je ne chasse jamais. Je n'aime pas la curée, ajouta-t-il, l'air de rien.

— Je vois.

— Vous ne voyez rien du tout, rétorqua-t-il de ce ton qui intriguait et agaçait Flora tout à la fois, mais c'est sans importance.

Visiblement, le Dr Lofts avait des idées bien arrêtées. Flora avait conscience d'être scrutée minutieusement — un microbe sous un microscope ? ou un arrangement intéressant de muscles ? — et comme ses cheveux s'échappaient de sa natte cela donnait un avantage au Dr Lofts.

Leur souffle gelé se rencontra et tourbillonna.

— Je me sens tellement mal que je vais me mettre au lit pendant huit jours sans bouger. La nuit a été longue.

Il n'ajouta pas : les cris de panique d'une mère en travail et le spectre d'un accouchement presque saboté parce que lui, le médecin, était trop fatigué pour remarquer que le pouls du bébé faiblissait.

— Rien de grave, j'espère, s'enquit-elle en repoussant une mèche de cheveux prisonnière entre ses lèvres.

— Rien qu'une naissance, répondit Robin en se demandant l'effet que cela ferait de retresser la natte de Flora. Un siège, plutôt délicat.

Flora espérait qu'elle n'était pas en train de piquer un fard. Après tout, une naissance était parfaitement naturelle. Néanmoins, ses yeux évitèrent le regard du médecin pour se poser sur la sacoche placée sur le siège du passager :

— Quelqu'un va-t-il préparer votre petit déjeuner, docteur Lofts ? demanda-t-elle, se croyant en terrain sûr avant de comprendre avec un sentiment proche du désespoir qu'il allait s'imaginer qu'elle fouillait dans sa vie privée. Je veux dire... Ça y était, elle rougissait... Excusez-moi... mais on pourrait vous appeler de nouveau.

Robin poussa un gémissement théâtral et se cacha les oreilles :

— J'ai prié ma sœur, Ada, de me garder des œufs au bacon, et si quoi que ce soit ou qui que ce soit se met entre moi et mon bacon...

L'idée de manger le ragaillardit. Il se redressa sur son siège et eut l'air moins épuisé. Flora remarqua que sa peau était plus claire à l'endroit où son cou rencontrait son col et qu'il avait une cicatrice au menton. Voilà qui était intéressant. De plus, elle approuvait la couleur très foncée de ses sourcils par rapport à son teint. Dans la nursery, il y avait toujours sur l'étagère son livre sur les animaux de la jungle. Le Dr Lofts lui rappelait une mangouste. Brun avec des yeux qui parlent, cet animal est capable, d'un coup de tête, de planter ses dents dans l'ennemi et de ne plus lâcher prise.

— Aimez-vous votre travail à Nether Hinton ?

— Est-ce vous qui m'avez averti qu'il me faudrait y vivre quinze ans avant d'y être accepté ?

Un peu piquée qu'il ne se souvînt pas de leur conversation dans la cour de Rolly Harris, Flora sourit tout de même :

— Mon Dieu, cela va donc si mal ?

Il se tut un moment et pianota sur le volant :

— Oui.

Un soupçon d'incertitude dans sa voix fit battre de compassion le cœur de Flora.

Elle était glacée jusqu'au bout des orteils :

— Il faut vraiment que je rentre. Je suis désolée que vous ne suiviez pas la chasse, c'est la tradition ici, le lendemain de Noël, mais je comprends. J'espère que vous arriverez à vous reposer un peu, docteur.

Robin appuya sur l'accélérateur et envoya un nuage de fumée noire sur le bord de la route.

— Merci, je vais essayer.

Il enclencha la première.

— Docteur Lofts, avez-vous besoin d'un coup de main à votre cabinet ? dit Flora sans réfléchir. Je veux dire, si je vous aidais, les gens...

Ils se regardèrent et Flora eut le sentiment qu'il était vexé et impatient. Elle pensa : il fait plutôt peur. Puis le visage de Robin s'éclaira et il sourit. Alors, elle l'associa à de la douceur et de la gentillesse, qualités qu'elle reconnaissait rarement aux hommes.

— Merci. Je vais y songer sérieusement.

— Alors, au revoir.

Il regarda s'éloigner la longue silhouette avec son bel arrière-train en forme de poire et décida qu'elle n'avait pas voulu se montrer condescendante. Non, c'était plutôt que, en accord avec son corps généreux, miss Flora Dysart possédait un esprit généreux.

A dix heures trente, la grande allée était en ébullition : badauds, palefreniers, chevaux bougeaient et piaffaient sur les graviers et laissaient des marques de fers au bord de la pelouse.

— Flora ! Hello ! Polly est-elle là ?

Cecil Chanctonbury pressa sa monture entre la cohue jusqu'à Guenièvre.

— Hello, Cecil. Joyeux Noël. Polly est là-bas, répondit-elle en pointant son fouet en direction de sa sœur. Sûrement en train de grogner à l'idée d'être toute courbatue ce soir.

— Flora, vous voilà. Comment allez-vous ? S'exclama Harry Goddard, qui interrompit Cecil et intercala son cheval entre les deux montures.

— Excusez-moi, protesta Cecil.

— Pas de chance, mon vieux, dit Harry en lui faisant signe de s'éloigner. La part du lion !

Flora essaya de ne pas rire :

— Harry ! protesta-t-elle d'un ton réprobateur.

Son habit se prit au bout de l'éperon de Harry et elle gigota pour se libérer.

— Si seulement je pouvais toujours monter en amazone, dit-elle pour la centième fois.

Harry vint à la rescousse du worsted noir :

— Il est temps que vous sachiez que, lorsque George Sand apparut sur le terrain de chasse en culottes, le *tout* Paris remarqua qu'elle avait le plus gros derrière de France.

— Harry !

— J'aimerais bien voir le vôtre, ma belle. Ce serait un grand jour.

Harry éperonna sa monture et avança en oscillant. Guenièvre piaffa sur les graviers gelés et suivit.

— Où est père ? demanda Flora à Danny, qui passait du vin chaud à la ronde.

Danny pointa un doigt en direction des écuries juste comme Rupert, fouet en l'air, apparaissait en trottinant sur son cheval bai. Aiguillonné par le bruit et la couleur, le bai réagit et recula contre le mur dans une explosion de cailloux gelés.

— Oh là, du calme, saperlotte !

Rupert frappa son cheval à l'encolure.

Le veneur avait mené les chiens en désordre près d'un coin de la maison. Le piqueur jura et leva son fouet vers les gredins décidés à quitter les rangs. Ils aboyaient plus haut, avec plus de frénésie.

— Ne faites pas ça, nom de Dieu ! hurla Danny audessus du bruit, quand le fouet joua avec un peu trop d'enthousiasme sur les flancs de Jupiter.

— Chut, Danny.

Voulant éviter une scène, Flora effleura son épaule. Il leva les yeux sur elle en fronçant les sourcils.

— C'est mes chiens, miss Flora.

Elle soutint son regard, frappée par le contraste entre le Danny tendu et angoissé et l'homme nu et doux qu'elle avait espionné.

Danny tendit un verre de vin à Flora. Le liquide chaud coula dans sa gorge, apaisant, presque écœurant. Ses sens en furent aiguillonnés et, quand elle leva les yeux de nouveau, sa vision alcoolisée du monde en fut deux fois plus lumineuse.

Comme un passepoil argenté sur les arbres et les buissons, le givre scintillait au soleil. En toile de fond, éclairée de la cave au grenier, la maison reposait sur un tapis de glace, la peinture brillait. En face, le kaléidoscope de la chasse à courre : redingotes écarlates et noires, nez qui coulent, culottes tendues sur les cuisses, hauts-de-forme incrustés çà et là de vert. Luttant avec l'odeur du givre, l'odeur de crottin et la note tonique et écumeuse de cheval et de sueur. Des voix, des chiens, des chevaux et des mouvements, tout cela en contrepoint — si familiers, si inhérents à Flora.

Le soleil commençait à tacher le tapis de glace. Flora sentit ses muscles se nouer. Elle s'exhorta à la prudence : il y avait beaucoup d'endroits à l'ombre, orientés au nord, traîtres. Guenièvre tendit le cou et sauta sur ses jambes raides. Des gouttes de boisson éclaboussèrent la tenue de Flora. Elle tendit son verre vide à Danny.

Rien ne vaut cela, songea-t-elle en essuyant les taches de liquide. Rien.

Matty s'était réfugiée sur les marches à l'abri des chevaux. Kit s'approcha sur Vindicatif pour lui dire au revoir.

— Bonne chance, articula la frêle silhouette emmitouflée dans un manteau en rat d'Amérique. Sois prudent.

Son chapeau assorti était tellement enfoncé sur sa tête qu'on ne voyait que sa bouche.

— Ne t'inquiète pas.

Matty lui tendit un paquet enveloppé dans du papier huilé :

— Des sandwiches à la crème d'anchois. Je sais que tu as toujours faim en milieu de matinée.

— Fantastique, dit Kit en les fourrant dans sa redingote. Jamais je n'ai eu droit à de telles faveurs, avant.

Il s'empara de la main gantée de Matty et la baisa avec affection. Flora, qui s'approchait à cet instant, fut impressionnée. Elle n'avait jamais remarqué à quel point il était plus facile à Kit de se montrer affectueux avec sa femme lorsqu'il était en public.

— Comme tu es gentille avec moi, dit Kit à Matty, dont les lèvres s'ouvrirent en un sourire de soulagement.

Depuis le haut des marches, Robbie fit un signe de la main :

— Pensez à nous qui restons là, voulez-vous ?

Danny dit au piqueur de se remuer et alla chercher le fusil qu'il prenait toujours avec lui quand il y avait chasse. Au cas où.

Dans un claquement de fouets, rouges sous l'effet de l'alcool et du froid, ils se mirent en route sous le soleil levant.

Kit et Flora chevauchaient en tête. Kit, c'était une vieille habitude, calma Vindicatif et l'obligea à aller au pas : son cheval n'aimait rien de mieux qu'un galop parsemé d'obstacles. Tandis que Flora et lui tournaient à gauche pour quitter l'allée, il se retourna pour apercevoir la silhouette ratatinée de sa femme qui les regardait partir. Frère et sœur levèrent leur fouet en signe d'adieu.

Les équipages sont les mêmes partout, reproduits avec exactitude dans toutes les zones de chasse d'Angleterre en ce lendemain de Noël, aussi reconnaissables qu'une gravure de Surtees. De même, les rituels et les sujets de conversation : pur-sang, élevage, plaisanteries habituelles — et l'excitation secrète, quasi sexuelle, qui battait sous les redingotes.

On n'arrivait pas à garder les chevaux au pas, et les cavaliers trottèrent devant Jonathan's Kilns, franchirent l'un après l'autre l'étroite barrière de chasse puis laissèrent leurs montures foncer en direction des bouleaux épars du Grand Taillis.

Comme toujours, Guenièvre se déroba à la vue d'une barrière ouverte. Elle se glissa jusqu'à l'ouverture, caracola quand Flora la réprimanda puis fonça si vite qu'elle cogna la jambe de Flora contre le poteau. Ils se retrouvèrent dans un terrain truffé de boue, le vent balayant les joues de Flora.

Les chiens débusquèrent un renard au Grand Taillis. Les veneurs observaient, tendus, attentifs, les chevaux dressaient les oreilles et tremblaient dans un nuage de souffle.

Puis tout commença. Le chien de tête avait trouvé la voie jusqu'au coin le plus éloigné du taillis et récria. Un autre le reprit et, en une fraction de seconde, la meute entière aboyait dans l'air glacé.

Un gentleman-farmer coiffé d'un chapeau melon et vêtu d'un veston d'équitation en tweed et qui montait un rouan leva son fouet et pointa vers l'ouest.

— Charlie est parti du côté de Horsedown, dit-il à Flora. Ils vont traverser les haies.

Flora frissonna de plaisir anticipé.

Des chevaux surgirent, des cavaliers poussèrent un cri, et la chasse démarra. Tout le monde traversa le pré, franchit la grille et se rua dans le territoire de Swanthorpe. Trop occupée à retenir Guenièvre pour réfléchir, Flora la guida par-dessus la haie, puis au-dessus d'un poteau et de rails.

Un sentiment délicieux et émoustillant explosa dans sa poitrine. *C'est cela que j'aime.* Le bruit des sabots sur la terre battait dans ses oreilles, les muscles de ses jambes tendus se levaient avec le cheval, le bleu à son tibia était enflé et lui faisait mal. Le rouan la dépassa dans un grondement.

— Charlie va revenir sur ses pas, cria le fermier. Restez avec moi, miss Flora.

Respirant bruyamment, Flora ramena Guenièvre au pas et les deux cavaliers se dirigèrent vers le coteau herbeux au-dessus de la vallée. En contrebas, ils virent les chiens chercher et, pendant quelques minutes, la meute tourna en rond, nez sur le sol. Puis un des chiens récria de nouveau et la meute reprit en courant le chemin de la vallée.

— Voici Charlie.

Le fermier agita son fouet et Flora vit nettement le renard courir dans le champ retourné avec sa robe couleur du sol roux.

— Bon sang, s'écria le gentleman-farmer. Il va les emmener par-dessus les haies.

Flora se hissa sur ses étriers pour mieux voir.

— Hourra ! s'exclama-t-elle.

Les haies consistaient en un série de barrières d'épines noires aussi hautes que le garrot d'un cheval. Elles protégeaient des fossés et on en parlait avec respect comme des plus hautes du nord du Hampshire. Pour les franchir, il fallait du courage et une main sûre.

Les veneurs remontaient maintenant la terre de labour où, quelques secondes plus tôt, Flora avait vu le renard. Les chevaux piétinèrent — et les voilà partis à gauche à travers l'herbe qui menait à la première haie. Impatiente, Flora observa l'arc écarlate de la redingote du maître d'équipage volant au-dessus du premier obstacle. Un arc gris enchaîna, monté en amazone, après quoi tous les veneurs chargèrent avec magnificence.

Passé la première haie, deux chevaux galopaient sans

monture ; puis ce fut le tour d'un troisième. Flora murmura dans un souffle :

— Par tous les dieux, allez, Kit ! Allez, père ! Foncez !

» Il faut que j'y aille, ajouta-t-elle à l'adresse du gentleman-farmer.

Sur quoi elle dévala la pente dans une grêle de boue.

Montant et descendant au-dessus des haies comme une vague, le bai de Rupert avalait puissamment l'espace entre deux. Les chiens donnaient de la voix, excités, poussant des cris perçants. Soudain, tandis que l'étalon s'élevait pour la septième ou huitième fois, il parut s'interrompre en plein vol, image puissante coiffée d'écarlate. Rupert tournoya, parabole paresseuse, sur son cheval puis s'écrasa au sol.

Ecartelé sur la haie, le cheval resta là calmement pendant un moment terrible, puis se débattit avec frénésie avant de choir dans un cri sur son cavalier.

Matty lutta contre le désir de se réfugier dans sa chambre pour le reste de la journée. Mais c'était le lendemain de Noël, la maison regorgeait d'invités et Mrs. Dawes la saturait de soupirs et de longs silences. De surcroît, la nurse de Polly était apparemment malade dans les cabinets des domestiques (« Plutôt de mauvais augure, ne trouvez-vous pas, Mrs. Kit ? » commenta Robbie), et le bébé semblait en vouloir à Robbie. Les enfants ont plus de bon sens que je ne le pensais, en conclut Matty. La journée s'étirait, ponctuée par les petites crises domestiques.

— Je ne me doutais pas, confia Matty à Mrs. Pengeally tandis qu'elles buvaient un peu de café, que diriger une maisonnée posait autant de problèmes. Où que je me tourne, quelqu'un se vexe.

Un tel discours, pour Matty, donnait la mesure de son irritation. Mrs. Pengeally était magistrale — ce qu'elle pouvait rarement se permettre compte tenu de l'étroitesse du presbytère et, qui pis est, du peu de domestiques qu'il comptait :

— Chère Mrs. Dysart, si je puis vous être de quelque utilité, dites-le-moi, je vous en supplie.

— Par exemple, reprit Matty en tripotant son mouchoir, Mrs. Dawes ne souhaite pas servir le thé dans le salon pour la simple raison qu'on l'a toujours servi dans la bibliothèque.

Mrs. Pengeally s'essuya la bouche avec son mouchoir.

— Demandez-lui d'abord son avis. Ça marche toujours.

— Vraiment ?

Matty reprit son mouchoir délicat et bordé de dentelle dans sa manche, inconsciente des regards en coin qu'y jetait Mrs. Pengeally.

— Je suis navrée de vous ennuyer avec tout cela.

— Du tout, ma chère, du tout, répliqua-t-elle en se servant généreusement de sucre. Croyez-en ma vieille expérience.

Tout en buvant sa deuxième tasse de café, elle entreprit alors d'en faire la démonstration. Matty lui en fut si reconnaissante qu'elle lui proposa de l'emmener voir où en était la chasse.

Le cabriolet fut prêt aux alentours de midi. Après la flambée dans le salon, le froid semblait bien mauvais et, malgré les couvertures sur leurs genoux, les deux femmes tremblaient tandis que Jem, le garçon d'écurie, pressait Billy au trot rapide.

— Ils sont là, dit Matty en désignant le bout de la route où l'on distinguait un chatoiement d'écarlate se diriger vers les haies.

La corne retentit, provocante.

— Ils se lancent, dit Mrs. Pengeally dans son mouchoir.

La couleur stimula Matty qui oublia toute peur et se dressa à demi sur son siège.

— Prenez garde, Mrs. Dysart. Vous allez nous faire verser.

— Apercevez-vous mon époux ?

— Je crois qu'il est par là, en haut du champ.

Matty se pencha et tapa sur l'épaule de Jem :

— Prenez cette route, Jem, je vous prie.

L'air froid et vif vibrait de cris, de souffles et de gémissements de chiens. La note plus ronde de la trompe fit trembler Matty intérieurement :

— Plus vite, Jem, pressa-t-elle.

Mrs. Pengeally s'accrochait à son chapeau.

Au sommet de la pente, la route virait sur la droite et, tandis qu'ils tournaient dans un trot régulier, ils entendirent le hurlement provenant des haies. Puissant, agonisant.

— Oh non, fit Matty en réprimant un cri. Oh non !

— Ne regardez pas.

Stupidement, Mrs. Pengeally voulut cacher de ses mains le visage de Matty. Matty chercha à se libérer et, ce faisant, elle heurta Jem. Du coup, Billy trébucha. Le cabriolet stoppa brusquement, une roue sur le bord de la route, l'autre dans le fossé.

— Lâchez-moi, Mrs. Pengeally. Laissez-moi y aller.

Matty se dégagea, sauta du cabriolet et courut à la grille du pré.

Le loquet était gelé mais Matty s'acharna si violemment sur la clenche qu'il finit par céder. Puis, oubliant qu'elle n'avait pas couru depuis des années, elle fonça sur le sol inégal en direction de la foule agglutinée près des haies.

Quand Matty arriva, tout était fini. Le bai était déjà à terre. L'os brisé de sa postérieure traversait la peau. Près de lui, Rupert gisait, bras et jambes regroupés en d'étranges positions, le sang s'échappant à une vitesse atroce d'une blessure au visage.

Matty se fraya un chemin entre les badauds, s'agenouilla et prit la main de Rupert. C'était inutile, mais une voix lui disait que c'était important. Elle la blottit, froide et abîmée, dans la sienne, comme si sa vie en dépendait. Elle se pencha sur son beau-père, maculant sa robe de boue.

L'étalon hurla de nouveau. Ses jambes battaient en tous sens. Matty ne quittait pas Rupert des yeux. Elle observait son visage couvert de sang et écoutait le raclement de son souffle. D'autres sabots martelèrent le sol. Kit, nu-tête, couvert de boue, s'écria :

— Où est le fusil ?

Danny arriva en courant. Il cassa le fusil, le chargea et le tendit à Kit agenouillé près du cheval :

— Tout doux, mon garçon, tout doux.

Matty avait l'atroce certitude que Kit était au bord des larmes.

— J'arrive, j'arrive, poursuivit Kit.

Il dirigea l'arme sur la tête du cheval et lutta pour maintenir la cible tandis que l'étalon rejetait la tête en arrière.

— Aidez-moi, Danny.

— Reculez ! cria quelqu'un.

— Aidez-moi.

Et sans quitter son visage des yeux, Matty continua de caresser la main de Rupert jusqu'à ce que le coup partît et que le hurlement cessât.

Il fallut quatre hommes pour porter Rupert.

Un suiveur prit sa voiture pour foncer au village prévenir le docteur. Quand le cortège arriva, Robin Lofts attendait à la maison. Il prit le pouls de Rupert et observa attentivement l'angle de ses jambes. Il nota la pâleur, le souffle, la tache humide où l'urine s'était échappée. Puis il demanda où était le téléphone.

Les enfants attendaient pendant que Robin œuvrait. Les odeurs de cheval, de boue et de désinfectant emplissaient la bibliothèque où l'on avait amené Rupert. La lampe jetait une lumière faible et sinistre sur la forme allongée.

— Qu'en pensez-vous, docteur? demanda Flora à Robin.

— C'est grave. Il faut l'hospitaliser au plus vite. L'ambulance de Fleet est en route.

Kit avança vers le sofa et posa les yeux sur son père. Désireux de faire quelque chose pour lui, il se pencha pour essuyer la salive de son menton.

Stérilité et mort, pensa Matty.

L'homme blessé émit un nouveau souffle bruyant. Robin revint à son chevet. Rupert pinçait les narines. Du sang s'échappa de l'une d'elles.

— Vite! s'écria Polly d'une voix stridente trahissant la panique. Vite! Il est en train de mourir. Faites quelque chose!

HARRY Le jardinier traditionnel se donne beaucoup de mal pour que son jardin soit impeccable à l'approche de l'hiver — mais s'il entend maintenir un habitat pour la vie sauvage, il doit modifier ses habitudes.

Je compatis. La négligence contrôlée est un art difficile à maîtriser après une vie de propreté irréprochable, mais le jeu en vaut la chandelle. Du moins à mon avis. Un tas de feuilles laissé *in situ* procure une base hivernale aux hérissons, et de la nourriture aux oiseaux. Les tiges mortes procurent un abri aux insectes, les coins humides un refuge pour les grenouilles, les crapauds et les tritons — qui paient leur écot en se repaissant de vos limaces et aphidés, alias pucerons vrais. Si vous répartissez le bêchage d'hiver sur l'ensemble de la saison, les oiseaux affamés festoieront de vers coupés ou d'insectes nuisibles exposés en surface.

C'est la symbiose entre le jardin, l'animal et l'homme — une sorte d'entente et de réconfort mutuels, facile à réaliser, qui offre un spectacle permanent et me procure un plaisir rare.

Thomas et moi, nous faisons un devoir de nous promener l'hiver, et nous cherchons les litornes et les mauvis qui s'acharnent sur les baies d'aubépine. Enfin, ce qu'il en reste. Saviez-vous que les mésanges à longue queue sont plus faciles à voir en hiver qu'en toute autre saison, surtout dans les bois de bouleaux. Les empreintes de pas laissées par les animaux dans le givre et la neige nous rappellent que la vie secrète continue, à l'abri des regards.

L'hiver a ses compensations.

Nos promenades nous conduisent souvent du côté de l'église. Quand j'étais petit, je fouinais souvent dans le cimetière et furetais autour de l'édifice. Je ne sais pas ce que je cherchais. Peut-être des indices du passé. A y repenser, elle offrait un creuset à mes goûts — surannés, un tantinet lugubres, et très anglais.

Le village est fier de son église dont l'original est mentionné dans le *Domesday Book*. Par la suite, elle se composa d'un chœur voûté et d'un clocher de pierre si lourd que les murs gauchissaient vers l'extérieur. Elle fut restaurée en 1846. Hormis un nouveau campanile et des grilles d'autel, rien n'a véritablement changé depuis — une réparation par-ci par-là, le ravaudage d'une tenture. Les tilleuls les plus anciens de l'avenue ont été plantés en 1759, les plus jeunes, près de Burial Broad, en 1879. Et, jusqu'à assez récemment, il était de coutume de chanter les cantiques de Noël depuis le haut du clocher le matin de Noël.

Au cours des siècles, les inscriptions étaient allées et venues, certaines dégradées par les parlementaires, qui s'étaient retranchés autour de l'église. Une belle plaque de cuivre ouvragé sous le vitrail est commémore les châtelains d'Itchel et de Eweshot. Dès que j'ai su lire, j'ai cherché les noms. Gifford, Lefroy, Eggar, Knight, Smithers, King, Snuggs et Varndell — registre d'un village anglais, petits propriétaires et seigneurs.

Si vous cherchez sur le mur qui sépare l'école du cimetière, vous y trouverez une petite plaque. On y lit : À LA MÉMOIRE DE HESTHER DYSART, NÉE KENNEDY. Pauvre Hesther, si troublée, qui avait fait tout le chemin depuis l'Amérique pour améliorer sa position sociale. Elle aussi a sa place dans l'histoire de ce lieu.

En hiver, le jardin est comme le cimetière, réduit à l'état de squelette, terrain vague et plat, couleur chamois, lieu de mort — et aussi de renaissance.

3

Rupert ne mourut pas, cette nuit-là, non plus que les semaines suivantes. Les infirmières de l'hôpital veillaient sur lui vingt-quatre heures sur vingt-quatre et le médecin avait donné pour instruction de le quérir à tout heure du jour ou de la nuit si nécessaire.

Le silence tomba sur la maison. Les invités furent renvoyés chez eux, les coups de téléphone passés d'une voix frisant l'hystérie, les repas avalés aux moments perdus. L'arbre de Noël demeura dans le hall d'entrée bien après les Rois et Mrs. Dawes fut contrainte de distribuer à d'autres des dizaines de petits pâtés de viande.

— Il est probable que votre père perdra l'usage de ses jambes, expliqua Robin à Kit au cours d'un entretien tendu. Il s'est brisé le dos et requerra des soins intensifs pour le restant de ses jours.

— En êtes-vous certain ?

— Absolument. Il vous faut décider si vous êtes prêt à le garder chez vous ou si vous souhaitez le placer dans un établissement spécialisé dans ce genre de patient. Nous pourrions en trouver un dont les services sont à la pointe des progrès accomplis dans ce domaine.

Kit était épuisé. Comme c'est souvent le cas pour les proches de la victime, l'accident l'avait tout à la fois galvanisé et vidé : il se rendait à l'hôpital deux fois par jour en voiture et se débattait avec les dossiers de la maison. Il repoussa ses cheveux en arrière et prit la mesure de Robin.

— La question ne se pose même pas, répondit-il d'une voix sombre.

Robin approuva cette décision :

— Je vais faire en sorte que votre père rentre dès que possible. Vous acceptez l'idée d'engager une infirmière ?

Le choc avait rendu Kit émotif et imprévisible. Cet accident le voyait furieux, ravi — et coupable de l'être — d'être enfin le maître, inquiet des conséquences, hanté par cette idée ahurissante que sa mère se vengeait enfin depuis sa tombe.

Peut-être que s'il s'était senti capable de parler à Matty, Kit aurait pu démêler tout cela et trouver le calme grâce au soulagement de la confession. Mais il n'en fit rien. Matty non plus n'eut ni le courage, ni la sagesse de prendre les choses en main. Dans le vide qui existait entre eux, s'insinuait Daisy — souvenir aussi puissant et séduisant que le Graal. Comme Kit entendait être fidèle à sa parole, il tenta de se censurer — mais il découvrit que nul ne peut éviter l'inévitable.

Néanmoins, c'était Matty qui l'attendait à son retour, quelle que fût l'heure, avec un thermos de potage et des sandwiches, Matty qui s'assurait que le feu brûlait dans l'âtre, que le flacon de whisky était plein et qui l'invitait dans son lit lorsqu'il avait besoin de soulagement. Matty s'occupait des appels téléphoniques, des vœux de prompt rétablissement, réorganisait les repas. Elle prit en main les débuts de Flora dans le monde et confia son capital à Kit pour qu'il réglât les questions financières à son idée.

Kit aurait dû éprouver de la reconnaissance. C'était le cas, en un sens. Mais la charité est difficile à accepter et Matty la distribuait facilement. Parfois, il levait les yeux sur son épouse, attablée en face de lui, ou assise près de la cheminée, avec son visage pâlot, sa lèvre inférieure incongrue et ses yeux vulnérables, et si petite, si menue ; ébranlé par l'irritation et non par l'affection, il se demandait comment il irait au bout de sa vie d'homme marié.

Alors, plus coupable que jamais, il entreprenait de se montrer scrupuleusement aimable et attentif avec elle.

— Qu'est-ce qu'elle a dit ?

Ellen remplissait un bon et regarda Ned d'un air vaguement distrait.

— Elle m'a demandé comment je faisais pousser les plantes. Comment je m'en occupais. Comment je faisais un jardin. J'ai dit que c'était le travail de toute une vie. Alors elle a dit une chose bizarre : « Parfait, qu'elle a dit, ça pourrait m'occuper jusqu'au bout. » Et puis elle m'a dit que je ne devais pas faire attention à tout ce qu'elle disait.

— C'est curieux, Ned, tout de même. Le jardin, c'est ton travail.

— J'ai expliqué qu'il m'avait fallu longtemps pour apprendre, pas pour être mal élevé ou quoi, mais histoire de dire que je ne voulais pas que ça se perde.

— Mais je le sais bien !

Après tout, ça faisait trente ans qu'ils étaient mariés.

A Clifton Cottage, le poêle dégageait une chaleur agréable et Ned rapprocha sa chaise. Selon son habitude, il s'assit, jambes ouvertes, exposant l'endroit où ses cuisses avaient tant frotté le velours qu'il était tout râpé. Il sirotait sa bière et semblait réfléchir sérieusement. Soudain en alerte, Ellen abandonna son bon. Elle connaissait bien ce mélange d'obstination et d'excitation contenue. Une fois — à l'époque où ils se promenaient jusqu'à Barley Pound entre les volutes d'églantines et de chèvrefeuille — il l'avait regardée avec cet air-là. Maintenant, il le réservait à son satané jardin. Parfois, ça embêtait Ellen, comme ça l'embêtait de voir les plis sur la peau de Ned, son menton qui se relâchait, et ses cheveux, autrefois si épais, si bruns. Parfois, ça ne lui faisait rien du tout.

Elle retourna à *La bonne ménagère* — prêté par Mrs. Dawes qui l'avait elle-même reçu avec beaucoup de condescendance de Mrs. Pengeally. « Une maîtresse de maison à la mode sait qu'en servant ses amis dans de la porcelaine Shelley, elle offre ce qu'il y a de mieux... » jetant un œil critique sur la porcelaine, Ellen remercia le ciel de n'être pas une maîtresse de maison à la mode.

— Tu m'écoutes, Ellen ?

La bonne ménagère devrait attendre. Ellen l'écarta. Puis elle remarqua une mare de bière sur la table et alla chercher un chiffon. Ned but en observant sa femme frotter la tache.

— Arrête de tourner en rond, ma fille. Il faut toujours que tu te remues et que tu te tracasses.

— Bois ta bière, Ned.

Ellen fit la moue, avant de se rappeler que ça accentuait ses rides entre le nez et le menton et que *La bonne ménagère* avait dit qu'il fallait éviter de le faire.

— J'aime que tout soit propre, surtout si je suis dehors toute la journée.

C'était une vieille querelle — Ned mettait du désordre et Ellen passait derrière. Il ne répondit pas mais raconta :

— J'étais en train de finir le compost et voilà qu'elle me tombe dessus en douce, elle ne fait pas plus de bruit qu'un oiseau.

Ned prit une bouteille et se resservit de la bière.

— Tu sais ce que je pense, ma fille ?

— Quoi ?

Elle essora le chiffon au-dessus de l'évier et le replia avant d'aller s'asseoir en face de son mari.

Elle lui sourit avec douceur, toute vexation oubliée. Ned était glacé et ratatiné d'avoir passé la journée dehors, et ses doigts étaient encore plus enflés. Ellen serra les poings d'angoisse. Ils vieillissaient tous les deux, et elle voulait protéger Ned de ce qui allait arriver, car elle trouvait plus facile de souffrir que d'assister à la souffrance des autres.

Elle se servit un verre de bière.

— Je sais une chose, tu vas me le dire.

— Je crois qu'elle avaient encore pleuré. Comme l'autre fois où je l'ai trouvée.

— Pauvre gosse.

Ellen but une bonne gorgée. Elle prit un air de sincère regret teinté d'un ton avantageux à l'idée que les gens de la haute avaient leurs problèmes comme les autres :

— J'ai entendu cette Robbie parler avec Mrs. Dawes. Je ne crois pas qu'elles l'aiment l'une plus que l'autre. Je ne comprends pas ça. Moi, je la trouve gentille et même assez jolie de temps en temps.

— Il va s'y habituer. Surtout à l'argent.

— Ned !

— C'est la vérité, ma fille.

— Moi, j'appelle ça une honte. Mr. Kit n'est jamais chez lui. N'empêche, ils ont eu des ennuis. Elle doit savoir qu'on parle d'elle.

La bière était relaxante et Ellen finit la sienne. Elle s'apprêtait à se resservir lorsqu'elle s'aperçut que Ned avait l'œil sur la bouteille. Alors, elle la poussa vers lui.

— Elle me fait de la peine, ajouta-t-elle. On dirait un enfant au milieu de tous ces gros lourdauds. Alors, pourquoi faut toujours qu'elle ramène ça avec le jardin ?

Ned haussa les épaules.

Il travaillait dans le potager à creuser un tas de compost qui pourrissait gentiment dans les bacs, quand il entendit Matty dernière lui :

— Mr. Sheppey ?

Soufflant légèrement, Ned se retourna. Matty vacillait dans l'allée, pâle, les yeux rouges. Quand Ned s'approcha d'elle, il s'aperçut que ses cils tout collés lui conféraient un air juvénile et incertain qui lui donna envie de l'entourer de son bras.

Ned Sheppey, des gars comme toi, on les boucle en prison, se dit-il.

— Mr. Sheppey. Je voulais vous remercier pour la fois où... vous vous en souvenez sûrement. Je suis navrée d'avoir mis si longtemps à vous le dire, mais vous savez, avec sir Rupert. Vous avez été extrêmement aimable.

Il observa les doigts de Matty plisser et lisser sa ceinture de manteau.

— Est-ce que sir Rupert va mieux, Mrs. Kit, maintenant qu'il est rentré chez lui ?

— Oh, oui. Il s'assoit dans son lit et réclame de vrais repas. Nous étions enchantés lorsqu'il a demandé une tourte au steak et aux rognons.

C'était un de ces après-midi trompeurs où le soleil, se libérant des nuages, chauffait comme au printemps. Matty dénoua son foulard et passa la main dans ses cheveux. C'était un geste familier. Sa fille Betty faisait toujours ça — elle ôtait son chapeau devant le miroir et passait ses doigts dans ses cheveux près des oreilles. Parfois, elle se pressait contre le miroir et soupirait devant son reflet.

Ned reporta son attention sur le compost et repéra un peu de chiendent mort dans ce qu'il venait de tailler. Il se pencha pour l'extraire. Matty l'observait.

— Pourquoi faites-vous cela ?

— Le chiendent c'est une catastrophe pour le compost, et je vais mettre ces bouts de bois dans le bac quand je les aurai coupés en petit, comme ça, si vous préférez.

Ned entreprit de pelleter le matériau en miettes à l'odeur agréable dans le bac de droite et y jeta une nouvelle pelletée de crottin de cheval.

— Magnifique.

— A vous entendre, c'est très intéressant, commenta Matty depuis l'allée. J'ai passé presque toute ma vie à Londres, si bien que je ne connais rien au jardinage. Hormis ce qu'il y a dans les carnets de notes de ma mère. Elle était botaniste, vous voyez.

Ned planta la fourche dans le sol.

— Ça prend du temps, Mrs. Kit. Du temps et du soin. Ce jardin a été laissé à l'abandon pendant des années.

— Je suppose que la famille ne pouvait l'entretenir.

— Oui, madame.

— J'aimerais en être sûre. Je dois poser la question à mon époux, dit-elle avec un petit rire pour dissimuler son embarras. Je n'ai pas évoqué cela avec lui, mais je ne doute pas que nous souhaitions faire quelque chose pour le jardin.

Elle est comme Betty, décida Ned. Betty avait cet air-là quand elle voulait savoir quelque chose : avide, l'œil brillant. *Dis-moi, papa. Je veux savoir.*

Au souvenir de Betty, Ned se sentit plein de hargne et de manque tout à la fois. Il frotta son doigt noueux.

— Penchez-vous, Mrs. Kit, dit-il au bout d'un moment.

Matty hésita, se demandant si Mr. Sheppey n'était pas légèrement excentrique.

— Penchez-vous, insista-t-il oubliant complètement à qui il avait affaire. Prenez une poignée de terre.

Elle hésitait encore.

— Allez-y, Mrs. Kit, ça va pas vous mordre.

Matty obtempéra, gratta ses doigts dans la terre qu'elle sentit s'accumuler sous ses ongles. Elle tendit sa paume ouverte à Ned :

— Et maintenant ?

— Quel effet cela vous fait ?

Matty tâta avec un doigt :

— C'est humide.

— Si vous la roulez entre le pouce et l'index, qu'est-ce qui se passe ?

— Cela forme une boule.

— Alors c'est de la bonne terre, Mrs. Kit.

Matty observa la petite masse dans le creux de sa main. Cela ne lui évoquait pas grand-chose, mais elle n'avait aucune raison de mettre la parole de Ned en doute.

— C'est de là qu'il faut commencer, Mrs. Kit. Si on prend de la terre, même de la bonne terre comme vous en avez là, il faut lui donner quelque chose en échange.

Matty s'aperçut qu'elle hochait la tête comme si elle avait toujours su ces choses.

— Tout jardin a besoin de bon compost, faute de quoi il ne donne pas à plein.

Matty lâcha la boule de terre et se frotta les mains avec un mouchoir.

— Je crois comprendre. J'espère que je ne vous dérange pas avec toutes mes questions.

Ned mélangea de l'herbe coupée dans le compost pour l'empêcher de devenir gluant et remit le tout en tas compact afin qu'il n'y entre pas trop d'air. Il paraissait légèrement démonté par la requête de Matty.

— Je n'ai pas à être dérangé ou pas, Mrs. Kit.

Puis il s'aperçut qu'il avait peut-être passé les bornes et ajouta :

— N'hésitez pas à me demander tout ce que vous voulez.

Matty fourra son mouchoir dans sa poche :

— Mr. Sheppey... hésita-t-elle. Je veux... j'aimerais que vous m'expliquiez des choses.

Ça, c'en était une bonne : en principe, ça se passait dans l'autre sens avec les patrons, et il vint à l'esprit de Ned que sa nouvelle patronne était un peu cinglée.

— Voyez-vous, Mr. Sheppey ?

Bonne question, se dit Ned tout en creusant. Enfoncer la bêche, balancer, et en l'air, dans le rythme que son père lui avait enseigné, et son père avant ça. Pendant une pause de leur conversation, seulement brisée par le bruit sourd de la fourche, Matty et Ned s'observaient mutuellement. Silence interrogateur qui, ils ne le savaient pas, posait la première pierre de leur association.

Des années auparavant, Betty avait regardé Ned fourcher le compost ; elle balançait les jambes, tapait avec une brindille sur la brouette, impatiente, le nez qui coulait, les yeux rivés sur le soleil : « Viens, papa. Il y a maman qui attend. »

Les enfants c'est comme des plants de fraisiers. On les enveloppe dans de la paille pour les protéger du froid et ils se tirent par les côtés.

— Demandez-moi tout ce que vous voulez, Mrs. Kit.
Soulagée, elle dit :
— Merci, Mr. Sheppey. Vous voyez, une chose entraînant l'autre, je n'ai pas encore trouvé le temps de regarder le jardin comme il faut... Montrez-moi où vous travaillez, je vous prie.

Clos de murs, le potager et le verger étaient reposants, comme un endroit privé, à l'abri des regards de la maison.
Matty n'avait pas oublié sa première visite, avec les trous de clous dans les murs là où on avait mis les arbres fruitiers en espalier. Sous le soleil, les briques étaient d'un rose agréable et fleuri mais, visiblement, on ne cultivait que la moitié du terrain. Les impeccables rangées de légumes étaient déjà piquées de vert et les pommiers étaient en fleur. Les châssis, dont certains étaient relevés pour laisser pénétrer la chaleur, étaient rassemblés en un village miniature sur des plants tendres. Dans une petite serre, Ned avait planté des semis dans de vieilles boîtes à sucre de chez Tate and Lyle. Debout, les mains dans les poches, Matty observait et se sentait détendue.
Tandis que Ned la conduisait dans le chemin qui séparait en deux le jardin clos en direction d'un coin en jachère, elle avait paru lasse et il avait eu l'étrange impression de la mener par la main. Plus étrange encore, il avait eu le sentiment qu'elle l'aurait souhaité.
— C'était l'ancienne laiterie, dit-il en pointant le doigt. Quand elle faisait les fromages, ma grand-mère me donnait des verres de babeurre. Mais comme vous le voyez, on n'utilise plus cette partie du jardin, maintenant. C'est trop pour un seul homme. Et là, c'était la serre à roses, là la serre à pêches, et là la serre à vignes. A l'époque, vous comprenez...
Il fut un temps où les serres étaient magnifiques — arches de verre scintillant et cadres métalliques blancs. Mais aujourd'hui, avec leurs fenêtres brisées, on dirait des bâtiments aveugles.
— Quand tout a-t-il commencé à se dégrader ? s'enquit Matty, profondément affectée par une telle désolation.
— Après le départ des soldats. Ce devait être en 1916, l'hiver qui a suivi la mort de lady Hesther. Sir Rupert a décidé de ne garder qu'un jardinier, moi. Après guerre, le jardin n'a plus jamais été pareil.

— Quels soldats, Mr. Sheppey?

— Ceux qui étaient blessés. La demeure a servi de maison de convalescence pour les officiers. Lady Dysart voulait se rendre utile pendant que sir Rupert était au front.

Matty digéra l'information en silence :

— Si bien que vous ne faites plus pousser du tout de fruits rares? Qu'est-il advenu de la vigne?

— On l'a arrachée après la mort de lady Dysart.

Ned sembla trouver l'explication suffisante, aussi Matty se garda-t-elle d'insister.

L'inspection se poursuivit. Guère bavard, Ned parlait à propos. Il emmena Matty à l'intérieur de la serre à vignes et de celle à pêches, puis vers la rangée de cabanes construites le long du mur nord.

Matty passa le nez dans la première et le froid lui lécha le visage. La remise était encombrée de bouts de bois pleins de toiles d'araignée et de paniers d'osier aux lanières pourries.

— Qu'est-ce que c'est?

— On utilisait ces paniers pour envoyer des fruits et des légumes à la maison de ville chaque semaine. Mais sir Rupert l'a vendue quand les choses ont mal tourné.

Quand elle ressortit, elle dut se protéger les yeux de la lumière violente.

Ned lui montra les cabanes l'une après l'autre :

— Celle-ci était la remise aux champignons, celle-là, la cabane à rempoter, et celle-là la cabane du charpentier. L'autre, là, celle de culture forcée et celle-ci..., acheva-t-il en ouvrant une porte en bois de couleur verte, c'est mon bureau.

On y gelait car elle était orientée au nord, et le sol de brique ajoutait à la froidure. Matty eut honte et demanda à Ned s'il y passait beaucoup de temps. Quand il répondit que oui, elle décida de lui procurer un endroit plus chaud.

Il y avait juste assez de place pour que deux personnes pussent s'appuyer contre l'établi fixé de manière à recevoir le maximum de lumière de la fenêtre. Empilés sur une étagère, les livres de comptes de Ned, dont le dos marbré était poudré par l'âge. Le nom de la propriété et la date était inscrit sur chaque dos :

— 1915, lut Matty. 1918. Les années de guerre. En 1915,

je n'avais que huit ans, dit-elle, songeuse, en caressant l'étiquette. Une guerre terrible... Parfois, Mr. Sheppey, je me dis que la guerre sera en nous pour le restant de nos jours. Elle demeure toujours à l'arrière-plan et nous ne nous en débarrasserons jamais.

Ned ne répondit pas. On l'avait refusé à cause de ses pieds plats et ses poumons trop faibles.

— Quelqu'un de la famille y a-t-il été tué?

Ned se trouvait en terrain plus sûr.

— Mr. Kennedy, le frère de lady Dysart. Elle l'aimait beaucoup. Quand la guerre a commencé, il était venu la voir d'Amérique. En tout cas il s'est débrouillé pour être incorporé dans les Hampshires avec sir Rupert. C'était possible si on savait à qui s'adresser. On est allé leur dire au revoir à la gare de Farnham...

» La gare regorgeait de réservistes rejoignant leur régiment et de gamins envoyés des casernes, raconta Ned. Il y avait même un trompette. Ils ont sonné pour que les unités se mettent en marche avec leurs armes ou pour le cessez-le-feu. Il n'y a que la trompette pour se faire entendre dans une bataille. En tout cas, il était là, et il y avait beaucoup de femmes et d'enfants, qui criaient et déployaient des bannières, beaucoup pleuraient.

» Sur le quai, le train était décoré d'un drapeau de fortune fabriqué par les enfants du village. Dans le compartiment de première classe il y avait un panier d'osier avec des tourtes au poulet, du jambon irlandais, des œufs durs et une bouteille de porto que ma mère avait apportés pour le maître.

» En tout cas, la fanfare s'était mise en frais. Lady Dysart a embrassé sir Rupert sur la joue et il est monté dans le train. Il était superbe dans son uniforme, ça lui allait bien ce genre d'habits. Après ça, Mr. Kennedy et lady Dysart ont parlé longtemps — ils étaient pareils à regarder. Il l'a serrée contre lui et elle l'a serré contre elle, et elle a baissé sa voilette pour cacher son visage. Elle était habillée en vert foncé, dans un tissu qui flottait autour de ses pieds.

» Debout sur les marches du train, Mr. Kennedy a fait adieu de la main. C'est la dernière vision qu'on a eue de lui. Après sa mort, lady Dysart n'a jamais plus été comme avant.

— Je ne me doutais pas, murmura Matty avec tristesse.

— C'est ici que je passe mes commandes de graines.

Matty comprit qu'il valait mieux changer de sujet de conversation.

Son regard se posa sur les livres, les piles de papiers entassés sur le banc, le crayon de Ned posé d'un côté et une liste de graines, écrite avec de gros caractères, punaisée au mur. Elle respira un mélange de terre et de chaux. Il régnait une atmosphère de bon sens qui devait aider à éteindre les vieux chagrins, se dit-elle. Même le sang et la douleur de la guerre se voyaient refuser l'entrée d'un jardin.

— Merci, Mr. Sheppey, dit-elle en retournant au soleil. Croyez-vous que nous puissions refaire le jardin comme il était auparavant ?

Le visage de Ned passa par une multitude d'expressions, toutes indéchiffrables :

— Cela prendrait des années.

Matty pointa le doigt en direction de l'entrelacs de chemins dans le jardin clos :

— N'est-il pas là ? Le vieux jardin, veux-je dire. Dessous ? Il s'agit seulement de le trouver. Et d'avoir assez de compost, naturellement.

— Je me suis dit que ç'aurait été mesquin de la décourager, raconta plus tard Ned à sa femme. Mais elle n'a pas la moindre idée du travail que représenterait la restauration de tous les jardins.

C'était le jour du bain à Clifton Cottage. Ned était dans un tub devant le feu. Ellen s'assura que le linge était impeccable avant de le tremper dans l'eau chaude. Autrefois, c'était une chemise de nuit de sa mère. Elle l'essora sur la tête de Ned.

— Tu aurais dû être un peu plus aimable. La pauvre petite ne sait pas ce qu'elle fait.

— C'est un caprice.

Ned laissa Ellen le laver entre les orteils. Toujours calcaire, l'eau était beige et mousseuse. Ellen grimaça quand elle s'appuya sur son mauvais genou pour frotter le dos de Ned. Depuis l'accident, il y avait une boule et elle la sentait toujours. La peau de Ned était affreusement blanche entre les omoplates et constellée de grains de beauté, mais à l'endroit où le cou sortait de la chemise, elle était hâlée et pleine de minuscules rides. Quand elle en eut terminé, Ellen se releva et s'empara d'une serviette qui séchait devant le poêle :

— Debout.

Ned se frotta. Une bonne friction entre les jambes, dans le dos et sous les bras. Le rituel était immuable. Ellen lui tendait son caleçon long, puis sa chemise et, gêné par sa peau encore humide, Ned se faufila dans ses vêtements. Ellen poursuivit :

— Mrs. Dawes s'inquiète de la voir fourrer son nez partout. Et pourquoi pas, je lui ai dit. Apparemment, elle veut qu'on vide les greniers et qu'on dresse une liste de tout ce qu'il y a dans la maison. A mon avis, Mrs. Dawes n'a pas la conscience tranquille parce qu'elle ne tient pas tout impeccablement. J'ai vu des placards entiers de choses inutiles dans la vieille buanderie et les greniers sont une honte.

Ned n'écoutait pas :

— Je suppose que c'est faisable.

— Quoi ?

— Le jardin, Ellen. C'est de ça qu'on parle, non ?

— Moi, je parlais d'autre chose, mais tu ne m'écoutes jamais.

Ellen plongea le seau dans le tub et l'en ressortit dégoulinant :

— Il faut que tu te méfies, Ned. Ils sont parfois inattentionnés, dans cette famille. Ils pourraient bien l'être avec nous.

Ned sortit sa pipe qu'il tapa contre le poêle pour ôter le tabac brûlé.

— T'as été au cinéma ces derniers temps, ma fille ? Ça t'a donné des idées, c'est ça ?

Dès que Matty eut l'impression que c'était le bon moment — et elle ne savait pas jauger parfaitement Kit afin de le manier à sa guise —, elle lui demanda s'il avait des plans pour remettre le jardin en état.

Kit était en train de lire une lettre de Raby.

— Non, répondit-il sans prendre la peine de lever les yeux. Crois-tu que nous devrions vendre des actions des chemins de fer pour acheter de l'acier ?

— Me permettrais-tu de m'en occuper ?

Cette phrase lui fit dresser l'oreille. Il accorda toute son attention à Matty. Elle triturait un fil de son tailleur.

— Cela me tente beaucoup et j'ai beaucoup lu là-dessus. Le jardinage, veux-je dire.

— Oh!

— *L'Année du jardinier domestique* et *Le Jardinage populaire annuel* coûtent la somme considérable d'une demi-couronne et c'est fou ce qu'on trouve dedans.

— Parfait.

— Et puis il y a miss Jekyll.

— Oui, j'en ai entendu parler.

— Elle pense qu'il faut planter les fleurs en bancs, exactement comme un tableau. C'est une charmante idée.

— Si cela te plaît.

Matty se leva et versa à Kit un peu de whisky.

— Ce sont les roses qui me fascinent. Ecoute... alba, roses de Chine, Bourbon, Noisette...

— Serais-tu devenue préraphaélite? dit Kit en acceptant le verre.

— Non, répondit Matty en souriant. Ce sont les noms donnés aux roses. Un peu comme de la poésie, en fait. Tout comme pour les couleurs. Blanc d'écume. Jaune crémeux. Joue rosissante.

Kit posa la lettre et étendit le bras sur le sofa.

— D'accord, dit-il de son sourire en coin. Tu as réussi à me convaincre. Que veux-tu?

Matty se laissa tomber à côté de lui :

— Laisse-moi organiser le jardin. Je t'en prie, Kit. J'en aurais tellement de plaisir. Je me contenterai de le restaurer comme à l'origine, sans rien y changer.

Il la dévisagea avec force et distance tout à la fois, et Matty comprit qu'elle avait commis une erreur. Il ne voulait pas d'elle dans le jardin.

Il ne la voulait nulle part.

Kit lutta pour être courtois. La demande de Matty touchait des sentiments compliqués, pas tout à fait compris, pas tout à fait avoués, des sentiments obscurs avec lesquels il avait pris ses distances depuis des années au point que c'en était devenu une habitude.

La maison, oui, et Kit était reconnaissant à Matty pour tout ce qu'elle avait accompli, sincèrement. Mais le jardin appartenait à une autre zone de son passé, et il ne voulait pas que Matty y pénétrât.

Pas encore, en tout cas.

— Ecoute, Matty...

Il prit ses mains dans les siennes et les serra — car Matty n'était pour rien dans tout cela — et lui assena une demi vérité, comme il était devenu accoutumé :

— Il y a beaucoup trop à faire. Sans compter père et l'entrée dans le monde de Flora.

— Kit, je t'en prie.

Elle avait l'air si malheureuse, si abattue. Son excitation disparaissait à vue d'œil. Kit s'en voulut. Il respira profondément et mentit :

— J'ai promis au docteur que tu ne te surmènerais pas. Il m'a sérieusement tancé à ce propos, Matty.

HARRY

Le mois de mars est dangereux : comme un prélude amoureux, il peut souffler du chaud et du froid, et rien ne permet de le prévoir. Un jardinier prend novembre pour ce qu'il vaut, n'attend rien de janvier ; mais il en va autrement de mars. Séduits par le soleil qui s'infiltre entre les branches dénudées et par la terre mouchetée de vert, les jardiniers — et, n'ayons pas peur des mots, les plantes — ont la *folie des grandeurs*. Combien de fois les hortensias, les roses et les clématites n'ont-ils pas gaiement décidé de pousser pour être ensuite dévastés par le gel et le vent du nord ?

Alors, vous demandez-vous, qu'est-ce que le jardinier peut espérer du mois de mars ? Après tout, il tire son nom du dieu de la guerre. Je dois ici chanter les louanges du forsythia. « Si violent », dit Thomas. « Mais si courageux », rétorqué-je. Quelle autre plante est assez généreuse pour verser de l'or à cette époque de l'année ? J'adore les forsythias et, à chaque printemps, je les guette.

Contrairement à l'hellébore, le forsythia ne boude pas. S'il est trop à l'ombre, l'*Helleborus argutifolius*, ou Rose de Noël, une autre de mes préférées, meurt et abandonne son fantôme au vent. A l'abri derrière la caisse de la pépinière, je conseille à ses amoureux un sol profond et riche, calcaire de préférence, et de la mi-ombre pommelée ; elle vous récompensera de fleurs vert pâle en mars et avril. Mêlez-y de l'*Helleborus orientalis*, ajoutez-y de la poudre de perlimpinpin et une bonne gestion. L'effet peut être saisissant.

Il ne s'agit pas d'oublier les primevères ou les anémones,

qui travaillent si vaillamment sous les arbres. Je préfère les anémones blanches, avec leurs boutons grassouillets qui s'épanouissent en longs doigts fins. Une fois établis, vous pouvez les négliger joyeusement, ils gonfleront en bancs charmants.

Apparemment, le nombre des visiteurs de Hinton Dysart a doublé au cours des cinq dernières années; on a dû construire un nouveau parking dans le champ est. « Les roses, a conclu la Fondation dans son rapport annuel, constituent la principale attraction. »

C'est exact, mais il n'y a pas que cela à Hinton Dysart. Hinton Dysart exsude une qualité indéfinissable, une nostalgie particulière de l'Angleterre, un sens de l'ordre et, sous-jacente, la suggestion que le souvenir de nombreuses vies est imprégné dans son tissu. Des traces d'anciennes passions et de larmes, de luttes, de déceptions et de bonheurs résonnent dans le pot-pourri insaisissable, dans les événements mémorables et les photographies passées.

Thomas me dit qu'il n'est pas d'accord. Que retient le visiteur? demande-t-il. La vision fugitive d'un visage sur une photographie qui a trop de grain, ou la beauté rose de la préférée de ma mère, la « Naissance de Vénus » ?

A la différence de mars, avril est un carrousel de soleil et de pluie. Un éblouissement de journées chaudes et de soirées à la fraîcheur piquante. Avril est synonyme de murs fleuris en formation aux senteurs épicées, comme des soldats déployés sur un champ de bataille. En souvenir de mon grand-père, je ne plante que des cramoisis fauves, couleur du sang versé dans les Flandres.

La « Vulcan » est ma favorite, et je m'assure qu'il y en a des pots sous la fenêtre du salon du cottage, placés à l'endroit où le soleil chauffe leurs glandes odoriférantes — et là où Thomas et moi nous assoupissons après un déjeuner trop copieux.

4

Déjà difficile lorsqu'il était en bonne santé, Rupert, malade, l'était davantage. L'après-midi de son retour de l'hôpital, il exigea du whisky et insista pour voir Danny. On ne lui accorda ni l'un ni l'autre — par la suite non plus, d'ailleurs — et c'était aussi bien car Robbie guettait, l'œil belliqueux, l'occasion de s'en prendre à Danny.

Au vrai, cela faisait des années qu'elle attendait, car lorsque Bert Taylor, le sergent Bert Taylor, tout de kaki vêtu, avait serré contre sa mâle poitrine une Violet Robson encore jeune pour aller se faire sauter la cervelle à Ypres, il laissa derrière lui une femme aux émotions passionnées. Heureusement pour Violet, les Dysart avaient besoin de ses services et, tandis que Violet devenait « Robbie » et que sa vie se résumait à celle d'une famille qui n'était pas la sienne, elle reporta son énergie d'un Bert mort à un Rupert vivant.

— Il n'est pas question que Danny franchisse le seuil de sa chambre, miss Flora, prévint-elle, alors n'essayez pas de l'en persuader. Le docteur a dit « aucune visite ».

Lorsque Flora protesta que c'était injuste pour son père, Robbie la réduisit au silence :

— Voulez-vous que j'aille à l'encontre des ordres du médecin ?

Ces temps-ci, Robbie respirait le pouvoir et ses propos se tenaient.

Les crises de beuverie de Danny, privé de Rupert, s'intensifièrent et il était rare que Flora ne le trouvât pas soit complètement soûl, soit en train de cuver, dans le sol du chenil.

— Danny, supplia-t-elle, un jour, navrée de le voir ainsi décliner, cela ne vous vaut rien.

Elle le ramena chez lui, mit la bouilloire sur le feu et l'obligea à boire du thé. Danny s'installa sur une chaise avec une couverture parfaitement ravaudée — comment il réussissait à tenir sa maison était un mystère — et observa Flora d'un air interrogateur, les yeux injectés de sang.

— Qu'est-ce qui ne va pas, Danny ?

— Rien, miss Flora. J'aime le whisky, rien de plus.

Elle jeta un coup d'œil alentour. Il n'y avait pas grand-chose, mais tout était propre. Sur la table, un de ses trésors, *Chants de marche pour soldats, sur des airs populaires*. Comme il s'en aperçut et qu'il était encore en état d'ébriété, il se mit à chanter :

Connaissez-vous John Peel, avec son bel uniforme,
Son ceinturon et ses guêtres, et ses grosses bottes
Avec ses fusils et son cheval, voyez comme il trotte
Sur la route de Berlin,
Au petit matin.

Paniquée à l'idée d'avoir à parler à son père, phénomène inhabituel, Flora dut pourtant lui expliquer dans quel état elle avait trouvé Danny. Rupert exigea :

— Promettez-moi une chose.

— Si je peux.

— Nom de Dieu, Flora !

— Que dois-je promettre, père ?

Rupert balançait sa main de droite et de gauche avec agitation :

— Comme cela m'est devenu impossible, promettez-moi de veiller sur Danny.

Flora faillit hurler : *Mais vous n'avez jamais veillé sur nous !* Au lieu de quoi elle sentit une boule dans sa gorge tant la demande de Rupert était triste :

— Naturellement. Danny est en sécurité, rassurez-vous.

Les yeux de son père se posèrent sur la carte accrochée au mur :

— Je ne m'attends pas que vous compreniez.

La maladie avait cruellement ôté toute couleur au visage de Rupert, et une odeur que Flora associait à la vieillesse émanait des draps — une odeur qu'elle avait essayé d'éviter dans le passé mais devant laquelle elle ne pouvait désormais plus reculer.

Le mur opposé au lit de Rupert était sacré, dédié à ses dieux privés : aucune femme de chambre n'était autorisée à toucher les cartes et les photographies qui le recouvraient. Les photographies représentaient essentiellement des scènes prises sous le feu, ou entre deux sorties ; on commençait à en voir de semblables dans les livres sur la Grande Guerre. Il s'en dégageait une qualité perdue. L'une d'entre elles, en particulier, figurait des grenadiers près de Messines, qui se frayaient difficilement un chemin vers un appareil photo instable, une chapelle incendiée et un amas de morts et de blessés à l'arrière-plan. Le photographe avait eu peur, ou avait essuyé le feu, ou les deux. A côté de ce cliché, une carte du front occidental en 1914.

Habituée à voir son père agir en autocrate, Flora était désemparée de l'entendre la supplier. Debout près du lit, elle baissa les yeux et prononça les seuls mots qui lui vinrent à l'esprit :

— Je sais, père. Danny est votre ami. Et le mien.

Rupert sombrait dans le sommeil.

— Alors, veillez sur lui. C'est à vous que je le demande, Flora. Pas à Kit.

Pourquoi pas Kit ? s'étonna-t-elle, ravie cependant qu'il eût fait appel à elle.

Cependant que Rupert sombrait dans l'inconscient, les Oxfordshire Hussards se dirigeaient d'un pas incertain vers la position de la cavalerie, et les London Scottish marchaient vers la bataille, au son grave et déchirant des cornemuses. Rupert avait retrouvé le bruit, la fumée et les cercles de feu éclairant le paysage près de la crête de Messines, non loin d'Ypres, dans les Flandres. L'air vibrait du staccato des mitrailleuses, et les London Scottish, qui avaient marché au son imperturbable de la cornemuse à travers Londres, puis le nord de la France, continuaient de jouer tandis que l'infanterie allemande les décimait. Une dernière cornemuse résonna depuis la crête. Puis elle aussi se tut.

Toute la journée la bataille avait fait rage et, quand le soleil s'était couché sur ce qu'on allait baptiser le jour d'Ypres, les brigades s'étaient réduites en bataillons, les bataillons en compagnies et les compagnies en pelotons. Le

Royal West du Kent ne comptait plus que quatre officiers (tous subalternes), le Ier Coldstream Grenadier, les Scots Guards, les Borderers, les Gordon Highlanders et les Grenadiers cinq chacun. Rupert tremblait d'épuisement. Dans sa compagnie, il y avait quatre-vingts morts mais il était vivant, ainsi que Danny Ovens. L'un comme l'autre étaient crasseux, enroués, assoiffés.

Ni l'un ni l'autre ne se doutaient que la guerre allait durer quatre ans — ni qu'eux et les troupes restantes, désormais terrés comme des animaux, finiraient par appeler la mort.

Rupert soupira dans son sommeil.

Le bien-être de Danny tracassait leur père, d'ordinaire si peu démonstratif, beaucoup plus que son dos brisé par une chute de cheval. Kit en fit souvent la remarque. Matty suggéra que Rupert était encore en état de choc et ne pouvait donc comprendre. Si Kit était plutôt de son avis, Flora en était moins sûre.

Quant à Rupert, il intensifia ses demandes de whisky et rendit proches de la démence sa famille et miss Binns, son infirmière. Curieusement, Robbie était la seule à pouvoir en tirer quelque chose quand cela allait vraiment mal.

— Non, sir Rupert, disait-elle avec énergie. Non.

Et Rupert se calmait.

Un jour, Flora perdit patience et lui donna en douce deux doigts de Glenmorangie dans un verre. Il l'avala en deux gorgées et en exigea davantage. Flora refusa, mais plus tard, il eut de la température et elle passa le plus clair de la soirée à éponger son visage et ses poignets.

Le lendemain matin, repentante, elle fit sortir Robin Lofts de la chambre du malade et avoua son crime. Elle s'étonna de constater à quel point elle acceptait mal son regard méprisant.

Il ne prit pas la peine d'être poli :

— C'était vraiment stupide, miss Dysart.

— Je suis désolée. Sincèrement désolée, docteur Lofts. Mais je ne pouvais plus supporter de le voir ainsi. Il avait besoin de réconfort, vous comprenez ?

— Pourquoi ne pas lui parler au lieu de lui donner du whisky ? C'est ce dont il a besoin.

— Parler à père ? s'exclama-t-elle comme s'il lui avait suggéré d'apprendre l'hébreu. Je ne crois pas qu'il apprécierait.

— Comment le savez-vous, miss Dysart ?

— Je sais que ça peut paraître ridicule, docteur, mais je ne saurais quoi lui dire. Père ne semble pas nous aimer beaucoup.

Robin encaissa sans piper, persuadé d'en avoir assez fait pour l'instant en suggérant cette idée :

— C'est à vous de voir, miss Dysart. Mais, je vous en prie, ne donnez plus d'alcool à votre père sans prendre auparavant l'avis de l'infirmière, ou le mien. Cela aurait pu le tuer, ajouta-t-il avec gravité.

A sa surprise, mais pas à celle du médecin, Flora fondit en larmes. Robin fouilla dans sa sacoche et en sortit un mouchoir propre qu'il lui tendit en lui disant de pleurer tout son soûl. Flora, qui se serait contorsionnée dans tous les sens plutôt que de craquer en public, découvrit qu'il lui importait peu de baisser la garde devant Robin. Ce soir-là, une fois couchée, elle rougit à ce souvenir, mais tandis qu'elle se mouchait dans le mouchoir du Dr Lofts, elle avait eu l'illusion d'être en sécurité. Quand elle voulut le lui rendre, il dit :

— Gardez-le tant que vous voulez. J'en ai une réserve dans ma sacoche pour les patients et les parents angoissés.

Flora décida d'en commander une douzaine chez Elphick à Farnham et de lui en faire don pour son cabinet de consultation.

Comme elle s'endormait doucement, il lui vint à l'idée que Robin Lofts était le genre d'homme auprès duquel on prenait sa propre mesure — et c'était une perspective à la fois réjouissante et épuisante.

Ces temps-ci, Robin était encore plus occupé que de coutume, à cause de Rupert, mais aussi à cause des négociations nécessaires afin que les choses se passent bien entre miss Binns — qui avait l'habitude d'agir à sa guise — et Robbie, qui entendait diriger la chambre du malade. Jusque-là, Robbie avait gagné les escarmouches et miss Binns était reléguée à la garde de nuit.

Même avec ses nouvelles responsabilités à Hinton Dysart, les consultations et les visites, Robin trouvait le temps de réfléchir à Matty, qu'il aimait bien. Il flairait aussi le défi. Matty n'avait jamais joui d'une bonne santé, et il ne fallut guère de temps à Robin pour deviner qu'elle était malheureuse. Hésitant à tirer des conclusions, il se demandait si ce qu'il avait diagnostiqué était la dépression compréhensible et, il l'espérait, temporaire, de la jeune épouse qui découvre que l'intimité a ses revers autant que ses plaisirs. Ou autre chose ?

Deux semaines plus tard, il tomba sur Matty qui descendait le grand escalier. Il l'attira à l'écart sur le palier.

— Docteur, demanda-t-elle, sir Rupert est-il mieux, aujourd'hui ?

— Si vous entendez par là : est-il en danger ? la réponse est non. Quant à l'évolution de la maladie, c'est une autre histoire. Jusqu'à un certain point, il ira aussi bien qu'il le désire.

Ils descendirent l'escalier ensemble et Robin essaya de s'expliquer :

— Voyez-vous, Mrs. Dysart, je suis de plus en plus amené à penser que les patients peuvent prendre leur maladie en charge.

Une main sur la rampe, elle leva les yeux sur lui. Elle semblait tellement réclamer d'être guidée qu'il se lança :

— Mrs. Dysart, je me demandais, avec tous ces malheurs, dormez-vous suffisamment ?

— Oh mon Dieu ! Est-ce visible à ce point ?

Ils étaient maintenant en bas des marches et s'arrêtèrent. Matty se laissait pousser les cheveux, qui avaient atteint cette longueur peu commode où l'on ne peut rien en faire. Elle tâcha d'arranger une mèche. Malgré les ridules autour de la bouche et des yeux, elle avait l'air d'un enfant qui perd pied.

— Ai-je si mauvaise mine ?

— Tout le monde est sous pression, chez vous.

Impossible de prendre mal ce que disait le Dr Lofts, d'ailleurs, Matty n'en avait nulle envie. Il était gentil, se donnait le temps de montrer qu'il l'aimait bien et elle se sentait à l'aise avec lui. Peut-être parce qu'il n'était pas très grand et que, contrairement à beaucoup d'hommes, il ne la dominait pas physiquement.

Robin avait remarqué que, si l'on se tenait parfaitement immobile, les gens n'avaient pas peur de vous regarder. Il l'obligea à le faire.

— Vous permettez ?

Il lui prit le pouls. La main de Matty tremblait dans cette étreinte toute professionnelle et dénuée d'émotion.

Puis il examina sa peau parcheminée et vérifia les crevasses entre ses doigts. Robin avait vu pareil spectacle chez les névrosés à la consultation hospitalière à Londres quand il travaillait comme étudiant.

— Votre peau est-elle toujours aussi sèche ?

— Ça va, ça vient.

Matty laissa sa main dans celle du docteur, et il lui traversa l'esprit qu'à l'exception des médecins, personne ne l'avait touchée volontairement. Robin s'attarda sur les zones en très piteux état et, quand il tendit ses doigts, une crevasse s'ouvrit. Matty grimaça.

— Excusez-moi. Je vais vous faire porter une crème pour cela, dit Robin en lâchant la main de Matty. J'imagine que tout cela est difficile pour vous, Mrs. Dysart. Ce mariage dans une grande famille, gérer une crise grave...

Une fois encore, elle repoussa une mèche rebelle.

— Oui, admit-elle. Personne ne connaît jamais vraiment personne, naturellement. Je ne suis qu'une étrangère dans ma propre maison, si vous préférez. Mais je m'y habitue.

C'est donc cela, se dit-il.

— Ne vous en faites pas, Mrs. Dysart. Il existe un remède.

Matty eut un regard où l'avidité avait fait place à l'étonnement :

— Je vous serais reconnaissante de me l'indiquer, docteur.

Robin était maintenant désolé de la tournure de cette conversation, car la réponse n'était pas simple. Il posa les yeux sur la galerie de portraits de l'escalier avec les épées croisées au-dessus.

— Le temps, dit-il enfin. Dans quelques années, nul ne se souviendra que vous n'êtes pas née Dysart.

Robin Lofts n'avait pas apporté de réponse appropriée parce que Matty ne lui avait pas dit la vérité — le simple désir d'être aimée de son époux et d'avoir un enfant de lui. Ses multiples tâches suffisaient à l'occuper dans la journée, mais la nuit, elle était sans défense.

Elle rêva qu'elle tournait en rond à l'extérieur d'un jardin regorgeant de fleurs et de fruits et qu'une épaisse haie d'épines acérées l'empêchait d'entrer. A l'intérieur du jardin, Daisy et Kit déambulaient dans les allées et s'asseyaient sur un banc au soleil, absorbés l'un par l'autre. Une petite fille aux cheveux blonds jouait à leurs pieds. Dans l'ombre, désespérée, Matty se battait contre les ronces qui finissaient par lui percer la chair.

Matty se redressa sur son lit et repoussa ses cheveux. Il était deux heures du matin.

Mais qui guettera mon arrivée?
Mais qui me cherchera à la nuit tombée?

Où avait-elle lu ce poème? Elle alluma sa lampe de chevet et cligna les paupières.

Mais qui me donnera des enfants?

Pas Kit, semblait-il. Jamais Kit. L'obscurité et le désarroi lui ôtaient toute raison. *Tu n'as jamais espéré qu'il t'aimerait. Après tout, tu l'as acheté.*

Pour se changer les idées, elle feuilleta les livres posés sur sa table de nuit. *Dis à l'Angleterre, Justice expéditive, La mystérieuse affaire de Styles*, les carnets de botanique de sa mère. Aucun ne la tentait, car aucun ne lui disait comment faire lorsqu'on avait épousé un homme amoureux d'une autre.

Mais qui me cherchera à la nuit tombée?

Matty but un verre d'eau, éteignit la lumière et s'allongea, le regard fixe. Kit avait dévoilé bien des attentes, dont le désir sexuel. Là, du moins, trouvait-elle étonnamment facile de se donner et de répondre, même si Kit était autoritaire — et elle savait qu'il était surpris. Elle-même, s'apercevait avec étonnement qu'elle aimait faire l'amour, qu'elle trouvait cela facile et agréable, non qu'elle eût jamais abordé la question. Le problème était plutôt son profond besoin de véritable intimité — absente même lorsque Kit la rejoignait au lit.

Cela et, naturellement, son désir d'enfant.

— Matty.

— Oui, Kit.

Matty se tenait dans la pièce du matin et, quand Kit entra, elle leva les yeux de la boîte de photographies posée sur ses genoux et désigna le plateau de café :

— En veux-tu ?

Il s'en versa une tasse et resta debout devant l'âtre. Vêtu d'un vieux costume de velours, Kit avait les joues fraîches car il était allé inspecter une barrière près de Montgomery.

— J'aimerais savoir si tu te sens véritablement bien. Je te trouve pâlotte.

Au cours d'une expédition avec Mrs. Dawes, Matty avait découvert les photographies dans le grenier nord et les avait descendues pour les regarder.

— J'aimerais qu'on cesse de prendre des nouvelles de ma santé. C'est fort aimable mais parfaitement inutile, lança-t-elle, furieuse.

Poussé par la culpabilité plus que par autre chose, Kit insista :

— Matty, tu me dirais s'il te fallait consulter à Londres, n'est-ce pas ?

— Ne t'inquiète pas, Kit. S'il te plaît.

— Je voulais dire...

Kit se laissa tomber sur le sofa à côté de sa femme et remit dans sa tasse le café qu'il avait renversé dans sa soucoupe. La pièce, nouvellement décorée, était maintenant grise avec des rideaux de soie rose gansés de la couleur des murs. Une toile de Gluck représentant un bouquet de fleurs blanches dominait l'ensemble. Kit trouvait presque troublants les dilections de Matty en matière de peinture, et le côté ostensiblement féminin de cette toile lui répugnait. Il y jeta un regard dégoûté et revint à sa femme :

— Je ne veux pas que tu en fasses trop, voilà tout.

Matty ne répondit pas et reporta son attention sur la boîte de photographies. Elle avait entre les mains un portrait de studio d'une femme en robe du soir édouardienne et ras de cou aux multiples rangs de perles. La taille était cruellement corsetée, la poitrine magnifiquement pigeonnante, et deux épaules jaillissaient de la soie et de la dentelle. Cependant, malgré les bijoux et les plumes d'autruche, le visage semblait malheureux, suggérant que la dame trouvait la vie difficile, voire douloureuse. Au dos, une inscription : « Mayfair Portraits. 25 Piccadilly. Mars 1915. »

— Qui est-ce? demanda-t-elle à Kit.

Dès qu'il vit le portrait, il se figea :

— Ma mère, dit-il enfin.

Matty comprit qu'il ne souhaitait pas en parler. Elle examina la mâchoire d'Hesther, délicate et obstinée, les pommettes hautes, la masse de cheveux blonds — et éprouva la jalousie d'une nouvelle venue qui ne peut espérer rivaliser avec le passé.

— Elle était très belle, Kit.

— Oui.

— Tu n'aimes pas en parler?

— Non, répondit-il sèchement en se levant. Je n'aimerais autant pas, si tu veux bien.

Matty coula un autre regard au cliché :

— Presque tout le monde parle de ses parents. Jamais tu ne m'as parlé de ta mère.

— S'il te plaît, Matty. Cela suffit.

Désemparée, Matty fouilla dans la boîte. Chevaux, voitures, mariages, parties de chasse, toutes avec un parfum d'histoire ancienne. Elle en prit une au hasard :

— Celle-ci est de vous tous quand vous étiez petits.

Les dominant d'une tête, en col dur et veste du Norfolk, Kit était debout derrière ses deux sœurs en robes écossaises à smocks, avec les mêmes nattes nouées d'un ruban identique. Selon la mode de l'époque, Kit avait une raie parfaite et les cheveux collés au crâne. L'appareil photo l'avait surpris en train de sourire : Regardez-moi, semblait-il dire, la vie n'est-elle pas merveilleuse?

— Tu devais avoir neuf ou dix ans, non? La photographie a été déchirée, on dirait que...

— Laisse tomber, Matty, réitéra Kit tout pâle, le souffle court.

D'abord, elle ne comprit pas :

— Comme c'est bizarre...

Kit lui arracha la photo des mains et la jeta dans la boîte :

— Arrête, s'il te plaît. Cela ne te regarde pas et cela n'a aucun intérêt.

Matty repoussa la boîte :

— Ne puis-je rien savoir de ta famille ? Tu connais la mienne.

— Je t'en supplie, Matty. Ce n'est pas ta faute, mais mieux vaut oublier tout cela.

Il eut beau fourrer ses mains dans ses poches, Matty était certaine qu'elles tremblaient. Ahurie, elle lui effleura le bras :

— Pardonne-moi si je t'ai troublé, Kit. Je suis sincèreef-foment désolée.

Un court instant, elle imagina que le volet qu'il avait fermé s'était entrebâillé et qu'elle regardait par l'interstice. Puis il se referma sur les secrets que Kit cachait si bien :

— Chère Matty. Tout cela est excessivement ennuyeux pour toi.

Ce qu'elle traduisit par « Tout cela ne te regarde pas ». C'était comme s'il l'avait violemment repoussée.

Comprenant trop tard ce qu'il avait fait, Kit tenta de sauver la situation :

— Quelle petite sotte tu fais, dit-il dans un effort pour atténuer les choses. Il n'y a là rien dont tu doives d'inquiéter.

Il aurait aimé éprouver autre chose, avoir le sentiment de rendre Matty heureuse. Il l'attira contre lui et lui embrassa les cheveux.

— Tu me diras si tu dois aller à Londres, n'est-ce pas ?

— Oui, répondit-elle d'une voix morne.

Matty aurait dû oublier cette histoire de photographie, mais, avec beaucoup d'audace, elle cacha la boîte après avoir repris le cliché déchiré et partit à la recherche de Flora qui vérifiait le matériel dans la sellerie :

— J'ai trouvé ceci. Qui manque sur cette photo ?

Flora remit le couvercle sur une boîte de dégras.

— Voyons voir. Quelque parent insupportable, j'imagine.

Matty lui tendit le cliché que Flora examina en souriant. Il y eut une pause puis le sourire s'effaça :

— Oh oui, répondit-elle enfin, je me rappelle quand cette photo a été prise.

— Qui manque ?

— Personne, il ne manque personne, lança-t-elle avec force.

— Vous êtes sûre ?

Flora rendit la photo à Matty et lui tourna le dos.

— Tout à fait sûre.

Matty examina une nouvelle fois le cliché. Il était contrecollé sur un carton très épais et pour le déchirer il avait fallu une sacrée force.

— A plus tard, Flora.

— D'accord, répondit-elle en s'affairant sur une bride.

Mais une fois Matty partie, elle s'écroula sur un banc. La pièce ne recelait que des objets réconfortants : savon à cuir, selles, brides utilisées par la famille — tout cela respirait presque, se dit-elle. Flora ne les quittait pas des yeux, le visage rouge de colère.

Matty sortit. Le jardin était un mélange de verts et de bruns et il y faisait froid et humide, mais sans la dureté de l'hiver. Près du court de tennis, les mésanges voletaient dans un cerisier en fleur et les vers de terre avaient soulevé des petits monticules sur la pelouse. Pour s'amuser, Matty posa les pieds sur l'un d'eux et observa la tache aplatie. Ses chaussures couinèrent et se maculèrent de boue. Une touffe d'aconits tardifs était en fleur sous le platane et elle s'arrêta pour observer une tête jaune — ceux qui étaient sous l'arbre étaient moins brillants que ceux qui avaient poussé plus loin.

Près de la rivière, l'hamamélis était en pleine floraison avec ses fleurs aux pétales en pattes d'araignée et cœur rouge violet. Son parfum flotta jusqu'à Matty, qui le huma profondément. Les crocus avaient jailli près de la rive et, sous un tas de terreau, Matty découvrit les feuilles mouchetées et les pétales rentrés d'une violette dent-de-chien. Elle était sûre de ne pas se tromper parce que Jocaste en avait dessiné une dans son carnet de croquis.

Matty chemina le long de la rivière et parvint au pont qu'elle avait franchi en pénétrant dans ce jardin pour la première fois. Puis, tandis que des gouttes de pluie tombaient des arbres pour éclabousser ses joues, elle tourna à droite et se dirigea vers le cours d'eau baptisé, pour quelque raison, le ruisseau de Harry. Dans la partie sauvage à l'extrémité sud du jardin, les broussailles s'épaississaient avec la venue du printemps — sculpture avant-gardiste de branches et de pousses souples. Des points lumineux jaillissaient des gouttes de pluie suspendues aux branches. Matty y passa le doigt pour en boire, comme une enfant.

Elle voulut prendre son mouchoir et tomba sur la photographie. Les photos n'étaient pas censées mentir, pourtant, celle-ci présentait l'image d'une famille heureuse. Matty, elle, y percevait le trouble et la rancœur.

Quel lien omettait-elle d'établir?

Dans la haie de laurier, un oiseau chanta. Matty leva les yeux. C'est alors qu'elle s'aperçut que les broussailles au coin sud-ouest — où elle avait vu l'éclair de bleu après le mariage de Polly — dissimulaient un chemin. En plein été, les feuilles en bloquaient l'entrée, mais aujourd'hui on pouvait tout juste le distinguer à travers les branches nues, s'éloignant de la pelouse en direction du mur qui entourait le périmètre sud du jardin.

Intriguée, Matty piétina l'épaisseur des buissons et se fraya un chemin dans la brèche qu'elle venait de pratiquer. Au bout d'une dizaine de mètres, la végétation fut moins dense et, à l'endroit où Matty s'attendait à rencontrer le mur, l'allée virait brutalement à droite, traversait un bouquet de bouleaux argentés pour tomber dans une clairière.

Surprise, elle tenta de se repérer. Au lieu d'aller vers le nord du côté des courts de tennis et du jardin clos, le mur se courbait pour créer un espace fermé et protégé. On ne le voyait pas du jardin, et elle ne l'avait pas non plus remarqué depuis la route.

Matty se trouva debout sur un monticule et, dans le creux en dessous, se disputaient du lierre, des orties, des ronces, du sureau; au centre une protubérance de pierre. Perplexe, elle se retourna pour réexaminer le chemin par lequel elle était venue; il lui vint à l'esprit que les arbres qui le bordaient avaient été plantés pour constituer un lieu de promenade.

Pivotant sur elle-même, elle observa une fois encore la partie plongeante. Quelque chose suggérait qu'elle n'avait pas toujours été recouverte d'un linceul vert. Une conclusion s'imposait : c'était autrefois un jardin.

Brutalement, Matty frissonna jusqu'au tréfonds d'elle-même, prise d'une angoisse irrépressible. Elle voulait se sauver, mais la peur la clouait sur place. Elle voulait hurler, mais sa gorge était nouée.

Quand elle retrouva enfin son calme, une enfant se tenait sur la pierre au centre du jardin abandonné, solennelle, les cheveux filasse, vêtue d'un manteau chaud, d'un béguin et de guêtres. Même à cette distance, Matty reconnut dans ses yeux cet air de désarroi, signe que l'enfant avait besoin de quelque chose.

— Attends, murmura-t-elle dans un souffle en descendant maladroitement la pente. Attends-moi.

Elle glissa, vacilla et tomba en arrière. Se redressant avec peine, elle tendit la main :

— Attends.

Mais l'enfant n'écoutait pas. Elle s'éloigna de la pierre sans le moindre bruit.

— Attends !

L'enfant recula davantage. Une fois de plus, la note aiguë et douloureuse résonna dans les oreilles de Matty qui pressa ses mains dessus. Le lierre se prenait dans ses pieds, les ronces déchiraient ses bas et ses chaussures étaient pleines de boue. Entravée, elle glissa encore, se releva, mais quand elle leva les yeux, l'enfant avait disparu. Avec un effort considérable, Matty arriva à la pierre et s'écroula.

— Où es-tu ?

Nulle réponse, nul bruit. Nul oiseau. Nul bruissement. Nulle note aiguë. Rien hormis le bruit de sa propre respiration dont le rythme finit par agir.

Peu à peu, Matty s'apaisa et les formes reprirent. Près du mur, elle discerna le squelette encore visible d'un massif. A sa droite, rouillés mais encore debout, deux arceaux en fer forgé étouffés par le feuillage. Matty devait se trouver sur une ancienne pelouse, métamorphosée par la négligence en une désolation de chiendent, de trèfle et de mousse. Du terreau, humide, froid, gris-brun, recouvrait l'endroit et dégageait son odeur caractéristique. Sous la main de Matty, la pierre était grumeleuse de lichen. Elle ôta son gant, gratta la surface avec son ongle et du marbre veiné apparut. Matty fit un pas en arrière et tira à leur base sur des tiges d'épilobes à épis. A y regarder de plus près, la bosse prit la forme d'une statue de femme portant une cruche d'eau sur son épaule. La silhouette observait quelque chose à ses pieds et l'artiste avait insufflé de la vie dans ses drapés et dans ses cheveux défaits. Sous le charme, Matty balaya de la main la couche de feuilles prise dans les plis de la pierre — et révéla un enfant de pierre jouant à ses pieds.

Elle recula sur l'herbe mouillée, tourna violemment et alla inspecter le massif près du mur. Elle ne voulait pas pleurer. Peu soucieuse de son manteau, elle s'accroupit et plongea le regard dans la terre. Le temps et le manque de soin — volontaire semblait-il — avaient causé des dommages, mais ils n'étaient pas irrévocables.

Malgré son ignorance de nombreuses plantes, Matty reconnut un rosier buissonnant et une clématite. Au bout d'un moment, elle mit une main sur sa bouche. Elle demeura longtemps ainsi. Curieusement elle était arrivée à ce point de son existence, épouse stérile et mal aimée dans une famille pleine de secrets. Sous-jacent, s'instillait le soupçon qu'elle méritait son sort. Derrière le manque de confiance en soi, la passion pour la forme et le dessin, sa vocation pour la souffrance, derrière sa capacité d'amour inemployée, gisait la peur que sa vie ait pris ce tour parce qu'elle n'était pas digne d'amour.

Une brise se leva, qui ébouriffa ses cheveux. Elle avait mal aux jambes dans cette posture inaccoutumée. Elle allait devoir faire quelque chose de sa vie — mais quoi, comment ? *Elle ne savait pas comment.*

Sa main erra au bord du massif et rencontra une bosse. Luttant contre les feuilles et l'herbe, une plante ovale et verte : nette, pleine de retenue, ponctuée de formes jaunes. Il ne fallait pas être spécialement doué pour reconnaître une banale primevère. Lumineuse et pleine de vie — contraste saisissant avec l'état d'esprit de Matty.

Tremblant un peu, elle écarta doucement les feuilles pour dégager les fleurs. « Oh oui, fit la voix de Jocaste, feuilles ovales dentelées, ma petite chérie. Des fleurs pâles aux yeux très sombres et, tu vois, une tige duveteuse. Note cela dans ton cahier, Matty... »

Délicatement, Matty plaça un doigt sous l'une des fleurs pour l'orienter vers elle :

— Comment as-tu réussi à survivre ?

La brèche pratiquée par Matty stoppa Ned. Il écarquilla les yeux devant les broussailles aplaties puis posa sa brouette et suivit les traces.

Si c'étaient ces damnés Prosser qui faisaient l'école buissonnière sur la propriété, alors on allait voir ce qu'on allait voir. Ned réfléchissait à cela — et s'arrêta brusquement en apercevant la silhouette de Matty accroupie devant le massif. Elle leva les yeux sur lui avec un air ahuri et le temps s'embrouilla — c'était Betty qui regardait son père. Il la rejoignit :

— Faut pas vous en faire, Mrs. Kit. J'aime pas vous voir comme ça, mon petit.

Il l'aida à se remettre debout et brossa les feuilles de son manteau. Elle sentait la pluie et le terreau. C'est fou ce qu'elle lui faisait penser à un roitelet.

Matty émit un petit rire étouffé :

— Oh, seigneur.

Ned arbora un de ses rares sourires et la regarda reprendre contenance. Au bout d'une minute, elle demanda :

— Qu'est cet endroit, Mr. Sheppey ? Pourquoi est-il obstrué ?

— Il ne faut pas vous inquiéter de ça.

— Pourquoi, Mr. Sheppey ?

— Je n'ai pas le temps de me tracasser de ça.

Elle le regarda avec dureté.

— Parfait. Vous gagnez pour l'instant. Encore une chose. Etes-vous tout à fait sûr qu'aucune petite fille ne vit dans le coin ?

Les nuages filaient. Le soleil jaillit entre les arbres. dans le silence, un animal se faufila. La lumière se répandit sur le jardin qui vira du vert foncé à l'or. Le cri rauque d'un geai brisa la paix, suivi du claquement d'ailes de pigeons ramiers.

— Je suis absolument sûr, Mrs. Kit.

5

La dernière semaine de mars, on annonça que l'état de Rupert était stationnaire. Kit et Matty sentirent qu'ils pouvaient le laisser entre les mains de ses infirmières. Tyson conduisit à Londres Matty, Flora et une Ivy tout excitée. Elles s'installèrent à Bryanston Court afin de préparer les déjeuners, thés, dîners et bals qui rempliraient les mois à venir avant que le beau monde, épuisé, ne prît ses quartiers d'été à la campagne.

Flora ne décolérait pas.

— Saperlipopette, pourquoi dois-je absolument faire mon entrée dans le monde? lança-t-elle assise sur le sofa. Nom de Dieu!

— Flora! s'exclama Matty, déconcertée par la véhémence de Flora plus que par son langage. Vous allez tellement vous amuser. Si seulement c'était moi!

Matty ne se disait rien de la sorte, mais elle avait toujours été persuadée être la seule à considérer cela comme une épreuve.

— Vous n'en pensez pas un mot. Vous avez bien trop de bon sens. Avouez.

— Je le reconnais, admit Matty, qui avait observé Daisy traverser sa Saison dans une brume de tributs floraux et de Chanel n°5, remerciant le ciel que le docteur eût mis le holà. Mais pour vous ce n'est pas la même chose.

— Vous avez le nez qui remue.

— Pardon?

— Miss Glossop disait que les menteurs étaient frappés par la foudre.

Flora était ravie de sa plaisanterie. Mais le sourire s'effaça bientôt de son visage:

— Je suis presque trop vieille. Pour faire mon entrée dans le monde, veux-je dire.

— Ridicule. Dix-neuf ans, c'est le bel âge.

— Au moins ne vous présente-t-on que comme la nouvelle Mrs. Dysart. Vous n'avez pas à vous angoisser à l'idée de ne pas avoir de succès.

— Au moins, répéta Matty avec colère, car c'était assez difficile comme cela.

Elle versa du thé dans une tasse qu'elle tendit à sa belle-sœur. Puis Flora s'empara du *Times* ouvert à la rubrique mondaine.

— Grands dieux! Quinze bals! Il va falloir que je me pomponne et, en plus, je n'ai même pas assez de robes.

Elle aurait pu ajouter qu'elle était terrifiée à l'idée

d'avoir l'air trop ronde dans des robes reprises, des gants blancs serrés qu'il fallait garder immaculés, des chaises dorées alignées sur un kilomètre, des conversations hésitantes avec des hommes qui s'ennuient, des chaperons qui observaient avec un œil de lynx depuis les balcons. De penser que toute cette histoire onéreuse et vulgaire n'avait ni queue ni tête.

Terrifiée à l'idée de ne pas avoir de succès.

Flora était déchirée par un paradoxe : elle méprisait tout cela (prétendait-elle) et pourtant elle ne voulait surtout pas faire un flop et être désignée comme celle qui reste sur le carreau.

— Flora... Si ce sont vos tenues qui vous tracassent, je suis certaine que nous pouvons remédier à cela.

Leurs yeux se croisèrent par-dessus les tasses cerclées d'or.

— C'est très gentil, mais non.

— Je ne voulais pas...

— Je sais, repartit Flora gaiement. Je trouve seulement que ce n'est pas à vous de payer mes robes.

— Non, non. Bien sûr que non.

Il y eut une pause, infime, mais significative.

— Bien, enchaîna Matty en extirpant son carnet de son sac, nous devons mettre quelques détails au point.

Flora se hissa sur ses pieds et alla à la fenêtre, triturant le chintz des rideaux d'un air boudeur. Décidément, Londres n'était pas faite pour elle. C'était le royaume des gens superficiels et évanescents qui savaient tenir une cigarette selon l'angle requis et avaient mille choses terriblement amusantes à raconter. La perspective des trois mois à venir, aussi coûteux qu'épuisants, la remplissait d'amertume et de mélancolie. Elle se réveillait au petit matin, la peur au ventre.

— Le Claridge ou Stanhope Gate ? insista Matty.

— N'est-il pas trop tard pour réserver ? demanda Flora, pleine d'espoir.

Elle n'avait envie ni de donner un cocktail, ni un déjeuner, ni quoi que ce fût, à ce compte-là. Mais, avec le soutien de Robbie, un Rupert dangereusement agité supervisait cette affaire depuis son lit. Sacré nom, sa fille finirait bien par épouser un parti convenable !

— J'ai retenu les deux provisoirement, persista Matty

qui s'apercevait que la riche Mrs. Dysart obtenait ce qu'elle voulait.

Flora baissa les armes. Elle lâcha le rideau et se retourna :

— Le problème avec vous, Matty, c'est que vous êtes trop efficace. Hinton tourne avec la régularité d'une horloge, maintenant.

Matty rosit de plaisir.

— Vraiment ?

Flora se rappelait Hinton Dysart d'avant — la poussière, les peintures ternes, les bains tièdes et les toilettes qui ne fonctionnaient pas, sans compter le froid sibérien en hiver.

— Oui, oui, sincèrement. Vous avez fait des merveilles. Vous n'avez pas idée à quel point tout marchait de travers. Les tuyaux tenaient avec du papier collant et les rideaux avec des épingles, et j'en passe.

— Flora, dit Matty en s'affairant avec le thé. Vous ne plaisantez pas, n'est-ce pas ? N'avez-vous pas été contrariée de tous ces changements, ne vous êtes-vous pas sentie rejetée de chez vous ?

— Grands dieux non ! protesta Flora en observant une échelle à son bas. Je reconnais que je m'attendais au pire... Je n'ai pas été très gentille quand vous êtes arrivée, n'est-ce pas, Matty ? fit-elle en levant les yeux. Je croyais que vous alliez emmener Kit, ou importer une forme de Susan Chudleighisme ou... je ne sais pas ce que je pensais exactement.

— Flora..., commença Matty avec difficulté.

Flora envoya sa natte valser au-dessus de son épaule :

— Pardon d'être aussi directe, mais reconnaissez que votre tante est épouvantable.

— Ce n'est que ma tante par alliance. Je vais vous avouer quelque chose, Flora. Je la déteste.

Cette confession, qu'elle aurait dû faire depuis longtemps, eut un effet libérateur, grisant, même.

Flora but un peu de thé et revint à la chronique mondaine tandis que Matty se replongeait dans son agenda :

— Déjeuner chez l'Honorable Mrs. Charles Turner, bal chez Christiana Bellamy, déjeuner chez Charlotte Souter...

Jouant avec ses gants de chevreau, Kit entra d'un air dégagé, balançant son chapeau de feutre sur une chaise.

— Du thé ? Parfait.

Il accepta une tasse et s'assit à côté de Flora :

— L'épreuve du cocktail.

— Déjeuner, répondit-elle, lugubre.

Kit jeta à sa sœur un regard en coin :

— Le trac ?

Flora désigna *The Times* :

— Tout cela n'est-il pas grotesque ? Je sais que c'est dans les habitudes et que mère voulait...

Elle s'interrompit si brusquement que Matty s'arrêta alors qu'elle versait du lait.

— Si seulement mère..., reprit Flora avec une rage qui fit frémir Matty. Si seulement...

Puis, effrayée par sa colère soudaine, elle se pencha pour s'occuper de son bas.

— Tout va bien, petite sœur, l'apaisa Kit en lui caressant le dos. Tout va bien.

Flora saisit sa main libre et la serra. Son visage s'éclaira :

— Désolée.

— Encore un peu de thé ? proposa Matty.

Avec un brusque changement d'humeur, Flora lança :

— Je dois vous avertir que lady Foxton est sur le sentier de la guerre.

— Ma chère Flora, susurra Kit dont la parfaite imitation de lady Foxton était légendaire dans la famille, qu'entends-je ? Est-ce possible ? Refuser de faire la Saison ?

Ce n'était pas si drôle, mais frère et sœur s'écroulèrent de rire sur le sofa de chez Colefax-et-Fowler cependant que, souriant poliment, Matty versait du thé.

Trois semaines plus tard, traînant les pieds dans Upper Street à Islington, un plan sous un bras et un encombrant paquet dans l'autre, Flora se dit que ça ne s'était pas trop mal passé. Pour l'instant.

— Islington ! s'écria Matty lorsque Flora l'informa qu'elle se rendrait à pied chez miss Glossop. Personne ne va à Islington à pied, voyons ! Ce pourrait être dangereux.

Mais Flora décida qu'elle avait besoin d'exercice et accepta seulement que Tyson la déposât à l'Angel. Elle avait promis à Robbie de remettre une couette en patchwork à miss Glossop. « Un souvenir de notre amitié du temps qu'elle était avec nous », avait expliqué Robbie en l'emballant avec du papier brun et de la ficelle. Flora se demandait ce que miss Glossop pensait de cette amitié, mais on ne pouvait nier que Robbie avait passé des mois à confectionner cette couette.

On ne pouvait nier non plus que Flora s'échappait avec soulagement des pièces surchauffées et des éternelles assiettes de saumon et de petits pois. Marcher dans Londres était une aventure en soi et lui procurerait un sujet de conversation pour la prochaine réception.

Non que Flora eût perdu tout esprit de repartie : elle avait dansé et bavardé en suivant à la lettre les instructions de lady Foxton (pour se réveiller avec la gueule de bois). Elle avait même attiré un ou deux jeunes gens titrés mais, il faut bien le dire, boutonneux, qui lui avaient fait porter des fleurs un jour sur deux. Peu importe, cela confirmait sa position dans la hiérarchie de la Saison et aiguisait l'intérêt des mères inquisitrices et de leurs filles uniformément permanentées avec qui, assuraient les premières, elle devrait souhaiter être amie.

Flora tourna vers le nord en haut de la rue. Londres s'étendait autour d'elle, territoire de secrets, de labyrinthes, de mystères et d'ombres, de beauté et de misère.

A l'Angel, elle laissa les prêteurs sur gage sur sa gauche et, un peu plus loin, le coin d'herbe qu'on appelait Islington Green et le vieux music-hall sur sa droite. Flora ne le savait pas, mais elle longeait un des taudis surpeuplés les plus notoires de la Londres victorienne : un lieu interdit à la police où les fugitifs s'évanouissaient pour toujours. Quand elle tourna dans St Peter's Street, des traces évidentes de ce passé pittoresque et souvent violent demeuraient.

Autrefois élégante, la terrasse s'était délabrée et, sur les marches de l'entrée, étaient assis des enfants qui n'avaient jamais vu de saumon ni de petits pois. Elle aperçut une maison où toutes les vitres étaient brisées. Une femme hurla à l'intérieur. Flora s'arrêta net. Ce fut une erreur car les enfants foncèrent immédiatement sur elle, flairant une victime. Ils tirèrent sur ses vêtements, faisant des commentaires avec des accents qu'elle ne comprenait pas. Paniquée, Flora se libéra, fouilla dans son sac où elle trouva quelques sous. Elle les lança aux enfants et se hâta de filer, serrant son paquet contre elle.

Miss Glossop habitait une maison georgienne divisée en appartements. Il n'y avait pas l'eau courante et, au premier étage, un cabinet dégageait des odeurs qui témoignaient d'installations sanitaires rudimentaires. Moins robuste que dans son souvenir, miss Glossop resta bouche bée devant son ancienne élève. Elle était visiblement gênée de n'avoir ni thé ni biscuits à offrir. Elles s'installèrent pour évoquer le bon vieux temps dans une pièce étouffante et glacée à la fois. Flora s'en voulait de n'avoir pas songé à avertir de sa venue.

Tout en se pliant au rituel d'un autre monde, le souvenir de cet épisode hantait Flora : la rue misérable, les enfants silencieux, la femme qui hurlait, la pièce dépouillée de miss Glossop, et la façon dont les mains recouvertes de mitaines de sa gouvernante exploraient, tapotaient, serraient la couette :

— Si épaisse, si chaude, si pratique. Merci mille fois, Flora.

Cependant, Flora était prise dans un engrenage. Comment aurait-il pu en être autrement ? Les jours s'écoulaient, reliés par des appels téléphoniques, des essayages, des consultations de carnets d'adresses et d'agendas, des échanges de : « Est-il sur *La Liste*, ma chérie ? » « Peut-on prendre des taxis en toute sécurité ? », sans oublier les sermons de lady Foxton, toujours en première ligne.

— Ma chère Flora, il faut absolument parler. Peu importe le sujet, mais parlez. Bavardez, chère petite. Bavardez. Se taire au cours d'un dîner ou d'un bal est une mauvaise note garantie. Et gardez-vous de paraître trop intelligente. Personne n'aime les femmes intelligentes.

— Mais je ne suis pas intelligente, lady Foxton.

— Non, chère enfant, mais vous en donnez parfois l'impression.

— Flora, dit Matty en pointant une pile d'invitations, je ne me pardonnerais jamais si nous ne faisions pas les choses correctement. Je suis sûre que votre mère...

— Laissez-moi vous dire une bonne chose, Matty. Ma mère s'en moquait éperdument, alors il ne faut pas vous inquiéter pour cela.

Sur cette bribe d'information révélatrice, Flora se rendit tout droit chez le coiffeur le plus proche à qui elle donna ordre de couper sa natte.

L'après-midi de sa présentation à la Cour, Matty et elle étaient en voiture dans le Mall, prenant grand soin de ne pas emmêler les plumes d'autruche et les longues traînes blanches.

— Je me fais l'effet d'un arbre de Noël, commenta Flora.

C'était le mois de mai, et naturellement, il pleuvait à verse. Dans le Mall, la circulation était bloquée et les piétons regardaient par les vitres comme si Matty et Flora étaient deux personnages en cire.

— Faites la révérence à une Majesté, murmura Flora. Plongez jusqu'aux chevilles, pas de mouvement du popotin.

Madame Vacanti insistait beaucoup là-dessus. Retrouvez votre équilibre. Relevez-vous. Faites un pas et demi. Faites la révérence à l'autre Majesté. Plongez de tout votre corps. Relevez-vous. Priez la patronne des causes perdues. Quittez la pièce à reculons. Ce faisant, replacez votre traîne d'un coup de pied. Ne vous étalez pas de tout votre long.

— Calmez-vous, Flora, lança Matty, qui tremblait dans sa robe de satin couleur d'huître.

— Photographies au Lafayette après cela. Pourquoi diable faisons-nous tout cela ? demanda Flora, quasi hystérique.

Aussi nerveuse que Flora, Matty avait les paumes moites et le cuir de ses gants lui collait à la peau.

— Pincez-moi, Flora. Vous allez faire votre entrée dans le monde, et je vais être présentée comme la nouvelle Mrs. Dysart.

Spontanément, elles se prirent les mains et se serrèrent très fort. Les diamants Verral scintillèrent.

— Bonne chance.

— Bonne chance.

La voiture franchit lentement les grilles de Buckingham Palace. Plus tard, Flora ne se souviendrait que d'un flou de murs blancs piquetés d'or, d'une mosaïque de médailles et d'uniformes d'apparat, de cernes de sueur sous ses bras, de badauds au visage déformé par la pluie et d'yeux en billes de loto comme ceux qu'elle avait vus dans une boutique de farce et attrapes.

La nuit du bal chez lady Londonderry, Ivy coula un bain

et fit un feu dans la cheminée de la chambre. Plus tard, elle aida Flora, aux cheveux désormais permanentés, à enfiler sa robe, copie d'un modèle de Madeleine Vionnet que Mrs. Snell avait dégoté dans un sous-sol de Brown Street. Puis elle poudra les larges épaules blanches.

Flora s'observa dans la psyché : débutante en satin vert pâle, avec les clips en diamant de lady Foxton et ses souliers plats. (« Personne ne s'en apercevra, Flora, et il ne faut pas que vous soyez trop grande. » « Suggérez-vous que je suis une géante, Matty ? » « Non, Flora, pas exactement. ») Débarrassés de leur natte, les cheveux de Flora entamaient une nouvelle vie et, à sa grande déception, la permanente les encourageait à toutes sortes de libertés. Ils bouclaient autour de son visage comme un halo blond avec une originalité qui, il faut le reconnaître, n'était pas à la mode, mais qui la rendait à la fois attirante et intéressante. Flora ne voyait pas les choses ainsi et, collée à son miroir, elle tirait sur les mèches et rejetait les peignes, furieuse du résultat. Elle avait voulu obtenir quelque chose de spécial pour ses débuts — mais qui voudrait danser avec une géante à tête de Méduse ?

Elle s'assit sur le tabouret et scruta minutieusement son reflet. Peut-être n'était-elle pas encore tout à fait elle-même ? Elle espérait bien ne pas être encombrée à vie de ce moule inachevé et maladroit. Cela posé, son devoir était simple : rencontrer un parti convenable, riche de préférence, et l'épouser. Comme elle était habituée à se voir comme une enfant, elle trouva cette idée incongrue. Le bon sens lui disait aussi qu'on finirait par l'apprécier.

Baste, pensa Flora en testant son sourire charmant puis son sourire doucement amusé, si utile quand elle écoutait les monologues de raseurs patentés. Il suffisait qu'un seul finît par la trouver à son goût.

A la soirée des Beauchamp, Flora se montra une débutante modèle. Avec l'aide de petites gorgées de vin, elle bavarda, c'est fou ce qu'elle bavarda. Assise en face d'elle dans une robe pailletée, Matty parlait à son voisin, un banquier, et mangeait très peu. L'air un peu canaille, Kit était assis plus loin entre deux femmes d'une éblouissante beauté ; il la regardait de temps à autre et lui envoyait des petits signes discrets qui la réconfortaient. Matty poussa un morceau de *noisette d'agneau* sur sa fourchette, se demandant si elle était aussi bizarre qu'elle se sentait.

— Est-ce que tu tiens le coup? murmura Kit en drapant un manteau de velours autour de ses épaules au moment de partir.

— Oui, bien sûr!

— Pas trop fatiguée? demanda-t-il, sincère.

Matty se blottit dans le velours puis lui effleura le bras :

— Je me sens bien.

A Londonderry House, les invités passaient devant des nymphes de pierre allongées et montaient l'escalier. Cela regorgeait de diamants qui lançaient des flèches blanches ou bleutées en direction des miroirs dorés et scintillaient sur les tiares des douairières aux yeux perçants. Peu importait la comtesse d'Airlie et son air provocant, lady Spencer, dont les énormes cailloux jetaient tous leurs feux, ou encore lady Londonderry, avec sa tiare, ses boucles d'oreilles assorties et sa broche hors de proportion, qui clouaient le bec à toutes les dames qu'elle accueillait.

— Puis-je avoir la première danse? demanda Kit à Flora tandis qu'ils attendaient dehors.

Flora, elle, avait le cœur en dents de scie, mélange de panique et d'excitation.

A l'autre bras de Kit, Matty déglutit puis pressa le bras sur sa poitrine. Elle avait très mal. Peut-être cette fois, se dit-elle, n'osant penser plus avant.

La salle de bal était déjà pleine et Kit accompagna Matty vers les chaises autour des tables, au fond de la pièce. Le bruit était assourdissant au point que l'orchestre avait du mal à se faire entendre. Quelle importance? Les bals de lady Londonderry étaient célèbres tant en soi que pour leur mélange de grandiose — et de canaillerie.

C'est Matty qui vit Daisy la première. Elle vacilla puis reprit contenance. Trompé par les premières secondes de cette rencontre, au cours desquelles il se sentit parfaitement normal, Kit resta calme. C'était avant qu'une main invisible le lacérât avec un couteau. Un court instant, il enfonça les ongles dans le bras de sa femme puis, murmurant des excuses, il la relâcha.

— Hello, Daisy.

— Marcus, dit Matty sans un regard pour Daisy.

— Hello, Marcus, dit Flora en tendant la main.

— Oh! s'exclama Marcus en portant la main de Flora à ses lèvres. Magnifique.

Kit fut le seul à remarquer que le bout des doigts de Daisy, inhabituellement vernis de rouge, tremblait.

— Hello, Kit, dit Daisy sans un sourire.

Les yeux de Daisy, aussi clairs que dans le souvenir de Kit, semblaient moins lisibles, mais ils étaient encore plus beaux — ou sa beauté avait-elle acquis une autre dimension ? L'expérience — ou la souffrance ? se demanda-t-il avec un éclair de culpabilité — avait resserré le grain de sa peau autour des pommettes, cerné ses yeux de violet et ajouté de la profondeur à sa bouche. Elle portait une robe de bal à bretelles, un plissé de soie blanche, une aigrette sur une tempe et des bracelets en haut des bras. Elle faisait de l'effet, songea Flora qui ne la quittait pas des yeux.

La frange de Daisy et les ongles écarlates étaient nouveaux pour Kit et ces détails le désarçonnèrent car ils ne correspondaient pas à l'image qu'il gardait d'elle. La bonne éducation vint à son secours :

— Pourquoi ne pas nous rejoindre à notre table pendant quelques minutes ? suggéra-t-il.

Marcus avait rasé sa moustache et n'en était que mieux. Il eut un regard éclair pour sa sœur.

— Très aimable à vous, mon vieux, répondit-il avec prudence.

Cinq minutes plus tard, qui parurent des heures, Kit se pencha et prit la carte de danse des doigts de Daisy :

— C'est la mienne.

— Vous devriez danser avec les vôtres, lui rappela Daisy.

— Je modifie le règlement.

Elle leva les yeux de sa coupe de champagne.

— Et votre femme ?

Andy Beauchamp faisait respectueusement tourner Matty autour de la piste et Nick Reed-Porter était venu réclamer sa danse à Flora.

— Elle comprendra, affirma Kit.

— Evidemment, mais elle pourra ne pas apprécier.

Elle laissa Kit la guider jusqu'au parquet. Avec un soupir de soulagement, Kit glissa une main dans le dos de Daisy, cherchant l'endroit où sa hanche se renflait, et la petite bosse près de sa colonne vertébrale, qu'il se rappelait si bien. Les cheveux de Daisy s'attardaient sur la joue de Kit, et elle s'installa entre ses bras comme si elle y avait toujours été.

— Comment allez-vous ? demanda-t-il, car il fallait bien commencer quelque part.

— Kit chéri. De quoi ai-je l'air ? Vieille ? Malade ? Malheureuse ?

Elle se mordit les lèvres à ce dernier mot.

— Non. Rien de tout cela.

— Comment cela se passe-t-il ? La consolidation du domaine, veux-je dire.

— Comment va Tim Coats ? Etes-vous fiancée ? Je n'ai entendu parler de rien.

Elle fit un léger signe de tête en direction d'un petit groupe bruyant sous une glace dorée :

— Il est là. Il regarde. Oui, nous sommes fiancés.

— Pourquoi ne l'avez-vous pas épousé ?

— Répondez d'abord à ma question. Comment va la propriété ?

Elle observa le visage de Kit qui passait par de multiples expressions et eut l'envie féroce de prendre sa tête entre ses mains et de l'embrasser.

— Ne parlons pas de cela.

Daisy éclata de rire.

— Mais c'est pour cette raison que nous dansons en risquant la ruine sociale, que vous et moi nous sommes mutuellement sacrifiés. Pour Hinton Dysart. Il faut que nous en parlions. Après tout, c'est essentiel pour vous. Vital, même.

— Daisy. Je vous ai crue lorsque vous avez prétendu qu'il y avait quelqu'un d'autre. C'est pour cela que j'ai dit oui à Matty. Et aussi parce que j'avais la gueule de bois.

— Voilà du moins qui est honnête, soupira-t-elle. Je peux comprendre la gueule de bois. Sinon, lorsque je pense que je suis passée après une maison, je suis tentée de penser du mal de moi, et de vous.

— Taisez-vous, Daisy chérie. Taisez-vous, je vous en prie.

— Non, Kit chéri. Pas question.

Kit pencha la tête et effleura sa joue de ses lèvres. La musique hurlait. Il serra Daisy contre lui et dansa le fox-trot dans tous les sens. Daisy respira plus vite.

— Hello, dit quelqu'un, mais Kit n'enregistra pas qui.

— Hello.

— Hello. On s'amuse bien, n'est-ce pas?

— Chérie, quelle jolie robe, plus blanche que neige.

Sous la caresse des lèvres de Kit, Daisy se sentit frissonner. Les doigts de leurs mains tendues se mêlèrent.

— Attendez, dit-elle enfin. Je ne supporte plus ces satanés gants.

Elle s'en débarrassa prestement avec l'aide de Kit. Daisy jeta un bref coup d'œil du côté des douairières :

— Je risque ma réputation.

Kit rit et fourra les gants dans sa poche.

— Qui s'en soucie? Je veux sentir vos mains dans les miennes.

Daisy reprit son souffle :

— En sera-t-il toujours ainsi, Kit? Cela ne s'arrête-t-il jamais?

« Vous êtes mon lys de Laguna, mon lys et ma rose », dit la musique.

— Dansez encore avec moi, demanda Kit tandis que la musique changeait de rythme.

— Non. Oui.

A la table des Dysart, Matty était assise, dos à la piste et devisait, indifférente, avec Nick Reed-Porter. On avait placé un vase de freesias au centre de la table et Matty, l'esprit ailleurs, jouait avec les pétales.

— Vous assisterez à l'exposition florale de Chelsea, naturellement.

Imperturbable, généreux, Nick grimpait la colline avec acharnement.

— Oh oui, répondit Matty, tremblante et nauséeuse.

Et Flora, qui valsait avec Marcus Chudleigh, oublia Kit et Daisy. Marcus était fort et savait ce qu'il faisait. La lumière des lustres de cristal se réfractait en jaunes, orangés et bleu pâle, tandis que les diamants jetaient leurs feux blancs et que les danseurs tournoyaient. Dans l'entrelacs de la féerie, de la force de Marcus, de sa propre féminité, Flora prenait conscience des possibilités qu'offrait la vie.

Marcus lui baisa la main. Eblouie par la façon dont sa cravate blanche était nouée sous son menton, par ses cils couleur de sable et par l'odeur ténue du cigare, Flora sentit le désir s'ébrouer en elle.

— Oh, Marcus, n'est-ce pas merveilleux?

L'humeur de Flora fut ébranlée quand Marcus la reconduisit à sa table. Un coup d'œil à Matty suffit à la ramener sur terre. Un regard sur la piste clarifia la situation. Kit et Daisy dansaient comme s'ils étaient seuls au monde.

— Dieux du ciel, marmonna-t-elle dans un souffle.

Et tout fut gâché. Elle se pencha et murmura à l'oreille de Matty :

— Voulez-vous que je fasse quelque chose ?

— Non !

— Kit devrait savoir se tenir, siffla Flora.

Les petits doigts de Matty s'enfoncèrent dans le bras de Flora :

— Ne dites rien et j'arriverai à le supporter.

Nick Reed-Porter saisit sa chance :

— Si vous voulez bien m'excuser, mais Venetia Taylor m'a réservé cette danse.

Il se leva et fit signe à une jeune fille blonde en taffetas bleu.

Après cela, Matty s'appuya au dossier de sa chaise. Elle était verte :

— Puis-je vous demander de m'accompagner ? supplia-t-elle. Il faut que je sorte un instant.

— Naturellement.

Posant le regard sur le vase de fleurs, Flora le renversa d'une pichenette. De l'eau se répandit sur la robe de Matty.

— Pardon, pardon, dit-elle en guidant Matty entre les invités. Il faut réparer les dégâts.

Une fois dans les toilettes, Matty s'effondra parmi les serviettes de lin et les brosses à habit, et cacha son visage dans ses mains. Flora s'agenouilla près d'elle et entoura de ses bras sa belle-sœur toute tremblante.

— Non, Matty, supplia-t-elle avec une profonde tristesse, il ne faut pas. Il ne faut pas.

On nous regarde, murmura Daisy à l'oreille de Kit.

— Ça m'est égal.

— Et Matty ?

Kit manqua le pas :

— Vous avez raison.

Et il raccompagna Daisy à sa table. Elle lui tendit la main :

— Au revoir, Kit. Cela m'a fait plaisir de vous revoir.

A l'ombre de sa beauté nouvelle, de ses lèvres rouges, de ses ongles vernis et de sa frange sophistiquée, se cachait le souvenir d'une autre Daisy, qui grimpait les chemins de pierre et dansait dans les *boîtes* françaises.

— Au revoir.

Elle devina ce qu'il pensait et dit abruptement :

— Ne recommençons plus.

— Non, dit Kit en se raidissant. Quand vous mariez-vous ? Juste pour savoir.

— Cela vous ennuie ?

La colère survint comme un soulagement. Il piqua un fard et rétorqua :

— Croyez-vous que je vais hisser le drapeau parce que la femme que j'aime en épouse un autre ?

— Cette fois, répliqua Daisy, vous vous adressez à quelqu'un qui comprend parfaitement.

— *Touché*, fit Kit avec son sourire en coin et Daisy crut que son cœur allait se briser. Daisy, si je vous disais que je suis désolé, est-ce que cela changerait quelque chose ?

— Non, dit-elle, furieuse à son tour. Ce serait trop facile.

— Daisy chérie. Daisy, ma chérie, ma chérie.

— Chut. Il faut se dire au revoir. Maintenant.

A deux heures du matin, les Dysart convinrent qu'il était temps de rentrer.

— S'il te plaît, Kit !

Flora en voulait encore à son frère de sa façon de traiter Matty, mais elle avait envie d'aller dans un cabaret avec Marcus.

— Robbie n'est pas là et c'est la seule fois que j'aurai vraiment l'occasion de m'amuser vraiment comme je veux. Autrement cela ferait tellement d'histoires.

Kit regarda Marcus. Ils passèrent un marché en silence : Kit laisserait Daisy tranquille, et Marcus ferait une question d'honneur de ne pas entraîner Flora en terrain aventureux.

— Où comptez-vous aller ? s'enquit-il.

— Je pensais aller faire un tour à l'Embassy puis au 400.

— Ce sera épatant, dit Flora, les yeux brillants. Pense à toute cette débauche dans le noir !

— Laisse-la y aller, Kit, intervint Matty, un pli de sa robe encore humide à la main. Elle sera raisonnable. Nick Reed-Porter et Venetia Taylor les accompagnent.

— Bien sûr que tu peux y aller, autorisa Kit, se sentant soixante-dix ans au lieu de vingt-sept.

— Merci, grand frère chéri, dit Flora en l'embrassant.

Kit regarda par-dessus l'épaule de Flora et vit Tim Coats passer son bras autour de Daisy et lui dire quelque chose à l'oreille.

Le retour à Bryanston Court fut silencieux. Matty était recroquevillée dans un coin, aussi loin de Kit que possible.

— Ça va ? demanda-t-il.

— Oui.

Il chercha ses cigarettes et, découvrant les gants de Daisy, les enfonça dans sa poche.

Matty abaissa la vitre, prit un coin de son manteau de velours à la poignée et déchira l'ourlet. Dans un sanglot, elle tira dessus si sauvagement que le tissu se froissa. Cela lui ressemblait si peu que Kit en demeura confondu.

Il eut envie de rire malgré lui parce que c'était comique — la farce qui accompagne le drame des rencontres douloureuses.

— Tu te sens mieux d'avoir fait cela ? demanda-t-il, percevant qu'il ne l'en aimait que davantage.

Elle se mordit la lèvre et contempla son manteau.

— Beaucoup mieux, merci.

— Matty, je suis désolé. Tellement désolé.

— Ce n'est rien, dit-elle avec raideur. Ce n'est pas grave, je t'assure.

Bryanston Court était chaud et accueillant. Les lampes étaient allumées dans le salon et Ivy avait préparé des sandwiches, un thermos de potage et un plateau de boissons. Etonnamment, Kit mourait de faim.

— Mon potage préféré. Merci, Matty.

Matty tenait son bol de potage entre ses mains pour les réchauffer.

— Parfait, dit-elle avant de boire une gorgée.

— Tu as un véritable talent d'organisatrice.

— Flora me l'a dit, remarqua-t-elle en souriant.

— Elle a raison. Prends un sandwich.

Elle secoua la tête.

— Je crois que je vais aller me coucher, si tu n'y vois pas d'inconvénient.

Kit avala une gorgée de potage, se leva et escorta sa femme jusqu'à sa chambre. Une fois à la porte, il s'arrêta :

— Bonne nuit.

Pour la deuxième fois ce soir-là, elle lui toucha le bras :

— J'ai quelque chose à te dire.

— Oui. Dis-moi.

Elle le lanterna une fraction de seconde de plus que nécessaire et déboutonna ses gants :

— Il y a une chance...

Elle s'interrompit, affolée à l'idée qu'en parler lui portât malheur.

— Que quoi, Matty?

Matty s'empressa d'achever sa phrase :

— Il y a une chance pour que je sois enceinte.

HARRY

Mai est un mois trompeur que les jardiniers devraient traiter avec respect. Rusé, il tente, avec ses soirées plus longues, son soleil plus fort et son feuillage tout neuf, de vous persuader que c'est l'été. C'est parfois vrai, parfois non. Si ce n'est pas vrai, le jardinier, qui a cédé à l'euphorie et sorti en hâte géraniums, fuchsias, félicias et salvias, observe, impuissant, le givre tomber, faire tournoyer son épée pour massacrer ses petits chéris.

Cependant j'aime le mois de mai — qui met un terme à la gestation hivernale, lever de rideau des séductions de juin. Le soir, la lumière s'étire, longue, blanche et tendre, sur les prés pointillés de nouvelles pousses jusqu'à Barley Pound et l'ancien Harroway. Les fleurs de pommiers et de poiriers flottent dans l'air.

C'est le tour des clématites de filer au centre de la scène, et j'ai demandé qu'on en fît courir une le long du mur du potager en mémoire de Ned Sheppey. Forte, rude et fiable, je trouve qu'elle lui correspond bien. Dans le jardin de mon cottage, une *macropetala* bleue se faufile dans le *Prunus automnalis*, et la « Comtesse de Lovelace », ma préférée, se prépare à sa double performance de bleu poudré, d'abord au printemps comme une réjouissante fille édouardienne, puis pour son retour en automne, avec une seule fleur. Pendant ce temps, ma gourmande et rampante *armandii* recouvre son feuillage persistant de bouquets de fleurs crème à l'odeur d'amande.

Tout jardin a ses coins aromatiques et, à la grande maison, nous nous sommes donné le mal de placer des plantes aromatiques pour chaque saison. Pour mai, mai le capricieux, j'ai choisi le viburnum. Pas la variété la plus commune, mais le plantureux *juddii* avec ses fleurs odorantes d'abord roses, puis blanches. L'effet est saisissant et il résiste aux pucerons. Je l'ai installé près du chemin pour que les visiteurs du jardin clos profitent de sa douceur en s'y rendant.

Puis il y a l'allée de glycines sur le mur est des nouvelles écuries. Mère s'y asseyait souvent et, le soir, Thomas et moi quittons le cottage pour marcher entre ses branches torturées. Des fleurs humides caressent notre crâne et la lumière passe au travers comme dans une toile du Quattrocento. Le parfum nous submerge.

Chaque année j'apprenais davantage : un nouveau fait, un changement dans la perspective, dans le dessin, ou l'harmonie des couleurs. Ne cesse jamais d'apprendre, me disait mère. N'hésite jamais à ouvrir une autre porte. Le jardin est beaucoup plus profond qu'il n'y paraît au simple coup d'œil ; il nous enseigne des vérités par l'intermédiaire des sens. Comme l'eau qui coule à travers le temps et l'espace, il ne change jamais et pourtant n'est jamais le même.

La vérité est enfouie sous de multiples couches et n'est peut-être jamais saisie comme un tout. Mais ramasse les tessons qui gisent par terre, rassemble-les et quelque chose émergera.

6

Il faisait chaud dans la chambre calme. Matty s'attarda sur le lit où Kit l'avait fait asseoir. Sa chemise de nuit en finette était préparée et il y avait sûrement une bouillotte entre les draps. Elle avait hâte de se glisser sous l'édredon et de s'endormir. Une fois encore elle toucha sa poitrine et constata avec un soupir de soulagement que cela lui faisait mal.

— Es-tu sûre de ne pas te tromper?

Kit arracha sa cravate qu'il laissa pendre autour de son cou. Ses cheveux lui retombaient sur le front et il les repoussa d'un geste familier. Comme toujours, Matty n'avait pas la moindre idée de ce qu'il éprouvait, mais du moins la nouvelle avait-elle rompu le silence.

— Je ne pense pas.

Cette question souleva des doutes dans l'esprit de Matty, qui passa rapidement les faits en revue. Vingt-huit jours de retard. Poitrine douloureuse. Dégoût du parfum... La conviction s'installa.

— Es-tu allée voir le médecin?

— Non. Mais je suis presque certaine.

— C'est une excellente nouvelle, Matty. C'est pour quand?

Elle le lui dit et Kit claqua des doigts, un, deux, une manie, chez lui. Alors elle sut qu'il était content. Elle se sentit moins peinée que tout à l'heure. Elle lissa ses gants sur ses genoux, goûtant le plaisir de Kit en silence. Puis :

— Es-tu contrarié?

— Contrarié!

Troublé, Kit s'assit près de Matty et lui prit la main :

— Tu me poses parfois de drôles de questions, tu sais, Matty. Et tu écoutes la réponse avec tes grands yeux posés sur moi comme si j'étais un oracle.

— Je te demande cela parce que j'ai envie de savoir. Vois-tu, je ne te connais pas vraiment, et tu es si difficile à comprendre.

— Doux Jésus ! Serais-je distant à ce point ? Il va falloir que je change, n'est-ce pas, Matty ?

Elle déglutit :

— Seulement si tu le désires.

Sa réponse parut contrarier Kit. Il se leva et retourna près de la cheminée. Matty aurait tant voulu avoir la détermination de Daisy. « Oui, tu dois changer, aurait-elle dû dire. Je l'exige. »

Elle abandonna le sujet et, avec son aptitude naturelle à mettre du sel sur ses propres blessures, elle demanda :

— Comment va Daisy ?

Kit eut l'air mal à l'aise, misérable et furieux :

— Daisy va bien, répondit-il avec le plus de neutralité possible.

Tu peux exiger, dit Emma Goldman dans la tête de Matty. Vas-y.

Aiguillonnée par un mélange surprenant de nausée, d'exultation et de fatigue, elle dit :

— Kit, je dois te prier... s'il te plaît... à l'avenir, de ne pas afficher tes sentiments aussi ouvertement. Du moins en public. C'est extrêmement éprouvant pour moi.

— Matty...

— Tout le monde a remarqué.

Matty s'interrompit et, pensant qu'elle était allée trop loin pour ne pas aller jusqu'au bout :

— Cela m'a beaucoup contrariée.

— Oui. Bien sûr. Je suis désolé.

— Je sais parfaitement ce que tu éprouves pour Daisy. Naturellement que je suis au courant, bien que nous n'en ayons jamais parlé. Mais je t'en prie, pas en public.

Elle était d'une grande dignité.

— Tu devrais te coucher, s'empressa de suggérer Kit afin de dissimuler ses sentiments. Je m'en veux de te faire veiller. Veux-tu que je sonne Ivy ?

— Non, je te remercie, il est beaucoup trop tard.

— Tu es sûre?... Puis-je t'aider?

Matty se leva :

— Veux-tu me déboutonner, s'il te plaît?

Kit n'était pas doué et il fallut bien deux minutes avant que la robe de Matty ne lui glissât des épaules. Heureuse de cette intimité, elle jouissait des doigts de Kit le long de son dos.

— Fatigué? demanda-t-elle, se sentant elle-même épuisée.

— Agréablement, mentit Kit.

Il posa doucement le doigt à l'endroit où la peau de Matty était si fine, sur sa nuque. Il se pencha et l'embrassa sur la joue.

— Au lit. Tout de suite.

— Kit.

— Oui? dit-il depuis l'encadrement de la porte.

Elle se tourna et il remarqua avec une légère émotion que, sous sa chemise de soie, les seins de Matty étaient plus lourds et que leur pointe, douce, à peine rose, jaillissait, plus foncée.

— Oui?

— Rien.

Elle regarda la porte se refermer sur lui et l'écouta s'éloigner dans le couloir. Puis elle l'entendit bouger dans le salon et sut qu'il allait faire les cent pas entre les fenêtres, mains dans les poches.

Apaisée par le baiser de son époux, elle remonta les draps sur elle et s'endormit en pensant que, peut-être, les choses qu'elle redoutait n'étaient pas si terribles que cela.

Mais lorsqu'elle s'éveilla le lendemain, Matty eut immédiatement conscience que tout n'allait pas si bien : un arrière-goût amer, un malaise. Le démon de Matty était revenu, et elle se rappela Kit et Daisy, dansant si serrés l'un contre l'autre, et la façon dont son mari avait agrippé la courbe de la hanche de Daisy.

L'oreiller avait glissé sur le côté. Matty se retourna et essaya de se rendormir. Une image de Kit plus jeune — aperçu sur une vieille photographie, impeccable, les cheveux lissés en arrière — s'attardait. Puis ce fut l'image d'une Polly boudeuse. Une après l'autre, toutes émergèrent de la boîte en cuir : Flora en tenue d'équitation et haut-de-forme debout devant son poney... Rupert, en uniforme, le regard au loin, son ceinturon éclatant dans la lumière du studio... Hesther, debout à côté de son frère, une rose à la main, Edwin en uniforme. Ils se souriaient, visiblement indifférents à cette histoire de photographie. Matty observa attentivement Hesther. Cheveux au vent et une mâchoire carrée qui aurait dû indiquer une grande force; pourtant, Matty savait qu'il n'en était rien. Les commissures des lèvres légèrement vers le bas, trait que l'on retrouvait chez Polly, qui suggéraient la douleur et le deuil, mal absorbés ou mal portés. Le dessin du visage se fondit, Hesther disparut. Matty eut froid et mal au cœur.

Mère, appela Matty, cherchant Jocaste dans un demi-sommeil. Mais, de l'autre côté de la mort, Jocaste ne répondit pas. Puis Matty s'éveilla véritablement et acquit l'absolue certitude que l'absence d'Hesther était plus importante que sa présence. Plus importante que tout.

Elle s'assit sur son lit, prit l'appareil téléphonique, fit tourner la poignée et demanda à l'opératrice la résidence des Chudleigh.

— Pourquoi chez Gunther? demanda Daisy.

Arborant une robe blanche et rose de Mainbocher et un chapeau de chez Agnès, Matty se glissa sur sa chaise.

— Pourquoi pas?

— C'est le genre d'endroit où l'on fait connaissance avec sa future belle-mère.

— C'est agréable ici, dit Matty en regardant autour d'elle.

Les tables étaient occupées par des oncles célibataires offrant à leurs neveux et nièces les célèbres crèmes glacées, par des dames venues de la campagne pour la journée et par une ou deux histoires d'amour naissantes aux tables d'angle.

— Et très élégant.

— Si tu aimes ce genre de choses.

Daisy repoussa sa frange sous son chapeau, qui n'était pas signé d'une grande modiste mais qu'elle portait avec chic. Elle semblait malheureuse, fatiguée et, pour une nature comme la sienne, abattue :

— J'ai commandé du thé de Chine, des scones et des gâteaux à la crème.

Toute la matinée, Matty s'était exhortée au calme, aussi était-elle furieuse de constater que ses mains s'accrochaient à la nappe. Un changement dans l'âme d'une femme, n'est-ce pas, Emma ? Et maintenant, le principe du tigre : je dois être la mère tigre qui défend son petit avec ses crocs et ses griffes. Matty s'imagina le petit point recherchant la vie dans les cavités sombres et sourdes de son corps, et elle se vit le prendre au creux de sa main et le protéger avec toute la tendresse possible.

— Il faut que tu partes, dit-elle à Daisy en posant sur ses genoux ses mains qui la trahissaient. Va dans un endroit où nous ne risquons pas de nous croiser, ou plus exactement, où tu ne risques pas de tomber sur Kit.

Daisy souffla un nuage de fumée et pianota sur son étui à cigarettes :

— Je sais que je me répète, mais je n'avais pas idée que tu étais si dure.

— Pas dure. Jamais dure.

Le thé arriva et la serveuse en falbalas passa plusieurs minutes à tout arranger à son idée, ce qui leur donna le temps de réfléchir. Daisy fumait furieusement.

— Admettons que je parte vraiment, Matty. Qu'est-ce que cela donnera ?

— Une chance à Kit de se remettre de toi... Une chance à nous tous, en fait. Toi, Kit, moi, et le bébé.

Elle avait essayé en vain de dissimuler son allégresse.

— Un bébé ! s'exclama Daisy en versant du thé. Voilà qui ne me laisse pas le choix.

Elle but une gorgée et se brûla les lèvres.

— Je te déteste, Matty, continua-t-elle sur le ton de la conversation, les yeux humides. Je te déteste.

— Pourquoi m'as-tu toujours détestée ?

Daisy fouilla dans sa mémoire :

— Je ne t'ai pas toujours détestée. Mais tu nous agaces, Marcus et moi, depuis le début.

— Mais pourquoi ? Je n'ai rien fait

— Précisément. Tu n'as jamais rien fait. Tu t'es laissée tomber lourdement dans notre nid comme un coucou et tout a changé parce que tu étais un coucou en pleine mue et toujours malade. Il fallait en permanence marcher sur la pointe des pieds, ça nous rendait fous, Marcus et moi. Ton argent aussi, constituait un problème. As-tu jamais envisagé ce que c'était que de recevoir la charité? Marcus et moi étions reconnaissants des jolies choses que nous avions grâce à ce que nous versaient tes tuteurs, mais ça nous restait quand même au fond de la gorge.

Daisy alluma une autre cigarette.

— Pour être honnête, Matty, je suppose que cet argent n'était pas ta faute, mais tu dois bien comprendre que cela ne facilitait pas les choses. Peut-être si tu avais eu une autre personnalité, alors toute cette générosité aurait-elle été sans importance. Mais tu n'as jamais montré la moindre émotion, à part de la terreur, et cela avait le don de nous taper sur les nerfs. Tu ne nous as jamais soutenus. Tu ne nous as jamais témoigné le moindre signe d'affection.

Matty n'avait jamais considéré les choses sous cet angle et elle en digéra les implications en silence. Elle cria intérieurement : vous non plus ne m'avez jamais montré la moindre affection.

— Après quoi, enchaîna Daisy dont l'expression se durcit, tu t'es vendue à Kit. Au début je me demandais si c'était pour me vexer ou si tu souhaitais réellement le sortir de l'impasse. Je n'ai pas encore décodé, d'ailleurs, ajouta-t-elle les yeux sur son assiette.

— Prends un scone.

Daisy regarda sa cousine en coin et, à la surprise de Matty, se mit à ricaner :

— Je te déteste peut-être, Matty, mais tu es parfois très précieuse, il faut le reconnaître.

Matty lui tendit l'assiette.

— Tu dois t'éloigner aussi longtemps que possible, réitéra-t-elle tandis que Daisy émiettait le scone. Autrement, ni Kit ni toi n'aurez jamais le temps de vous remettre, et comme nous sommes appelés à nous voir souvent, ce serait la meilleure solution.

— Seigneur Dieu, on dirait qu'il te pousse enfin des crocs !

— Naturellement, Kit pourrait divorcer d'avec moi, auquel cas ce serait différent.

— Non, il ne le fera pas, objecta Daisy en repoussant son assiette. Les Dysart ne divorcent pas. Sans compter qu'il a besoin de ton argent.

— Daisy, écoute-moi, je t'en prie.

— Quel est le prix? Es-tu en train de m'acheter? Tu achètes toujours tout, Matty.

— Il n'y a pas de prix. Tu dois partir, c'est tout.

Daisy jaugea Matty de ses yeux clairs et ses lèvres rouges se fermèrent à des sentiments qui n'avaient pas place chez Gunther. Pour rien au monde elle ne montrerait à Matty à quel point elle lui faisait mal.

La tête légère d'avoir eu tant d'audace, Matty but un peu de thé et attendit. Daisy était rarement malveillante, et Matty ne doutait pas que, toute passionnée qu'elle fût, elle en arriverait à la bonne conclusion. Daisy mit son menton dans ses mains et s'absorba dans son étui à cigarettes, le bord de son chapeau cachant presque son visage. Pour la millième fois, Matty fut éblouie par la mystérieuse beauté de Daisy et comprit pourquoi Kit en était épris.

— Je te rends justice d'avoir tout essayé, dit Daisy en fourrant ses affaires dans son sac puis en tirant sur ses gants. Je vais réfléchir.

— La note est pour moi.

Daisy fronça les sourcils et baissa sa garde une fraction de seconde :

— Je m'en serais doutée. Bon sang, ça te ressemble tellement. Néanmoins, je vais régler cette fois, exceptionnellement.

Elle fit signe à la serveuse et attendit qu'elle présentât la note dans un étui. Matty enfila ses gants par-dessus la bague de fiançailles de la famille Dysart — rubis cœur de pigeon, de la plus belle eau : elle en avait fait cette description mentale lorsque Kit la lui avait offerte — et ajusta sa veste sur ses épaules. Daisy prit ses paquets.

— Je vais m'arranger pour partir après Ascot parce que tu as eu le courage de me le demander et à cause du bébé. A condition que je puisse manœuvrer maman.

— Merci, Daisy.

Daisy s'arrêta un instant avant de se lever de la banquette de panne :

— Ne crois pas pour autant que cela va résoudre quoi que ce soit, Matty. Je suis navrée d'être brutale, mais je te le répète, des milliers de kilomètres ne m'empêcheront jamais d'aimer Kit, ni Kit de m'aimer, d'ailleurs.

Elle laissa Matty fixer du regard les miettes, les serviettes froissées, les mégots de cigarettes tachés de rouge à lèvres, et se demander qui avait l'avantage.

Le journal de l'après-midi donnait plusieurs informations. Primo : la probabilité que la Grande-Bretagne compte aujourd'hui deux millions six cent mille chômeurs. Secundo : Après le traité d'alliance et d'amitié avec la Pologne, l'URSS envisageait de signer un traité de neutralité avec l'Afghanistan. D'autres nouvelles, moins troublantes, concernaient la possibilité que les socialistes emportent les élections générales en Espagne, et l'éventualité d'un nouveau totalisateur à Ascot.

Les articles sur la Russie exigeaient une lecture attentive et, tandis que le chauffeur roulait dans Knightsbridge, Matty, comme toujours fascinée par l'Est, se demandait si la Russie voulait dominer le monde et faire de tous des communistes.

Le premier avertissement — une vague de malaise dans le bas-ventre, léger mais manifeste — survint alors qu'on marquait l'ourlet, plus long, d'une jupe. Elle ferma les yeux et sut qu'elle avait défié le destin en se permettant une incursion au rayon layette.

Elle quitta sa jupe et un deuxième avertissement la vrilla entre les jambes et dans le ventre. Matty regarda la vendeuse et réprima l'envie de planter ses ongles dans les bras potelés qui se tendaient.

— Vous sentez-vous bien, madame ? demanda une voix.

Dans Matty, une graine fut arrachée par sa racine sanglante.

— Non. Non, je ne prendrai pas cette jupe.

Elle la rendit.

— Et celle-ci, madame ?

La fille en tendit une plus courte à la coupe astucieuse accrochée à un cintre capitonné. Son parfum lourd et bon marché donna la nausée à Matty. Ne sachant que faire d'autre, elle essaya la deuxième jupe. La vendeuse tapotait ses fesses et ses hanches. Cric, répondit quelque chose en Matty, et un caillot froid et dur se détacha. Matty vacilla et tendit une main.

— Excusez-moi, madame, insista la vendeuse en observant le visage livide de sa cliente, êtes-vous sûre que ça va ?

Mais Matty était loin. Elle se concentrait sur le démon en train d'arracher la chair des parois de son sein. Non! hurla-t-elle.

Non.

Après, elle ne distingua plus grand-chose. Elle entendit la vendeuse terrifiée dire :

— Chez Harrod's! C'est épouvantable. Appelez un médecin.

Il y eut une lumière floue, une piqûre d'aiguille dans son bras, et l'impression d'une main immense qui examinait son ventre. Le caillot grossit, plus lourd, plus exténuant, puis rien.

Plus tard, c'était la nuit. Matty le devina parce que la lampe électrique était allumée dans un coin. Quelqu'un était assis à côté de la lampe, et chaque fois qu'il bougeait, un carré de lin dansait au-dessus d'un uniforme bleu. Matty avait une grande compresse de coton doux entre les jambes et son bras lui faisait mal à l'endroit de l'injection. Elle avait soif et voulut prendre le verre d'eau près du lit. L'infirmière, pleine de sollicitude, s'approcha et aida Matty à boire avant de la border et de lui dire de se rendormir.

Quand elle s'éveilla véritablement, il faisait jour. La chambre de Bryanston Court était baignée de soleil en cette fin de matinée. Allongée, Matty le regarda filtrer entre ses cils et observa le changement en bougeant ses yeux çà et là. Cela signifiait qu'elle n'avait pas à réfléchir.

— Ma pauvre vieille, dit Flora debout près du lit. Je suis tellement désolée.

Matty leva les yeux sur sa belle-sœur. La couronne de cheveux de Flora semblait plus somptueuse que de coutume et Matty était assez faible pour l'envier :

— Moi aussi.

— Kit est dans tous ses états, ajouta Flora en tirant une chaise avant de s'écrouler dessus. Pourquoi n'avoir rien dit?

— Kit était au courant.

— Oh, fit Flora, toujours pas habituée au fait que les époux avaient leurs secrets. Il se sent extrêmement responsable.

— Il a tort. Ce n'est pas sa faute.

Flora examina le visage sur l'oreiller et se dit qu'au contraire, tout était la faute de Kit. S'il s'était comporté autrement, ou au moins plus discrètement au bal de lady Londonderry, Matty n'aurait pas été aussi traumatisée. L'amour était bien compliqué, conclut Flora, il y entrait des éléments étranges comme la synchronisation et la chance.

Matty prit sur elle-même :

— Comment était-ce au nightclub ?

— Nous nous sommes bien amusés.

— Et Marcus ?

Flora fit une grimace :

— En fait... en fait il a encore voulu m'embrasser.

Matty tenta de sourire.

— Cela devient une habitude, non ? Vous savez ce qui arrive aux femmes légères ?

Flora eut un rire incertain : elle ne savait trop où se situait la ligne de partage entre ce qui est léger et ce qui est tolérable.

— Je ferai attention, Matty, promit-elle en rosissant imperceptiblement. Mais vous n'avez sûrement aucune envie de parler de cabarets. Que puis-je faire pour vous aider ?

— Demander quelque chose à Kit de ma part. Est-ce possible ?

— Bien sûr, voyons.

— Je veux rentrer à la maison. Voulez-vous lui demander de m'emmener ?

Quatre jours plus tard, Matty s'éveilla sous une lumière égayée du chant des oiseaux : ce n'étaient pas les mêmes chants qu'à l'arrivée du printemps, et voilà qu'ils changeaient de nouveau avec l'été.

Matty se redressa sur son lit et sentit le mal de tête lui marteler les tempes. La pendulette de la table de chevet n'indiquait que 5 h 30. Son tic-tac était agressif : Regarde-toi. Tic. Angoissée. Tac. Pleurnicharde. Tic. Apeurée. Tac.

Oui, se dit-elle, je suis tout cela. Alors elle s'obligea à refouler le gris qui s'infiltrait dans ses défenses.

— Eh bien, Mrs. Dysart, dit le Dr Hurley, qui avait abandonné la magnificence de son cabinet de Harley Street pour se rendre à Bryanston Court avant leur départ pour la campagne. Qu'avons-nous donc fait ?

— Rien, répondit Matty plutôt sèchement.

Interloqué, le Dr Hurley observa sa patiente, d'ordinaire si timide, et sortit son calepin :

— Il est tout à fait naturel d'être en colère, Mrs. Dysart. Bien, dites-moi ce qui s'est passé, ajouta-t-il en prenant son pouls.

Revivre les événements en détail ne les améliorait en rien. Matty expliqua le retard, les seins douloureux, les nausées et demanda :

— J'étais bien enceinte, n'est-ce pas, docteur ?

Il poussa son stylo-plume sur son carnet :

— Pour être honnête, Mrs. Dysart, compte tenu de votre constitution et de votre dossier médical, j'en serais surpris.

Matty le regarda intensément et le médecin changea discrètement d'approche :

— Mais naturellement, on voit d'étranges choses.

Elle trembla en voyant son regard inexpressif :

— Et la prochaine fois ?

Le gynécologue afficha cette expression de compassion toute professionnelle qui le tirait des plus fâcheuses situations :

— Mrs. Dysart, je suis quasi certain qu'il n'y aura pas d'autre fois. Vos maladies, certaines irrégularités... nous avons évoqué tout cela bien des fois et vous connaissez mon point de vue.

— Jamais, docteur ?

Il s'affaira avec son stylo-plume :

— Jamais est un mot bien dur. Mais songez que vous avez beaucoup de chances comparée à d'autres. Vous avez d'autres choses pour vous tenir occupée.

La pendulette tiquetait dans son cadran d'écaille :

— D'autres choses ?

Des chapeaux inclinés sur l'œil, des bijoux et, en tant que Mrs. Christopher Dysart, des fêtes d'été à inaugurer. Oui, il y avait la maison : rideaux aux fenêtres, argenterie à compter, repas à ordonnancer. Oui. Comme il était bon de voir les meubles briller, de respirer les pots-pourris dans les pièces et de se régaler des volets repeints.

Mais cela ne suffisait pas à remplir une vie, ou à se remplir l'esprit, ou ce trou creusé par son corps traître.

— Au revoir, docteur.

Il partit.

Tout lui faisait mal — respirer, parler, s'habiller, réfléchir, se souvenir. Matty examina la fissure sournoise du plafond au-dessus de son lit et l'imagina s'agrandir, devenir gigantesque et l'inviter à s'y perdre. Au-dessous, était suspendue une toile représentant une femme vêtue d'un pantalon à rayures blues. Elle était d'une artiste appelée Suzanne Valadon (« Seigneur Jésus, s'était écrié Kit en la voyant, je ne m'habituerai jamais à tes goûts en matière de peinture ! ») Matty se concentra sur la cigarette qui pendait des lèvres de la femme et se sentit mieux.

Elle s'extirpa du lit, un pied après l'autre, puis se dirigea vers sa salle de bains. Soutien-gorge, culotte, jupon bordé de dentelle de Nottingham. Essaie d'oublier cette douleur dans le ventre. Concentre-toi. Bas. Petite chemise de coton, chemisier. Concentre-toi. Noue tes lacets. Coup d'œil au miroir. Un peu d'eau-de-rose, un rapide coup de brosse. Sortir de la chambre, descendre l'escalier, se retrouver sous le soleil.

Il faisait déjà chaud. Matty ôta son cardigan qu'elle abandonna sur la balustrade de pierre et se dirigea en bas des marches qui sentaient le thym. Sous le hêtre, la mousse émeraude offrait un contraste aigu avec le brun du tronc. Matty s'arrêta pour regarder et, attirée malgré elle, poursuivit son chemin.

Une fois au hallier, elle hésita, avança, puis, décidée, se dirigea vers le jardin dont la vie cachée l'attendait. Elle fit une halte en haut de la pente. La lumière filtrait à travers un lacis de feuilles, une palombe appela d'un bouleau argenté, son compagnon répondit. Blottie dans les broussailles, la statue émergeait, couverte de mousse vert-jaune, tandis que les plantes étouffées du massif étaient trempées d'humidité. Son regard fut attiré par une tache rose au milieu du vert, Matty descendit la pente et s'agenouilla sur la terre mouillée.

Etouffée par les mauvaises herbes, toute en longueur, pas taillée, une rose « Naissance de Vénus » surgissait, sa fleur rose sucre, son feuillage vert grisâtre. Uniquement pour se faire plaisir, songea Matty, aimant déjà cette fleur indépendante. Elle suivit le dessin de ses pétales en coupe piquetés. Plus bas, un gros bouton attendait de s'épanouir. Matty passa une main sur son propre corps : poitrine plate, ventre vide, cuisses creuses. Par-dessus tout — par-dessus tout au monde — elle voulait sentir un corps d'enfant contre le sien. Pourtant, cela lui était refusé, vide, affamée, peinée qu'elle était.

Qu'allait-elle faire de sa vie?

Après plusieurs minutes, elle brossa ses genoux, se frotta les mains avec son mouchoir et leva les yeux sur les clématites qui couraient sur le mur de brique. Seulement brisé par le bruissement des feuilles et des ailes d'oiseaux, le silence la défiait de bouger, de rompre l'instant. Aussi demeura-t-elle immobile. Puis, avec une légèreté tendre et infinie, le soleil se posa sur sa peau lasse et réchauffa son courage.

Et du chagrin de Matty jaillit un moment d'exultation et la conviction qu'enfin elle avait trouvé sa place. Elle était le jardin, le jardin était Matty et ils étaient vivants, l'un et l'autre. Matty avait en un sens erré jusqu'ici en trébuchant sur une route inconnue et atteint enfin une étape.

Cela ne dura que quelques secondes, mais ce fut suffisant.

Deux jours après, se sentant plus vigoureuse, vêtue d'une chemise et d'un pantalon de lin, Matty retourna au jardin munie d'une fourche et d'un transplantoir.Elle ôta sa veste, la posa sur la statue, regarda autour d'elle et entreprit de creuser la plate-bande au pied du mur.

Matty manquait de force pour cette terre bien dure. Au bout de cinq minutes, elle était à bout de souffle. Au bout de dix, elle avait mal aux dos et ses mains étaient en sueur — mais elle avait réussi à creuser. Imitant la pose favorite de Ned, Matty s'appuya sur sa fourche pour respirer un peu. Elle regarda les insectes et les vers de terre s'enfouir à nouveau.

Elle se remit au travail mais tomba sur un nœud de racines qui refusa de céder. Matty balança la fourche comme elle put et son pied glissa sur les dents. Le manche lui revint violemment dans le ventre.

— Zut et zut!

Sous le choc, furieuse comme une enfant de se voir abandonnée par sa propre faiblesse, elle s'arrêta, sans se douter qu'elle vivait là un des premiers contre-temps des jardiniers débutants. Elle passa son bras sur son visage en sueur et réprima l'envie d'éclater en sanglots. Pas cette fois, ma fille. Tu pleurniches uniquement parce que tu es encore faible.

Ne te laisse pas abattre.

Pas question.

Matty s'agenouilla sur un morceau de toile qu'elle avait eu la présence d'esprit d'apporter et se bagarra avec les racines et l'herbe. D'abord gênée par la saleté sur ses mains, elle les essuyait constamment; mais, au bout d'un moment, elle découvrit que peu lui importait la terre collée sous ses ongles. Elle finit même par aimer cette sensation, tout comme elle se mit à aimer l'odeur de terre mouillée, de terreau et de plantes pourrissantes.

Quel gâchis! pensa Matty qui avait horreur de cela, en jetant sur le tas d'ordures un bulbe dévoré par les limaces. Quel gâchis!

Poursuivant son travail, elle tomba sur une autre racine récalcitrante. Une partie éclata, dévoilant de sa chair blanche. Matty enfonça ses doigts dans la terre autour et saisit le reste de la racine fibreuse. Elle tira de toutes ses forces et tomba en arrière quand elle céda. Elle était triomphante.

Au bout de deux heures, elle avait réussi à nettoyer près d'un mètre carré et se sentait comme les premiers colons d'Afrique. Après sa longue incarcération, la terre paraissait sans vie. Se demandant si elle ne s'était pas montrée trop enthousiaste et trop peu sélective dans ce qu'elle avait jeté, Matty tria dans les rejets suspects pour demander à Ned ce que c'était. Il n'approuverait pas, mais elle avait le sentiment qu'elle saurait le persuader de coopérer.

Cette nuit-là, elle dormit d'un trait. Et elle s'éveilla à sept heures du matin, affamée.

Le jardin était le secret de Matty. Comme tous les secrets, il n'avait que plus de prix d'être conservé et retourné en tous sens dans son esprit. De vieillir comme tous les bons vins. Le plan de Matty était simple : ramener le jardin à la vie. Le nettoyer. Le replanter. Le regarder pousser. Alors, alors seulement, elle le montrerait à Kit et, après lui avoir prouvé ce dont elle était capable, lui redemanderait de prendre en charge l'ensemble du jardin.

Oh, oui! Des années à planifier, planter, observer, redessiner s'étendaient devant elle. Des années fort occupées, songea-t-elle avec soulagement.

Depuis la fausse couche, Kit allait scrupuleusement dire bonsoir à Matty dans sa chambre, mais il devait maintenant retourner à Londres avec Flora qu'il allait confier à lady Foxton (« Ce sacrifice humain est-il indispensable? demanda Flora, pleine d'amertume. Aimes-tu entendre hurler tes victimes? »)

— Il n'y a pas d'autre solution, fit remarquer Matty à Kit. Robbie doit veiller sur ton père et il n'est pas question que Flora manque la fin de la Saison par ma faute.

— Non.

— Je crois que tu devrais prolonger ton séjour à Londres autant que possible afin de la soutenir.

— Eh bien, soit! Je te sais gré de te montrer aussi compréhensive.

Ni l'un ni l'autre ne fit la moindre allusion à Daisy. Kit se pencha pour l'embrasser sur la joue et glissa soudain la main autour de ses épaules :

— Je suis désolé que tu sois si déçue et si triste, mais tout va s'arranger.

Après son départ, Matty ne se sentit pas aussi vide que d'ordinaire. Elle s'empara d'un des livres de jardinage de miss Jekyll.

« S'il est une leçon que j'ai apprise et souhaite enseigner aux autres, c'est à connaître le bonheur durable que procure l'amour d'un jardin. »

Parfait, se dit Matty en marquant l'endroit. Voilà qui ne me ferait pas de mal.

A côté de l'ouvrage de miss Jekyll, étaient posés des livres de Mr. Bowles — *Mon jardin au printemps* et *Mon jardin en été* — pleins d'humour et d'arrangements artistiques. Empilés à côté, *La Rocaille anglaise* de Mr. Farrer et *Le Jardin de fleurs anglais* de Mr. Robinson, ainsi qu'un article de la romancière Vita Sackville-West publié dans l'*Evening Standard*, dont Matty appréciait le mélange de poésie et de conseils pratiques.

Matty s'aperçut qu'elle devait élargir le champ de son ambition : nettoyer la terre était bien joli, mais il fallait un plan pour que cela eût un sens. Sur un bout de papier, elle dessina la forme du jardin : les côtés sud et ouest délimités par le mur, le côté est par l'allée de bouleaux et le nord par les broussailles.

« Clématites », inscrivit-elle. Puis elle dessina une flèche en direction du mur ouest. Quelles clématites ? Le livre indiquait que les clématites fleurissaient soit au début de l'été soit au début de l'automne et qu'elles se plaisaient en terrain calcaire. « Roses ». Matty en voulait le plus possible. Des « Naissance de Vénus », évidemment. Les rosiers jacobéens qu'elle avait vus sur un tableau. « Cuisse de nymphe ». « Duchesse de Montebello ».

Puis : « *Salvia Patens* » pour planter sous les rosiers. Delphiniums et digitales blanches le long du mur. Quelques plants aux feuilles argentées sur le devant ? Plus un nuage (merci de l'idée, miss Jekyll) d'orpin rose pour l'automne. Après cela, elle griffonna « *trillium grandiflorum* (les trilles aiment les zones mi-ombragées), joyeusement inconsciente de la difficulté qu'on avait à les faire pousser, saxifrage ?, de la santoline (indispensable), éphémère de Virginie (bleue ou blanche ?) »

Des ronds et des flèches jaillissaient de tous les coins du croquis et la liste s'allongeait.

— Mrs. Kit, dit Ned un jour qu'il avait succombé à une paire d'yeux suppliants quémandant une brouette supplémentaire, du compost, un cours sur les plantations, des achats à la pépinière la plus proche, non sans exiger le secret. Mrs. Kit, qu'est-ce que vous me demandez là ?

— J'aimerais que vous m'aidiez. Vous connaissez le bout de jardin où personne ne va ?

— Oui, Mrs. Kit, répondit Ned, imperturbable..

» Vous n'allez pas vous embêter avec ça, Mrs. Kit ! dit-il au bout d'un moment. C'est pas le meilleur endroit. Le sol est mauvais... Il fait ça, quelquefois.

— S'il vous plaît, Mr. Sheppey.

Elle attendit. Il parut lutter contre le désir de parler, puis l'habitude d'obéir aux ordres l'emporta :

— Si c'est ça que vous me dites de faire. Mais ça me plaît pas, Mrs. Kit, ça me plaît pas !

Matty sortit son plan. Ned scruta attentivement les hiéroglyphes puis s'essuya la bouche avec son mouchoir :

— Vous n'avez pas mesuré le jardin. Et vous n'avez pas non plus laissé les plantes pousser. C'est par là qu'il faut commencer avant de faire le reste.

Matty soupira :

— Mais je n'ai pas commencé, Mr. Sheppey.

Il sourit, ravi de sa petite victoire :

— C'est pas grave, Mrs. Kit. Vous pouvez tout refaire.

— Cela sera-t-il long d'obtenir les plants, Mr. Sheppey? J'aimerais vous accompagner.

— Ça dépend. Il n'y a qu'une pépinière dans le coin et ils n'ont pas tout. Il va falloir se renseigner ailleurs pour les graines et les boutures.

Chaque jour, Matty allait au jardin. La première fois qu'elle se mit au travail, elle trouva quasi impossible de soulever la brouette. Au bout d'une quinzaine de jours, elle la roulait à demi chargée sans la moindre difficulté.

— Marquez la zone à creuser, Mrs. Kit, conseilla Ned lors d'un de leurs conciliabules quotidiens.

Ce qu'elle fit.

— Enfoncez la fourche bien droit. Servez-vous des dents pour faire levier, pas de votre dos.

Ce qu'elle fit.

— Affûtez la lame avec une pierre. Choisissez une belle journée. Creusez bien droit, bien net, de la profondeur de la bêche, Mrs. Kit, que ça fasse une tranchée. Secouez légèrement la bêche au fond pour dégager la sous-couche.

Le sol se retournait, révélant ses gris et bruns secrets : ainsi ma vie se retournera-t-elle. Matty sentait la sueur coller sur son chemisier.

Puis elle s'en prit à la deuxième rangée, déposa la terre dans la première et mélangea avec des pelletées de compost : Allez et multipliez-vous. Le dos en compote, les ongles déchiquetés, l'odeur de terre retournée, les mains râpeuses : sensations inhabituelles devenues familières, partie d'un répertoire qu'elle gardait pour elle.

A la fin, devant l'immensité de la tâche, Ned vint à son aide et, côte à côte, ils nettoyèrent et brûlèrent les débris. Matty était impatiente de voir son jardin, elle harcelait Ned, qui lui répétait à l'envi qu'il fallait du temps avant que ça fleurisse, sans parler de la préparation avant de planter.

— Et les bulbes de lys envoyés par Mrs. Pengeally? Ne peut-on au moins planter cela? Dans un pot, peut-être?

— Il faut savoir ce qu'on fait avec les lys, Mrs. Kit.

— Mais vous le savez, vous, Mr. Sheppey, et vous pouvez m'apprendre.

— Fumés en surface et tutorisés.

— Fumés en surface?

Matty se sentait comme l'Echo de la mythologie grecque.

— Fumier, blocaille de lime et terreau en parts égales.

L'année prochaine, se dit Matty, qui se régalait à cette idée, j'aurai davantage de roses, davantage de lys. Des centaines et des centaines.

7

— Je ne vais pas attendre toute ma vie, vous savez.

Tim Coats se serra contre Daisy et, comme ils étaient coincés dans la foule qui se dirigeait vers l'enceinte réservée à la famille royale, personne ne remarqua que sa main caressait ses fesses. Il se pencha et murmura :

— Allez Daisy, donnez-moi une réponse digne de ce nom.

Daisy sourit. Tim était grand, sombre et cultivé, et elle l'aimait bien. Mais pas suffisamment. Il s'était montré étonnamment fidèle, compte tenu de sa réputation et de la façon dont elle l'avait provoqué.

— Au pied, Rover, dit-elle, et elle repoussa sa main gantée de chevreau. Méchant garçon.

— Pourquoi, nom d'un chien?

Les cils de Daisy dissimulèrent l'expression de ses yeux :

— Parce que.

Tim l'observa, conscient du désir de lui tordre le cou. Peut-être qu'une fois qu'il aurait eu le plaisir d'entendre les os craquer lui dirait-elle ce qui lui traversait la tête au lieu de le tenir — avec une incontestable habileté mais tout de même — comme un lion en cage.

— Ce serait chouette, insista-t-il. Songez-y, Daisy. Je veux me ranger. Vous aussi. Nous avons les mêmes goûts et, si vous aviez envie d'aventures, je ne vous en voudrais pas.

— Et si vous aviez envie d'aventures?

— La chose s'applique également. Nous nous comprenons.

Sur quoi Daisy regarda Tim — une fois encore il examina l'arrangement de ses traits et le jeu des couleurs sur son visage exquis.

— Comment le savez-vous, Tim? Que nous nous comprenons, veux-je dire.

— Pour l'amour du ciel, Daisy! J'abandonne.

Elle sourit et détourna la tête.

Curieusement, il n'avait pas plu depuis trois semaines et, dans un effort pour réparer les dégâts, on avait déversé des millions de litres d'eau sur le terrain de courses d'Ascot. Il en résultait un ruban vert qui tourbillonnait près de la zone poussiéreuse des tribunes. Mais, selon la pure tradition anglaise, le temps menaçait maintenant de compenser la sécheresse. Un nuage noir s'attardait au-dessus de la piste et la température avait chuté. Daisy frissonna :

— J'ai froid.

Pour une fois, Tim ne dit pas : Laissez-moi vous réchauffer.

— Pourvu que le temps tienne. Ce serait trop catastrophique, remarqua Susan qui, d'une élégance vipérine dans sa robe de soie, regrettait sa fourrure. Pour l'amour du ciel, Daisy, fais bonne figure. Tu n'as vraiment pas l'air de t'amuser.

— C'est inutile, maman, rétorqua Daisy en faisant un signe de la main à Francis Beauchamp. Tout va très bien. Vous me préféreriez avec un sourire de guenon?

Cette fois, Susan ne trouva aucune repartie appropriée. Elle se contenta de refermer violemment son sac :

— Nous avons organisé toutes ces sorties uniquement pour toi, encore que je me demande pourquoi.

Un sourcil levé accueillit cette information :

— Ne racontez pas d'histoires, maman. Tout cela vous amuse beaucoup plus que moi.

Susan fusilla sa fille du regard, ce qui seyait mal à l'occasion :

— Je te prie de faire un effort, Daisy. Tout le monde broie du noir à un moment ou à un autre... même moi... mais m'as-tu jamais vue me laisser aller? En ce monde, il ne sert à rien de se comporter comme une violette effarouchée.

— Maman. Ai-je jamais été une violette effarouchée?

— Non, à vrai dire, reconnut Susan de bonne grâce.

— Et qu'est-ce que cela m'a apporté de bon?

Sans être une mère née, Susan n'était pas dénuée de tout sentiment maternel, simplement, elle voyait le monde à son idée ; mais sa fille avait l'air si sombre qu'elle ne put s'empêcher d'éprouver une ou deux secondes de culpabilité.

— Si j'en crois mon expérience, reprit Daisy avec logique, les violettes effarouchées se débrouillent très bien.

Dans un brouhaha d'exclamations admiratives, de toiles claquant au vent et de crissements des cordes de tentes, l'enceinte royale se remplit. Au-dehors, on faisait évoluer les chevaux au pas devant les spectateurs. Les jambes arquées, ridés prématurément à cause de leurs régimes, transpirant de trac, les jockeys laissaient des empreintes de pas jusqu'au paddock. L'enceinte fut bientôt jonchée de crottin de cheval, des lanières de cuir passées au savon glycériné pendaient à des rubans, des mors cliquetaient contre les dents des chevaux, et les jockeys s'agrippaient à leur selle comme des berniques à marée basse.

C'est drôle comme les hommes ont l'air d'un troupeau de pingouins en chapeaux hauts de forme prêts à sauter dans la mer, songea Daisy. Les femmes en rose lui rappelaient ses pastilles contre la toux, celles en bleu, des jacinthes, et les audacieuses en blanc des échappées d'un film hollywoodien. Elle sortit ses jumelles et en balaya la tribune. Puis elle s'arrêta.

Grossi plusieurs fois, Kit jaillissait de la pénombre et se matérialisa dans le cercle défini par les lentilles. Soudain, Daisy, qui l'imaginait à des kilomètres, fut assez près pour distinguer sa veine jugulaire. Elle serra fortement ses jumelles.

Elle le suivit goulûment. L'assemblage de son visage — cheveux ingouvernables, lignes dessinées autour des yeux par le soleil, sourire en coin. Son air échevelé et son élégance inattendue. Il parlait avec Flora — on dirait un poireau vert, songea Daisy, hystérique — et la mâchoire de Kit se serra comme chaque fois qu'il se passionnait pour quelque chose. Daisy était à bout de nerfs et de désir.

Naturellement, naturellement qu'il devait être là. Pour une ou deux secondes, elle l'eut à portée de main. Puis l'image vacilla et disparut.

— Ma chérie, quel jockey semble vous plaire à ce point ? plaisanta Annabel Beauchamp perchée sur la pointe des pieds en glissant son bras sous celui de son amie.

— Aucun, Annabel, aucun. Je regardais les couleurs. L'aigue-marine semble être à la mode.

Daisy baissa ses jumelles et observa le carmin des lèvres minces mais aimables d'Annabel :

— Par exemple, avez-vous dévalisé la boîte de peinture ?

Son sourire neutralisa sa pique.

— Je l'ai emprunté. *Parce que* j'étais en retard et que j'ai dû emprunter le rouge de notre superviseur.

— Où étiez-vous ?

— Au comité Marie Stopes, répondit Annabel avec son charmant sourire. C'est la guerre entre Marie Stopes et l'Association nationale pour le contrôle des naissances qui s'accusent réciproquement de se couper l'herbe sous le pied. Je me suis retrouvée en punching-ball.

— Oh, Bel, s'écria Daisy avec passion. Vous êtes si bonne !

— Pourquoi ne pas faire partie du comité avec moi ? J'ai besoin d'alliés et Marie Stopes de volontaires.

— D'accord. Quand je rentrerai d'Amérique.

Elle regarda par-dessus l'enceinte royale du côté des tribunes où Kit avait disparu au milieu des couleurs chatoyantes.

— J'aime tout cela, Bel, pas vous ? Même si cela me rend parfois coupable.

Annabel tapota doucement le bras de Daisy.

— Allons, allons, fit-elle, habituée aux crises de culpabilité de son amie. Nous sommes riches, privilégiées et jolies. Que voulez-vous y faire ? Pleurer un bon coup ?

— Riches, privilégiées et joliment égoïstes, corrigea-t-elle en se tournant vers Annabel, le visage à nouveau éclairé. Et délicieusement gaies un jour comme celui-là. Mais je vais me joindre à votre comité dès mon retour.

Plus tard, Tim Coats se fraya un chemin entre les chapeaux jusqu'à la coiffure blanche de Daisy :

— Je suis sûr que le champagne vous a ramenée à la raison, dit-il en lui soulevant le menton du doigt.

— Si par raison vous entendez que je dois céder à tous vos désirs, alors il faut augmenter la dose, rétorqua Daisy en tendant sa coupe.

Tim la servit. Daisy but d'un trait.

— J'ai dit aux Fellow de se joindre à nous ce soir.

— Excellente idée, fit Daisy en tendant sa coupe.

— Par tous les diables, fit une voix d'homme au-dessus du brouhaha. Voici Daisy Chudleigh, fleur surpassant toutes les fleurs.

Tim s'assombrit de façon perceptible tandis que Daisy saluait le jeune homme à l'allure spectaculaire.

— Je parcourais le monde à votre recherche, ma chère. Maintenant que vous voici, je tiens absolument à vous avoir à mon côté pour la prochaine course. Cela ne vous ennuie pas, Tim, mon vieux, j'espère?

— En fait, si, Latham, cela m'ennuie.

— Daisy, je vous implore. Laissez-nous, mon vieux, ajouta-t-il en levant un doigt vers Tim, c'est ce que vous avez de mieux à faire.

Le regard de Daisy passa d'un homme à l'autre. C'était là une situation qu'elle comprenait parfaitement. L'image de Kit s'effaça et, pour l'instant, les sentiments désespérés et non maîtrisés.

— D'accord, avait-elle dit plus tard à Tim, je vous donnerai ma réponse définitive à mon retour d'Amérique..

— Pourquoi pas maintenant, sacré nom? avait-il argué.

— Parce que, Tim...

Les mains de Tim avaient enserré son cou.

— Alors hâtez-vous de vous décider, Daisy. Oubliez cet imbécile et commencez à vivre.

— Que faites-vous de l'amour? avait-elle demandé.

— Ce que j'en fais? Vous savez que je vous aime.

Oui, et l'amour? Daisy était allongée dans son lit, songeant à Kit et elle marchant sur le chemin qui menait de la Villa Lafayette jusqu'en haut de la falaise. Ils discutaient de l'amour. Kit évoquait avec exaltation le *Banquet* de Platon qui faisait la distinction entre l'amour romantique et l'amour sacré, ce dernier étant le plus parfait, le plus raffiné. Daisy n'était pas d'accord. Quand on aime, on aime. Ce n'est pas une question de quantité. Une chose ou l'autre. Plus ou moins parfait. L'amour est total, entier et on ne gagne rien à le tourmenter.

Kit s'était tu. Il se tenait debout, la chaleur cognait sous sa peau, il jetait des cailloux en contrebas.

— Je ne crois pas que vous compreniez, dit-il.

— Si vous voulez dire que je ne comprends pas votre raseur de Grec, vous avez sans doute raison.

Il rit et l'attira contre lui :

— Vous êtes parfaite, et divine.

Pourtant, cette distinction l'avait troublée, car elle avait eu peur que Kit n'eût honte de sa passion pour elle. Dans l'obscurité, Daisy avait serré les poings et senti ses ongles dans ses paumes. Où cela l'avait-il laissée ?

Elle s'éveilla d'un cauchemar, en sanglots, le souffle court. Elle se calma peu à peu et resta allongée, en larmes, les mains douloureuses.

Oh, Kit !

8

Robbie laissa courir son doigt sur l'encadrement de la carte murale couverte de poussière.

— N'y touchez pas, dit Rupert depuis son lit.

— Sir Rupert, vous me connaissez, pourtant !

Robbie attendit qu'il se fût replongé dans la lecture de son journal pour passer de nouveau le doigt le long du cadre. Elle s'essuya ensuite à son mouchoir. C'était toujours la même chose : personne n'avait le droit de toucher aux objets accrochés au mur. Mais Robbie ne s'en tracassait pas outre mesure : cela faisait partie intégrante de ce vieux fou de sir Rupert qu'elle adorait. La nuit, elle réfléchissait à toutes ces bizarreries — il aime ceci, il déteste cela — jusqu'à tomber de sommeil.

Elle entreprit ensuite de ranger le bazar accumulé dans la chambre — autrefois spartiate — du malade. Flacons, verres, couvertures supplémentaires. Un tas de lettres. Une pile de factures apportées par Kit, et oubliées.

Elle s'empara de la cuiller avec laquelle elle avait administré la potion de Rupert : son reflet déformé lui apparut, et elle frissonna d'excitation à l'idée de poser ses lèvres à l'endroit où il avait posé les siennes. Réprimant in extremis l'envie de porter la cuiller à sa bouche, elle la posa sur le plateau du petit déjeuner.

— Vous n'avez pas mangé votre porridge, sir Rupert.

Rupert ne prit pas la peine de répondre, ce qui contraria vivement Robbie. Il était calme, ce matin, trop calme à vrai dire. Robbie s'éclaircit la gorge — préface à une de ses conversations tâchons-de-voir-le-bon-côté-des-choses-et-oublions-les-sujets-désagréables. Reconnaissant le signal, Rupert ferma les yeux.

— Le village est sens dessus dessous à l'idée qu'ils vont nous mettre des câbles électriques au-dessus de la tête, sir Rupert. L'idée ne plaît pas. Si on ajoute les fils du téléphone, le village sera une vraie forêt de poteaux.

— Si vous voulez de l'électricité, il faudra bien vous habituer, rétorqua-t-il, hors de lui.

La porte grinça. Flora entra. Soulagé, Rupert rouvrit les yeux.

— Ah, Flora, fit-il d'un ton qui la vrilla au creux de l'estomac. Fini de courir le guilledou ? Vous trouvez enfin le temps, au milieu de toutes vos réceptions, d'accorder une minute à votre père sur le flanc ? C'est cela ?

— Voyons, sir Rupert, intervint Robbie qui s'affairait au milieu des flacons, ne soyez pas méchant avec Flora.

— Père, c'est vous qui avez exigé tout cela, c'est vous qui voulez me marier.

Pour la énième fois, Rupert essaya en vain de remuer sa jambe.

— Où est passée la femme Binns, ce matin ? L'auriez-vous renvoyée, par hasard ? demanda-t-il à Robbie avec un regard malicieux.

— Ne comptez pas sur moi pour répondre, sir Rupert.

Rupert grinça des dents et Flora eut bien du mal à ne pas éclater de rire. C'était toujours ainsi qu'elle réagissait au sort de son malheureux père — réaction qui la choquait et l'inquiétait tout à la fois. Robbie fit discrètement signe à Flora d'y aller prudemment, le malade était susceptible, aujourd'hui.

Flora prit place sur une chaise près du lit :

— Qu'aimeriez-vous savoir, père ?

— Vous êtes-vous bien comportée ?

— Naturellement.

— Des partis convenables ?

Flora réprima un soupir :

— Rien que des boutonneux, et les autres ne se bousculent pas vraiment.

Rupert tenta d'attraper sa tasse de thé. Flora se releva pour l'aider à boire. Autour des doigts de son père, la peau était sèche et Flora eut envie de lâcher la tasse et de se sauver. Il bava un peu et elle lui essuya le menton avec un carré de mousseline disposé sur le lit à cet effet.

— Ainsi vous voilà de retour, répéta-t-il avec cette confusion mentale fréquente chez les invalides.

— J'ai besoin de repos, père.

— Exactement comme... exactement comme votre mère.

Les mots prirent Flora par surprise. Le thé se répandit sur le pyjama de Rupert.

— Aucune vitalité, reprit-il en observant la tache. Jamais eu. Aucune loyauté non plus. Pas la moindre idée... de ce qu'elle...

— Relevez le menton, sir Rupert. En avant, marche !

Dans un relent d'amidon et de désinfectant, Robbie s'avança d'un bond, prit la tasse des mains de Flora et fit boire ce qui restait de thé à sir Rupert.

— Ouvrez la bouche et avalez ça.

Cloué sur place, désarmé, Rupert soupira de désespoir. Robbie lui tapota la main un peu plus que de raison :

— Ça va aller, sir Rupert. Mais fi de cette conversation qui ne vous vaut rien de bon.

Elle se dirigea vers la porte, un sourire satisfait aux lèvres.

— Flora. Rendez-moi un service. Demandez à votre frère d'abattre cette femme et de l'empailler.

— Père !

— A bien y réfléchir, inutile de l'empailler.

— Père... dites-moi, commença-t-elle, surprise d'avoir avec son père une conversation d'adultes. Est-ce que Robbie vous rend fou ? Si c'est le cas, je pourrais peut-être l'envoyer à Polly.

L'humeur de Rupert vira brusquement :

— Cela n'a plus d'importance.

Il y avait trop d'années de distance entre père et fille pour que Flora lui demandât ce qu'il voulait dire.

Gémissant légèrement, il voulut se redresser. Flora

arrangea les oreillers. Elle s'aperçut qu'il n'était pas commode de s'occuper d'un invalide — ce poids mort, ce déséquilibre. Depuis l'accident, Rupert avait fondu et sa peau pendait sur ses pommettes et sa mâchoire à la façon des malades chroniques. Ses tissus desquamaient au coin de la bouche et sur les paupières, signe de déclin qui éveillait chez Flora de la pitié et du dégoût. Cependant, elle savait qu'elle pouvait franchir cette distance et avancer vers lui. Avec audace, elle prit la main de Rupert dans la sienne.

— Ne vous extasiez pas devant moi, j'ai horreur de cela, avertit-il.

— Puisque vous évoquez mère, pouvons-nous en parler? demanda-t-elle avec un effort manifeste.

Rupert lâcha la main de sa fille. Il ne savait pas pourquoi il avait fait allusion à Hesther, mais les souvenirs avaient mal choisi leur moment pour resurgir.

— Oubliez ce que j'ai dit.

— Mais...

— Oubliez cela, vous dis-je.

— Matty viendra bientôt vous faire la lecture.

Une fois encore, Flora acceptait contre son gré de voir les questions concernant sa mère demeurer sans réponse. Elle se leva pour prendre le livre qu'elle tendit à son père.

— Danny va bien?

Rupert n'avait pu s'empêcher de s'en enquérir, tranchant le silence qui avait suivi leur bref échange.

Flora effleura du doigt l'étiquette collée sur l'ouvrage :

— Bibliothèque tournante de Boots, murmura-t-elle. J'ai vu Danny hier, ajouta-t-elle en levant les yeux sur son père. Il va bien. Lady a mis bas trois chiennes et un chiot. Je lui ai dit que vous aviez maintenant droit aux visites. Il m'a répondu qu'il allait y réfléchir.

— Quelle audace! Voilà ce que c'est de lui en donner long comme le petit doigt. Vous lui avez bien dit de venir me voir?

— Je crois qu'il n'aime pas les chambres de malades, père. Et Robbie part sur le sentier de la guerre dès qu'on prononce son nom. Danny est malin, père. Jamais il ne voudrait provoquer un esclandre.

— Non, ce vieux fou déteste la maladie, c'est évident... Dites-lui de venir quand même, fit Rupert avant de sombrer dans un sommeil lourd et bruyant.

Flora regarda son père diminué et soupira.

Rupert était à nouveau dans son vieux cauchemar : il avançait péniblement sur une route de la Somme, boueuse et ponctuée d'éclats d'obus, surnommée Pall Mall par un des boute-en-train de la compagnie.

La compagnie, à laquelle appartenait Edwin, rentrait de trois jours de permission à Amiens. Là, les unités de camouflage travaillaient sans arrêt ; les *estaminets* étaient ouverts la journée et presque toute la nuit ; journalistes, romanciers en herbe et parents inquiets envahissaient les hôtels et les filles de l'usine, sentant le rafia et la colle, offraient leurs services. Vêtues de kaki acquis en hâte — il en restait peu des 80 000 qui s'étaient battues à Ypres en 1914 — les recrues de Kitchener acceptaient leur offre. Pourquoi pas ? La chasteté était une perte de temps.

Ils quittèrent la cité dans des bus à étage pour se diriger vers la ville d'Albert et le front. La route était encombrée de motocyclettes, de messagers et de véhicules ; dans les champs au-delà d'Albert, un fermier solitaire inspectait ses cultures, indifférent au reste. A l'extérieur d'un village, une station de premiers secours ; quelqu'un avait râtissé une plate-bande et planté des marguerites. Alors qu'ils s'approchaient du lieu du combat, le bruit des armes enflait comme le tonnerre.

C'était juillet 1916 et, au front, une nuit de poussière et de fureur tombait de bonne heure, effaçant les hommes, les avions d'observation et les ballons de barrage. A intervalles quasi réguliers, des éclairs déchiraient le ciel, la terre tremblait et tombait une pluie de boue, de chair et de craie. Les armes claquaient comme du métal sur du bronze dans les tympans et les cris des blessés se perdaient.

Et pourtant, entre les tirs de barrage, les colombes roucoulaient dans les granges et les alouettes chantaient en s'élevant au-dessus de la bataille.

La compagnie était détachée pour rejoindre les Worcesters près du bois de Thiepval. Aucun des garçons n'émettait le moindre commentaire, mais cela signifiait que les pertes étaient lourdes. Après avoir fait rompre les rangs pour que chacun fumât une cigarette, Rupert donna ordre de gravir la colline en direction du front.

A l'orée du bois, un petit malin avait planté un panneau : THIEPVAL-BAPAUME-BERLIN. Une flèche pointait sur la piste qui traversait la vallée marécageuse jusqu'au bas de la crête, à seulement mille cinq cents mètres, mais il fallut plus d'une heure à Rupert et ses hommes pour avancer sur les digues glissantes et boueuses, franchir les jonctions et traverser la brume de la bataille qui masquait les fuyards et les blessés trébuchants.

— Masques à gaz, ordonna-t-il.

Il louvoya entre les silhouettes blotties à terre, ne sachant si elles dormaient ou non de leur dernier sommeil; Direction Paisley Dump, Johnson's Post, Elgin Avenue, indiquaient d'autres pancartes qui n'étaient plus si drôles, tout à coup. Au pied de la crête, à l'ouest du bois, les tranchées de communication sillonnaient vers le front. C'est là qu'on déchargeait le ravitaillement, qu'on empilait les munitions et que les hommes se rassemblaient entre deux assauts, épuisés.

Ils attendaient dans le bois. Rupert comptait les battements de son cœur et pensait à Hinton Dysart et à son épouse qui ne l'aimait pas. Pendant les accalmies entre le sifflement des obus déchirant la brume détrempée de gaz, Rupert avait conscience d'un autre bruit, une espèce de grattement d'ongles sur des vitres géantes, un bruit venu du no man's-land entre les lignes.

Il s'étendait depuis les vergers de Gommecourt, à travers les prés tachetés de coquelicots jusqu'à Beaumont Hamel, Thiepval et la vallée au-delà de La Boisselle. Cris étouffés et douloureux, de Tommies et de Boches blessés, que le sang fondait dans l'uniformité.

Qu'avait donc dit Edwin à Rupert au restaurant de la rue du Corps Nu Sans Tête tandis qu'ils buvaient un cognac? Des bouteilles de cognac, pour être exact, autant qu'ils purent en avaler. C'était quelque chose comme...

Pourquoi cette accumulation antinaturelle d'hommes, d'animaux et de nourriture? Pourquoi cette entreprise méthodique de remplissage des fosses communes? Plus rien n'est à sa place, avait dit Edwin — qui s'était, rappelons-le, porté volontaire — ni les choses, ni les idées, ni les êtres humains.

Puis, la moustache luisante de cognac, Edwin s'était penché au-dessus des verres et des cendriers trop remplis :

— Si je dois mourir le premier, Rupert, dites à Hesther que c'est moi qui l'aimais le plus.

— Que me chantez-vous là, nom de Dieu ? C'est ma femme.

— Et ma sœur, fit Edwin d'une voix sourde. Ma sœur avant d'être votre femme... je suppose que cela non plus n'est pas à sa place.

» Ô, mes frères, avait lancé un Edwin complètement soûl aux prés français interloqués tandis que le bus londonien les emmenait au front. Etait-ce pour cela, tout ce sang, toute cette douleur, toutes ces vies naufragées, était-ce pour cela, Ô mes frères ?

Edwin était très soûl ce jour-là, et le jour qu'il était allé mourir avec la gueule de bois près du bois de Thiepval, pas très loin de Rupert, en l'occurrence, une centaine de kilomètres. D'ailleurs Rupert l'aurait carrément voulu au diable. Après la mort d'Edwin, c'en fut fini pour Rupert. (Et pour Hesther, sauf qu'elle ne le savait pas encore.)

La tremblote, comme disait Rupert, était arrivée progressivement et il la dissimulait avec de l'alcool, bien que Danny Ovens s'en fût aperçu. Ce n'était pas juste dans les doigts, ce qui l'empêchait malencontreusement de saisir des objets, ou des muscles s'agitant dans son sommeil. Cela allait plus loin. La tremblote envahissait son âme au point de le laisser frissonnant de tout son corps. Des vétilles — une gamelle sale, une bande molletière défaite, des officiers transférant leurs galons d'épaules aux poignets pour ne pas faire une cible trop visible — étaient devenus une véritable obsession. Vous voyez, expliqua Rupert dans son sommeil, ce qui m'arrivait était si colossal que cela me soulageait de devenir maboul pour des broutilles. Evidemment, il ne pouvait en parler à Hesther dans ses lettres parce qu'il ne lui disait jamais rien. Surtout après la mort d'Edwin.

Après le premier assaut, quand Edwin eut son compte, les hommes se regroupèrent dans les tranchées en attendant de regrimper. Danny Ovens s'assit et peigna ses cheveux. A l'époque ils étaient épais, blonds avec des reflets roux :

— Donnez-leur quelque chose à regarder, sir, fit Danny en remettant son casque. Quand j'enfonce ma baïonnette dans le tas...

En plus d'Edwin, la compagnie avait perdu deux hommes et le moral.

— Vous êtes vraiment un putain d'imbécile, répondit Rupert en cachant ses mains dans le dos.

Danny l'observait du coin de l'œil.

— Comme vous dites, sir, comme vous dites.

Qu'avait donc dit Edwin ? Ou était-ce Danny ? Plus rien n'est à sa place.

Vers la fin de l'après-midi, les obus éclataient à l'horizon comme des pivoines. Rupert donna ordre de repartir à l'assaut. Un homme s'arrêta net devant lui. Rupert jura et le poussa violemment sur le côté.

— Désolé, sir, dit-il en levant le visage. Je ne vois plus rien, sir.

Remarquant le visage déchiré, Rupert sentit l'alcool agir :

— Ne vous en faites pas, mon vieux.

Ils le poussèrent dans le feu. Les blessés gisaient dans les trous d'obus et certains, essentiellement des Worcesters et des Warwicks, saluèrent Rupert et ses hommes au passage.

— Expédiez-les en enfer, sir.

Nous y sommes déjà, songeait Rupert, se demandant si un esprit pouvait se briser en mille morceaux comme un os. Ou être réduit en marmelade comme une cervelle sous un crâne.

Le bombardement s'accentua, les hommes se répartirent sur une ligne, se déplaçant comme des braconniers entre les arbres vers une tranchée-abri à l'ouest tenue par les Allemands. A la limite des arbres, ils se mirent à plat ventre et attendirent l'ordre tandis que Rupert inspectait la cible aux jumelles.

— Grenades, dit-il, tout juste capable de faire le point, terrifié à l'idée de se trahir.

Entre eux et la tranchée, qui pouvait — ou non — être abandonnée par l'ennemi, dix mètres de terre retournée.

— Et maintenant, sir ? demanda Danny.

Rupert demeura silencieux.

— Il faut qu'on bouge, sir. Autrement ils auront le temps de nous viser.

Je ne sais pas. *Je ne sais pas*, voulut dire Rupert. Il fut un temps où je savais les choses, mais ce temps est révolu.

— Et maintenant, sir ? répétait avec insistance la voix de Danny.

— Prenez la tranchée. Grenades. Par-derrière.

— Ça va, sir?

— Formez la ligne. Passez le message.

Dans une lumière que les poètes auraient qualifiée de délicatement crépusculaire, ils crapahutèrent sur le sol, sur les fleurs sauvages pulvérisées, près des morts et des blessés.

Avec un peu de chance, je serai le prochain, songea Rupert quand Tommy Anson lâcha son fusil et porta la main à son épaule. Une grande tache écarlate s'épanouit sur son uniforme.

— Rentrez, dit-il à Anson.

— D'accord, sir. Bonne chance, répondit Tommy entre ses lèvres pâles avant de s'éloigner tant bien que mal.

Le soir tombait sur LA FORÊT — sur les Piccadilly Circus, Pall Mall et autres Ritz au sol jonché de planches — tout comme à Londres, présence aux contours adoucis, promesse de paix, de réconfort, du moins pour quelques heures.

Danny se jeta à terre et avança en rampant. Les autres tombèrent à genoux et le couvrirent. Au bout d'une à deux secondes, Bletchford partit en avant, puis Lyall. Danny atteignit la tranchée, plongea à l'intérieur, reparut presque immédiatement et fit signe de le suivre. Plié en deux, Rupert s'avança à son tour et le rejoignit.

Astucieusement renforcée de béton, la tranchée avait résisté en quasi-totalité aux grenades et aux précédents bombardements, mais il y régnait une puanteur indescriptible.

— Des Boches morts, sir, rapporta Danny. Trois.

Deux des corps gisaient dans de l'eau où flottaient saletés et excréments. Le troisième était mort sur un lit métallique poussé contre le mur. Danny fit tomber le cadavre par terre et s'assit.

— Pourrait être pire, sir.

Plus tard, quand tout le monde, excepté Danny, eut vomi, deux ordonnances se glissèrent dans l'entrée avec un brancard où était allongé un officier de la brigade de fantassins.

— Excusez-nous, sir, dit l'aîné. Nous devons le laisser ici jusqu'au lever du jour. Je lui ai donné de la morphine.

— Parfait. Je prends le relais.

Il se pencha pour desserrer le col du blessé et, atterré, reconnut Lucius Brandon, des Redfields.

— Rupert, fils! murmura Lucius. Je vous dois une par-

— Où avez-vous été touché ?

— Colonne vertébrale, je crois, répondit l'homme en plantant sur Rupert ses yeux aux pupilles dilatées. Cela vous ennuierait d'ôter mon masque à gaz, fils ? Je suis couché dessus et c'est un tantinet inconfortable.

Plus tard, les larmes aux yeux, Lucius dit à Rupert :

— Joli tableau, n'est-ce pas ?

— Oui.

— Les petits ? s'enquit Lucius.

Rupert secoua la tête.

— Les Hampshires se débrouillent bien, enchaîna Lucius comme s'il n'avait rien vu.

Plus tard encore, Lucius réclama une cigarette, mais les mains de Rupert tremblaient tellement que Danny s'en chargea. Rupert prit alors la cigarette allumée des mains de Danny et la mit entre les lèvres de son ami.

— Donnez-m'en une aussi, Danny.

Les autres étaient agglutinés sur le lit métallique ou accroupis dans l'eau contre le mur. La flamme de l'allumette jaillit dans la tristesse et la puanteur. Rupert se pencha pour ôter la cigarette de Lucius et s'aperçut qu'il était mort.

Sans savoir comment, Rupert se retrouva dehors, risquant le feu ennemi, dans l'air zébré de gaz. Il tremblait, vomissait, jurait, pleurait à chaudes larmes.

— Sir.

Jamais Rupert ne sut combien de temps Danny l'observa avant de s'agenouiller dans la boue pour étreindre le géant en pleurs :

— Faut tenir, sir.

Les bras de Danny étaient longs et maigres, il sentait la crasse et la poudre. Sa peau était rugueuse et pas rasée, et il avait des brins de tabac entre les dents. Mais ses mains étaient douces, si douces, et si sûres.

— Faut tenir, sir.

Danny le réconfortait comme une mère le fait pour son enfant en pleurs.

— Comment le puis-je ?

Privé de toute défense, Rupert s'accrochait à Danny.

— Je n'en ai pas la force.

— Il faut, sir, c'est tout. Vous n'avez qu'à vous reposer sur moi.

Ainsi se déroula la litanie. Ils restèrent soudés l'un à l'autre un long moment. La lune se battait contre les nuages. Ils étaient entourés du murmure de la solitude et de la douleur dans les trous d'obus dont les occupants attendaient d'être libérés. Les deux hommes tremblèrent de froid et, peu à peu, le crissement des ongles diminua. Danny tenait Rupert, rude sauveur à l'infinie tendresse.

Robbie revint dans la chambre et Flora lui désigna en silence les doigts de Rupert qui bougeaient dans son sommeil.

— Laissez-le-moi, ordonna Robbie.

Flora courut aux écuries. Tyson était sorti sur Vindicatif, mais, Jem, le garçon d'écurie, travaillait dans la sellerie. Il l'aida à seller Guenièvre. Flora monta à cheval, rattacha ses cheveux et enfila ses gants.

A mi-chemin de l'allée, elle aperçut Matty sur la pelouse, une corbeille de jardinier sous le bras, en route pour une de ses mystérieuses expéditions. Flora lui fit un signe de la main, Matty le lui rendit et disparut. L'allure de Guenièvre était agréable : Flora oublia vite Matty, Rupert, la maladie pour s'abandonner à cette nouvelle journée.

La tête relevée, Guenièvre avançait avec nonchalance. Flora la laissa faire, c'était si bon de ne pas se presser. La brume se levait près de Jonathan's Kilns, les arbres étaient d'un vert prometteur, un couple de pivoines — dames échevelées — fleurissaient dans le jardin de Mrs. Riley et on comptait encore quelques clochettes au bord de la route.

Elle avait pensé se rendre chez Reeves, dans Dippenhall Street, pour acheter des cigarettes. Elle avait contracté à Londres l'habitude de fumer, et cela lui était devenu nécessaire. Elle connaissait la boutique comme sa poche, avec ses tranches de lard, ses mottes de beurre et de saindoux, ses papiers tue-mouches noirs de victimes et ses boîtes de bonbons. Fred Reeves maniait le redoutable couteau à bacon avec autant de facilité qu'un couteau à beurre; il toussait et fumait au-dessus du pain et des fameux puddings. Sally gardait ses bigoudis tout le samedi pour être belle le dimanche.

Au lieu de quoi, Flora remonta Well Road et se dirigea vers Jonathan's Kilns. Le blé était bien avancé, elle s'arrêta pour mieux le voir. Puis elle fit tourner Guenièvre vers

Horsedown Common et la terre de Matthew Potter. Il venait de perdre sa femme. Des coquelicots et des nielles des blés avaient envahi le coin sud de son champ. Pauvre homme, songea Flora. Dans le temps, il ne l'aurait pas permis.

Un bruit de sabots venant dans sa direction la fit se retourner brusquement.

— Hello, ça va?

Robin Lofts arrivait au canter sur un bai d'assez belle apparence, un peu trop grand pour lui et qui n'aimait pas être ralenti. Vêtu d'une veste de tweed et d'un pantalon d'équitation, il était beaucoup mieux à cheval qu'en voiture et le galop lui avait donné des couleurs.

— Hello!

Malgré sa nouvelle habitude du monde, Flora, qui ne se rappelait que trop leur dernière entrevue au cours de laquelle elle avait pleuré dans le mouchoir du médecin, fut prise de timidité.

— Puis-je vous accompagner?

A cheval, il n'y avait plus de différence de taille, et Robin paraissait plus grand et plus vigoureux que dans le souvenir de Flora.

— Je ne savais pas que vous montiez...

Elle ravala la fin de sa phrase, se rendant compte qu'elle pourrait paraître mal élevée.

— Vous voulez dire que les médecins de campagne ne montent pas pour le plaisir. C'est réservé aux habitants de la grande maison.

Le sourire et la légèreté de Robin effacèrent la pointe ironique. Presque.

— Non. Je veux dire, oui. Bien sûr que ce n'est pas ce que je veux dire.

Robin éclata d'un rire dépourvu de toute méchanceté.

— Si, si, c'est exactement ce que vous pensiez. Mais c'est sans importance, ajouta-t-il, désarmant. Et Rolly garde Esculape dans son écurie. On y va? demanda-t-il en désignant Horsedown Common de sa cravache.

Mais Flora avait lâché les reines et Guenièvre avait baissé la tête.

— Docteur Lofts, j'ai recommencé, dit-elle en reprenant Guenièvre. Je ne voulais rien insinuer, je vous assure.

En réalité, Flora s'était demandé, en passant, si Robin

appréciait de voir sa sœur mariée à un forgeron, et où cela le situait du coup dans l'échelle sociale.

Il rit de nouveau.

— Bien sûr que non, miss Dysart.

Les sabots enfoncés dans les feuilles mortes, les chevaux traversèrent un bosquet de hêtres.

— Ma belle-sœur prétend que vous avez des idées intéressantes et modernes. J'aimerais beaucoup que vous m'en parliez.

— Doux Jésus, je ne pensais pas avoir fait si bonne impression.

Robin semblait ravi, et Flora sourit intérieurement.

Il entreprit d'exposer à Flora ses vues sur la politique médicale. Il était en faveur d'un service national de santé où personne ne paierait, où riches et pauvres recevraient le même traitement. Il avouait voter travailliste. Flora, qui n'avait guère rencontré de défenseurs du parti travailliste dans son existence et qu'on avait mise en garde contre leurs accointances avec le diable, essaya de conserver un air adulte.

— Quoi d'autre ?

Jamais réticent à parler de ce qui le passionnait, Robin évoqua pour Flora les statistiques de mortalité, les régimes alimentaires, ses plans pour Nether Hinton. Avec son accent du Hampshire qu'il avait appris à masquer à l'école, son habitude de lever le doigt pour souligner un point important, sa compréhension des choses, sa douceur, et sa façon quasi choquante de parler naturellement de la vie, de la mort et des choses du sexe, Robin ouvrait à Flora les portes d'un monde nouveau.

— Pourquoi ici, docteur ? demanda-t-elle enfin tandis qu'ils faisaient le tour du petit bois. Une grande ville correspondrait davantage à vos plans.

— Bonne question. La réponse est que j'ai peut-être quelques ambitions, mais pas celle d'un martyr. J'aime ce coin du monde, et je ne prise guère les villes.

— Moi non plus.

— Quoi qu'il en soit, Nether Hinton a son compte d'horreurs. Elle est encore en convalescence.

— De quoi ?

— De la guerre.

Il parut étonné qu'elle posât la question.

— Bert Stains a perdu un poumon, Tom Dart un œil, quant au vieux Hal Bister, il a eu le privilège de pratiquement perdre la raison.

En une phrase, Robin avait dessillé Flora. Elle piqua un fard.

— Oui, dit-elle d'une voix blanche qui témoignait de son trouble. Oui, bien sûr.

Puis elle se dit que peu lui importait ce que pensait d'elle le médecin local, ce qui empira son état d'esprit.

Le bai de Robin tourna autour d'une branche tombée.

— Miss Dysart, je pontifie et vous me laissez faire.

— Du tout, docteur Lofts, du tout. Absolument pas.

Elle en faisait trop. Robin n'était pas un imbécile : il perçut la fausse note. Il s'empara des rênes de Guenièvre.

— Si. Avouez que je suis ennuyeux.

Cette fois, il avait retrouvé son accent et Flora se dit que sa veste de tweed était un peu voyante.

— Non, répéta-t-elle, furieuse. Et vous suggérez cela uniquement parce que vous me croyez incapable de comprendre ce que vous dites. Ce n'est pas ennuyeux, c'est insultant.

Ce qui était précisément ce qu'il s'était dit.

— Je veux bien vous trouver ennuyeux, si cela peut vous faire plaisir, docteur, j'en serais même ravie, à la seule condition que vous cessiez de me considérer comme une enfant de cinq ans.

Ils s'évaluèrent du regard. Robin, piteux, Flora, indignée.

— D'accord, dit-il enfin.

Puis il sourit et l'atmosphère changea. Incertaine, se sentant bizarre, Flora lui rendit son sourire :

— Vous disiez ?

Ainsi commença la cour que Robin Lofts fit à Flora Dysart, par un exposé magistral sur le taux de mortalité infantile, l'absolue nécessité d'un planning familial et le rôle des légumes verts dans l'alimentation. Flora, n'ayant jamais auparavant pris conscience de sa soif d'apprendre, buvait ses paroles avec la ferveur des déshydratés.

— Hello ! de nouveau.

C'était une semaine plus tard, près du bosquet de hêtres. Robin trottina sur son bai jusqu'à Flora, oscillant entre espoir et panique.

— Hello!

Un papillon brun voleta autour du nez d'Esculape qui se comporta comme s'il n'était pas encore débourré.

— Je vous cherchais, dit Robin en luttant pour maintenir son assiette. Je me suis dit que ce pourrait être le meilleur endroit.

— Vraiment? fit Flora, désinvolte.

Depuis leur dernière rencontre, elle s'était rendue aux moins deux fois par jour au village sans raison apparente et s'était mise à surveiller de façon obsessionnelle les médicaments de Rupert.

— J'étais à la maison, ajouta-t-elle.

Robin fit faire une volte à son cheval.

— En fait, je voulais vous voir seule.

Il ne se douta pas un seul instant de l'effet foudroyant de ses paroles sur Flora dont le cœur et le ventre cognèrent sourdement. Elle eut chaud, froid, elle fut rayonnante et pâle, tout cela à la fois.

— Pourquoi ne pas aller du côté de Snatchanger's?

Une fois là, ils grimpèrent au petit galop jusqu'en haut de la colline. Robin descendit de cheval et attacha son bai. Puis il leva les bras pour aider Flora. Elle balança une jambe par-dessus Guenièvre et glissa à terre, avec plus ou moins de grâce. Des alouettes chantaient dans le ciel clair et le soleil continuait de monter. Au nord, le terrain plongeait, dessinant un patchwork de champs, d'affleurements crayeux et de maisons rosâtres.

Ils se firent face : Flora, avec ses hanches rebondies, ses cheveux fous et trois centimètres de plus que Robin; lui, avec ses taches de rousseur, mince, les traits tirés par le surmenage, et sa calvitie naissante.

Respirant plus vite que de coutume (le médecin calculait le flux d'adrénaline qui se déchargeait en lui), Robin tendit la main et repoussa une mèche de cheveux sur le visage de Flora. Ne sachant trop comment réagir, elle ne bougea pas.

— Je n'aurais pas dû, remarqua Robin. Oublierez-vous?

Quelques mois plus tôt, Flora aurait bredouillé

n'importe quoi, mais Londres lui avait enseigné quelques tours. Elle sourit et ne dit rien. Au bout d'un moment, ne sachant que faire, elle s'assit sur l'herbe.

— Quand avez-vous décidé de devenir médecin ?

Robin s'empara d'un caillou qu'il fit sauter d'une main dans l'autre :

— Quand ma sœur a eu la diphtérie. Elle avait dix ans. Heureusement, mes parents se sont assurés que je continuais l'école. Nous étions sept enfants ; seuls quatre ont survécu. Voilà.

— Cela a-t-il été difficile ?

— Pour mes parents, très. Nous n'avions pas d'argent et l'école de médecine est extrêmement coûteuse.

— Mais cela vaut la peine ?

— Oui.

Elle s'appuya en arrière sur ses mains ; sa poitrine tendait magnifiquement son chemisier de cotonnade. Robin désira Flora beaucoup plus qu'il ne l'avait imaginé, aussi s'obligea-t-il à regarder ses pieds chaussés de bottes brunes. Ils étaient forts et bien faits, eux aussi, mais moins tentants.

— Et vous, Flora ? demanda-t-il, l'appelant pour la première fois par son prénom. Que comptez-vous faire ?

Personne ne lui avait jamais posé la question car ce n'était ni nécessaire, ni convenable. Tout le monde savait, ce que Flora ferait, elle compris.

— Je vais sans doute me marier, répondit-elle avec un haussement d'épaules. A condition qu'on veuille de moi.

— C'est tout ?

Flora songea à du thé au coin du feu, à la chasse à courre dans un paysage givré, aux conversations avec Danny à la nuit tombante, aux langues humides des chiens sur sa main et à l'odeur des chevaux, au frou-frou des robes de bal en taffetas, à la sensation du champagne dans sa gorge, au tic-tac des horloges de la maison, et au soleil qui jouait avec les grains de poussière à travers les fenêtres. Tout cela ne constituait pas une existence désagréable.

Mais peut-être cela se résumait-il à peu de chose. Elle secoua la tête : les conversations avec Robin étaient troublantes.

Sentant que son imagination échappait maintenant à tout contrôle, Robin se leva pour ajuster une étrivière.

— Avec un peu de chance, je ne vais pas tarder à me marier, dit Flora en arrachant un brin d'herbe;

Il tira violemment sur l'étrivière.

— Avez-vous trouvé quelqu'un?

— Non.

Mâchouillant son brin d'herbe, elle balaya Marcus d'une chiquenaude et se leva à son tour. Leurs mains s'effleurèrent accidentellement. La brise joua dans le chemisier de Flora. Au bout d'un moment, Robin posa sa main sur son épaule et l'attira à lui. Contre tous les principes qu'elle connaissait, Flora ne résista pas.

Comme elle était plus grande, Robin devait s'étirer et Flora plier les genoux pour que leurs bouches pussent se trouver. Elle eut un instant envie de rire au tableau qu'ils devaient faire; puis, visiblement, Robin ne plaisanta plus. Il l'embrassa au coin de la bouche, ses lèvres glissèrent sur les siennes. Il dit :

— Fermez les yeux, c'est mieux.

C'était vrai. Flora se détendit peu à peu. Les doigts de Robin étaient chauds et tendres sur sa peau.

— Vous êtes adorable, Flora.

— Non.

— Vous ne savez pas vous regarder.

Il mit une jambe entre les jambes de Flora et l'embrassa de nouveau. Terrifiée à l'idée de faire un geste maladroit, Flora commença à entrevoir ce qu'était la passion. C'était une expérience extraordinaire — dans tous les sens du terme — que d'avoir un autre corps si proche du sien, de s'inquiéter et pourtant de ne pas s'inquiéter de ce que faisait son propre corps. Soupirant de plaisir, Robin releva le menton de Flora et l'embrassa à cet endroit si sensible derrière l'oreille. Flora s'étira comme une chatte et ferma les yeux.

Elle finit pas se demander ce qui allait arriver ensuite, après une telle intimité. Que pouvait-elle dire? Vraiment. Gênée, ébranlée, horrifiée, débordante de joie, elle se libéra.

Robin désarmorça la situation :

— La prochaine fois, je m'arrangerai pour ne pas vous embrasser debout, Flora. Ou pour prendre quelques centimètres.

Elle saisit la balle au bond :

— Tous les ans je redoutais le jour où on nous mesurait.

Robbie... enfin, miss Robson, vous savez... nous alignait contre le mur de la nursery et y inscrivait notre taille. Cette veinarde de Polly était toujours la plus petite.

— Moi aussi j'en avais peur. Pour la raison inverse.

— Visiblement, vous n'avez pas mangé de vos fameux légumes verts.

Il fit la moue :

— Il n'y avait pas grand-chose à manger.

— Oh, mon Dieu, pardonnez-moi. Je suis incorrigible.

— Pourquoi ne décidons-nous pas une fois pour toutes de cesser ne nous excuser mutuellement ?

Les yeux rivés sur sa chevelure rebelle, son nez trop fin et ses yeux bleus Dysart, il se sentit désespérément envoûté par sa fraîcheur et son authenticité.

— Acceptez-vous de me revoir ?

Elle n'hésita qu'une fraction de seconde :

— Oui.

Lorsque Flora rentra, Robbie l'attendait et exigea de savoir d'où elle venait. Flora répondit que cela ne la regardait pas et, les poings sur les hanches, Robbie rétorqua que si.

— Non, réitéra Flora qui sentit la peur familière au creux de l'estomac.

Manifestement quelqu'un — un des hommes aux champs ? avait cancané.

— Excusez-moi, miss Flora, repartit Robbie, mais justement, ça me regarde. J'ai promis à votre mère.

Flora répliqua entre ses dents qu'elle n'avait pas envie de discuter.

Robbie claqua sa langue entre ses dents. Hormis les caprices d'enfants et les bagarres pour le riz au lait, les petites culottes assez couvrantes et le *benedicite* avant la collation de onze heures, Flora ne l'avait jamais défiée ouvertement. Robbie se planta devant elle :

— Vous étiez avec ce docteur, je le sais parfaitement. A quoi songez-vous donc, miss Flora ? Le docteur, vraiment !

Entendant prononcer « ce docteur », Flora sentit s'éveiller en elle une loyauté toute nouvelle ; elle ordonna à Robbie de se taire. Robbie rétorqua que Flora ferait ce qu'on lui dirait et promettrait de ne jamais revoir le docteur, sinon elle en parlerait à sir Rupert et miss Flora savait l'effet que cela provoquerait chez un malade.

— Vous ne feriez pas une chose pareille!

Robbie sourit. Oh, que si! C'était uniquement pour son bien et elle était la seule à pouvoir veiller sur elle.

— C'est pour votre bien, ma petite, répéta-t-elle, ajoutant qu'un bon coup de peigne ne serait pas du luxe.

Après cela, Flora usa de la plus grande discrétion. Pendant tout juillet et août, elle sella Guenièvre pour aller retrouver Robin en secret. Parfois au Paradis, parfois au camp de César ou au château de Powderham ou même jusqu'à Itchel Lane où le vent avait transformé les cultures en vagues et où les coquelicots était innombrables.

Pour l'observateur — il y en avait quelques-uns — il ne se passait pas grand-chose. Le nouveau docteur et miss Flora montaient à cheval ensemble et parlaient. Une fois, raconta-t-on à Ellen Sheppey, ils se sont pris la main. Une autre fois, Sam Prosser jura avoir vu deux ombres émerger sous le chêne près de Lee Wood, mais il n'était pas sûr.

9

A part son jardin, Matty s'était donné pour tâche de trier le contenu des greniers, ce qui avait été laissé de côté pendant les travaux. A l'origine, c'est là que dormaient les domestiques, mais après la guerre et la mort d'Hesther, leur nombre avait diminué fortement et l'étage avait été transformé en greniers.

Les pièces étaient orientées est-ouest; toutes étaient envahies de boîtes, malles, meubles et tableaux. Un tel spectacle fit vibrer les antennes d'organisatrice de Matty.

Mrs. Dawes voyait les choses autrement.

Non seulement la tâche était écrasante, mais Matty avait décidé de participer aux rangements. Elle passa en revue les cartons à chapeaux, les chaises de jardin, les cannes-sièges, les grattoirs à bottes, les malles pleines de linge et les placards bourrés de Dieu sait quoi et se ceignit mentalement les reins. Matty tendit les mains et, l'air d'une condamnée à mort, Mrs. Dawes lui donna un tablier. Mais une fois au travail, les deux femmes s'amusèrent, comme c'est souvent le cas en semblable situation.

— Qu'est-ce que c'est? demanda Matty qui tenait deux piquets avec du cuir à une des extrémités.

— Des béquilles, je crois.

— Et cela?

— Encore des béquilles. Ça date de l'époque où la maison était un hôpital. Je croyais tout ça reparti depuis longtemps.

— Je vois, dit Matty en les serrant dans ses bras.

Les piles s'élevaient, les listes s'allongeaient sur le calepin de Matty. On progressait lentement, car Matty tombait régulièrement sur un objet qui entraînait une longue discussion avec Mrs. Dawes sur son passé et l'usage qu'on en faisait. Les deux femmes étaient de plus en plus en accord l'une avec l'autre, et Matty adorait la sensation d'instaurer l'ordre où régnait le chaos.

Elle dénicha son plus beau butin derrière un cache-misère qui masquait partiellement une pile de tableaux. Matty en extirpa un et, après un regard, s'exclama :

— Oh!

Puis elle pâlit. La toile représentait une petite fille assise sur les genoux d'une femme tandis qu'on lui lavait les pieds; gens ordinaires peints avec cette vision intérieure qui en faisait des gens extraordinaires. Elle ne lâchait pas le tableau des yeux, fascinée, peinée. Et elle l'aima. Après une investigation parmi les papiers de famille à l'Echiquier, il fut identifié comme un Mary Cassatt.

— Comment as-tu pu l'abandonner au grenier? demanda-t-elle à Kit tandis qu'ils prenaient le café dans le salon où l'on avait accroché le Mary Cassatt entre les fenêtres. C'est une toile magnifique. Regarde la façon dont le pied est si vivant dans la main de la mère; on en sent le poids, à sa façon de le nicher dans sa paume.

Matty scrutait sa trouvaille pour la centième fois. Kit se leva et se plaça derrière Matty. Matty avait la tête d'un côté et tenait sa tasse en un angle précaire. Il posa doucement ses mains sur ses épaules et elle sentit la caresse la brûler à travers la robe de chambre :

— Je crois qu'elle vient de Boston. Mary Cassatt était américaine, ajouta Matty sans se retourner.

— Vraiment ? Peut-être... peut-être ma mère l'a-t-elle achetée lors d'un séjour chez mes grands-parents.

Mais Matty, absorbée dans la contemplation des couleurs et de l'habileté du peintre, ne l'entendit apparemment pas.

— Tu ferais mieux de me donner ta tasse, dit Kit.

En fait, Matty avait entendu mais choisi de ne pas répondre.

Quand elle reprit sa tâche de grand nettoyage, elle se mit en quête d'une malle qu'elle avait remarquée la dernière fois. Elle était stockée dans le plus petit grenier, où dormaient les filles de cuisine, et désormais remplie à craquer des vieux meubles de la nursery et de jouets. Le toit formait un angle aigu et une épaisse couche de poussière recouvrait le tout. Sans vie, les jouets attendaient sur des étagères et dans des boîtes : un ours en peluche aux pattes arrachées, une maison de poupée avec une inscription enfantine au-dessus de la porte : « Maison de Flora », un *bébé* français couché sur le visage, jambes repliées sous sa jupe. Le manteau du *bébé* était bordé de fourrure d'écureuil, sa chevelure était en vrais cheveux. White Surrey, le cheval à bascule auquel on avait donné le nom du cheval d'Henry III, était sous la fenêtre.

— Nous avons remporté la bataille de Bosworth sur White Surrey, se souvint Kit lorsque Matty lui raconta qu'elle l'avait vu dans le grenier. Il ne nous aurait pas permis de le monter, autrement. Il fallait prendre soin de ne pas le vexer.

Et il expliqua à Matty les jeux que lui et ses sœurs inventaient :

— Nous récrivions toujours l'Histoire. Nous ne supportions jamais d'être les perdants.

White Surrey arborait un sourire narquois, des dents rognées et, tandis que sa haine des chevaux s'étendait à ceux de bois, Matty s'aperçut qu'elle le balançait de toutes ses forces. Les initiales « HKD » étaient gravées sur la cartouche de cuir de la malle couverte d'étiquettes. « Boston » lisait-on sur une, « P&O » sur une autre. « Laissez-moi, avertissait la malle. Ne me touchez pas. » On ne comprend jamais le passé.

C'est faux, songea Matty en s'agenouillant. Sur le vieux cadenas, les clefs lourdes et froides dans sa main cliquetèrent doucement.

Examiner ce qui avait appartenu à une morte est injuste en bien des façons. Soudain, on acquiert de l'emprise, même sur quelqu'un qu'on a redouté — or Matty redoutait bel et bien Hesther. On pose enfin les yeux sur ce qu'on vous a dissimulé et refusé de son vivant. Hésitante, elle souleva le couvercle.

Une forêt pétrifiée de papier de soie recouvrait le contenu de la malle qui libéra une puissante odeur de boules d'antimite. Elle repoussa le papier. Ses mains se figèrent. Un simple coup d'œil suffit à dévoiler que les effets de la morte avaient été empilées pêle-mêle dans la malle, sans soin ni considération. Avec mépris, même. Elle s'assit brusquement sur ses talons.

Aucune femme de chambre n'aurait osé plier le corselet de soie couleur d'huître ainsi au milieu. Ou jeté négligemment le contenu de la boîte à gants, ou arraché la dentelle d'une chemise de mousseline fourrée entre une jupe à rayures et un corsage assorti. Aucune femme de chambre n'aurait laissé l'éventail d'autruche se prendre dans les poignées d'une pince à gants. Matty en caressa les plumes.

Pourquoi ?

L'odeur d'antimite lui piquait le nez; ses yeux pleuraient. Elle les essuya du revers de la main, témoin conscient d'une profanation délibérée.

Sur le dessus de la malle, un livre relié de cuir bleu, doré sur tranche, d'un papier épais et coûteux.

Sur la première page, quelqu'un — Hesther, sans doute — avait collé une carte postale de Honfleur, en Normandie, prise de côté à travers la forêt de mâts. Sur la page opposée, une deuxième carte postale, représentant une ferme qui se détachait contre le sommet d'une falaise et l'horizon, plat, au-delà. C'était une bâtisse massive et sans prétention, avec des volets de bois, des grilles en fer forgé, des poules dans une basse-cour, un appentis délabré et une garde prétorienne de peupliers. En bas de la carte, en légende : « La ferme Boromée ». Une flèche à l'encre bleue désignait une chambre à l'étage supérieur. « Ma chambre », avait écrit quelqu'un, avec difficulté, sur la surface brillante.

Les autres pages du livre étaient vierges, exception faite de taches vert-jaune. Matty s'étonna de ces marques jusqu'au moment où une rose séchée tomba pour se désintégrer dans sa main. Matty comprit que le livre avait servi à faire sécher des fleurs. Sous l'une des taches, la main inconnue — dont Matty était désormais certaine qu'il s'agissait d'Hesther — avait écrit à la hâte, avec une accentuation erronée, « Konigin von Danëmark » (nom allemand de la « Naissance de Vénus ») et « General Kléber ». Sous « Général Kléber » était noté : « Hybride de rosier mousseux et de Damas engendrée par Robert en 1856. Vigoureuse et bien droite. Odorante. Nommée d'après le général qui commandait l'armée de Napoléon. »

Il y avait un espace, puis Hesther avait ajouté, « magnifique, magnifique ».

Matty lissa la page. Voilà qui était Hesther, en tout cas une partie d'Hesther, et Matty se sentit en parfaite empathie avec la femme qui avait écrit « Magnifique, magnifique », à propos de ses roses.

Les yeux encore embués, Matty faillit rater les lettres. Elles étaient coincées à la fin du livre, nouées avec un ruban noir chiffonné d'avoir été noué et dénoué. Elle ouvrit la première et lut :

> Ma chérie,
>
> Rien n'est à sa place. Les idées, les choses, les hommes. Le monde est devenu fou, et nous avec.
>
> Vais-je t'avouer le pire ? Ce n'est pas le sang ou la boue, ni le spectacle, ni l'ennui ni l'inconfort, ni ce satané Rupert qui s'obstine à garder le sourire. Non, rien de tout cela, aussi épouvantable que cela soit. C'est la certitude que cette guerre est si terrible, si insensée, que seuls ceux qui la font peuvent la comprendre. La guerre créera un gouffre entre nous... nous ne serons plus du même bord.

Matty n'arrivait pas à déchiffrer la signature.

Ecrite de la même main, la deuxième lettre était plus courte et plus factuelle :

Demain, je vais à Amiens avec Rupert. Pourrais-tu envoyer un nécessaire à couture, des chaussettes, des mouchoirs supplémentaires et un cake aux fruits...

La troisième lettre commençait ainsi :

Ma chérie, ai-je déliré dans mes précédentes lettres ? Si c'est le cas, je suis désolé, surtout si cela a causé la moindre peine à ma fleur la plus chère et la plus douce. Ecris-moi vite, mon cœur, on nous renvoie au front. Parle-moi du jardin et de ce que tu fais pour l'embellir. Je veux tout savoir, jusqu'à la moindre feuille. A propos, je crois que tu devrais planter les lys là où le soleil les réchauffe, et le rosier grimpant (à la blancheur de la peau) contre le mur. Je joins un croquis pour illustrer mon idée. Le caporal Stevens me dit que la « Tuscany » (il prononce Toussecani), est l'« Old Velvet Rose ». Sa couleur carmin est incomparable, affirme-t-il, « foncée comme du sang ».

Suivait un dessin d'une plume habile et sûre du jardin, que Matty reconnut immédiatement, avec des flèches et des notations en tout sens. Puis « au revoir, chérie ».

Dessous, quelqu'un avait ajouté : *sa dernière lettre.*

Et encore au-dessus, quelqu'un d'autre avait écrit : *Garce.*

Qui était l'auteur de cette dernière lettre ? Qui Hesther aimait-elle à ce point ? Etait-ce Rupert qui, s'étant aperçu qu'Hesther en aimait un autre, avait jeté ses affaires dans la malle après sa mort ?

Matty interrompit sa lecture. Elle replia les lettres et les replaça dans le livre qui s'ouvrit à la page où avait été séchée la rose.

Magnifique, magnifique.

Le malaise s'attardait dans la pièce, s'étendant sur les objets silencieux, White Surrey, le *bébé* et l'ours en peluche. Matty rangea les affaires d'Hesther dans la malle. Elle ne doutait pas que les lettres étaient synonymes de confusion, douleur et désordre et qu'elles affectaient toute la maisonnée. Elle claqua le couvercle et s'enfuit.

Ainsi, c'était le point focal de la famille que Matty avait épousée, la carte secrète.

Depuis l'accident de Rupert, Kit avait pris en main les

questions pécuniaires. Les choses étaient pires qu'il l'avait imaginé mais, malgré l'hostilité qu'il éprouvait souvent à l'égard de son père, il ne le tenait pas pour responsable. Avant l'arrivée secourable de Matty, il avait fallu du génie pour équilibrer les dépenses de Hinton Dysart avec le modeste revenu des loyers et fermages. Car il y avait d'éternelles tracasseries : fatigue des clous du toit, pourriture sèche dans les écuries, factures du vétérinaire, nouvelle clôture.

L'argent de Matty n'était pas seulement le bienvenu, il était vital. Kit se retrouva dans la position du mendiant dont on avait exaucé le vœu, ce qui l'amena à plusieurs conclusions qu'il n'avait pas envisagées en acceptant d'épouser Matty. L'argent aplanissait, l'argent réalisait, mais l'argent entravait. Il apportait le choix et le confort, mais pas nécessairement le bonheur.

Cela n'empêchait pas Kit d'éprouver pour Matty une sincère reconnaissance.

Les hommes de loi de la famille Verral avaient transféré le capital en faveur de Hinton Dysart et il le réservait scrupuleusement à l'entretien de la demeure. Naturellement, les conseillers cherchaient à protéger Matty et Kit les supportait, malgré le désir qu'elle avait de lui verser un capital.

— Tu es suffisamment généreuse ainsi, réitéra Kit à l'adresse de sa femme. J'aimerais pouvoir t'exprimer ma gratitude.

Ils bavardaient en faisant une promenade matinale dans Croft Lane en direction de l'église. Minerve, l'épagneul clumber (cadeau d'anniversaire de Matty à Kit), fouinait dans les buissons. Le bord était épais de nielles des blés et d'épilobes à épis, et l'aubépine rose porcelaine dessinait des arceaux au-dessus de leur tête.

— Ce n'est rien, vraiment, répondit-elle, s'interdisant, tant c'était absurde, de lui rétorquer qu'il lui était très facile de se montrer reconnaissant. J'ai de l'argent. Il t'en faut.

— Même.

Il semblait calme mais Matty avait conscience de l'ambivalence de ses sentiments, et comme elle avait appris à mieux s'y prendre avec lui, elle déploya la manœuvre de détournement :

— As-tu décidé du genre de barrière que tu comptes faire poser près de Lee Wood ?

Il fit claquer ses doigts pour Minerve :

— Du sycomore. Il n'y a rien de mieux.

Kit voulait produire directement de l'argent et commençait à se libérer de son obsession pour le Moyen-Orient, à regarder le reste du monde et à s'intéresser à ce qui se passait ici. Le contexte n'était pas simple. Le krach de Wall Street, les chiffres impressionnants du chômage, un empire britannique hors de prix, une économie, en bisbille avec elle-même, autant de facteurs qui libéraient des forces que nul ne comprenait. Raby avait fait son boulot et Kit achetait des actions dans les aspirateurs et dans une affaire qui fabriquait des postes de radio selon des critères modernes. Mais pour l'instant, aucun rendement. « Si seulement j'avais d'abord essayé un Hoover, disait une réclame dans un magazine que Kit avait feuilleté chez le dentiste. Ne vous précipitez pas, ne vous laissez pas persuader d'acheter n'importe quel vieil aspirateur. »

Pas de danger. L'Angleterre profonde n'avait rien à dépenser et rien à espérer. Ainsi, la politique se glissa-t-elle dans la vie de Kit.

Raby avait raison. Kit fit alors une deuxième découverte. La Bible n'avait traité que la moitié de la question de la charité. Tandis qu'il réglait les factures avec l'argent de sa femme, il comprenait avec une cuisante lucidité combien il était plus facile de donner que de recevoir.

Pendant ce temps, à Hinton Dysart, il y avait vingt ans de dossiers à trier — et ce n'était qu'un début. Une fois la Saison londonienne achevée dans un frou-frou de souliers de satin tachés et de réputations ruinées, Kit rentra. Il établit rapidement l'habitude de se retirer dans l'Echiquier après le petit déjeuner. Une cigarette se consumant dans le cendrier, du thé refroidissant dans une tasse, il était plus ou moins satisfait.

Il y avait peu pour le surprendre, mais beaucoup pour l'intriguer, car l'Echiquier contenait par écrit la vie de la maison. A la rubrique « Ecuries », il trouva des factures d'avoine, de son et de graine de lin, de couvertures pour chevaux, de savon glycériné, de mine de plomb et de cire à meubles, que sa mère commandait une fois l'an aux magasins de l'Armée et de la Marine. Kit se demandait où ces quantités industrielles avaient été stockées.

Le dossier qui l'intéressait le plus était épais, couleur chamois, étiqueté « Hesther Dysart, *née* Kennedy ».

Sur le dessus, s'empilaient des lettres; Kit les parcourut. Peu à peu, se dessinait l'image d'un grand-père jusqu'alors inconnu. Charles Kennedy se révélait riche, un peu bourru, décidé, soucieux de doter sa fille de façon substantielle. Les chiffres du bilan indiquaient la somme apportée en donation en capital et en actions, et les dates auxquelles Rupert avait réalisé les biens. Rien d'inconvenant en cela, si l'on oublie l'interruption brutale de toute aide financière. A en juger par la correspondance, les relations entre l'Américain et son gendre britannique n'étaient pas cordiales, mais rien dans le ton des lettres n'expliquait l'épais trait noir sous la date du 30 septembre 1916. Après cela, plus la moindre entrée dans les comptes, rien.

Kit tira avidement sur sa cigarette. Sa mère était morte en septembre 1916. Charles était mort début 1919, suivi un an plus tard par Euphemia, son épouse, la grand-mère de Kit. Il était curieux que ni l'un ni l'autre n'eût pris la moindre disposition concernant leurs petits-enfants. Au vrai, son grand-père s'était même appliqué à les déshériter.

Kit écarta les lettres. Evidemment, il savait pourquoi.

Il feuilleta les relevés de comptes de Messrs. Coutts ainsi que les relevés de titres et les compara à la liste compilée par Raby. Tout cela était manifestement et malheureusement en ordre.

Tout d'abord, Kit ne prêta pas attention au document discret attaché à la fin du dossier. L'épingle rouillée laissait des marques sur ce qui se révélait être un certificat d'actions. Apparemment, Hesther avait acquis, en juin 1910, 100 000 actions, à un *cent* l'une, d'une société immobilière dans un faubourg de Los Angeles appelé Hollywood. On pensait, commentait le prospectus joint, que le paysage et le climat attireraient des résidents.

Très bien vu, songea Kit en buvant son thé froid. C'est là que s'est implantée l'industrie du film. Il replaça le document dans le dossier qu'il boucla dans le tiroir du bureau.

Le lendemain matin, il se réveilla à quatre heures. Tout était silencieux, il se sentait bien. Petit à petit, il se rendit compte que son cerveau tournait autour d'un point fixe : Kit n'avait jamais vu les actions d'Hollywood pointées sur le relevé de Raby.

Dans la pièce contiguë, Matty ne dormait pas; elle entendit Kit quitter sa chambre et descendre. Décidée à déloger le vieux démon qui la tenait éveillée, elle se leva en hâte.

Comme toujours en été, la maison semblait plus chaude la nuit que le jour. Kit se rendit dans l'Echiquier. La pièce sentait le tabac froid. Il alluma la lumière, vida le cendrier plein dans la corbeille à papiers et ouvrit la fenêtre en grand. L'air nocturne s'engouffra. Kit ouvrit le tiroir et en sortit le dossier chamois qu'il étala devant lui.

Il s'affaira sur la première colonne de chiffres avant de s'abandonner à l'excitation et vérifiait la deuxième lorsque des pas dans le couloir le firent sursauter. Sa chaise se renversa. Matty apparut dans l'encadrement de la porte.

— Matty ! Pour l'amour du ciel ! Que fais-tu ici ?

Kit redressa la chaise et regarda s'il y avait des dégâts.

Matty entra.

— Excuse-moi, Kit. Je ne voulais pas te faire peur.

— Ce n'est rien. Tu n'arrivais pas à dormir ?

— Non. Qu'est-ce que c'est ? demanda-t-elle en désignant les papiers du menton.

— La chasse à la fortune.

— Comment cela ?

Il expliqua qu'il avait trouvé des actions non répertoriées et entendait enquêter. Tandis qu'il parlait, son visage allait et venait sous le halo de la lampe. Matty pensa à la photographie de lui à douze ans. Elle fut assez maladroite pour demander :

— N'as-tu pas suffisamment d'argent, Kit ?

Il se dirigea vers le placard jouxtant la porte et l'ouvrit vigoureusement :

— Il doit y avoir du whisky là-dedans. En veux-tu ?

— Volontiers.

Il était excellent. Kit remarqua :

— Si je t'expliquais que je ne puis me reposer financièrement sur toi ma vie durant, aurais-tu de la peine, Matty ?

Oui, voulut-elle répondre. Est-ce si épouvantable ? Mais elle but une autre gorgée et répliqua :

— Non, sans doute pas.

— Je ne te demande pas de comprendre, mais je te supplie de me croire lorsque je te dis que je te suis reconnaissant de tout ce que tu as fait.

— Oui, fit Matty, lointaine.

Kit planta son regard dans celui de sa femme :

— Tu ne me crois pas Matty, en fait, mais peu importe. Ecoute. Je voudrais me faire un peu d'argent à moi et l'utiliser pour me lancer dans la politique.

— Oh.

— Les temps changent. Je veux participer aux changements.

— Oui. Je crois que je comprends.

— Matty, je vais faire un petit voyage en Amérique afin de creuser cette histoire d'actions. Es-tu d'accord ?

— Et si je disais non ?

— J'irais quand même. Mais à contrecœur.

— Vas-y, dit Matty, un peu grise.

L'aube se levait. Un pinceau de lumière apparut par la fenêtre et s'étendit sur la pièce crasseuse. Kit parlait, Matty écoutait ; elle se sentait rejetée, bienfaitrice qui aurait voulu être aimée mais qu'on se contentait d'utiliser. Le bon sens lui fit alors remarquer que Kit ne lui avait pas demandé d'argent et qu'il lui parlait, en tout cas.

Kit les resservit et choqua son verre contre celui de Matty :

— Allez, haut les cœurs.

Ils entendirent des pas dans le corridor.

— Que faites-vous ?

Une brosse à cheveux à la main, Robbie montrait le bout de son nez. Mari et femme se regardèrent et Kit haussa les épaules. La lèvre inférieure de Matty frémit.

— Désolé, Robbie. Vous avons-nous réveillée ? demanda Kit. Je vous sers un whisky.

Mais Robbie avait eu très peur et son cœur battait à tout rompre. En outre, elle était contrariée d'avoir montré du courage pour rien :

— Je croyais qu'il y avait des cambrioleurs dans les cuisines et des assassins dans l'escalier.

— Pauvre Robbie, fit Kit en se levant de sa chaise.

— Vraiment, Mr. Kit, vous avez parfois le don de me mettre à bout.

Elle s'avança pour le tancer de plus belle et sa robe de

chambre s'ouvrit, révélant un falbala de dentelles et de volants. Cette vision était si inattendue que Matty et Kit écarquillèrent les yeux.

— Allez immédiatement vous recoucher, Mrs. Kit.

Robbie serra sa robe de chambre autour d'elle, un sein volumineux bondit sous la flanelle bleue. Une natte poivre et sel sautilla de rage :

— Vous n'avez pas à m'effrayer comme ça.

— Robbie, intervint Kit, ma femme ira se coucher quand bon lui semblera.

— C'était fort inconsidéré, Mr. Kit. J'étais là, morte de peur. Je vais être dans tous mes états, maintenant.

— Robbie, retournez vous coucher. Prenez un somnifère, je ne sais pas, moi.

Il eut un regard impatient pour cette femme qui, toute son enfance, avait bousculé, exigé, cajolé et, sans qu'on pût lui en vouloir, n'avait jamais su le réconforter.

Robbie avait peut-être la peau dure mais elle n'était pas insensible; sa silhouette sembla se ratatiner. Matty eut pitié d'elle :

— Kit, miss Robson a eu peur, déclara-t-elle en lui faisant les gros yeux. A vrai dire, je prendrais volontiers quelque chose de chaud avant de me rendormir.

Robbie rayonna dans l'instant.

Le voyage de Kit s'organisa très vite. Dès la fin de la semaine, les réservations étaient faites et les rendez-vous d'affaires à New York et Los Angeles étaient pris.

— Je ne m'absenterai pas longtemps, père.

— Je suppose qu'il est inutile de vous demander ce que vous complotez, lança Rupert en dirigeant ses yeux sur son fils.

— Non. C'est une surprise. Si cela réussit, je vous en parlerai dès mon retour.

— Je ne suis pas encore gâteux.

— Du thé? proposa Matty.

La famille avait contracté l'habitude de prendre le thé dominical dans la chambre de Rupert — moins une partie de plaisir qu'une monumentale corvée, avait expliqué Flora à Matty.

Encombrée, étouffante, la pièce exhalait une curieuse

odeur douceâtre que Matty se promit de faire disparaître. Rupert était rouge et irritable.

— Y a-t-il des crumpets ? s'enquit Flora affamée par sa promenade à cheval.

Matty souleva le couvercle du chauffe-plats en argent :

— Pas de chance, Mrs. Dawes a fait monter des brioches plates.

— Dommage, dit Kit, debout près de la cheminée. Tu vas tomber d'inanition.

Il était très excité et Matty se chagrinait de le voir aussi impatient de partir.

— Pignouf !

— Pourquoi ne l'accompagnez-vous pas ? fit Rupert avec un signe de tête en direction de son fils.

Matty reposa la théière.

— Je crois que j'ai mieux à faire ici.

C'était un sujet épineux car Matty avait espéré que Kit le lui proposerait.

— Vous êtes une fille raisonnable, commenta Rupert, qui surprit sa belle-fille. Je n'ai jamais bougé d'ici sauf lorsque Hesther m'y obligeait. Et ce n'est arrivé qu'une fois. Je n'ai jamais tellement aimé l'étranger.

Flora mordit dans une brioche.

— Je ne vois pas pourquoi vous ne partiriez pas avec Kit. Il n'y a plus grand-chose à faire à la maison, après tout, vous l'avez déjà remuée de fond en comble.

Dès qu'elle regarda Matty, Flora comprit qu'elle avait encore gaffé :

— Oh, bon sang ! Ne prenez pas votre air glacé, Matty. Ce n'est pas ce que je voulais dire. Tout est superbe.

Kit vint à la rescousse :

— Matty a fait de l'excellent travail.

— Exact, fit Rupert contre toute attente.

Puis il demanda s'il lui faudrait attendre encore longtemps une deuxième tasse de thé.

La question surgit de nouveau au déjeuner du lendemain. Parmi les invités, il y avait Mr. Pengeally et son épouse. Mrs. Pengeally attaqua son dessert.

— Quel délicieux repas, chère Mrs. Dysart. Mais c'est toujours le cas, désormais. Vous travaillez dur et méritez quelques vacances. J'imagine toutefois que vous n'accompagnez pas votre époux en voyage.

— C'est un voyage d'affaires, intervint Kit avec son sourire charmant et désinvolte.

Mrs. Pengeally perdit contenance puis changea de tactique :

— Vous portez-vous bien, Mrs. Dysart ? Ces derniers temps, je vous trouve un peu pâle, si je puis me permettre.

Matty ne put s'empêcher de rougir :

— Parfaitement bien, rétorqua-t-elle, sachant que son corps, sa santé ou sa fertilité, étaient la propriété publique de Nether Hinton.

Mr. Pengeally était toujours à la traîne :

— Vous ne pouvez manquer la fête du village. C'est l'événement de l'année. En fait... je crois que nous allons faire appel à vous pour couper les rubans.

— Pour tout dire, répondit Matty que ses joues rosies avantageaient, je ne voudrais sous aucun prétexte manquer la fête de Nether Hinton.

Le plus étrange est qu'elle le pensait.

Kit savait bien ce que Matty ressentait à l'idée de ne pas l'accompagner aux Etats-Unis, aussi éprouvait-il le besoin de la rassurer. La veille de son départ, il la rejoignit dans sa chambre.

— Tu ne vas pas en faire trop en mon absence, n'est-ce pas, Matty ?

Il s'assit sur la chaise près du lit et prit une cigarette dans son étui.

— Si tu entends par là que je pourrais entreprendre dans la maison des choses que tu risquerais de ne pas apprécier, alors dis-le, répondit-elle, un tantinet pincée.

— Ce n'est pas ce que je voulais dire.

— Parfait.

Matty reposa sa brosse avec un air si indigné que Kit sourit.

Il la regarda s'affairer avec ses pots de crème de nuit et il lui vint à l'esprit qu'à sa façon, Matty donnait beaucoup. Cela faisait des années que la maison n'avait été aussi bien tenue, ou paru aussi confortable. Qui aurait pensé que cette drôle de Matty affolée se révélerait une maîtresse de maison hors-pair, capable d'aplanir et de domestiquer avec la main la plus délicate ?

Kit commençait à la connaître : sa timidité, sa façon

soudaine de se retirer dans sa coquille quand il lui faisait de la peine, son sens de l'humour décapant. Il y avait entre eux des moments de froideur — souvent — des irritations, et l'acceptation mutuelle de leurs divergences. Il y avait aussi le soupçon qu'elle l'aimait et la certitude qu'il ne l'aimait pas. Kit n'en retirait aucun mérite. Il éprouvait surtout une immense peine pour Matty. Mais il était intrigué par ce qui la constituait : ses points de vue souvent surprenants, et ses idées passionnées sur le dessin ou la peinture, son amour du Moyen-Orient. Kit adorait découvrir un paysage nouveau au tournant du chemin, et Matty possédait ce genre de qualité inattendue.

Il tapota sa cigarette sur l'étui et redevint sérieux :

— Tu dois nous trouver bien ingrats.

— Moi ?

— J'aimerais tant que tu comprennes. Si loin que je m'en souvienne, cette maison était la même. Délabrée, oui, besoin d'être repeinte, oui. Nous nous étions habitués. Alors... quand tu es arrivée et que tu as commencé à tout remettre comme il fallait, il nous a fallu le temps de nous y habituer. C'est tout. Comme mon père a dû s'habituer quand il a épousé ma mère. Cela ne signifie nullement que nous n'aimons pas ce que tu as fait.

Silence.

— Tu comprends, n'est-ce pas, Matty ?

Elle émit un bruit de gorge et se demanda si elle devait lui parler d'Hesther.

Kit écrasa sa cigarette et s'assit sur le lit :

— Viens, Matty.

Hesther oubliée, Matty se leva du tabouret et s'assit à côté de lui. La nuit était chaude et il transpirait légèrement sous son pyjama de coton. Pour Matty, il sentait le tabac et le whisky qu'il avait bu après le dîner et l'odeur ténue de l'homme qui vient de transpirer. Il lui était aussi étranger qu'on pouvait l'être, et elle l'aimait.

Comme toujours, ses cheveux lui tombaient sur le front et, avant d'avoir pu s'arrêter, Matty fit quelque chose qu'elle rêvait de faire depuis toujours. Elle tendit la main et repoussa sa mèche. Ses doigts s'entrelacèrent dans ses cheveux blonds plus que nécessaire et s'attardèrent sur son crâne. Avant qu'elle l'eût lâché, la main de Kit s'était emparée de la sienne. Lentement, il la força sur un chemin, plus bas, et elle sentit l'excitation cogner en elle. Quand la main de Matty eut atteint sa destination, Matty leva les yeux sur son époux :

— Tu peux partir en Amérique la conscience tranquille.

Kit l'embrassa sur la bouche et l'allongea sur le lit.

Il ne fallait pas longtemps pour arriver à Southampton. La route sinuait, traversant Chawton, Alton, Alresford, s'attardait à Winchester et filait à nouveau en direction de Chandler's Ford.

C'était un paysage aimable et confiant. Nourrie de collines douces, de terre productive et de brises légères, la civilisation anglaise avait commencé dans ce pays de terres basses et de prés inondables.

Par la vitre, Matty regardait défiler les villages. Ni elle ni Kit ne parlaient beaucoup. De temps à autre, Kit s'inquiétait de son bien-être puis retombait dans le silence. Elle répétait la façon dont elle allait lui dire au revoir : amicale, pleine de retenue. Parfois, elle lui coulait un regard en coin, sans comprendre pourquoi le besoin de posséder un être était comme une faim physique, pourquoi faire l'amour ne l'apaisait pas et se demandait si cela s'atténuerait avec l'âge.

— N'attends pas, dit Kit tandis que Tyson roulait dans les quais de Southampton.

Malgré cela, Matty insista pour inspecter la suite sur le *Mauritania*. La salle de bains étincelait de zinc, il y avait du bois ciré dans le salon et un tapis épais dans le coin chambre.

— Au revoir, dit Kit en tenant Matty dans ses bras.

Puis il l'embrassa sur le front et prit sa main :

— Prends soin de toi, je t'en supplie.

— Toi aussi. M'écriras-tu ?

Il lui tapota l'épaule :

— Bien sûr, voyons.

La voiture semblait vide sans Kit. « Si jamais bateau a possédé une âme, avait écrit Franklin D. Roosevelt, c'est bien le *Mauritania*. » Matty songea au tangage légendaire du navire qui emmenait Kit loin d'elle.

HARRY

L'été... et les jardins fourmillent. Par contraste, les pièces de la maison semblent froides et silencieuses; seuls les gardiens qui se déplacent avec patience créent du mouvement dans cette immobilité. Occasionnellement, je déambule parmi eux pour me rappeler que rien n'a changé : la salle à manger blanche, le confortable salon en chintz avec ses spectaculaires tableaux, choisis par ma mère. Les chambres où les édredons de satin dorment sur les lits. Je les regarde, si intimidants, si corrects; il paraît impossible qu'ils étaient été froissés ou repoussés par la passion.

Je me demande ce que pensent les gens quand ils errent parmi tout cela en traînant les pieds. Quelle impression retirent-ils des choses d'ici — vases en porcelaine de Worcester, consoles au dessus de marbre, pots de chambre ornés de roses, lit à deux places avec tête et pied d'acajou, nécessaire de toilette en crocodile? En retirent-ils une impression de la vie qui s'écoulait dans la maison grâce aux photographies dans leur cadre de cuir usé, ou aux souliers de toutes sortes de mon père alignés dans le placard à chaussures, ou du hunter en or sur la coiffeuse? Sans doute pas.

Pourquoi en serait-il autrement?

Cependant, ils comprennent bel et bien le jardin, plus facile à déchiffrer. Inutile de chercher les mots pour percevoir ce qui s'est passé. Pour moi, le jardin offre à l'âme la sérénité; il est la constante aux variétés infinies, la passion dénuée de mauvaises conséquences. Tant il est vrai qu'il suffit d'arracher les erreurs commises dans un jardin et de les jeter sur le tas de compost. Son triomphe peut se répéter.

Combien ont marché dans le jardin blanc de Sissinghurst ou, ici, par exemple, et décidé « Nous allons faire ça », puis sont rentrés chez eux à Balham, Corudon, Basingstoke, Manchester et Prestwick et, en vrais démocrates, ont modifié le dessin d'un quartier ou la vue nord avant de trouver une nouvelle passion ou une nouvelle vision ? Des centaines, de milliers de jardiniers.

Imaginez que vous voyez pour la première fois mon dernier plan (concocté pendant les jachères de décembre).

Le premier ingrédient est la masse sombre d'une haie d'ifs. Plantez des delphiniums blancs suffisamment loin des racines gourmandes (les souris nichent dans les ifs) pour former un contraste avec une spirée en arcades. Passez les énormes fleurs inclinées d'une clématite « Marie Boisselot » à travers la spirée. Parsemez des digitales blanches et crème et, devant elles, disposez une plante au feuillage gris, de la santoline, par exemple.

Magique, vous en conviendrez. Mieux encore, car contrairement à la magie, celle-ci est à portée de main.

Après y avoir réfléchi pendant des années, j'en suis arrivé à la conclusion que le style de plantation de miss Jekyll est trop touffu. De même que l'esprit doit disposer d'espace dans une vie, de même les plantes doivent pouvoir se répandre, infuser et se resemer selon un schéma naturel. Il m'a fallu presque une vie pour en arriver là.

Petit avertissement. Celui qui s'est converti à la couleur blanche découvrira rapidement que rien n'est blanc pur. Examinez n'importe quelle fleur blanche et vous repérerez de minuscules points verts, des veines bleues dessinées sur la blancheur neigeuse, de spectaculaires anthères orangées. Mais une fois ancrée, l'idée aboutit à un marché rigoureux et exigeant. Car le disciple recherche les propriétés purificatrices du blanc — le désir de l'innocence perdue après la chute de l'homme. Vita Sackville-West avait raison. Qui peut passer, indifférent, auprès de fleurs pâles et buissonnantes dans un jardin au crépuscule — souvenir qui nourrit l'esprit au cours de l'hiver ? Qui peut se moquer d'un pavot jaune crémeux, ou blanc rose, ou des fleurs tachetées et crénelées de la *Paeonia Suffruticosa, « Pivoine en arbre »* ? Qui peut demeurer insensible à la pure séduction du lys ?

J'avoue, quant à moi, être envoûté par le paradoxe du lys : par ce mélange de pureté et de libertinage ; il faut vous avouer que mon père l'était aussi (« Manque d'équilibre » prétend Thomas, que cela n'empêche pas de sourire). Nous passons nos soirées à consulter les ouvrages : Thomas se penche sur les antiquités et la peinture, moi sur les plantes. A chacun son Graal.

Ce sont les mois les plus occupés à la pépinière et c'est en juin que s'épanouissent les roses. Toute la journée jusqu'au soir, les visiteurs affluent : en car, en voiture, et même à pied. Ils se bousculent dans le jardin clos pour se régaler des « Adélaïde d'Orléans », « Blanchefleur », « Duchesse de Montebello », « Jeanne de Montfort », « Louise Odier », « Cuisse de nymphe » (couleur de jeune fille rougissante), « Perle d'Or », « Rambling Rector », « Souvenir de la Malmaison », « Tuscany Superb » et « Zéphirine Drouhin ». Ils arrivent avec leurs carnets de notes, leur chapeau, leur canne pour s'appuyer, leurs bébés dans des kangourous ou des sacs à dos, en chaussures à talons ou de marche, possédés, mus par l'amour et par la certitude que, s'ils font le déplacement, ils en reviendront incommensurablement enrichis et réconfortés.

10

Cette année-là, Ellen Sheppey décida de ne pas concourir pour le prix de la meilleure pomme de terre à l'eau décerné aux comices agricoles annuels de Nether Hinton-Well-Yateley (qui se déroulait cet été à Nether Hinton). Elle avait gagné les deux années précédentes et ce n'était jamais bon d'être trop gourmand et de tenter le sort. Le triomphe lui manquerait et, il fallait le dire, le sentiment de supériorité à la vue de ses pommes de terre, bouillies à la perfection, disposées à côté d'un carton blasonné d'une assiette de cuivre « Premier prix ». Comme disait Ned, « La vie nous pousse en avant, ma fille ».

Ellen s'attaquait cette fois au concours du cake aux fruits confits de deux livres avec en prélude le défi supplémentaire : le concours d'œufs. L'an dernier — l'année du Grand Scandale des œufs — avait été mouvementée, et la réputation de Mary Prosser avait été entachée : elle était devenue aussi foncée que ses œufs qu'elle aurait trempés dans une décoction de café. Dommage pour Mary. Ellen Sheppey, elle, n'avait pas besoin de recourir à de telles tactiques : elle était l'heureuse propriétaire de poules Leghorn, seule race capable de pondre pareilles merveilles.

Le matin des comices, une brume recouvrait le village. La journée promettait d'être belle et Ellen se leva de bonne heure, les cheveux dans des papillotes. Il faisait déjà chaud et la sueur perlait sur sa lèvre supérieure. Un jour comme celui-là, Ned savait qu'il avait intérêt à se faire tout petit, il attendit donc que le dernier œuf fût en place dans une boîte à sucre, le cake enveloppé et les pois de senteur délicatement disposés dans le panier.

— Pas mal, hein? dit enfin Ellen, enchantée d'elle-même et du reste du monde.

Elle se pencha pour tirer sur ses bas et tâta la bosse de son genou, plus jamais comme avant depuis qu'elle se l'était cogné chez Blane :

— Sale truc.

— Je me tue à te répéter d'aller montrer ça, ma fille. Mais tu ne m'écoutes jamais. Faut toujours que t'en fasses à ta tête, ajouta-t-il, véritablement inquiet.

Il prit la chope du Couronnement sur le dessus de la cheminée. Elle contenait des pièces de monnaie :

— Tiens, prends ça et va voir ce docteur, rien que pour t'assurer que tout va bien. Tu m'entends?

Ned prit les mains d'Ellen qu'il referma sur la monnaie :

— Oui?

— Oui. Mais pas aujourd'hui, Ned, fit Ellen en comptant son argent. On laisse tomber pour aujourd'hui.

— D'accord, dit-il en souriant à sa femme qui arrangeait ses cheveux en face du miroir.

A dix heures, Ned partit à bicyclette jusqu'à l'exposition. Ellen ôta son tablier imprimé et coiffa son chapeau.

En route.

A Hook Meadow, un flot de bicyclettes et de charrettes remplies de fleurs et de produits bloquait l'entrée; du coup, tout le monde bavardait librement. A une extrémité de la prairie, les gens de la Foire avaient dressé leurs stands : attractions à un penny, un bain de son et un manège. A l'autre bout, une tente, pilier de la vie du village. A l'intérieur, il faisait lourd, cela sentait la toile chaude, les fleurs, l'herbe et la transpiration. Les juges avaient fait leur tournée plus tôt et les cartes se dressaient à côté des objets exposés : vases de dahlias, phlox, montbretias et asters arrangés sur des tables recouvertes de nappes blanches. Leurs couleurs fraîches et éclatantes contrastaient avec la toile mouchetée de moisi de la tente.

Ellen commença à décrire un grand cercle afin de garder pour la fin ce qui l'intéressait le plus.

— Tu es cinglée, remarqua Ned. Et ça n'est pas nouveau.

Il alla son propre chemin.

Plusieurs rivaux venus de Yateley s'étaient groupés et

faisaient des comparaisons à voix haute. Ellen n'en eut cure et inspecta les boutonnières des messieurs avant d'aller voir les vases où se mêlaient annuelles et vivaces. A l'extérieur, une harmonie entama un flonflon qui l'emplit d'excitation. Elle étudia la section enfantine — comme toujours, les arrangements de fleurs sauvages dans des bocaux de deux livres étaient les plus nombreux. Puis les légumes : les carottes n'étaient pas mal, les oignons acceptables sans plus. Les haricots... euh... C'est alors seulement qu'Ellen s'autorisa à regarder en direction de la table des œufs.

Le premier regard en coulisse ne lui apprit pas grand-chose.

— Vous viseriez donc le premier prix, Mrs. Sheppey? s'enquit Fred Stevens, dont le jardin était célèbre au village.

— Peut-être que oui, peut-être que non, Mr. Stevens.

L'air s'épaississait encore sous la tente, et avec l'impression de marcher à contre-courant, Ellen se rendit à la table des œufs. Elle s'aperçut alors à quel point elle tenait à rester la meilleure.

Mais c'était bien écrit. « Premier prix » disait la légende de cuivre sur le carton à côté de la production de ses Leghorn. Elle soupira d'aise. Puis elle passa son sac de sa main gauche à sa main droite, s'obligeant à ne pas regarder en direction de Mary Prosser parce que, au fond de son cœur, Ellen se sentait compatissante.

Ellen se rendit ensuite au stand de l'Institut des femmes pour découvrir que son cake aux fruits confits était deuxième, battu par celui de Mrs. Chandler.

Plus tard dans l'après-midi, quand les hommes eurent tombé la veste et roulé leurs manches, Ellen s'assit à côté de Madge sur une chaise pliante à l'ombre de la tente et but son thé. Elles bavardèrent au sujet d'Alf, de Blane et du pauvre Simon Prosser. Elles évoquèrent la tentative du gouvernement de réduire l'indemnité de chômage de quinze à treize shillings. Malgré la soif, l'harmonie soufflait vaillamment.

Le soleil cognait sur le manège bleu et rouge, les couleurs voyantes du stand de tombola, les bouteilles de verre, les tasses de thé à moitié vides, les sacs de billes, les sucres d'orge géants, les fontaines à thé toujours en mouvement, les assiettes de sandwiches racornis et les petits gâteaux enrobés de papier dont le glacis coulait.

Le soleil se prit dans la bague de fiançailles de Matty. Flanquée de Flora en vert et du Dr Lofts (Ellen donna un coup de coude à Madge), la jeune Mrs. Dysart — coton rose et chapeau de paille — évoluait parmi la foule. C'était une gentille petite dame, dit Ellen à Madge, une brave fille qui ne méritait pas le sort que la famille lui réservait.

Madge approuva et demanda à Ellen si elle aimait travailler là-bas. Elle répondit que oui, mais ça lui manquait de ne plus tailler de bavettes avec les autres.

— Drôle d'engeance, commenta Madge. J'ai toujours trouvé qu'il leur manquait une case ou deux.

— Je vais te dire un truc, Madge, je pourrais arrêter mon travail demain.

A seize heures, Mr. Fielding sonna la cloche pour annoncer que Mrs. Dysart allait tirer le billet gagnant de la grande tombola puis, avec beaucoup d'emphase, il guida une Matty angoissée jusqu'au stand. Le silence tomba. Mrs. Dysart semblait pleine de bonne volonté, se dit Ellen tout en se demandant si elle pouvait passer par l'arrière pour reprendre du thé sans faire la queue.

La tombola annoncée, Mr. Fielding se lança dans une péroraison afin d'accueillir Matty pour ses premiers comices agricoles de Nether Hinton-Well-Yateley, déplora l'absence de Mr. Dysart en voyage aux Etats-Unis et conclut en envoyant ses salutations respectueuses à sir Rupert ainsi que tous ses vœux pour un prompt rétablissement. Une gamine fonça vers Matty avec un petit bouquet d'œillets de poète et de marguerites. Trop pressée et pas assez préparée, la fillette lui colla le bouquet en plein visage. Le chapeau de Matty plongea sur le bouquet, dissimulant son visage, et Ellen eut l'impression qu'elle riait. C'est bien, vous vous amusez.

Plus tard encore, une fois les esprits calmés et Matty rentrée chez elle, l'harmonie oublia les flonflons pour jouer valses et fox-trot. Le long après-midi tirait à sa fin et le soir projetait une lumière mauve et violette sur la prairie. Les alouettes pointaient vers le ciel et, près de la rivière, les hirondelles plongeaient dans l'eau.

A la place du thé, on vendait de la bière et du cidre local et les garçons avaient pris le relais. La tente s'était vidée : les légumes ternissaient, les fleurs piquaient du nez et les pommes de terre n'étaient plus appétissantes. Les familles étaient assises sur des couvertures à l'abri des arbres, et près des buissons environnants, des couples cherchaient un peu d'intimité.

Parfois, un enfant fatigué pleurait. Tom Hudson se soûla encore plus vite que d'habitude, Alice Bugg vomit derrière l'école. Quant à Ma Barnet, elle resta coincée sur ses cannes et il fallut la tirer par-dessus la boue près de la barrière. Ellen se régala de ce petit drame. Elle avait une tache de ragoût sur sa robe et, sous son chapeau, ses cheveux étaient en bataille. Mais pour une fois, elle s'en fichait comme d'une guigne. Coincé avec un groupe d'hommes près de la table où l'on servait la bière, Ned chercha sa femme des yeux. Cela suffit à la rassurer. La vie familière du village : sa vie familière. Jetant un regard alentour, elle se dit que rien ne changeait, que c'était tous les ans la même chose et que ça le resterait. Et c'était très bien comme ça.

Après de multiples négociations, Robin Lofts avait installé son cabinet de consultation au rez-de-chaussée de Iris House. La maison était humide et on se demandait si les égouts ne remontaient pas des tuyaux, mais ça irait. Jock et Ethel Turner y avaient vécu trois ans, ombres arthrosiques, et avant eux, les Boysell avaient survécu et fini par mourir de maladies causées par l'humidité.

Bref, le local de consultation n'était pas de bon augure. Ellen le savait parfaitement parce qu'elle avait souvent partagé le contenu d'une théière et des biscuits au charbon (« ça fait aller ») avec Ethel. Elles avaient le même sens de l'humour, vif, parfois amer.

Ethel avait la langue acérée. Les enfants grandissent, avertissait-elle, sentencieuse. Ne fonde pas tes espoirs sur eux.

Plus aucune trace des souvenirs, boîtes en coquillages, couvertures tricotées en patchwork, et fourbi général qu'Ethel adorait. Désormais, la pièce était propre et nue, exception faite de quelques chaises de bois le long du mur, et d'un bureau auquel était installée Flora Dysart.

— Bonjour, Ellen.

Flora leva les yeux d'un livre de comptes et consulta la pendule murale :

— Vous êtes juste à l'heure. La consultation ferme dans cinq minutes.

— Miss Flora ! Si je m'attendais....

— Vous ne pouviez pas, dit Flora en refermant son livre. Je trie certains dossiers pour le docteur. Il y avait un de ces désordres !

Ha, ha ! songea Ellen. A la fête du village, tout le monde avait remarqué que le nouveau docteur s'occupait de Flora. Ça et qu'on disait les avoir vus ensemble, voilà que ça prenait tournure.

— Bravo, miss Flora.

Flora releva le couvercle de l'encrier et y plongea la plume :

— Mmm. Je vais également travailler dans une nouvelle consultation pour le Dr Lofts.

Ellen afficha un air d'intérêt poli.

— Oui, poursuivit Flora. Il aimerait créer un service de planning familial.

Flora n'avait pas encore maîtrisé cette annonce et s'aperçut qu'elle observait l'encrier avec la fascination d'un entomologiste regardant une mante religieuse dévorer son mâle. Elle leva les yeux et, pour atténuer l'expression horrifiée d'Ellen, précisa :

— Uniquement pour les femmes mariées, Ellen, cela va de soi.

Dans un village comme Nether Hinton, on mettait le planning familial dans le même sac que le satanisme et l'inceste. Seuls quelques rares esprits, résolument modernes, y adhéraient — par principe. Ellen s'aperçut qu'elle ne quittait pas le sol des yeux et, pour la première fois de sa vie, ne sut que répondre.

— Réfléchissez, Ellen. Inutile d'avoir des enfants non désirés.

Ellen pensa aux années d'espoirs déçus, aux hémorragies, à l'immense fatigue qui suivait quasi inévitablement — et aux deux petites tombes dans le cimetière. A Betty qui avait quitté la maison à dix-sept ans. Aux années passées trop vite.

— Sir Rupert est-il au courant ?

Flora s'affaira avec ses papiers.

— En fait non, Ellen, pas encore. Et je vous serais reconnaissante de n'en parler à quiconque, surtout pas à miss Robson.

— Je n'aurai pas besoin de le faire, miss Flora, rétorqua Ellen qui avait recouvré son franc-parler. Ça va se répandre dans le village comme une traînée de poudre.

— Oh mon Dieu ! Tant pis, j'ai promis au Dr Lofts.

C'est alors que Flora remarqua à quel point Ellen avait l'air éreintée. Furieuse contre elle-même, elle désigna la chaise près de la cheminée :

— Asseyez-vous, Ellen, je vous en prie, je vais chercher votre dossier avant que le docteur ne vous examine.

Lorsque Ellen ressortit de la salle de consultation, elle était livide.

— Oh seigneur ! s'exclama Flora en bondissant sur ses pieds.

Ellen s'apprêtait à partir, toute courbée.

— Puis-je vous aider ?

La voix de Flora lui parvint de très loin. Dans le vague espoir que les choses reviendraient à la normale, Ellen plissa les yeux ; ils étaient humides.

— Puis-je vous aider ? réitéra la voix claire.

Ellen secoua la tête, incapable de parler. Au bout d'une à deux minutes, les habitudes reprirent leur cours et elle dit :

— Si cela ne vous ennuie pas, j'aimerais rentrer à la maison.

— Je vous accompagne. J'étais en train de tout ranger. Pouvez-vous attendre cinq minutes ?

D'ordinaire, il fallait un quart d'heure à pied jusqu'à Clifton Cottage, mais Ellen, affolée par la douce assurance qu'il n'y avait aucune raison de s'alarmer, marchait maladroitement et sans vigueur. Flora lui offrit son bras et elles avançaient à pas lents entre les champs de blé. Flora parlait sans arrêt. Ellen levait les yeux de temps à autre mais refusait de la regarder.

Une fois au cottage, Flora proposa, d'une voix faussement enjouée qu'elle détesta sans pouvoir s'empêcher de la prendre :

— Laissez-moi vous faire une tasse de thé. J'insiste.

Dans l'arrière-cuisine, les cruches étaient astiquées et bien en place sur les étagères. Une pile de linge était pliée pour éviter les faux plis. La même habileté et le même esprit inventif étaient manifeste dans la cuisine, car Ellen avait ramassé des bouchons de porcelaine de chez Blane et en avait décoré la cheminée.

Flora trouva les tasses et les soucoupes et réussit tant bien que mal à préparer du thé. Elle finit par poser une tasse pleine devant Ellen :

— Aimeriez-vous... cela vous aiderait-il d'en parler?... J'ai laissé des feuilles dans le thé, je suis désolée.

Ellen était peu encourageante. Le bruit des tasses soulignait la tension. Flora se renseigna sur les ouvrages au crochet recouvrant les dossiers des deux chaises. Ellen se redressa :

— C'est moi qui les ai faits.

— Et la cruche? demanda Flora en désignant un objet renflé peint de coquillages.

— Ned m'a rapporté ça d'une sortie à Brighton.

— Très joli.

— Miss Flora, vous êtes en train de penser que vous n'avez rien vu d'aussi laid. Et c'est le cas. Mais c'est Ned qui me l'a donné et j'y tiens beaucoup.

Elle se leva.

— Encore un peu de thé?

Avec beaucoup d'audace, Flora demanda :

— C'est votre genou, Ellen?

Ellen s'empara de la bouilloire.

— Le docteur dit qu'il n'y a rien d'alarmant. Il pense que la boule sur mon genou est un kyste. N'empêche qu'il faut l'enlever et je n'aime pas ça. Pas du tout.

Ellen se demandait parfois pourquoi elle était d'une nature si angoissée alors qu'elle avait eu une enfance plutôt protégée. Ned lui disait toujours qu'elle était une enquiquineuse. Toujours à t'agiter et à tripoter les choses pour qu'elles soient plus nettes.

— Je suis désolée, dit Flora qui décela la terreur dans les yeux d'Ellen et ne se sentait pas à la hauteur pour l'aider.

— Je lui ai demandé si ça allait faire mal. La dernière fois que je me suis coupée avec un couteau pendant que je découpais des volailles, ça m'a fait atrocement mal. C'est drôle, maman disait toujours que j'étais aiguisée comme un couteau.

Flora fouilla dans sa cervelle pour trouver quelque idée de réconfort :

— Ce n'est pas si terrible, Ellen. De nos jours, les hôpitaux sont excellents.

— C'est vous qui le dites, miss Flora.

Tentant de franchir la barrière qui sépare les malades des bien-portants, Flora tendit la main vers Ellen. Ce faisant, elle fit un bourde typique chez elle, renversant son thé qui se répandit par terre.

— Oh, excusez-moi, Ellen. Je vais arranger ça.

— Non, non ! Je viens de l'astiquer.

— Vite, alors. Dites-moi où je peux trouver une serpillière.

— Laissez donc, miss Flora. Ça sera mieux fait si c'est moi.

C'était incontestable. Flora abandonna et Ellen vit clairement qu'elle avait envie de s'en aller, loin des cruches de porcelaine et des dessus de cheminée au crochet. Loin de la culpabilité de se sentir jeune et en bonne santé alors qu'Ellen ne l'était plus.

— Ecoutez, je ne suis bonne à rien. Je suis dans vos pattes, c'est tout.

Ellen s'accroupit douloureusement et entreprit de frotter le sol.

— Si cela ne vous ennuie pas, comme ça je pourrai préparer le thé de Mr. Sheppey.

Flora croisa Robin qui franchissait le portail. Il lui jeta un seul regard :

— Pas terrible, j'imagine.

— Je n'ai hélas été d'aucune aide. Est-ce grave ?

Robin hésita puis répondit avec prudence :

— C'est possible, mais je ne le pense pas. Pauvre Mrs. Sheppey. Les genoux sont toujours très douloureux et elle n'a jamais subi la moindre opération.

Flora donna un coup de pied dans une pierre de l'allée :

— Oh, Robin. Elle est en train de frotter par terre parce que j'ai renversé mon thé.

— Ce n'est pas une raison pour vous mettre dans un état pareil.

Flora leva les yeux sur le ciel éclairé du soleil de juillet et sentit la brise sur son visage.

— Comment vous en sortez-vous dans de telles situations, surtout quand c'est vraiment grave ?

— Je ne suis pas sûr d'y parvenir.

Quand Robin passa le bout du nez par la porte de la cuisine, Ellen était encore en train de nettoyer. Comme se redresser lui était pénible, elle cria :

— Entrez.

Il referma doucement la porte derrière lui.

— Je vous ai retenu un lit à l'hôpital, Mrs. Sheppey. Voilà une bonne chose de faite. Il y a seulement quelques années, je vous aurais opérée sur votre table de cuisine.

Ellen regarda les choses qui l'entouraient : la cruche, les ouvrages au crochet, le fourneau où cuisait le dîner de Ned. S'il faut me découper en tranches, autant le faire ici, se dit-elle.

Robin n'essaya pas de l'aider mais demanda la permission de s'asseoir :

— Vous savez, ce sont souvent les petites choses qui tracassent les patients lorsqu'ils vont à l'hôpital. Alors je me suis dit que je pouvais passer voir si je pouvais préciser deux ou trois points.

Ellen repéra une petite tache qu'elle avait oubliée puis l'idée soudaine que sa vie était derrière elle l'ébranla fortement :

— C'est comment, la morgue ? dit-elle en s'appuyant au bord de la table pour se relever.

— Repeinte de frais, en l'occurrence.

Elle éclata d'un rire rauque :

— Ça c'est le comble ! Ça fait des années que Ned m'a promis de donner un coup de peinture dans la maison.

— Alors il ferait bien de s'y mettre parce que la morgue, vous ne la verrez pas.

Elle essora sa serpillière :

— Est-ce qu'ils vous regardent avec rien sur vous ?

— Non, à moins que ce ne soit nécessaire. N'oubliez pas qu'ils apprennent à voir les corps différemment.

— Et si je parle dans mon sommeil ?

— Ils ont prêté serment de ne pas répéter les confidences, répondit Robin en cherchant sa pipe dans sa poche. J'en arriverais presque à penser que vous avez quelque chose sur la conscience, Ellen.

— Si vous essayez de me voler mes secrets, docteur, sachez que vous n'aboutirez à rien.

— Pourquoi diable ferais-je une chose pareille ?

Debout, poings sur les hanches, Ellen sourit pour la première fois depuis son retour de chez le médecin. Elle comprenait ce Dr Lofts et elle avait comme une idée que c'était réciproque.

Robin Lofts savait que la plupart des gens ont des secrets, qu'Ellen ne constituait certainement pas une exception — et il n'avait pas la moindre intention de lui poser la question...

La nuit, les choses ne sont pas aussi ordonnées, et les souvenirs dévidaient leur écheveau d'échos désordonnés dans son demi-sommeil. Baignés de soleil, car c'était au plus fort de l'été, ou dans la magie d'un crépuscule estival, les souvenirs ramenaient Ellen au temps où elle vivait avec au cœur une joie débordante et inhabituelle.

Oh, rien n'était arrivé. Enfin rien de mal. Rien dont Betty — qui avait déjà quitté la maison quand Bill était arrivé dans la vie d'Ellen — ou Ned, pourraient l'accuser.

Ridicule, disait la silhouette obscure (qu'elle prenait pour Dieu ou sa conscience) qui hantait son sommeil. Tu as péché en esprit sinon en action, tout ça à cause d'un sourire grave et d'une masse de cheveux blonds sur un corps solide qui te transformaient en petite flaque.

C'était ça que la guerre avait changé, entre autres.

Bill et ses hommes étaient en marche : en descendant Jackall's Hill, puis devant les Horns, à gauche près de la cressonnière puis dans Redlands Lane. Tirée par des mules, la cantine clôturait la marche et s'arrêta près du tourniquet.

Les hommes faisaient la queue avec leur gamelle quand Ellen souleva ses jupes et passa une jambe par-dessus l'échalier. Elle croisa de plein fouet le regard de Bill. De la vapeur montait de la cuisine et ça sentait le chou comme jamais. Bill sourit.

Après quoi, Bill avait souvent pris la direction de Redlands Lane pendant son temps libre, là où les femmes travaillaient l'osier. Ellen expliqua que l'osier blanc avait trempé dans la mare pendant l'hiver, puis était dépouillé. Les brins secs servaient à donner du contraste aux paniers. On gardait les bruns pour les paniers à bicyclettes ou à chiens et pour les sièges de jardin. On les faisait bouillir dans le four à houblon près du Plume of Feathers et la vapeur bouchait souvent le bas du village.

— Les blancs sont les plus beaux, s'extasia-t-elle.

— Exactement comme votre peau, dit-il en effleurant du bout du doigt l'intérieur de son poignet.

Son cœur de quarante-deux ans fit un bon, comme si on lui avait fait un électrochoc.

— Combien d'enfants avez-vous ? demanda-t-elle.

— Seulement un, répondit-il.

Et cela avait tissé un lien entre eux.

Ellen n'avait jamais osé demandé des nouvelles de Bill et des garçons après leur ordre de départ, presque sûrement pour le front, en France. Elle avait laissé son cœur retrouver son rythme normal et ses émotions s'arranger un petit espace dans sa vie.

On ne commande pas ses rêves. Il arrivait à Ellen de partir en France avec Bill, et elle rêvait de l'horreur qui y régnait. Elle le vit dans une tranchée inondée criant après ses hommes, le regarda grimper en haut et se faufiler entre les trous et les bosses, dépassant les restes pétrifiés des arbres sous les balles.

Jamais elle n'alla plus loin. Bill et elle avaient laissé leur histoire en suspens, et pas un instant elle n'avait douté que ce fût mieux ainsi.

Cette nuit-là, Ellen s'éveilla brusquement. Dans le noir, Ned respirait bruyamment. Le docteur avait dit qu'il n'y avait pas à s'alarmer et elle entreprit de maîtriser sa peur.

11

Des télégrammes suivis de lettres arrivaient à intervalles réguliers.

SUIS ALLÉ À CHARLESTON STOP PARLENT ENCORE DE LA GUERRE DE SÉCESSION ET DES YANKEES STOP PROCHAINE ÉTAPE LA NOUVELLE-ORLÉANS STOP

— Où est l'atlas ? demanda Flora. Je croyais que Kit se rendait uniquement à New York et à Los Angeles.

— C'était le cas.

— Mais La Nouvelle-Orléans est dans la direction opposée.

— Exact.

— Alors pourquoi ?

— Il en a manifestement eu envie, répondit Matty qui se posait la même question.

— Lui, il a toujours eu de la chance.

TRÈS TRÈS CHAUDE, LA NOUVELLE-ORLÉANS STOP JAZZ STOP FANTÔMES STOP DÉCLIN — STOP — BEIGNETS AU CAFÉ DU MONDE STOP DÎNER CHEZ ANTOINE STOP

Flora posa les yeux sur ses hanches.

— Au moins, ce n'est pas moi qui vais grossir.

— Non.

Comme toujours, les lettres de Kit étaient truffées d'observations et de renseignements topographiques et ne disaient rien de lui. L'Amérique n'est pas un pays, mais plusieurs, gribouilla-t-il dans une missive. Dans le Sud, poursuivait-il, ils vivent encore comme à la belle époque de la Mason-Dixon line, avant que le général Sherman n'eût traversé la Georgie... cases d'esclaves derrière des demeures d'avant-guerre recouvertes de mousse, des gens qui ont une mémoire d'éléphant.

Il fait chaud, rapportait une lettre commencée à La Nouvelle-Orléans avec vigueur, et achevée à Los Angeles avec irritation. (Kit soignait une atroce gueule de bois et le soulagement paradoxal d'avoir enfin abandonné l'idée de discipliner ses cheveux.) A La Nouvelle-Orléans, son hôtel, situé dans le quartier français, s'enorgueillissait de grilles en fer forgé en forme de tige de maïs et du fantôme d'une esclave torturée à mort par sa maîtresse. La ville avait des relents d'histoire, de Vaudou et de sexe.

En Californie il faisait encore plus chaud, surtout au-dessus des champs de coton. Les nouvelles n'étaient pas bonnes. Le krach et la dépression avaient porté des coups fatals dans le pays. Les actions étaient au plus bas. Les immeubles étaient vides. Les hommes riches étaient devenus des vagabonds et, comme d'habitude, les pauvres crevaient de faim. Beaucoup se nourrissaient uniquement de maïs, de couenne de porc et de rares légumes. Dans les prairies, panières de l'Amérique, la sécheresse avait sévi et réduisait le paysage à des boules d'herbe noire roulant au vent. Les habitants du cru les appelaient « la colère divine ».

Toutefois, l'industrie cinématographique était florissante. Ce qui, terminait Kit, était une excellente nouvelle; il expliquerait pourquoi à son retour. Il disait enfin qu'il avait hâte de revoir Matty, espérait que la santé de Rupert était stationnaire. Il rentrerait à la mi-août sur l'*Île de France*.

Matty lut la dernière missive dans le jardin. Une brise légère jouait dans les feuillets pelure d'oignon couverts de l'écriture impatiente de Kit. Elle leva les yeux. La colère divine semblait aussi vouloir se manifester dans le Hampshire; l'orage menaçait d'éclater pour rompre le charme d'un temps agréable qui avait duré tout le mois de juillet.

Elle replia la lettre et la mit dans la poche de sa veste. Kit était loin et, pour être honnête, Matty avait apprécié le changement. Pendant quelque temps, elle pouvait être elle-même, libérée de la faim, de la surveillance de Kit, des chemins détournés pour l'atteindre, des tentatives pour nouer les fils du mariage. Un après-midi d'été dans un jardin avec mille choses à faire, la solitude était plus que bienvenue.

Matty s'adossa à la statue. Le coin du socle fit une marque verte à sa jupe. Dommage, se dit-elle. Elle avait grossi et, sous le tissu, ses cuisses s'étalaient sur la pierre. C'était bien agréable. Elle planta un doigt sur le dessus de sa cuisse et admira la marque.

Directe, selon son habitude, Flora avait déclaré à Matty qu'elle était beaucoup mieux comme cela :

— Plus rose, moins fragile. Moins perdue.

(Vous ressemblez moins à une poupée, avait-elle voulu dire, sans oser.)

Ravie mais légèrement intimidée, Matty avait mis une main dans ses cheveux :

— Vous aimez ma coiffure?

Flora réfléchit une minute.

— Non. C'est trop frisé et trop court. A mon avis, les cheveux longs vous iraient mieux, Matty. Pourquoi ne pas les laisser pousser?

— D'accord, si vous pensez que c'est une bonne idée.

Toujours admirablement vêtue, Matty n'exerçait pas son talent pour elle-même, aussi aimait-elle demander conseil.

Comme elle le craignait, le coiffeur de Farnham n'avait pas été à la hauteur, mais Matty n'en voulait pas à Flora de sa remarque — en fait, elle se réjouissait plutôt que sa belle-sœur se sentît suffisamment proche d'elle pour être franche.

— A propos, Matty, où allez-vous tous les après-midi ?

Matty faillit céder à son envie de partager la confidence. Mais elle était trop habituée au secret. Non, ce jardin est à moi, se dit-elle.

— Nulle part, je marche beaucoup. Pour être en bonne santé. C'est ce que recommande le Dr Lofts.

— Fantastique ! lança Flora que l'on n'abusait pas aussi aisément. Une femme avec un secret !

— Très drôle.

— Lalalère, commença Flora qui se mit à chanter les paroles de la chanson d'Al Jolson *You Ain't Heard Nothing Yet* sur la musique du cantique *Hark the Herald Angels Sing*.

Matty sourit à ce souvenir et fouilla dans sa poche pour en extraire la liste qu'elle avait dressée plus tôt. D'après le catalogue publié par Old Rose Garden à Colchester, le « Paul Transom », un rosier grimpant aux reflets cuivrés, à la senteur de pomme atteignait jusqu'à cinq mètres de haut. Matty se redressa et regarda le mur près du massif. Elle savait que les roses dans le spectre rouge orangé étaient à la mode en ce moment ; Ned approuverait. (Elles me réchauffent, disait-il. J'aime les fleurs qui ont un petit derrière, si je peux me permettre.) Matty voyait ce qu'il voulait dire, mais elle ne pouvait partager son enthousiasme et raya le « Paul Transom » de sa liste. La « Blush Damask » semblait plus séduisante. Elle corrigea donc et ajouta à la deuxième colonne « Métro Sulphate » que le *Jardinage populaire* donnait pour la « nourriture des plantes préférée de Douce Dame Nature », désormais disponible en cristaux séchés.

Au-dessous, elle inscrivit « transplantoir » et « désherbant Eureka », décida que cela suffisait et remit sa liste dans sa poche.

« Attention aux maladies des rosiers » mettait en garde le *Jardinage populaire*. Matty prenait cet avertissement très au sérieux car elle avait choisi ses roses avec soin, les avait plantées toute seule et obtenues avec effort. Ned lui avait aussi donné un cours sur le sujet et, l'esprit plein de crainte, elle s'agenouilla près des roses nouvellement plantées à la recherche du mildiou, de la maladie des taches noires ou des feuilles jaunes.

Autre chose lui revint, que Ned avait raconté. Matty examina une feuille de la « Fantin-Latour ». Qu'était-ce ? Elle passa le doigt sur une colonie de pucerons agglutinés dessous. « Ils se ressemblaient beaucoup, avait-il dit. Lady Dysart n'a plus jamais été la même après la mort de son frère. Elle l'aimait beaucoup. »

Matty passa le doigt sur les pucerons et des insectes mourants se collèrent dessus. Elle s'étonna d'observer ce massacre avec indifférence.

Ces lettres. Elles devaient être de la main d'Edwin qui adorait sa sœur, tout comme elle l'adorait, d'ailleurs... S'étaient-ils toujours autant aimés ? Etait-ce pour cette raison qu'on avait expédié Hesther en Angleterre afin d'y trouver un mari ?

Si tel était le cas, comme c'était stupide, songea Matty. Hesther se serait nécessairement ennuyée ici, en terre étrangère. L'exil n'a jamais été un remède surtout si l'on n'est pas heureux. Rupert était-il au courant à l'époque ? Cela expliquerait-il le « garce » noté sur la lettre et les affaires de sa femme jetées pêle-mêle dans la malle ?

Aimer votre frère plus que votre époux (plus que vos enfants ?) était-il perçu comme une maladie, et comment l'avez-vous exorcisée ?

Deux cuillerées de savon doux dans deux litres et demi d'eau, ajoutées à une cuillerée de permanganate de cristaux de potasse mélangée à la mousse tuait les spores de la rouille. Matty connaissait la recette par cœur : Ned la lui avait fait apprendre. Elle s'était assise sur le banc de son sinistre bureau et l'avait répétée en balançant les jambes jusqu'à la savoir sur le bout des doigts. De toute façon, elle s'était aperçue que Ned aimait lui prodiguer son enseignement, et faire plaisir à un vieil homme qui se languissait de sa fille était une des choses les plus aisées de sa vie.

Matty en revint au problème des gourmands. Aux yeux du jardinier inexpérimenté, les gourmands ont bon aspect, avertissait *l'Almanach du jardinier*, mais ils sont de la race des ronces, plus vigoureux que les roses de culture, greffés dessus. Omettez de vérifier une pousse et elle tuera la véritable rose dont elle usurpe la place. En d'autres termes, suggérait la sinistre prose de *l'Almanach du jardinier,* la rose retournera à l'état sauvage. Cela fait, il est trop tard pour la sauver.

Jamais je ne permettrai cela, se dit Matty en oubliant tout le reste. Mes somptueuses *grandes dames*, mes « Fantin-Latour », mes « Naissance de Vénus », mes roses jacobéennes, mes « Comte de Chambord » ne subiront jamais pareil sort. Mes beautés domptées, épineuses et froissées.

Elle avait donc toutes les raisons de chasser l'envahisseur. Comment savoir? demanda-t-elle à Ned. Il répondit que les gourmands donnaient sept folioles par feuille au lieu des trois ou quatre habituelles.

— On les repère à des kilomètres. Soyez sur vos gardes, Mrs. Kit.

Arracher les gourmands, ou les extirper au couteau, indiquait *l'Almanach du jardinier*. Se contenter de les briser ne fait que les inviter à reparaître.

Le sécateur de Matty se referma sèchement. Le gourmand tomba sur la terre, et voilà, aussi simple que cela. Facile de tuer l'envahisseur quand on connaît la méthode.

Matty se releva et frotta sa paume droite où de nouvelles ampoules piquaient sa peau. C'était la fin de l'après-midi, le soleil s'éloignait, elle avait soif de thé. A ses pieds, un petit tas de branches taillées attendait d'être rassemblé dans son panier de jardinier. Tout était tranquille. C'était l'Angleterre : fraîche, humide, pleine d'une vie cachée, le jardin de Matty comme un point dans le flot continu des choses qui poussent. Et elle faisait partie de ce processus, qui se révélait aussi physique, aussi intellectuellement satisfaisant, aussi ressenti qu'une histoire d'amour.

— Matilda?

— Tante Susan. Je suis ravie.

Matty élevait toujours la voix quand elle mentait au téléphone.

— Voici des mois que nous n'avons pas échangé un mot. Comment vas-tu?

— Plutôt bien à vrai dire.

Un soupir impatient se fit entendre :

— J'ai toujours dit que tu t'agitais inutilement. Tu ne devrais pas penser autant à toi.

Le silence s'installa cependant que les deux femmes

digéraient ce début d'échange. C'était l'heure du thé, pourtant Susan n'était pas au mieux de sa forme, ayant ingurgité un White Ladys de trop au cours du déjeuner.

— Comment va oncle Ambrose?

— Très bien, mais très occupé.

Nouveau silence. Susan prit une cigarette dans l'étui.

— Matty, j'aimerais venir passer une fin de semaine. Que dirais-tu de la semaine prochaine?

Matty chercha désespérément l'inspiration dans son agenda, délicieusement vide hormis des notations telles que : « Visite à la roseraie des Craddock », « Demander le catalogue des bulbes » et « Prendre des boutures des rosiers roses ». Si tu te tires de cette affaire-là, Matty, tu peux entrer au Foreign Office... Le soupir céda la place au souffle de coûteux tabac de Virginie. Une chose était sûre : Matty ne voulait pas de sa tante Susan dans les pattes pour l'instant.

— Je crains que ce ne soit impossible, tante Susan. Je n'ai rien de libre avant la première semaine de septembre. Cela vous conviendrait-il?

— Je vois.

Susan mit dans ces deux mots cette intonation glaciale qui, autrefois, ne manquait jamais de ratatiner Matty. Elle foudroya l'appareil téléphonique du regard, aussi impatiente à l'égard de la nouvelle Matty qu'elle l'avait été à l'égard de l'ancienne :

— Ne peux-tu t'arranger pour que ce soit plus tôt?

Matty mentit avec soulagement à l'idée qu'elle était libre de le faire :

— Hélas non, tante Susan. Septembre est véritablement ma première date. Je serai enchantée de vous recevoir à ce moment-là. Puis-je noter?

— Nous sommes très occupée, à ce que je vois.

Susan mourait d'envie de se reposer aux frais des Dysart — après tout, elle avait élevé Matty. Elle eut envie de tordre le cou de sa nièce :

— Mais si tu dis septembre, septembre ce sera. Note donc, je te prie.

Elle écrasa sa cigarette qu'elle remplaça immédiatement par une autre :

— Daisy et toi vous êtes-vous parlé, récemment?

— Non, répondit Matty en refermant son agenda.

— Tu sais qu'elle est aux Etats-Unis. A New York pour être précise. Elle était plutôt déprimée et avait envie de vacances. Je l'ai envoyée se changer les idées. Un ami de Marcus l'a invitée à se joindre à leur petit groupe à Great Neck et ils ont passé huit jours à Charleston et La Nouvelle-Orléans. Ils semblent s'être amusés comme des fous.

— Ah.

Matty remarqua que ses jointures étaient toutes blanches.

— Ainsi tu n'étais pas au courant ? Quoi de plus normal si vous n'êtes pas en contact, commenta Susan, ravie de sa vengeance. C'est drôle, elle a retrouvé Kit lors d'un dîner. Quelle coïncidence, n'est-ce pas ? Je lui ai immédiatement écrit d'être prudente, ce qui, tu en conviens sûrement, Matilda, est la seule chose à faire.

Comment peut-elle être aussi cruelle ? se demanda Matty. Vis-à-vis de moi et vis-à-vis de Daisy.

Susan poursuivit uniment :

— Dans la lettre qui m'est parvenue hier, Daisy me raconte qu'une partie de la bande a l'intention de rentrer sur l'*Île de France*.

De sa main libre, Matty attrapa une pile de lettres sur le bureau et prit celle du dessus. Elle l'ouvrit et l'étala sur ses genoux. Ecrite sur du papier à en-tête du Fifth Avenue Hotel, elle datait de quinze jours. Elle la parcourut : Apparemment, l'arc Dewey près de l'hôtel s'inspirait de l'arc romain de Titus et Vespasien, le Delmonico était le restaurant entre tous, Tammany Hall devait son nom à un chef indien, etc., etc. Son regard balaya la page. Le visage de Kit apparut et ses oreilles bourdonnèrent au son de sa voix.

Aucune allusion à Daisy.

— Oh, vraiment, fit Matty d'une voix faible. Quelle surprise pour tous les deux, tante Susan.

Susan sourit à la photographie de Daisy dans son cadre d'argent :

— Oui, Matilda, on peut le dire.

Matty dévala les marches de pierre et traversa la pelouse en courant. Le buis cerclait de sombre l'herbe verte et, au-delà, coulait la rivière. Elle se dirigea en hâte vers le monticule qui dissimulait les restes de l'ancienne bâtisse Tudor.

Matty avait l'impression de se retrouver au point de départ.

Une fois au bord de l'eau, elle s'arrêta, tournant la tête en tout sens, ne sachant où aller.

— Mrs. Kit...

Ned apparut avec sa brouette remplie de branchages.

— Pas maintenant, Mr. Sheppey.

Glissant sur l'herbe sèche et la boue durcie, Matty se hâta vers l'abri à bateaux.

Il était petit, guère plus de deux mètres de large, avec une porte qui ne tenait que par un gond et qu'un bout de bois maintenait fermée. Matty ouvrit la porte et entra, bientôt couverte de moisi et de sciure. Le sol était constellé de mouches mortes et l'unique vitre était verdâtre.

Personne n'avait utilisé cet endroit depuis des années. Matty constata l'état de délabrement autour d'elle, sortit les rames et les plaça dans la barque arrimée à un poteau de bois.

« Nous nous promenions souvent en barque quand nous étions petits, avait raconté Kit. Avec Mère. Nous prenions un pique-nique et Tyson ramait jusqu'au grand champ. Quand j'ai été assez grand, je sortais pêcher, surtout quand je me sentais ébranlé. Ça me calmait. »

A leur retour de lune de miel, Kit avait emmené Matty une ou deux fois et lui avait enseigné les rudiments de la rame. Cela va t'endurcir, la taquinait-il. Tu vas avoir des muscles dont tu ne soupçonnes même pas l'existence.

— Va te faire foutre, Kit, se dit-elle, utilisant volontairement le langage le plus cru qu'elle pût imaginer. Va te faire foutre. Elle plaça des rames dans leur réceptacle; les dames de nage crissèrent.

La barque tangua, mal contrôlée par Matty, puis se faufila entre les herbes jusqu'au milieu de la rivière. Matty avait mal aux mains à cause de ses ampoules, mais elle ramait, ramait, s'éloignant de Hinton Dysart. Peu à peu, brillant dans le soleil, ses fenêtres nouvellement repeintes comme le glaçage d'un gâteau, la maison rapetissait.

Les poignées des rames glissaient, le bateau tanguait, l'eau clapotait.

Kit et Daisy. Dansant ensemble. Parlant ensemble. Mangeant ensemble. Quoi d'autre, ensemble? Matty tirait plus fort sur les rames. Finalement, la barque s'immobilisa en tremblant dans un massif de joncs. Matty courba les épaules et s'abandonna à sa douleur.

Il faisait chaud et calme. Des buissons de berce commune et de mûres couraient le long des berges, des arbres faisaient un dais. Des éphémères volaient sur l'eau, un nuage de moucherons tourbillonna autour de Matty. Elle fut piquée. Marbrée de brun verdâtre, mouchetée de soleil, l'eau semblait fraîche. Ici et là, une ride trahissait la présence d'un poisson. Le lit de la rivière était rempli de choses cachées et de roseaux vivant sous l'eau. Matty releva la tête. Rien de civilisé, ici, songea-t-elle, rien que la force naturelle des choses sauvages luttant pour le droit d'exister.

Comme un gourmand sur un rosier.

La jalousie est un sentiment cruel. Elle déchirait Matty en deux. Elle voulait que Kit l'aimât. Elle voulait être sa femme et la mère de ses enfants. Elle voulait la paix, le contentement, une vie de famille.

Elle voulait être si vieille que rien de cela n'avait plus d'importance.

Au bout d'un moment, elle manœuvra pour quitter les roseaux et revint sur son chemin. Une fois arrivée, elle se mit debout. Le bateau se releva et Matty faillit chavirer. Elle saisit le bord de la jetée rudimentaire et se hissa péniblement jusqu'à la rive. Puis elle amarra la barque.

Rentrer à la maison exigeait trop d'efforts. Matty s'assit, les pieds pendant au-dessus de l'eau. La brise se fit plus fraîche et, comme souvent à pareille heure, Matty se mit à frissonner.

Elle retourna ses mains et en observa les paumes abîmées d'ampoules avant de les tourner de nouveau. Ned disait qu'il fallait toujours se mettre du savon sous les ongles quand on jardine, autrement ils ne sont jamais nets. Exact. La prochaine fois, elle suivrait son conseil. Elle étendit les mains et se mordit les lèvres quand les crevasses s'ouvrirent.

Le bonheur, cela s'apprend — or ni ses parents ni son mari ne le lui avaient appris. Le contentement, elle l'avait appris toute seule, se réjouissant du plaisir qu'elle tirait d'un tableau, d'une flambée en hiver, de son jardin. Son jardin d'emprunt.

Quand ils chevauchèrent sur la dune de sable et sortirent de sa vie, les Verral ne pouvaient pas avoir envisagé l'héritage d'abandon qu'ils transmettaient à leur fille. « Un peu de patience, ma petite chérie, avait dit Jocaste à Matty, les yeux déjà fixés sur l'horizon. Tu vas bien t'amuser toute seule et nous serons bientôt de retour. »

Peut-être au fond était-il normal que Matty ne pût jamais avoir d'enfant ; comment, en effet, alors qu'elle était si mal dans sa peau, saurait-elle lui apprendre ce qu'elle avait été incapable de s'enseigner à elle-même ?

Sur son épaule, la main fut si légère que Matty la sentit à peine. Puis cela recommença — timidement, comme un pissenlit soufflé par le vent. Elle leva le visage.

Une silhouette familière se tenait sur la rive, à moins d'un mètre de Matty, tortillant la jupe de sa robe entre ses doigts. Le tissu était bleu poudré avec de lourds plis creux. Le visage était plein de coups de soleil.

Matty trembla.

— Pour l'amour du ciel, supplia-t-elle en s'agenouillant sur le bois pourrissant, pour l'amour du ciel, dis-moi qui tu es.

Elle leva les bras et serra l'enfant contre son corps vide et affamé.

— Dis-moi...

Ses bras ne rencontrèrent aucune résistance. La lumière striait la rivière, les hirondelles voltigeaient au-dessus de l'eau, la brise rassemblait ses forces et ridait la surface. Très haut, un courlis chantait.

Il n'y avait rien.

TROISIÈME PARTIE

KIT

1931-1932

HARRY

Une femme qui aimait son frère plus que son mari ? Un mari qui tout à la fois savait et ne savait pas. Une guerre. Une crise économique. Une maison qu'on avait laissée pourrir sur pied. Une histoire d'amour brisée et un mariage inopportun... Un jardin.

Tels sont les ingrédients de l'histoire. Peut-être sont-ils familiers, peut-être pas. Car les familles partagent souvent des expériences similaires — mais pas tout à fait tant il est vrai que, comme disait Tolstoï, chaque famille est différente dans son malheur. Du fait que je ne suis plus tout jeune, j'aime ruminer les souvenirs, les histoires, les potins, les résidus d'angoisse et de passion laissés par les papiers jaunis et je demande à Thomas (avec qui j'évoque la plupart des sujets) : Etait-ce vraiment nous ?

Chaque famille est marquée, je suppose, par un chancre qui lui est propre.

Les meilleurs survivent. Comme les rosiers alba qui, malgré toute leur beauté, sont extraordinairement résistants. Les alba prospèrent dans la semi-ombre ou contre un mur froid exposé au nord, et défient le mildiou et la maladie de la tache noire. La « Naissance de Vénus » est ma préférée entre toutes, et j'admire sa force et sa détermination. (Son seul défaut est sa tendance à l'éparpillement (débandade), tendance aisément corrigée par une taille sévère en décembre.) Avec ses pétales en rosettes froissées, ses fleurs ont la couleur des framboises écrasées dans de la crème double servies sur d'élégantes feuilles gris-vert.

Un régal, mes amis.

1

— Laissez-moi faire, ordonna Kit en arrachant le nécessaire de voyage des mains de Daisy. L'hôtesse s'en chargera.

— Au revoir, New York, dit Daisy en abandonnant sa mallette aux soins de Kit.

— Exactement, il ne faut pas en perdre une seconde.

Il s'éloigna pour veiller au sort des bagages, laissant Daisy se frayer un chemin jusqu'au pont de première classe. Il la rejoignit au bout d'une dizaine de minutes et l'informa qu'au moins cinq bouquets l'attendaient dans sa cabine et que d'autres arrivaient.

— Le salaire du flirt, lança-t-elle avec un rire exquis. Comme c'est charmant !

Elle leva le visage vers le ciel dans l'espoir d'y trouver quelque fraîcheur. New York était une véritable fournaise. Mais Daisy s'était tellement amusée.

C'était le petit matin et déjà la brume s'enroulait autour de l'Empire State Building et s'étendait sur le célèbre horizon. Du moins le fleuve offrait-il un semblant de brise. Kit attira Daisy en direction du bastingage où il réussit à leur ménager une petite place.

— OK, comme on dit ici ?

— OK.

— Brave petite.

— Regardez. Il y a Sally Allsop et Monty. Juste à côté de la femme en robe jaune, précisa-t-elle en désignant les badauds alignés sur le quai.

— Et, si je ne m'abuse, votre admirateur de Gurney s'attarde dans l'espoir d'attirer votre attention.

— Doux Jésus. Je lui ai pourtant ordonné de ne pas se montrer.

La cheminée de l'*Île de France* poussa un cri strident et Daisy sursauta. En jupe de coton, veste et chapeau de paille blanc, elle donnait surtout l'apparence d'être à la mode jusqu'au bout des ongles. Mais, l'observant sous le rebord de son panama, Kit reconnut à son port de tête les signes d'une grande tension.

— N'avez-vous pas envie de rentrer? demanda-t-il soudain.

— Pas tellement, si vous tenez à le savoir. Il y a des choses à régler...

— Tim Coats?

Elle lui coula un regard et leva un sourcil.

— Je suppose, oui. Je le lui dois. Je l'ai lanterné trop longtemps.

— Je ne l'aime pas.

Elle pâlit et détourna la tête.

— Cela suffit, Kit. Dites au revoir à New York.

Kit obtempéra, se concentrant sur les bagages qu'on montait à bord et les passagers agglutinés dans les couloirs. Quelques voitures s'étaient approchées du paquebot, leurs klaxons se mêlaient au concert des cris d'adieux. La scène était bruyante : impétueuse, enjouée, avec cette efficacité américaine un peu voyante.

— Vous ne devriez pas être avec moi, vous savez, remarqua Daisy en faisant un signe de la main à Sally Allsop. Mrs. Guntripp pourrait en tirer des conclusions hâtives.

— Pas vraiment. Où est-elle?

— En train d'installer ses filles dans leur cabine de luxe.

— Alors elle n'en saura rien.

Daisy soupira et baissa les paupières.

— Non.

Kit se cramponnait aux détails : une mèche de cheveux, échappée derrière l'oreille de Daisy, s'attardait sur sa joue, une manche appuyée sur un petit pli de peau sous son bras. La beauté de Daisy prenait de l'assurance et s'affirmait et, si Kit rêvait encore à la Daisy plus sauvage dont il était tombé amoureux en France, sa beauté d'aujourd'hui continuait de le rendre fou. Elle remua, mit son menton dans ses mains et croisa une jambe devant l'autre. Kit se remit à observer les mouvements du quai.

Ni l'un ni l'autre n'avait eu l'intention de se retrouver. Mais c'était arrivé, lors d'une réception en fin de semaine chez Mary Sopwith, à Great Neck, où ils avaient bu des cocktails sur une terrasse donnant sur la mer. Mary était riche et aimait les nouveaux visages. Kit, accueilli fraîchement par ses cousins bostoniens, accepta son invitation à se rendre dans le Sud avec le même groupe pour visiter Charleston et La Nouvelle-Orléans où il avait bu trop de planteurs et dansé au son d'un orchestre créole sous la barbe de vieillard, arbre typique de ces contrées. Malgré tout, Kit et Daisy se comportaient de façon exemplaire. Jamais ils n'avaient bavardé à l'écart. A repenser aux parties de golf, aux expéditions à voile, aux cocktails et aux bals, ces jours avaient été pleins d'intensité et de complicité — le gant tendu attendant la main, les sens aiguisés jusqu'à la douleur.

Comme à New York, cette semaine avait été distrayante... mais douloureuse et, s'il fallait être honnête, donnait l'envie de la revivre souvent.

Daisy déplaçait ses doigts gantés de blanc sur le bastingage. Elle effleura le poignet de Kit :

— Kit, je suis heureuse que vous soyez là.

Kit se contraignit à ne pas imiter son geste. Cela pourrait déclencher l'irréparable. Car Daisy était là : canevas vivant de peau, de pores, de cheveux, de chair pliée et secrète, de veines bleues, et il avait envie de la dévorer comme il avait une fois dévoré des souris en sucre. Il avait peur qu'un seul frémissement de sa bouche ne le poussât à l'entraîner dans sa cabine pour l'étendre, l'ouvrir grande et la prendre jusqu'à ce qu'il eût retrouvé l'apaisement.

Il fixa son regard sur les cordages qu'on déroulait des bornes, et écouta les adieux qui allaient crescendo. A côté de lui, une femme se mit à sangloter bruyamment tandis que son enfant sautait en hurlant « Papa ! ». Le remorqueur se dirigea vers l'embouchure du fleuve et, dans un hurlement de sirènes, l'*Île de France* fit éclater la forêt de serpentins entre le quai et lui et se libéra de son poste d'amarrage. Ruban d'eau entre terre et navire, puis canal, fleuve, puis bras de mer.

Les moteurs faisaient vibrer le pont sous les pieds. Daisy se protégea les yeux d'une main et regarda la ville disparaître dans la brume. Passé Battery Park, la brise s'aiguisa. Daisy ajusta sa veste autour de ses épaules et serra ses bras sur sa poitrine :

— J'ai oublié ce que c'était que d'avoir froid.

— Au revoir, statue de la Liberté.

L'enfant s'était arrêté de pleurer mais continuait de sautiller devant sa mère. La statue se dressa tout près puis s'éloigna. New York était derrière eux.

Daisy tira sur sa veste et dit à Kit, avec un sourire décidé :

— Rentrons. Vous feriez mieux d'aller saluer Mrs. Guntripp, Chloé et Peggy. Elles comptent sur vous pour le dîner. Méfiez-vous de Chloé. Elle est redoutablement gentille et innocente.

— Je suis un homme marié et respectable.

Silence.

— Marié, oui.

Leurs regards s'affrontèrent un long moment. Puis ce fut Daisy qui s'arracha aux yeux de Kit.

— Qu'attendons-nous ?

A la table des Guntripp, au cours de ce dîner du premier soir, Kit joua, avec le juste degré d'habileté, le jeu des filles Guntripp, dont l'espoir était d'être traitées en adultes. Rasé de frais, cheveux coiffés en arrière, assis avec désinvolture, prêt à bavarder, il était le rêve de toute débutante. Daisy avait vu juste, Chloé était entre deux stades : trop innocente pour freiner ses enthousiasmes et pas suffisamment maligne pour masquer son inexpérience. Mais tout en suggérant l'existence d'une vie intérieure, elle était ravissante et charmante. Kit écoutait son babil accompagné du cliquetis de l'argenterie sur la porcelaine. Ingénue à souhait, Chloé le régala de potins sur Daisy :

— Miss Chudleigh s'est montrée si gentille avec nous quand nous nous sommes croisées à New York. Elle a organisé des sorties et ne nous a jamais laissées coincées avec des gens difficiles. Tout cela, alors qu'elle était déjà tellement occupée.

Chloé s'exprimait sur un ton qui signifiait à la fois comment fait-elle ? Et serai-je jamais comme elle ? (Non, songea Kit.)

— La cabine de Miss Chudleigh regorge des fleurs les

plus exquises, dont certaines excessivement rares. Des orchidées, des lys, que sais-je ? Mère dit que si nous avions seulement la moitié de sa popularité... n'est-ce pas qu'elle a du succès, miss Chudleigh ?

Si Kit parlait, il ne manquait pas d'observer. Le moindre geste de Daisy avait un sens : la façon dont elle buvait ou s'emparait de sa fourchette, se tournait vers son voisin ou s'essuyait la bouche avec sa serviette. De l'autre côté du centre de table orné de capillaires, Daisy remarqua :

— Chloé exagère. Chloé, je crois que vous me connaissez maintenant assez pour m'appeler Daisy.

— Avez-vous apprécié votre séjour aux Etats-Unis, Mr. Dysart ?

Mrs. Guntripp était vêtue de satin eau-de-Nil avec un turban assorti. Ses doigts potelés errèrent sur les verres placés devant elle, elle opta pour le verre à eau.

— N'étiez-vous pas en voyage d'affaires, Mr. Dysart ? Vous n'avez sans doute pas eu le temps de vous amuser, intervint Chloé qui se vit gratifiée d'un froncement de sourcils par sa mère.

Kit alluma une cigarette pour s'apercevoir que le repas n'était pas suffisamment avancé.

— Oui, j'étais en voyages d'affaires, mais j'en ai tout de même profité.

— Est-ce que ça a réussi, vos affaires, veux-je dire ? Allons-nous boire à votre succès ? demanda Daisy en levant son verre de vin.

— Pas vraiment, en fait. Je pensais que certaines actions que je détiens pourraient être de valeur. Toutefois, je vais les conserver pour le moment.

Mrs. Guntripp était surprise. Tout le monde savait que Kit Dysart était commandité par sa femme, alors pourquoi entreprendre un voyage à l'autre bout du monde ? Mais elle leva son verre et sourit avec grâce.

— En tout cas, repartit l'incorrigible Chloé qui n'avait pas la moindre idée des plans machiavéliques des mères du beau monde, vous pourrez oublier les affaires au cours des prochains jours. Il paraît que l'orchestre est tout simplement fabuleux.

Assise à côté de sa sœur, Peggy rougit devant l'audace de Chloé.

— Elles sont délicieuses, commenta Daisy plus tard.

Kit et elle se promenaient sur le pont en évoquant les deux jeunes filles. Il était minuit et les lumières du paquebot scintillaient comme des pièces d'or dans le noir.

— Je suis très sérieuse, méfiez-vous — elles sont en passe de devenir folles de vous.

— Il n'y a aucun mal à cela. Je danserai avec l'une et l'autre demain.

— Vous devenez horriblement vaniteux, remarqua Daisy avec douceur. Comptez-vous flirter avec elles jusqu'à Southampton?

— Probablement.

— Que ferez-vous à votre retour?

— Reprendre les rênes. Que faire d'autre?

— Pas de voyage avec Max en une terre inconnue?

Kit éclata de rire.

— Peut-être.

— Pensez-vous que Matty soit heureuse?

Elle ne leurra pas Kit, qui s'appuya contre un canot de sauvetage et chercha ses cigarettes :

— Matty?

Il avait complètement oublié sa femme.

— A vrai dire, je n'en ai pas la moindre idée.

— Cela a au moins le mérite d'être honnête.

La robe vert pâle de Daisy voleta quand elle pivota sur elle-même. Elle s'appuya en arrière contre la rambarde, ce qui fit jaillir ses seins voluptueux. Kit se demanda si elle le faisait exprès. Il aspira une grande bouffée.

— Sauriez-vous si j'étais heureuse?

Il la rejoignit contre le bastingage mais se tint volontairement à un mètre :

— Je ne sais pas. Mais j'aime à penser que oui parce que je le reconnaîtrais d'après ma propre expérience... Je ne devrais pas vous dire ces choses.

— Savez-vous ce que je pense, Kit? Je pense que vous vous vous êtes organisé une bonne petite vie entre votre femme et votre domaine.

— Mais cela n'a rien à voir avec le bonheur.

— C'est ce que la plupart d'entre nous faisons, dit-elle, ce qui le surprit. Certains sont reconnaissants de mener leur petit train-train parce qu'ils détestent les ouragans et les tempêtes. Je vous soupçonne d'être du lot.

Un couple enlacé passa. L'homme avait glissé son bras autour de la femme qui murmurait à son oreille. Ils ne remarquèrent pas Kit et Daisy. Lorsqu'ils tournèrent autour des canots de sauvetage, la brise les surprit et la fille poussa un petit cri. Son amant la serra contre lui et ils disparurent. Kit ne put s'empêcher de les envier.

— Et vous, Daisy?

Dans un cliquetis de bracelets, Daisy caressa des doigts la bouche de Kit. Il s'aperçut qu'il saisissait sa main dont il baisait furieusement la paume.

— Kit, dit-elle d'une voix rauque et angoissée tout en libérant sa main. Il faut que je vous repose la question : Pourquoi avez-vous épousé Matty?

Il réfléchit un long moment. S'il tenait à être parfaitement honnête, il ne savait pas exactement.

— Pourquoi ai-je épousé Matty? Avais-je trop bu? J'avais fait une bombe à tout casser, cette nuit-là, et je n'avais pas les idées claires. Je vous ai crue lorsque vous avez affirmé avoir quelqu'un d'autre. J'étais furieux après vous. La peur de mon père...

— J'avais juste envie de poser la question. Histoire de voir si les réponses étaient les mêmes. Puis-je avoir une cigarette? demanda-t-elle, penchée sur le briquet de Kit. Je n'ai cessé d'y repenser, Kit. Vous avez hésité à mon sujet, vous m'avez dit que vous m'aimiez mais vous avez sauté sur Matty, presque une étrangère. Je crois que je ne comprendrai jamais.

La mer battait les flancs du navire et Kit devait affronter la blessure qu'il avait infligée à Daisy — et à lui-même.

— Je suis navré, Daisy.

Elle détourna le visage et regarda le bout de sa cigarette rougeoyer dans l'obscurité :

— Je vous pardonne, Kit. Vous le savez bien. D'ailleurs, j'ai eu des torts, moi aussi. Mais je tiens à vous dire quelque chose de très égoïste. Je ne veux pas enterrer notre histoire... je ne veux pas qu'on l'oublie parce que c'est commode.

— Aucune chance.

— Au contraire. C'est la solution la plus simple et tout le monde aime aplanir les difficultés, vous y compris, mon chéri.

— Daisy...

Elle secoua la tête :

— Vous m'avez brisé le cœur, Kit, au point que je croyais ne jamais m'en remettre. C'est le cas, en un sens. Mais j'ai appris certaines choses. La vie n'est que cœurs brisés et désillusions. Tout le monde doit s'y frotter de temps en temps. Avec un peu de chance...

— Oui ?

— Avec un peu de chance on en sort plus fort.

L'*Île de France* avançait. Une lampe se balançait, éclairant les bossoirs qui maintenaient les canots de sauvetage. Un cri de mouette déchira la nuit. Horrifié par tant de culpabilité et la certitude d'avoir commis une grosse erreur, Kit dit :

— Nous devons laisser cette histoire, Daisy.

Elle recula légèrement, mais elle avait bu beaucoup de champagne au cours du dîner :

— Non. Pour une fois nous allons affronter la vérité, Kit. Je suis lasse de penser à vous, lasse de souffrir. De réfléchir à tout cela. Lasse de vous détester. Et vous pourriez avoir la décence de vous expliquer. De vous expliquer vraiment.

— Je l'ai fait.

Leurs visages se touchaient presque. Kit sentait le souffle de Daisy sur ses lèvres et respirait l'odeur de propre et de poudre de sa peau, à laquelle s'ajoutait celle d'un parfum de prix. Il ferma les yeux et s'imagina prendre ses lèvres entre ses dents jusqu'à ce que sa bouche s'ouvrît sous la sienne :

— Soit, dit-il d'une voix si angoissée que Daisy faillit l'interrompre. Je suppose que j'ai épousé Matty pour son argent. Je ne sais pas. Je ne sais vraiment pas.

Elle poussa un long soupir :

— Je suis désolée, Kit, dit Daisy qui regrettait son agressivité. Je n'aurais pas dû poser la question.

— Daisy, par pitié.

Il s'empara de son poignet puis la poussa contre le bastingage. Une bretelle de satin glissa sur son bras.

— Que croyez-vous que j'éprouve ? demanda-t-il en se penchant pour embrasser le divin petit creux entre l'épaule et le sein. Que croyez-vous que je pense de ma stupidité ?

Terrifiée, exaltée, Daisy prit Kit par la nuque et le serra contre sa poitrine.

Kit se raidit presque instantanément :

— Pardonnez-moi, Daisy. Je n'aurais pas dû.

— Kit...

Avec une excessive lenteur, il rajusta la bretelle. Daisy ne fit rien pour l'en empêcher. Incapable de s'arrêter, Kit laissa courir son doigt sur sa clavicule, puis sur son sein. Elle frémit. Affolée à l'idée de perdre toute retenue, elle demanda, d'une voix dure et trop désinvolte :

— On rattrape le temps perdu ?

— C'est vous qui êtes stupide, cette fois. Il faut que vous compreniez que je n'avais pas mesuré cette force entre nous. Et aussi, j'étais persuadé que je n'avais pas le choix, mais je l'avais, bien sûr.

— Ah...

La tristesse de Daisy s'enroula autour d'elle comme un grand manteau et, avec un curieux petit bruit, elle se mit à pleurer.

— Daisy, vous n'avez que vingt-trois ans. Il y en aura d'autres.

Furieuse contre elle-même, elle essuya ses larmes puis, comme elle n'avait pas de mouchoir, garda maladroitement la main devant elle :

— Il y en a eu d'autres.

Kit prit son mouchoir et lui sécha la main :

— De vrais amants ?

Il regrettait déjà sa question. Une porte du salon de première classe s'ouvrit et une musique langoureuse et sirupeuse s'échappa dans la nuit.

— Oui, de vrais amants. Un ou deux. Et vous ?

Il pensa à Matty et au lit qu'il partageait avec elle à l'occasion :

— Non. C'est le moins que je doive à Matty.

— Au diable Matty. Au diable.

— Alors bonne nuit.

Avec une douce et infinie tendresse, Kit essuya les larmes sur les joues de Daisy.

— Bonne nuit, Daisy.

— Dites-moi, est-ce que Mrs. Guntripp se coiffe toujours pour avoir l'air d'un tapis brosse? demanda Kit en désignant du menton la silhouette assise sous l'auvent.

Daisy pouffa de rire :

— Kit, ne soyez pas grossier.

— C'était juste une question.

— Pour la peine, allez me chercher à boire. Je meurs de soif.

Daisy s'écroula dans un transatlantique et laissa pendre ses bras. Jouer au tennis par cette chaleur avait sapé toute son énergie et Kit avait cogné dur. Au cours de la nuit, le vent avait fraîchi pour retomber à l'aube. La mer était houleuse. C'était maintenant l'après-midi et Daisy s'habituait au mouvement. L'air était clair et le soleil lui chauffait agréablement les joues. Daisy ferma les yeux. Quand elle les rouvrit, Kit était debout au-dessus d'elle. Il s'accroupit près de la chaise longue :

— Buvez. C'est une orange pressée.

Plissant les yeux à cause de la luminosité, elle regarda Kit par-dessus le rebord givré de son verre. L'homme marié, plus vieux, maître de soi, avait disparu au profit d'un Kit jeune, bronzé, en short, chemise de coton aux manches retroussées et aux cheveux collés par la sueur. Le Kit des jours meilleurs. Daisy eut la vision déconcertante d'un Kit enfant, vulnérable, avec cet art qu'ont les petits garçons de vous torturer le cœur.

— Vous êtes exactement comme en France.

— Vous aussi.

Elle but le reste de son orangeade et soupira d'aise.

— C'était une bonne partie, remarqua Kit en tirant une chaise longue à côté de celle de Daisy.

La brise souleva l'ourlet de sa jupe de tennis et joua dans le foulard orange noué autour de ses cheveux. L'océan semblait plus bleu que jamais : étendue infinie, impassible, émaillée. Deux autres couples jouaient au tennis.

— Je suis fatiguée rien qu'à les regarder, commenta Daisy sans articuler.

Ses lèvres privées de rouge étaient rose pâle et desséchées par le soleil et l'écume.

— Indolente créature.

Le soleil était encore haut et l'eau clapotait en rythme. Ainsi bercés, Kit et Daisy s'endormirent.

Daisy se réveilla à cause d'une sensation de tiraillement sur le nez et les joues :

— Doux Jésus, j'ai attrapé un coup de soleil !

C'est alors qu'elle s'aperçut que Kit la dévisageait avec un mélange de tendresse, de fureur et de désarroi. Elle lui sourit avec naturel et Kit fut saisi d'une telle vague de désir qu'il fut contraint de détourner les yeux.

— Savez-vous que vous murmurez dans votre sommeil ?

Daisy se redressa :

— Non. C'est vrai ? Rien de compromettant, j'espère. Kit, est-ce que j'ai le nez rouge ?

— Un vrai fanal.

— Kit !

— Venez avec moi, j'ai de la crème dans ma cabine. Exprès pour les coups de soleil.

Elle se leva en vacillant, jeta un regard inquiet en direction de Mrs. Guntripp qui somnolait et, tout en se frottant le nez, emboîta le pas de Kit.

L'obscurité du couloir les surprit. Le paquebot fit une embardée et ils s'accrochèrent à la rampe pour avancer.

— Doucement.

Kit saisit Daisy à bras-le-corps tout en ouvrant la porte qu'ils franchirent en s'écroulant. Il referma derrière lui : ils étaient coupés du reste du monde.

La cabine était tranquille. Kit se rendit à la salle de bains et fouilla bruyamment dans les pots de toutes sortes.

— Une fois, j'ai été malade à Damas et mon ami le prince Abdullah a commandé pour moi à ses médecins un véritable arsenal contre les maux de tous ordres. Je dois dire que cela s'est révélé fort utile. Ah, voilà ! ajouta-t-il en tendant à Daisy un pot en verre.

— Merci.

Daisy s'était assise sur le lit et feuilletait les ouvrages sur la table de chevet.

— *Arabia Deserta*, *Les Sept piliers de la sagesse*... besoin d'évasion ? le taquina-t-elle. Ne devrait-ce pas être *Gestion domestique dans le Hampshire* ?

— Jamais entendu parler du voyageur en chambre ?

Il ouvrit le pot et prit un peu d'onguent.

— Ne bougez pas, dit-il en lui passant de la crème. Cela va mieux ?

— Oui. Cela vous ennuierait-il de m'en mettre sur les bras. Ils me font mal.

Il obéit et s'affaira. Une fois qu'il en eut fini, il leva les yeux. Daisy l'observait, une petite tache d'onguent sur la joue. C'en fut trop.

— Daisy.

Kit la hissa debout, prit son visage entre ses mains et l'embrassa sur la bouche. Puis il lécha la petite tache de crème, savourant la texture de sa joue. Daisy demeurait parfaitement immobile.

— Dites quelque chose, supplia-t-il.

Les yeux de Daisy ne trahissaient pas ses pensées, ne l'éclairaient pas, ne le guidaient pas, ne l'invitaient pas. Le bleu intense n'était ni approbation, ni encouragement.

Elle se libéra et serra ses bras autour de sa poitrine, comme pour se défendre.

— Que voulez-vous que je dise, Kit ? Que j'ai envie de vous ? Bien sûr que j'ai envie de vous. Mais cela ne suffit pas et il faut que je pense à Tim, et vous à Matty.

— Daisy. Approchez-vous.

Courroucé par l'allusion à Tim, Kit attira Daisy contre lui, la souleva et la lança sur le lit.

Elle se débattit un moment puis, soudain s'abandonna. Kit s'empara de ses jambes et arracha une chaussure de tennis, puis l'autre. Dans la cabine, le silence se fit lourd. Puis Kit se battit avec les boutons nacrés du chemisier. Dessous, elle portait une douce petite chemise de coton qui laissait voir la courbe de ses seins. Dans un gémissement, il releva sa jupe de tennis sur ses cuisses luisantes de sueur, agrippa l'élastique de sa petite culotte qu'il arracha.

Rien ne fut partagé de ce qui suivit. Dans la cabine trop chaude, sur le lit, il y avait Kit, seulement Kit, Kit assoiffé de désir, exigeant. Il ne pouvait pas attendre Daisy, il n'y était pas prêt.

Plus tard, elle poussa un cri qu'il se rappellerait sa vie entière. Puis le silence retomba, brisé par le seul bruit du pot d'onguent qui roulait par terre sur le foulard orange.

Daisy était allongée, la jupe roulée autour de la taille, le chemisier ouvert sur l'oreiller, les bras écartés sur les draps froissés.

— Oh, Kit, dit-elle, lumineuse d'amour et de désespoir. Je t'aime.

Kit se redressa sur les coudes :

— Tu m'as menti, Daisy.

Elle rit et lui toucha la joue :

— Oui, c'est vrai, n'est-ce pas ?

— Pourquoi ?

— Parce que... parce que...

Elle ne pouvait pas lui dire — elle-même ne comprenait pas.

Kit la prit dans ses bras.

— Pourquoi ne m'as-tu rien dit, Daisy ? Pourquoi ? murmura-t-il dans ses cheveux.

— Saviez-vous qu'en troisième classe il y a dix-huit choses au menu du petit déjeuner ?

Peggy Guntripp se donnait beaucoup de mal pour commenter les prospectus du navire : elle espérait ainsi attirer l'attention de Kit pendant le repas. Elle s'attaqua à son homard avec la subtilité d'un maréchal-ferrant. En face, Chloé tentait d'engager la conversation avec un homme d'un certain âge ; elle tapait rageusement sa fourchette sur son assiette pour exprimer sa frustration.

— Non, dit Kit, amusé malgré lui. Racontez.

— Et les salles de bains sont disponibles à toute heure.

— Dieu soit loué.

— Qui plus est, l'*Île de France* représente le visage de la France victorieuse et renaissante ; c'est la gloire de la France personnifiée.

— Si seulement je l'avais su quand j'ai réservé.

— Ses trois cent quatre-vingt-dix cabines de luxe de première classe sont toutes meublées différemment...

— Peggy, intervint sa mère, sois assez aimable pour me passer le sel, s'il te plaît.

— Il ne reste que deux jours, remarqua Daisy qui mourait d'envie de continuer de dévisager Kit. Qu'avez-vous prévu de faire à votre arrivée ? demanda-t-elle à Mrs. Guntripp.

Cette dernière tapota sa frange.

— Nous allons passer quelque temps à la campagne puis nous rentrerons en ville pour préparer les débuts de Chloé dans le monde. Je suis déjà épuisée rien que d'y penser, ajouta-t-elle en buvant un peu de vin.

Peggy était d'une rude trempe. Pendant tout le dîner, elle ne renonça pas à sa mainmise sur Kit; lui-même, ému par tant de persévérance, la récompensa de ses efforts en dansant deux fois avec elle, et une fois avec Chloé.

L'orchestre entama « Hot Nights ». Kit se tourna vers Daisy :

— Enfin.

Il lui tendit la main. Elle la prit.

— Puisque nous évoquons le sujet, aimez-vous la décoration? demanda Kit en indiquant l'éclairage tubulaire et le bois blond verni, style incontestablement Odéon précoce.

— A vrai dire, je ne remarque pas ce genre de choses. Mais j'aime la façon dont le bateau grince. Ma salle de bains est un orchestre idéal.

Kit fut frappé par l'idée que Matty, elle, aurait remarqué la décoration du paquebot. Il eut honte de cette pensée :

— Du moins n'a-t-on pas peint de singes dans la vôtre.

— Comment le savez-vous?

— Nul ne serait capable de répéter pareille erreur.

Au-dessus du parquet de danse, le plafond bas seyait à l'atmosphère d'intimité. L'*Île de France* jouissait d'une grande popularité; ses passagers, préférant son élégance à la rapidité des paquebots P&O, lui étaient fidèles; ses salons étaient pleins à craquer. Ce soir, les plumes d'autruche faisaient florès, sur les éventails, cousues à la taille, tombant des ourlets. Le lamé argent, or et eau-de-Nil chatoyait et les lambris, peints de couleurs douces, se reflétaient dans les miroirs. Dominant les voix cultivées anglaises, les intonations françaises tombaient d'un seul coup. A l'occasion, on entendait un accent américain nasillard. Kit et Daisy dansèrent un moment en silence; ils ne se regardaient pas mais Daisy serrait son corps contre celui de Kit.

— Vous vous rappelez la France? s'enquit-elle.

— A votre avis?

— Pensez-vous que cette femme, Bill, y soit toujours? Accoudée au bar à fumer des cigarettes douteuses?

— Probablement. C'était une habituée, comme on dit.

Il posa sa main sur la courbe de sa hanche. La main de Daisy s'attardait sur l'épaule de Kit. Ses bracelets tintaient agréablement. Kit fut envahi d'une joie irrépressible. Il posa les yeux sur Daisy, ses cheveux noisette, ses joues brûlées par le soleil, et repensa à sa passion, quelques heures auparavant.

— Daisy, lui murmura-t-il à l'oreille. A propos de cet après-midi.

Elle se serra encore contre lui en un geste intime qui le ravit.

— Chut!

Elle avait des marques rouges sur les cuisses, là où Kit l'avait frottée, elle avait mal au menton à cause de sa barbe. Quand Daisy s'était habillée pour la soirée, elle avait découvert un bleu sur son bras et avait remarqué une douleur inhabituelle entre ses jambes. Quand elle réfléchit aux théories sur l'amour, les livres, les poèmes, Daisy conclut qu'il était étrange que cela se réduisît en fait à des sensations physiques : douleur diffuse, cuisses humides, un bleu.

— Je veux vous dire que je suis désolé d'avoir agi comme un gamin, insista Kit.

— Hello! s'exclama Chloé en tournoyant autour d'eux avec la fougue de la jeunesse. N'est-ce pas qu'on s'amuse?

Daisy s'éveilla de sa torpeur :

— Oui, n'est-ce pas?

Kit attendit que Chloé fût hors de portée de voix :

— Daisy, je suis sérieux. Je veux que vous sachiez que ce qui s'est passé cet après-midi n'est pas ce qui se passe habituellement.

L'image s'imposa à lui du petit corps accueillant de Matty dans la chambre de Hinton Dysart. Il en fut ébranlé. Se penchant sur Daisy, il reprit :

— Ecoutez... je... je n'y connais pas grand-chose...

Sa confession émut Daisy comme elle ne l'avait jamais été.

— Je ne suis pas un amant extraordinaire pour toutes sortes de raisons, mais je sais, Daisy, que cela peut être mieux que cela pour vous. J'ai eu tort de...

La musique ralentit. Il faisait étouffant et il y avait trop de fumée et trop de monde.

— Pour l'amour du ciel, dit Kit, sortons d'ici.

— On va nager?

— Non!

Daisy mit deux secondes à se décider :

— Suivez-moi.

Cette fois, ce fut Daisy qui emmena Kit dans sa cabine et referma la porte derrière elle. La tête lui tournait de tant d'audace. Elle tendit la main à Kit et dit, plus pour elle-même que pour Kit :

— Que suis-je en train de faire ?

Kit prit sa main qu'il baisa. Affolée de ce qu'elle avait déclenché, elle se détourna au dernier moment et la bouche de Kit s'accrocha à la commissure de ses lèvres.

La musique passait à travers la porte et par le hublot. A chaque mouvement du navire, les lys immaculés déclenchaient une pluie de pollen orange sur le tapis.

Daisy tira sur la cravate de Kit. Il se laissa faire — tous deux pensaient à Matty et, paradoxalement, cela intensifia leur désir. Elle entreprit de déboutonner la chemise de Kit.

Cette nuit-là, Kit le solitaire n'était pas seul. Pour la première fois de sa vie, il brisa les barrières entre lui et les autres et trouva l'accomplissement de ce qu'il avait cherché. Déchiré par la gratitude, le visage enfoui dans le cou de Daisy, il murmura :

— Je t'aime, Daisy.

— Je t'aime, Kit.

Le clair de lune jouait sur les épaules de Daisy à qui ses seins conféraient une beauté surnaturelle. Kit caressait son corps avec l'envie furieuse de le garder pour toujours.

— Je t'aime, répéta Daisy, grisée de passion.

Le parfum des lys, doux, troublant, envahissait leur sommeil. Kit rêva du jardin de Hinton Dysart avec ses ravages et sa mutilation. Quand il se réveilla, l'aube s'étendait sur le bateau. Daisy s'ébroua et se retourna, étonnée de sentir un bras autour d'elle. Kit lui caressa la joue :

— Je ferais mieux de partir.

— Tout est recommencé.

— Oui. C'est la même histoire mais elle est différente.

Qu'ai-je fait ? se demanda Daisy en silence. Elle passa la main sur les yeux et le nez de Kit. Il embrassa ses lèvres craquelées et ses seins.

— Qu'ai-je fait ? dit-elle à voix haute.

Le temps tourna, apportant pluie et vent violent. Le pont n'attirait plus personne, la piscine abandonnée clapotait sous la houle, les passagers se consolaient aux bars.

A l'île de Wight, l'*Île de France* traversa les mers grises, dépassa la station de garde-côtes de Calshot et piqua sur Southampton où il s'amarra dans une fanfare de sirènes et de cris de badauds.

— Au revoir, Kit.

Le petit groupe s'était rassemblé sur le pont pour admirer l'accostage. Daisy avait remis son élégante robe et sa veste. Ses cheveux étaient cachés sous son chapeau et elle serrait son nécessaire de voyage en crocodile sur sa poitrine. Elle paraissait épuisée et distante.

— Au revoir, dit Kit.

C'est pis que je ne l'imaginais, se dit-il, bien pis. Il s'aperçut à son air tendu que Daisy pensait la même chose. La nuit dernière, après des heures de discussion, ils avaient décidé de tout arrêter, de considérer leur histoire comme un épisode survenu entre l'Amérique et l'Angleterre mais qu'il ne fallait répéter en aucune manière. C'était une décision commune, pourtant le regret et le désespoir s'attardaient entre eux.

— Daisy.

— Oui.

— Je me suis mal débrouillé avec cela, mais je vous aime.

— Moi aussi, pour ce qui est de me débrouiller, veux-je dire. Et je vous aime. C'est vrai, Kit

Elle se mordit les lèvres.

Le brouhaha s'intensifia. Il s'approcha comme s'il allait prendre Daisy dans ses bras, mais il ne le fit pas. Elle avança vers lui malgré elle et Kit, respirant une bouffée de jasmin, sentit sa gorge se serrer.

— Je ne savais pas, dit-il avec difficulté.

— Vous ne saviez pas quoi, Kit?

— Ce que c'est que d'éprouver...

Elle lui offrit un de ses regards en coin interrogateurs.

— ... aussi intensément. Tant de joie.

— Oui, dit-elle avec un sourire. Je voulais vous remercier pour cela.

— Si seulement...

— Je sais, dit-elle avec précipitation. Je sais.

Pour la dernière fois, il dessina en pensée la moindre ligne, le moindre pli, le moindre battement chaud de Daisy et respira l'essence de ce qui existait entre eux, comme s'il voulait emprisonner les extases d'une chair affamée qui se consumait désormais en souvenirs.

Le vent ébouriffa ses cheveux. Daisy faillit hurler du désir de le tenir.

— Je vous verrai en septembre, dit-elle en se détournant parce qu'elle ne voulait pas pleurer. Mère m'a écrit que nous allions venir passer une fin de semaine... Dites à Matty que j'ai de la peine pour le bébé.

Kit s'empara de sa sacoche :

— Oui.

L'avenir s'étira. Ni l'un ni l'autre ne supportait l'idée d'y penser.

2

C'était au cours de la dernière semaine d'août. Danny rendait sa visite annuelle aux chenils d'Odiham.

— Habite-t-il toujours dans la maison face aux piloris ? demanda Flora qui donnait un coup de main pour le repas du soir des chiens.

— Ouais.

— Suffit, ordonna Flora en repoussant les pattes de Lady qui s'appuyaient sur ses jambes nues. Tu es en pleine forme, ma belle. Danny, avez-vous réussi à trouver une nouvelle chienne ?

— Ouais.

— Ellen m'a raconté que l'unique sujet de conversation à l'hôpital était que la RAF allait installer une base à Odiham.

— On peut comprendre. Ça fait plus de bruit.

— Ça n'était pas le bruit, gros malin. Ellen prétend qu'ils s'inquiètent que les filles n'arrivent plus à se tenir.

Elle grimaça en servant aux chiens ravis leur pâtée à l'odeur repoussante.

— Passez-moi les écuelles, miss Flora.

Dans leur enveloppe de velours, les jambes de Danny étaient maigres comme des flûtes ; les taches de rousseur sur son visage et ses avant-bras paraissaient gravées sur sa peau pâle. Danny était bien bâti, maigre, d'ordinaire en bonne santé et rapide. Mais aujourd'hui, il était au ralenti. Flora le reconnut en soupirant sur les méfaits du whisky :

— Danny, pourquoi n'iriez-vous pas rendre une petite visite à mon père ? Cela lui ferait plaisir. Il vous réclame sans arrêt et vous ne l'avez vu qu'une fois depuis son accident.

Danny servit le reste du repas et une cohorte de chiens blancs et bruns se rua vers les gamelles pour reculer aussi vite. Flora quitta le chenil et attendit que Danny eût refermé la grille.

— Mais pourquoi ? insista-t-elle.

— Vous voyez, commença-t-il en fourrant les clefs dans sa poche, votre père n'a pas besoin de moi dans sa chambre. Et de toute façon il y a cette bonne femme qui reste plantée là à me surveiller dès que je respire. J'ai horreur de ça, si vous voulez savoir.

— Robbie n'est pas si mauvaise que cela.

— Elle le veut.

Flora se demanda si elle avait bien entendu.

— Quelle curieuse réflexion, Danny, que voulez-vous dire ?

— Elle le veut, répéta-t-il en exagérant son accent cockney.

Sous le choc de ce qu'elle croyait comprendre, Flora entra dans le jardin du cottage. Danny sous-entendait que Robbie voulait son père comme une femme veut un homme... comme elle-même voulait Robin. L'idée que son père malade constituait une cible laissait Flora sans voix. Peut-être que si elle ne faisait aucun commentaire, ils laisseraient tomber le sujet. Mais Danny en tenait une bonne, ce matin, et cela le poussait à assener un certain nombre de vérités bien senties.

— Ecoutez, miss Flora. On ne vous l'a jamais dit, mais c'est toujours comme ça. Elle, fit-il avec un mépris affiché, elle a le droit aux mêmes désirs que vous et moi.

Quels sont vos désirs, Danny ? se demanda-t-elle. Et le souvenir lui revint de son corps nu à travers la vitre.

Danny avait parlé simplement, sans gêne, laissant Flora complètement ahurie. Et trahie. Jamais elle n'avait imaginé que Robbie pût faire passer ses sentiments avant son devoir.

— Pourquoi ? demanda-t-elle faiblement. Pourquoi me dire cela aujourd'hui ?

— Vous êtes une grande fille, maintenant, miss Flora.

— Même si c'est la vérité, qu'est-ce que cela change pour vous, Danny ?

— Elle ne veut pas me voir avec votre père. Ça lui déplaît et ça me rend nerveux. D'ailleurs, je n'ai rien à faire dans la maison et j'aime autant rester ici, avec ma famille.

— Bon sang !

Se sentant à son désavantage, Flora était irritée, mais cela ne diminuait en rien sa loyauté, bien ancrée, à l'égard de Danny :

— Si c'est ce qui vous tracasse, je peux sûrement m'arranger pour éloigner Robbie.

Danny observait le tourbillon de queues, de griffes et de langues avec un détachement tout professionnel et un soupçon — rien qu'un soupçon — d'adoucissement. Flora fit une nouvelle tentative :

— Vous m'obligeriez, Danny.

— Dégage, Jupiter, lança Danny dont la voix se faisait toujours plus aiguë lorsqu'il s'adressait à ses chiens. Laisses-en un peu à Junon.

Flora lui tapota légèrement le bras. Danny haussa les épaules mais elle savait qu'il n'était pas fâché.

Elle éleva le ton pour dominer le vacarme :

— Réfléchissez-y, Danny. Vous lui feriez le plus grand bien. Je sais qu'il s'ennuie à périr et que Robbie le rend fou. Comme ses autres visiteurs, d'ailleurs. Vous savez, la famille, les voisins...

Danny s'éclaircit la gorge et cracha dans la cour. Flora se détourna. Il ouvrit la porte arrière du cottage :

— Ne vous en faites donc pas, miss Flora. Votre père va s'en tirer. Tout comme moi. Vous devez apprendre à laisser aller. Il sait que je viendrai quand il aura besoin de moi. Et ça, je le promets.

— Oh, Danny, vous me rendez folle !

Flora s'empara de sa bicyclette et l'enfourcha.

— Je me débarrasserai de Robbie. Et ça, je le promets.

Comme à son habitude, Flora se retourna une fois au bout du chemin. Appuyé sur la clôture, Danny fumait.

Flora traversa le Borough, puis prit Dippenhall Street en direction de Turnpike Lane. C'était à nouveau l'époque du cresson. Nourrie par un tuyau branché sur la rivière Hart, la cressonnière avait été nettoyée après la dernière récolte, puis replantée. Tilly Prosser et Madge, l'amie d'Ellen, remplissaient des paniers de bottes dégoulinantes. Un couple de poneys harnachés attendaient sur la berge pour emporter le cresson à Aldershot et North Camp.

— Bonjour, miss Flora, lança Tilly en levant ses mains mouillées pour gratter les piqûres de ses doigts.

— Hello, Tilly.

Flora repéra une petite silhouette près des poneys :

— Hello, Simon.

Plus sale et plus pitoyable que jamais, Simon murmurait un chant monotone aux poneys. Il tourna vers Flora un regard vide :

— Comment vas-tu, Simon ?

— Pas bavard, aujourd'hui, remarqua Madge en levant les yeux de son travail. Sa mère s'est soûlé la gueule au Horns, hier soir. Ça m'aurait bien plu, ajouta-t-elle en se penchant pour couper une nouvelle touffe.

— J'en voudrais six, s'il vous plaît, demanda Flora en prenant une feuille de papier pour garnir le panier de sa bicyclette. Mrs. Dawes veut faire un potage.

Elle écrasa un moucheron sur sa joue et compta sa monnaie. Tilly jeta les pièces dans une boîte en fer-blanc.

— Quel gâchis, lança Madge. Du bon cresson comme ça, en faire de la soupe.

Sur le chemin du retour, Flora se régala de l'odeur poivrée qui lui montait aux narines. Des gouttes d'eau s'écrasaient sur ses genoux. Elle passa devant l'église avec sa belle allée de tilleuls : celle que remontait parfois le soldat fantôme de Nether Hinton. Mrs. Dawes l'avait vu, quand elle était petite, parlementaire condamné à reproduire à l'infini le même geste de fuir la bataille par le mur de l'église dans un bruit de cuir et d'éperons. Enfant, cette histoire lui faisait dresser les cheveux sur la tête.

Elle se trouva bientôt dans Church Lane vers le chemin Dysart. Les batteuses s'activaient dans les champs — ils battaient tôt, disait Kit, parce que personne n'avait les moyens d'attendre l'automne et ses prix avantageux. Sam Prosser et son équipe y étaient, qui se détachaient contre le bosquet d'ormes. Flora fit tinter la sonnette de sa bicyclette et Sam leva le pouce.

Bientôt, les cueilleurs de houblon arriveraient de l'East End, avec leur cortège de bruit, d'accent cockney et d'enfants crasseux. La famille Hall venait depuis des générations et Flora se demanda si Ma Hall réussirait encore cette année. Elle avait juré que oui, qui pouvait dire ?

Flora franchit le pont et traversa la pelouse en laissant des traces de pneus. Sur la terrasse, Matty parlait à Ned. Kit apparut au coin de la maison, en bottes et culotte de cheval.

— Peux-tu m'attendre ? demanda-t-elle. J'en ai pour un quart d'heure.

Kit répondit en levant sa cravache :

— Je serai dans l'Echiquier.

Ce n'est qu'alors que Flora s'autorisa un regard dans l'allée. La voiture de Robin était garée près des écuries. Le médecin s'extirpa maladroitement de son siège. Flora poussa un soupir et freina. Robin avait la manie de tirer sur le dos de sa veste et de tapoter les revers de ses poches. Curieusement, Flora aimait cela. Immanquablement, Robin répéta ces gestes qui la firent sourire comme le chat du Cheshire d'*Alice au pays des merveilles*.

Au cours des promenades à Horsedown et au camp de César, Flora avait attrapé une maladie aux symptômes progressifs : l'envie d'être avec Robin ; la soif de l'observer. Avec une poussée de fièvre, elle avait succombé. A quoi ?

Un jour, elle s'était éveillée pour s'apercevoir que l'ancienne Flora avait disparu ; une Flora habitée de tendresse nouvelle, d'un éveil nouveau, avait quitté l'enfance. Réfléchissant à ce changement, elle avait supposé que cela avait commencé en France pour se poursuivre dans le misérable logement de miss Glossop. Là — ou bien dans les toilettes pour dames quand elle regardait Matty reprendre contenance tandis que son mari, dans la salle de bal, dansait avec une autre.

La bicyclette fit crisser le gravier. Robin se retourna. Flora stoppa près du mur.

— Flora.

Elle souriait toujours quand il la rejoignit. Elle lui tendit la main. Au-dessus de leur tête, sur le palier du premier étage, un rideau s'entrebâilla. Robbie ne perdit rien de la scène.

Robin frotta la main de Flora, constellée de cresson et

de caoutchouc desséché car les poignées de son guidon étaient usées.

— Vous me plaisez, comme ça, tout ébouriffée, toute chaude.

— Flûte. Je dois avoir les cheveux en bataille, s'excusa Flora en tentant de les arranger.

Puis elle se rappela qu'elle avait les mains sales.

— Mais je vous faisais un compliment, dit Robin.

Se sentant étrangement tremblante et essoufflée, Flora prit le cresson dans le panier :

— Mrs. Dawes en a besoin le plus tôt possible.

— Flora, pria Robin en reprenant sa main, il faut que nous ayons une sérieuse conversation.

Elle s'approcha de lui. Leurs épaules se frôlèrent. L'espace d'une seconde, avant qu'il ne reculât, elle sentit son empreinte sur elle. En haut, le rideau retomba.

— A quel propos ? demanda Flora qui savait pourtant à quoi s'en tenir.

L'élan et l'impatience cédèrent la place à la peur. Soudain elle n'était plus aussi sûre...

— J'allais partir me promener à cheval. Cela ne peut-il attendre ?

— Après avoir vu votre père, je dois faire une visite à Mrs. Sheppey maintenant qu'elle est sortie de l'hôpital. Je pensais que vous aimeriez aller à pied avec moi jusque Clifton Cottage. S'il vous plaît.

Flora sentit son cœur bondir dans sa poitrine.

— Alors ? Oui ou non ? insista-t-il tout en sortant sa sacoche de sa voiture.

Flora leva les yeux en direction de la fenêtre du palier.

— Je crois que Robbie nous a regardés.

— Quel mal à cela ? Elle m'attend sans doute — je suis légèrement en retard.

— Elle nous a vus en train de bavarder.

— Naturellement, voyons. Nous nous tenons en pleine lumière.

Flora ne répondit pas mais se dirigea vers la maison. Robin la suivit et ajouta alors qu'ils franchissaient le seuil :

— A tout à l'heure.

Il laissa Flora à son cresson qui gouttait sur le tapis persan.

Matty arrêta Robin en haut de l'escalier :

— Si vous avez cinq minutes...

Elle le conduisit dans son boudoir. Le Valadon resplendissait au-dessus de la cheminée. Robin fut saisi :

— Comme c'est extraordinaire, dit-il sans trop savoir si cela lui plaisait vraiment.

— Oui, n'est-ce pas? enchaîna Matty, enchantée qu'il eût remarqué.

Il s'attendait à du chintz, des chichis, des babioles, mais la pièce était toute en fines touches fraîches de blanc crème et de jaune primevère. Les fauteuils étaient capitonnés de calicot puritain; leur seule concession à la frivolité tenait dans la tresse antique qui les gansait. Les coussins semblaient faits de tapisseries anciennes. (Robin avait raison : Matty s'était donné beaucoup de mal pour trouver des canevas usés jusqu'à la trame.)

— En quoi puis-je vous aider? demanda-t-il, oubliant le boudoir devant le visage serré de Matty et l'expression hantée de ses yeux bruns.

Déception? Colère? Mésentente avec son époux? Robin passait en revue les diverses possibilités.

Matty roulait un mouchoir entre le pouce et l'index. Ses doigts étaient craquelés de façon alarmante.

Elle tendit l'autre main :

— Cela recommence. Je crois qu'il me faudrait encore de la crème.

Robin retourna la main de Matty. La paume en était très abîmée.

— Cela doit vous faire très mal. Vous lavez-vous dans du soda ou quelque équivalent auquel vous n'êtes pas accoutumée?

Ces derniers temps, après ses séances de jardinage, qui étaient fréquentes — Matty se frottait les mains au savon phéniqué. Il y avait aussi la nourriture pour plantes de Douce Dame Nature. Mais Matty n'allait pas entrer dans tous ces détails :

— Du savon de cuisine?

— Cela pourrait être la cause si vous n'en avez pas l'habitude. Une crème pour le visage ou les mains?

Elle secoua la tête en signe de dénégation et Robin chercha son carnet de notes dans sa sacoche. Certains patients aimaient être rassurés par le visage de leur médecin, d'autres éprouvaient le besoin de leur parler sans être observés. Jugeant que Matty appartenait à cette seconde catégorie, Robin l'interrogea sans relever le visage :

— Etes-vous préoccupée, Mrs. Dysart ?

— Non.

— Dormez-vous suffisamment ?

— Oui.

Matty répondait du ton dont elle usait lors des thés.

Robin inscrivit une phrase. Puis il leva les yeux et tenta une approche plus directe :

— Je dois répéter ma question, Mrs. Dysart. Etes-vous préoccupée ? Il arrive souvent que ce type de symptôme se rencontre chez des patients anxieux.

La petite fille est assise près de la statue dans le jardin. Elle pleure. Elle lève les yeux à l'approche de Matty... et disparaît.

Matty s'éclaircit la gorge et réprima l'envie d'étendre les mains pour en déchirer la peau.

— Vous rappelez-vous notre dernière conversation, docteur ? A propos de quelque chose qu'on appelle l'inconscient ?

Robin hocha la tête. Elle poursuivit :

— Eh bien, je me demandais. Une de mes amies... pense tout le temps à revoir quelqu'un qui lui est cher. Mais cette personne est très loin. Le plus étrange est qu'elle voit sans arrêt cette personne, la plupart du temps dans un endroit bien précis, mais pas toujours. Comme un fantôme.

— Qu'êtes-vous en train de me dire ?

Matty garda ses mains à plat sur ses cuisses :

— Je ne sais pas vraiment.

Robin inscrivit « Hystérie ? » :

— Il faudrait que je lise sur le sujet pour être absolument certain, Mrs. Dysart, mais à vous entendre, il apparaît que votre amie projette son désir le plus cher au-dehors d'elle-même et qu'il prend une forme physique. Ainsi voit-elle ce qu'elle a envie de voir.

— Je vois, dit Matty qui leva les yeux sur Robin avec un petit rire gêné. Désolée, ce n'était vraiment pas le mot à employer. Je crois comprendre.

Robin eut l'impression qu'elle se recroquevillait intérieurement :

— Quelqu'un d'autre voit-il ce que voit votre amie?

Il y eut une pause.

— Je ne crois pas.

— Bien. Cela n'a pas forcément d'importance.

— Cela vous semble-t-il très bizarre? demanda Matty douloureusement. Voire fou?

A côté d'« Hystérie? » Robin inscrivit « Hallucination? ». Il se creusa la tête pour trouver des indices s'appliquant au cas de Matty et inscrivit : « Sans enfant pour l'instant. Désir d'enfant? » Puis il leva de nouveau les yeux :

— Surprenant, oui. Mais je ne crois pas qu'on puisse taxer votre amie de folie, à moins qu'elle ne témoigne par ailleurs de tendances notablement antisociales. Je crois tout à fait possible qu'un désir profond et non satisfait puisse se manifester physiquement.

Et la tristesse, demanda Matty en silence, la tristesse qui accompagne ces visions. Est-elle entièrement mienne? Appartient-elle à quelqu'un d'autre?

— Votre amie a-t-elle perdu quelqu'un de très cher?

— Pas que je sache, répondit Matty après un instant d'hésitation.

— C'est une chose curieuse mais sur laquelle on a beaucoup écrit, songea Robin à voix haute.

Puis il s'adressa au Valadon :

— Parfois, quand on a perdu quelque chose ou quelqu'un de très important, le chagrin ne survient que plus tard, peut-être après un second deuil, ou une période de grande tension.

— Je vois.

Effectivement, Matty voyait. Une immense dune dans le désert et l'enfant qui attendait à la fenêtre.

Robin reporta son regard sur Matty et referma son carnet.

— Plus j'exerce, Mrs. Dysart, moins je suis surpris par ce que je vois et entends. Il est essentiel de garder l'esprit ouvert.

— Puis-je répéter à mon amie ce que vous m'avez dit? demanda Matty qui paraissait légèrement plus détendue. Je sais qu'elle sera reconnaissante.

— Je vous en prie. Si elle souhaite venir me voir, je suis à sa disposition.

La sacoche noire aidait à conduire une consultation. Robin fouilla dans les divers compartiments sans rien chercher de particulier, attendant que quelque chose d'autre surgît. Dans la négative, il la referma.

— Cela vous ennuie-t-il si je vous demande votre âge? dit soudain Matty.

Robin leva les sourcils puis sourit.

— Voilà une question que mes patients me posent souvent. A peu de chose près celui de votre époux, j'imagine. J'ai vingt-neuf ans. Pourquoi?

— Je me demandais simplement. Pardonnez cette question brutale.

— Du tout. Mrs. Dysart. C'est moi qui vais être brutal. Etes-vous malheureuse?

Matty eut l'air affreusement gêné. Ses mains papillonnèrent.

— Grands dieux, mais pas du tout. Je suis terriblement heureuse.

Comme prévu, Robbie vexa miss Binns. Aucune excuse ne put raccommoder la situation. Miss Binns s'en fut donc, laissant à Robbie son royaume.

Apparemment, rien ne changeait. On avait installé un treuil pour permettre à Rupert de changer de position, mais les papiers s'entassaient toujours sur la table et la poussière recouvrait ses souvenirs de guerre. Une étrange odeur s'attardait au point qu'une fois, Matty et Flora échangèrent un regard horrifié, se demandant si la chair de Rupert ne se putréfiait pas.

Les apparences sont trompeuses. Dans la chambre du malade, la balance penchait en faveur de Robbie qui, après des années à mener une nursery, dirigeait tout. Elle savait — la famille savait — que Robbie était indispensable. Qui d'autre cajolerait, bousculerait Rupert, s'occuperait de lui avec une dévotion sans pareille?

Elle manquait de finesse mais ses manœuvres, si primaires qu'elles fussent, étaient efficaces. Robbie avait marqué la chambre de son empreinte, étouffante, destinée à repousser l'intrus, affirmait Danny.

Pour ses péchés, Rupert n'avait droit ni au vin, ni au porc, ni aux desserts bien riches. On l'obligeait à ingurgiter du chou, des fruits frais et sa ration de whisky se réduisait à un petit verre par jour. Il fallait mettre au crédit de Robbie qu'il avait l'air mieux. Elle insistait pour que sa famille ne lui rendît visite qu'à des heures précises du matin et de l'après-midi. Admettons, concéda Flora à son frère. Cela permettait à Robbie de trouver le temps de laver, habiller et nourrir le patient immobile.

— Allons, allons, sir Rupert, vous savez que vous vous fatiguez dès que vous faites une entorse au règlement.

— Bougre de bougre, Robbie. Etes-vous obligée de me couper les couilles ?

— Tsst, tsst, sir Rupert. Ne soyez pas vulgaire, fit-elle en coiffant ses cheveux blonds qui tournaient au gris.

— Vous en avez entendu d'autres.

— Justement, sir Rupert, ça me suffit largement.

— Je veux que Danny vienne me voir, Robbie. Envoyez-le chercher.

— Cet homme ne remettra pas les pieds ici, sir Rupert. Pas tant que vous n'irez pas mieux.

— Si je vous l'ordonne, Robbie.

— Vous le pouvez, sir Rupert, mais ce jour-là, je quitterai cette maison. Vous vous arrangerez avec miss Polly.

La langue de Rupert, sa seule arme, n'était pas à la hauteur de la dévotion féroce de Robbie. Alors, *faute de mieux*, il prit l'habitude de se reposer dessus.

Robbie, pour sa part, maigrissait d'épuisement à force de veiller la nuit quand il était en mauvaise phase. Enveloppée dans un châle, elle était baignée d'une immobilité que seuls brisait le bruissement des arbres ou l'appel d'un renard. Elle passait la nuit à observer la forme tordue qui rêvait sur le lit. De temps à autre, elle lui administrait un médicament, retapait l'oreiller, laissait sa main sur son front, prenait son pouls, de plus en plus capricieux. Elle savait enfin ce qu'était posséder.

Quand Robin toqua à la porte après avoir laissé Matty, Robbie se tenait près du lit et parlait à sir Rupert. Contre les oreillers, la peau de Rupert avait la couleur du tissu. Ses yeux étaient rouges et enflammés. Il levait la main comme pour souligner son propos et Robbie l'écoutait avec son expression Vous-pouvez-vous-en-remettre-à-moi.

Quand le médecin entra, Robbie leva les yeux et il fut

manifeste que Robin avait été leur sujet de conversation. Elle s'avança vers lui :

— Sir Rupert désire vous parler et je vous saurais gré de ne pas le contrarier. Je reviens dans dix minutes.

Sur quoi elle sortit en faisant résonner bruyamment ses souliers lacés.

L'entretien que Rupert accorda à Robin se trouva par la suite être une révélation pour ce dernier. Trop perspicace pour ne pas percevoir qu'il faisait partie d'un courant social ascendant, Robin s'était forgé une sacrée cuirasse en ce qui concernait son passé. Peu lui importait que son beau-frère fût le maréchal-ferrant ou que son père eût été instituteur de village ; ou que ses ancêtres eussent creusé dans des puits de chaux et se fussent regroupés pour payer les taxes de métayage. Si l'on ne pouvait faire fi des gouffres que présentait le système de classe anglais, Robin avait décidé, lui, qu'on pouvait les contourner.

Cependant, quand Rupert, déchaîné par la frustration et la maladie, en eut fini, la belle cuirasse de Robin avait été soumise à rude épreuve.

Si le Dr Lofts entendait transgresser l'éthique de sa profession, disait le message de Rupert, alors c'était son problème. Rupert n'en avait cure. Néanmoins, si le docteur prenait sur lui de batifoler avec la fille de Rupert, alors le docteur ferait bien de rester sur ses gardes. Rupert prononça le mot « docteur » du ton qu'il aurait employé pour évoquer un « maquereau de Piccadilly ». Soit le Dr Lofts brisait immédiatement toute relation avec la fille de sir Rupert, soit on se passerait de ses services. Il n'y avait pas à discuter.

Pour un homme sérieusement malade, il avait donné un spectacle impressionnant.

Livide jusqu'au bout des ongles, Robin se réfugia derrière le professionnalisme :

— Sir, je dois vérifier votre pouls.

Ce qu'il fit en réprimant l'envie furieuse de le serrer violemment.

Des voix s'élevèrent dans le corridor. La porte s'ouvrit brusquement devant Flora. Elle la referma et s'appuya contre le battant, refusant de voir les signes de Robin lui demandant de filer.

— Père, j'imagine que Robbie vous a parlé.

Robin lâcha le pouls de Rupert :

— Un peu plus rapide, dit-il tout en le notant sur la feuille suspendue au pied du lit. Avez-vous effectué les exercices que je vous ai recommandés, sir ?

— Père !

— Si vous voulez dire que j'ai remué mes oreilles et fait jouer mes poignets, pas du tout, sacré nom ! Je n'y crois pas une seconde.

— Père ! réitéra Flora en s'approchant du lit tout en observant Robin. Qu'est-ce que Robbie vous a dit ?

— Ma chère Flora, Robbie ne songe qu'à votre intérêt...

Non, contredit Flora en silence. Au vôtre.

— Robbie a eu tout à fait raison de venir me trouver pour m'avertir que vous fréquentiez quelqu'un qui n'est pas convenable.

Flora chercha désespérément à se calmer :

— Puis-je vous rappeler, père, que votre santé est entre les mains de cette personne que vous prétendez peu convenable et que je suis censée fréquenter ?

Robin, qui s'affairait avec les potions, sourit de son merveilleux sourire. Entre eux, l'électricité traversa la pièce, inévitable, provocante. Flora serrait les poings. Son père était injuste — injuste et incroyablement offensant. Elle respira profondément et dit la chose la plus audacieuse de toute sa vie :

— Vous êtes ami avec Danny, père. Vous passez plus de temps avec lui que vous n'en avez jamais passé avec nous. Depuis toujours. Quelle différence ? Pourquoi ne puis-je être amie avec le Dr Lofts ?

— Flora, arrêtez, lança Robin vertement.

L'espace d'une seconde, Flora crut qu'elle avait gagné. Puis Rupert repartit :

— Flora, vous êtes encore plus ignorante que je ne le croyais. Je ne fréquente pas Danny. Voilà la différence. Dois-je me montrer plus explicite ?

— Père...

Flora commit l'erreur de jeter un regard dans le miroir qui lui renvoya son propre reflet : cheveux décoiffés, jupe informe, bas tourné. Soudain, elle perdit toute bravache : comment pouvait-elle défier son père et toute sa famille ?

— Je pensais, Flora, commença Rupert, glacial,

qu'entre mes deux sottes de filles vous étiez celle qui avait du bon sens et le souci des convenances.

La pointe des oreilles de Robin était toute rouge; Flora s'en aperçut, ce qui déclencha une panique indicible. Rupert, quant à lui, se trémoussait dans son lit :

— M'écoutez-vous, Flora?

La colère prenait corps. Flora chercha de l'aide auprès de Robin, qui secoua la tête. C'est alors que Flora comprit le pouvoir du malade sur le bien-portant.

Robin inscrivit ses instructions sur un nouveau flacon de pilules qu'il plaça sur le plateau avec les autres médicaments :

— Je vais vous laisser, sir, si vous voulez bien. Soyez aimable de prendre ces pilules selon les instructions. Je le rappellerai à miss Robson.

La panique vira au désespoir et aiguillonna Flora :

— Père, arrêtez, je vous en prie.

Rupert passa de la pâleur à la rougeur :

— Le Dr Lofts s'en va maintenant.

Parfois, au cours de son enfance, Flora en avait conscience, dans la maison, d'un sentiment confus de colère et de culpabilité, qui ne faisait pas moins mal sous prétexte qu'il était incompris. Peut-être était-ce dû au fait qu'elle grandissait? Ou à sa mère, dont la mort avait rempli ses enfants d'amertume? Moins, d'ailleurs, Flora que Kit et Polly, plus âgés. Quoi qu'il en fût, Flora avait beau plonger, louvoyer, courir, ce sentiment réclamait toujours son dû aux moments cruciaux.

Elle posa les yeux sur l'homme qui avait régenté sa vie et auquel elle était liée, fort, marqué par la douleur et blessé. Rupert dévisagea sa fille, lui aussi. Flora découvrit avec horreur que son regard était suppliant. Puis elle se tourna vers l'homme qu'elle aimait et qui rangeait tranquillement son stéthoscope dans sa sacoche. Seules la pointe de ses oreilles et ses épaules légèrement voûtées indiquaient qu'il se contenait à peine.

Flora n'était pas de taille pour ce genre de combat.

— Sortez, Lofts, dit Rupert. J'ai froid, Flora. Fais allumer le feu.

Honteuse comme jamais, Flora laissa partir Robin.

Ce fut Kit qui la découvrit. Flora était recroquevillée sur la banquette de la fenêtre qui donnait sur le jardin. Elle avait tant pleuré que ses paupières semblaient détachées de ses yeux.

— Remue-toi un peu, dit-il en poussant les jambes de sa sœur pour s'asseoir. Puis-je faire quelque chose? ajouta-t-il en lui prenant les mains.

Elle tourna le visage vers lui. Il fut atterré devant tant de chagrin.

— Je suis tellement en colère.

— Tu as l'air pitoyable. Après qui en as-tu?

— Père. Toi. Tout le monde dans cette — dans cette famille. Moi.

Kit soupira :

— Robbie m'a raconté.

— T'a-t-elle précisé qu'elle avait rapporté des ragots à père?

— Quelque chose devait filtrer — tôt ou tard. La question est, ma grande, cela t'a-t-il obligée à agir malgré toi?

— Je ne sais pas.

— Essaie de voir les choses sous cet angle, veux-tu? Si tu veux agir, sois vraiment sûre de le vouloir.

Flora avait mal aux yeux, à la bouche, à la peau.

— Bon Dieu de Bon Dieu.

— On est dans la même galère. Putains d'histoires d'amour pourries...

— Normal, on est les œufs d'une mauvaise couvée.

— Tu n'es pas mauvaise, toi, protesta Kit en lui pressant la main.

Elle eut un regard sceptique puis se détendit un peu :

— En tout cas, je suis embrouillée.

Elle se moucha.

— Très drôle, commenta Kit en lui posant un baiser sur la joue. Ma pauvre vieille. Veux-tu m'en parler?

— Il n'y a pas grand-chose à dire.

C'était vrai, songea Kit. Quand il fallait traduire en mots les sentiments, les sensations, les tentatives, les spéculations, les rêves d'une histoire d'amour, cela ne faisait pas lourd. Tel était le paradoxe. Ou la tragédie?

Ils demeurèrent silencieux quelques minutes. Le soleil portait une ombre sur la maison. Au-delà, la pelouse circulaire rayonnait en plein soleil, avec la rivière au-delà. Tandis qu'ils observaient, Matty apparut, une brouette entre les bras. Elle s'arrêta pour ajuster sa charge avant de repartir en direction de l'ancienne roseraie. Quelques secondes plus tard, Ned tourna au coin de la maison, vêtu de son éternel costume de velours. Son transplantoir était collé dans sa ceinture et il portait des cisailles. Matty vit Ned, s'interrompit et ils se mirent à bavarder. Tous deux semblaient s'intéresser au chemin sur lequel ils se tenaient. Finalement, Ned mit un genou à terre et entreprit de gratter le sol avec son déplantoir.

Flora se tourna vers Kit :

— Que font-ils ?

— J'imagine qu'ils essaient de retrouver l'endroit où l'ancien chemin croisait celui-là.

Il pointa du doigt en direction de l'ancienne roseraie :

— J'ai mis la main sur un plan de la roseraie du temps de mère et je l'ai montré à Matty ce matin.

— C'est vrai ? Pourquoi ? Et que diable Matty fabrique-t-elle avec une brouette ?

— En fait, Matty veut avoir carte blanche pour le jardin. Elle semble avoir fait la conquête de Ned et ils passent des heures à deviser.

— Matty est intelligente. Elle a trouvé une occupation.

La lèvre inférieure de Matty se remit à trembler.

— Toi aussi. Le planning familial ?

— Oh, cela ! C'est fini, désormais.

— Matty a raison. Nous devrons nous occuper du jardin à un moment ou à un autre.

Flora jeta à son frère un regard en coulisse. S'ils étaient réservés l'un vis-à-vis de l'autre, ils se comprenaient plutôt bien. Flora soupçonnait Kit de penser encore à Daisy — bien qu'elle ne se doutât nullement qu'il eût été adultère. Avec une ironie ingénue, elle risqua :

— Cela soulage ta conscience, Kit ?

Matty était maintenant agenouillée près de Ned et leurs têtes se touchaient presque.

— Si seulement c'était aussi simple, répondit Kit d'une voix blanche.

Mais Flora était trop absorbée par ses propres soucis pour faire attention.

— Kit, je ne suis pas fâchée après toi.

— Je sais.

— Comment le sais-tu ?

— Je suis passé par là, moi aussi.

Ce fut au tour de Flora de prendre la main de Kit :

— Pardonne-moi, je ne voulais pas remettre tout cela sur le tapis. Mais tu es heureux maintenant, n'est-ce pas ? Je veux dire, Matty est une fille bien. Je l'aime beaucoup.

— Parfait. Moi aussi.

— Alors tout va bien ? insista-t-elle, cherchant à se rassurer par l'expression de son visage. Crois-tu que tous les enfants soient prisonniers des désirs de leurs parents ?

— Ecoute, ma grande. Tu es la seule à prendre ta décision, ne l'oublie pas.

Flora se dit qu'elle ne s'était jamais sentie aussi seule.

— Pas quand on est vieille fille, pas du tout, rétorqua-t-elle, acerbe.

— Exact. Je ne le nie pas.

Kit lui prit le menton et l'obligea à le regarder :

— Ecoute-moi bien, tu n'es pas obligée d'accepter les diktats de père. Tu peux te battre. Si tu veux épouser cet homme, je te soutiendrai. Ne fais pas la même bêtise que moi.

— Mais... tu disais que Matty et toi...

— Tais-toi.

— Tu ne comprends pas, Kit. Ce que je déteste pardessus tout, ce que je ne supporte pas chez moi, c'est que je n'étais pas sûre. Pas sûre d'être assez courageuse pour affronter père si Robin me demandait de l'épouser ; et je l'ai laissé partir quand père s'est montré si grossier, si horrible avec lui.

— Je sais.

— Non, tu ne sais pas, fit-elle en bondissant de la banquette sans quitter le jardin des yeux. Il y a quelque chose d'atroce qui me tourmente depuis longtemps. Tu vois, je n'étais pas certaine de pouvoir abandonner tout ceci pour devenir l'épouse d'un médecin dans un cottage délabré. C'est cela, qui est affreux. Ne comprends-tu pas ?

— Oh si ! je comprends, Flora. Oh si !

3

Robin présenta sa note à Rupert avec ses compliments, adressa une lettre détaillée à son successeur et envoya le tout à Hinton Dysart. Il s'exécuta avec colère et appréhension car il était blessé beaucoup plus qu'il ne voulait l'admettre.

En un sens, toutefois, il avait été arraché au précipice. Il soupçonnait alors, et savait désormais, que l'opposition à son mariage avec Flora aurait été redoutable et, ayant tâté de la bataille, même Robin y répugnait.

Cependant, la façon dont Rupert l'avait traité l'avait aiguillonné et il s'en voulait de l'avoir pris de haut. Un simple regard à Flora, à moitié sur la défensive, à moitié terrifiée, alors qu'il était entre le père et la fille, avait suffi à le convaincre qu'il avait méjugé l'affaire. Flora n'était pas prête à poser ce genre de choix, pis, elle ne le serait peut-être jamais. Il était vain de la bousculer.

Depuis ce jour, Robin l'entrevoyait à l'occasion, tandis qu'elle chevauchait en direction de Horsedown, mais il n'avait pas tenté de la rejoindre. Elle non plus, d'ailleurs, ce qui lui causait de la peine. Robin ne voulait pas voir Flora, mais il avait besoin de savoir qu'elle avait envie de le voir et il voulait lui refuser ce plaisir. Elle lui envoya un mot l'avertissant de ne plus compter sur elle à la consultation. Robin le jeta dans la corbeille à papier sans prendre la peine d'y répondre — ce qui le remplit de honte, ayant conscience d'agir comme un gamin de deux ans.

Il chercha une nouvelle recrue dans le village et, comme les postulantes à l'assistanat d'un médecin jeune et célibataire ne manquaient pas, il engagea Anna Tillyard, de Ewes-hot, au grand dam des donzelles de Nether Hinton.

Anna était menue, efficace et dure à l'ouvrage. Elle avait une masse de cheveux roux, le teint frais et un rire gai qui franchissait plus souvent qu'à son tour la porte de la consultation. Employée efficace, elle était l'épouse de médecin idéale. Il ne fallut pas longtemps pour que Flora eût vent d'Anna. Flora s'aperçut qu'elle sellait Guenièvre pour de longues promenades solitaires qui ne réussissaient qu'à éprouver la patience de Tyson.

Le mois d'août s'acheva avec son cortège de bourrasques et d'inondations qui firent quatorze morts. Ces événements enfoncèrent encore le pays dans la crise financière. La ruée sur la livre atteignit des proportions catastrophiques et le gouverneur de la Banque d'Angleterre envisagea de déclarer la banqueroute nationale ; il s'en fallut d'un cheveu. Dans la tourmente des promesses non tenues, le gouvernement travailliste fut renversé et un gouvernement de coalition fut formé pour gérer la crise.

— « Depuis l'aube des temps modernes, cita Kit qui lisait *The Times* au cours du petit déjeuner, jamais le parti n'a autant été secoué. »

Il observa sa femme qui semblait particulièrement pâle, ce matin :

— C'est sans doute la vérité. Dieu sait ce qu'il va advenir.

— C'est cela, la politique, répliqua Matty, surprenant une fois de plus Kit par ses remarques. Des secousses, veux-je dire.

Kit replia le journal qu'il lança sur la table :

— Tiens, tiens. Aurions-nous affaire à une philosophe de la politique ?

— « Les banquiers new-yorkais décident d'accorder à la Grande-Bretagne un crédit à court terme de soixante millions de livres », lut-il quelques jours après.

A la fin du mois, il raconta à Matty que Ramsay MacDonald avait perdu la tête du parti travailliste.

— L'argent, lança Matty en annotant les menus proposés par Mrs. Dawes pour la fin de semaine. L'argent.

— Oui, l'argent.

— N'oublie pas que tante Susan et Daisy arrivent vendredi, rappela-t-elle à Kit tandis qu'il se dirigeait vers l'Echiquier pour y téléphoner.

— Non.

Il n'avait bien entendu pas oublié.

— Tu es poussière et tu retourneras poussière, dit Daisy à son miroir.

Depuis les tempêtes, une vague de chaleur s'était installée dans le sud du pays et Daisy suivait les traces des cernes violets sous son œil droit.

— Y vois-je des rides ?

Elle étendit les doigts sur sa joue et tira la chair sous son menton, qu'elle avait parfait.

— Non. J'ai peur, atrocement peur, je vois quelque chose de plus grave.

On frappa à la porte et Ivy Prosser se glissa, une pile de serviettes à la main, dans la chambre d'amis de Hinton Dysart, celle qui était juste un peu moins belle que la plus belle. Le sol n'étant pas tout à fait plan, la porte claqua et fit sursauter Daisy.

— Veuillez m'excuser, miss Chudleigh. Mrs. Chudleigh est prête et m'envoie.

Ivy était maintenant la femme de chambre attitrée de Matty, qui la prêtait souvent à ses invités. Cette semaine, Ivy avait veillé tard pour repasser son uniforme et gaufrer son tablier et son bonnet. Tôt ce matin, abrutie de fatigue, elle avait quitté le cottage de Church Street sous les rires envieux de ses sœurs — rapporte les flacons de parfum vides et tout ce qu'elles jettent. Ivy se sentait désormais à son aise dans le monde des nantis et l'expérience l'avait changée du tout au tout. C'était une Ivy pleine d'assurance qui maniait la brosse à cheveux et roulait les bas sur les cuisses soyeuses, rêvant du jour où elle serait indépendante.

Ses mains expertes lissaient et pliaient les sous-vêtements de Daisy avant de les ranger dans des tiroirs parfumés de lavande. Ivy s'assurerait que Daisy n'avait jamais été aussi bien servie, car Ivy avait des vues sur Londres.

Jolie Ivy, affairée. Le regard de Daisy se posa sur les flacons en verre biseauté. Son visage déformé apparut sur un bouchon d'argent. Ivy l'affairée ne prendrait sans doute jamais de risque stupide ni ne défierait l'ordre établi.

Raisonnable Ivy.

— Dois-je vous préparer votre bain, miss ? demanda Ivy avec importance et gravité.

Une fois sortie de l'eau, Daisy se réinstalla à sa coiffeuse. Ses sous-vêtements gisaient sur une chaise. Elle détourna les yeux, nerveuse, nauséeuse.

Elle attendit qu'Ivy eût étendu sa robe du soir sur le lit puis lui demanda de lui brosser les cheveux. Les coups de brosse étaient doux et pleins de déférence.

— Oh ! miss Chudleigh. Vos cheveux sont magnifiques.

Les yeux de Daisy se posèrent de nouveau sur la petite

culotte. La peur la taraudait. La gorge sèche, Daisy déglutit et demanda un verre d'eau à Ivy.

Cela ne l'aida guère.

Comment faisait-on en de telles circonstances ? Comment s'accommodait-on du monde extérieur quand en soi tout était chaos ? Comment saurait-elle quelle était la bonne solution parmi celles qui s'offraient à elle ? Comment pouvait-elle être certaine que son courage la tirerait d'affaire ? Pour la première fois de sa vie, Daisy était perdue ; pour la première fois de sa vie, elle regretta donc de ne pas être croyante.

— Vous êtes très gentille, Ivy, dit-elle d'une voix mécanique.

Plus tard, Matty frappa et passa la tête dans l'entrebâillement de la porte :

— As-tu besoin de quelque chose ?

De cyanure, songea Daisy éperdue. Ou à défaut, de morphine.

Vêtue d'une robe noire de chez Dove, qui lui seyait fort bien, Matty s'assura qu'il y avait encore des biscuits et du papier à lettres dans la chambre avant de reporter toute son attention sur sa cousine.

Pour une fois, la vue de Matty affaiblit l'esprit belliqueux de Daisy. Va-t'en, se dit-elle. Matty se sentait coupable et fâchée — surtout contre elle-même — et elle n'avait pas envie de s'attarder là-dessus à cette heure, entre le bain et l'apéritif, où la tension tombait.

La vieille appréhension s'infiltra en elle : elle était tellement moins intelligente, moins intéressante, moins belle que Daisy. Et il en serait toujours ainsi.

Kit et Daisy, ensemble sur l'*Île de France*. Cette vision la hantait, réveillait le vieux démon de la jalousie, torturait la partie la plus vulnérable de son cœur. Qu'avaient-ils fait ? Kit n'avait jamais évoqué la traversée — d'ailleurs, Matty n'avait posé aucune question.

Emma, Emma, faites que je m'arrête. Matty lissa sa robe noire sur ses hanches et demanda :

— Es-tu certaine de n'avoir besoin de rien, Daisy ?

— Non, je te remercie, répondit Daisy en agitant sa houppette. Tout est parfait, grâce à toi.

— Tenez le foulard de cette manière, ordonna Matty à

Ivy, ainsi la poudre de riz ne se répandra pas sur les vêtements de miss Chudleigh.

Et cesse d'être une foutue parfaite maîtresse de maison, hurla Daisy intérieurement.

— Il fait chaud, n'est-ce pas? remarqua Daisy en mettant son rouge à lèvres.

— Exactement comme en France, tu te rappelles?

Matty s'interrompit. Pourquoi évoquer la France? Elle ajusta ses boucles d'oreilles en diamant devant le miroir.

Daisy se vit en train de les arracher aux petites oreilles roses :

— Où sont les boucles d'oreilles de ta mère, celles que j'aimais?

— A la banque. Tu avais raison, Daisy. Elles étaient trop volumineuses pour moi. Veux-tu me les emprunter à l'occasion?

— Non.

Le ton était agressif. Matty en fut saisie. C'est alors qu'elle remarqua l'air bizarre de sa cousine : crispée, angoissée, le tour des lèvres blanc.

— Est-ce que tu te sens bien?

Non, répondit Daisy en poursuivant son monologue intérieur, je n'ai jamais eu si peur de ma vie. Elle leva les yeux sur Matty et lui offrit un sourire forcé :

— Parfaitement bien. On ne peut mieux. Qui sera là, ce soir?

Matty recula en faisant tournoyer sa robe.

— Pas mal, lança Daisy en poudrant ses épaules et ses bras.

Matty s'assit sur le *lit bateau* français et croisa les jambes. Sa sandale à haut talon pendait au bout de son pied; Daisy observa les ongles de ses orteils dont le vernis était appliqué à la perfection. Dieu qu'ils étaient civilisés, Dieu qu'elle les détestait.

— Qui? Eh bien, en quelque sorte nous fêtons le retour de Kit, la fin des travaux et la présence de tante Susan, naturellement...

Soudain, Daisy ne supporta plus le discours tranquille et quotidien de Matty :

— Excuse-moi. Ivy, soyez aimable de me donner mon coffret à bijoux.

Matty comprit et se leva. Elle apprenait vite, pensa Daisy qui trouva sa cousine — coucou en pleine mue — beaucoup plus redoutable qu'elle ne l'avait cru.

Les cheveux de Matty poussaient et ce soir elle les avait coiffés en arrière, retenus par deux peignes en émail. C'est un style qui lui allait bien et obligeait l'observateur à s'attarder sur ses yeux bruns et doux si souvent cachés sous ses chapeaux.

— Il fait si chaud que nous servirons l'apéritif sur la terrasse, dit-elle.

Daisy resta un long moment à fixer du regard l'étage supérieur de son coffret à bijoux. Une broche de diamants en forme d'abeille. Une paire de clips en diamants, pas terribles. Un pendentif en émeraude au bout d'une chaîne en or. Elle épingla l'abeille à son corselet. Sous la splendeur de sa peau, se tapissait la peur.

Kit arracha un col et en prit un autre. Il avait horreur de ça. L'amidon était inutile, surtout en pleine canicule.

Que disait donc le prince Abdullah? « On atteint le calme par la discipline intérieure. Par la contemplation d'un bel objet qu'on a choisi — comme une rose, mon ami, ou un lys. Observez-les, gardez-les à l'esprit, examinez-en la perfection cellule par cellule, puis toute chose trouvera sa juste place. »

Tu ferais mieux de te regarder, se dit Kit devant le miroir de son barbier. Que vois-tu? Le visage d'un homme insatisfait qui sait avoir tout pour être satisfait. Le visage d'un homme adultère.

La veille au soir, Max avait téléphoné pour lui demander de le rejoindre en Irak. Kit avait refusé, prétextant des obligations familiales. Max s'était montré inflexible. Vous avez tout le temps, je compte rester jusqu'au printemps prochain. Deux mois ici, ce n'est pas long. Je suis certain que votre femme n'y verra aucun inconvénient. Donnez-lui l'occasion de s'agiter à sa guise.

Matty ne dirait rien, car c'était son style, mais elle n'en penserait pas moins. Vous n'avez qu'à ne pas lui demander, objecta Max avec rudesse. Kit se sentit obligé d'expliquer à son ami que ça n'était pas ça, le mariage. Il ne plaisantait qu'à moitié. Je vous attends, dit Max qui raccrocha aussitôt.

Kit réussit enfin à attacher son col. Matty se doutait-elle de quoi que ce fût? Se taisait-elle uniquement parce que c'était dans son caractère? La culpabilité habillait les choses étrangement. Parfois, il surprenait un regard de sa femme et pensait immédiatement : elle sait.

Elle sait.

Quoi? Que chaque instant d'amour avec Daisy exacerbait les sensations de son corps. Lui apportait l'émerveillement, la tendresse, l'épouvante. Passion et joie fondamentale. Que Daisy lui avait offert la douleur la plus aiguë, la joie la plus aiguë, et la certitude que l'esprit humain se divisait en compartiments bien distincts.

La certitude qu'il lui avait donné ces choses.

Oh, Daisy! Il voulait engloutir Daisy, Daisy tout entière. Daisy jusqu'au plus infime petit pli de peau sous son bras.

Kit enfila sa veste et partit à la recherche de sa femme.

Un verre de White Lady à la main, Geoffrey Handal se tourna vers Archie Ritchie, veneur, lui aussi :

— Pleine aux as, dites-vous? murmura-t-il à l'oreille d'Archie, faisant allusion à Matty.

— Absolument.

Handal s'apprêtait à dire quelque chose quand Daisy apparut sur la terrasse, bien après les autres :

— Dieu du ciel, qui est-ce? s'enquit-il.

— Daisy Chudleigh. La cousine de Mrs. Dysart. Et la sœur de ce jeune monsieur, ajouta-t-il en désignant Marcus. Ils arrivent de Londres.

Archie tendit son verre pour être resservi et regarda Kit se lever de la balustrade de pierre. Harry Goddard, assis à côté de Susan Chudleigh, bondit sur ses pieds :

— Et tout ça n'est pas sans signification, ajouta-t-il.

— Daisy, ma chérie.

Harry connaissait à peine Daisy, mais il se précipita sur elle et l'embrassa. Daisy lui rendit son baiser en riant. Puis la main de Kit s'attarda sur son bras tandis qu'il faisait les présentations.

Une bouffée de lavande et de thym remontait du massif sous la terrasse où Matty avait placé des pots; leur parfum se mêlait au parfum exotique et vespéral de *Nicotinia*. Encore aujourd'hui, la chaleur s'était posée sur la vallée.

Près de Whitebridge House, le courant se réduisait à un filet d'eau et, à Long Copse, le paillis de feuilles sous les arbres était sec et poudreux. A Itchel, les hirondelles plongeaient et replongeaient au-dessus des champs de chaume, désespérées de ne pas trouver à se désaltérer. Une lumière laiteuse pointée de rouge s'étirait sur l'horizon bas alors que le soleil glissait sous la ligne des arbres.

— Nous allons passer à table, oncle Ambrose, dit Matty.

Elle attendit que son oncle la prît par le bras.

Les trente convives s'installèrent à la table rectangulaire dont l'acajou brillait comme un miroir. Les murs étaient peints d'une couleur beurre frais qui rehaussait les dorures du stuc. Des chandeliers étaient placés sur la desserte et au centre de la table et les appliques murales projetaient une lumière jaune pâle.

— Quelle audace! Tout à fait réussi! remarqua Tufty Bostock en accompagnant Susan à sa chaise.

— Oui, répondit celle-ci, l'air pincé.

Elle comparait en effet ce décor à sa propre salle à manger du 5 Upper Brook Street, si lugubre. Au vrai, si on l'avait consultée, jamais elle n'aurait soupçonné que Matilda fût capable de décorer fût-ce un panier à linge. Alors une demeure entière, même à la campagne... Elle réprima l'envie de lancer une réplique cinglante au jeune homme décomposé qu'on lui avait assigné à gauche.

Matty avait Archie Ritchie d'un côté, et ce vaurien de Harry Goddard de l'autre. Daisy était assise entre Geoffrey Handal et Harry — Matty avait bien conçu son plan de table, agréable pour tous, sauf Kit, flanqué de Susan d'un côté et de la mère d'Archie de l'autre. Flora était assise à côté de Marcus qui lui déployait sa serviette avec cérémonie et la tenait au courant des derniers mouvements de son régiment.

Matty regarda autour d'elle. Plus de fissures au plafond. Plus de moisi. Les tableaux étaient correctement suspendus et des experts leur avaient rendu leur éclat. D'une certaine façon (un effort de volonté) Matty avait apporté tout cela avec une phrase murmurée sur le ferry Calais-Douvres.

Je crois que vous devriez m'épouser.

Elle déplia sa serviette. Du coin de l'œil, elle percevait la lueur de la chandelle. Soudain, elle pensa à une scène de théâtre entourée d'obscurité.

— Mrs. Dysart ? demanda Archie, alarmé devant l'expression sombre et intense des yeux de Matty.

Cela ne le réjouit guère car il avait peu envie de passer tout le dîner à s'inquiéter d'une femelle neurasthénique.

Matty se tourna vers lui :

— Mr. Ritchie, dit Matty qui dégageait un parfum de rose, je devais être dans la lune. Pardonnez-moi.

Elle s'assura qu'on servait le potage avant d'ajouter :

— Dites-moi, j'ai entendu dire que votre record à la chasse à courre demeurait inégalé.

Archie se détendit, mais la grosse voix de Tufty Bostock retentit avant qu'il ne pût répondre :

— « Les années noires » ? Avez-vous lu cela dans les journaux ?

— Des bolcheviques, dit Archie à Susan. J'ai toujours dit que Ramsay MacDonald était bolchevique.

— Allons, sir ! protesta Kit avec un sourire. Les bolcheviques n'ont rien à voir avec ce charmant Mr. MacDonald. J'aime autant vous prévenir que la base travailliste est solide et s'élargit.

— N'en soyez pas si sûr, mon garçon, dit Tufty en encourageant discrètement l'extra à lui resservir du vin. Le péril rouge ne s'arrêtera qu'au prix d'une nouvelle guerre.

— Seigneur Dieu, nous ne sommes pas encore remis de la précédente, objecta Susan. Tenez, la semaine dernière nous sommes allés voir *A l'Ouest rien de nouveau* au cinéma. J'ai trouvé ce film très éprouvant.

— Je ne l'ai pas vu, s'excusa Kit.

Daisy cita, encore que de façon inexacte, à l'adresse de Harry :

— « Epuisés, consumés, sans racines, nous serons de trop, même pour nous-mêmes. » C'est ainsi que le soldat se voyait en rentrant chez lui. Mais je suis sûre que cela ne s'applique à aucun de nous, dit-elle en distribuant son sourire irrésistible aux hommes dont le regard ne la quitta plus. Vous étiez tous des héros.

Kit imagina son père, cloué au lit à écouter le murmure des conversations. S'était-il cru de trop ?

Un écho résonna dans la mémoire de Matty. De quoi, de qui ? Edwin, le frère d'Hesther, qui avait écrit des lettres si passionnées... si émouvantes. Il avait formulé quelque chose comme : « La guerre creusera un gouffre entre nous. Quand je reviendrai, nous serons chacun d'un côté. »

— Les gens ressassent trop à propos de cette guerre, murmura Marcus à Flora. C'est malsain, tous ces regards sur le passé.

Pour la première fois depuis des semaines, Flora éclata de rire :

— Vous avez raison, Marcus.

A son extrémité de la table, Matty demanda à Archie :

— Avez-vous entendu parler d'une série de toiles dans la chapelle mémoriale d'un village baptisé Burghclere ? L'artiste s'appelle Spencer. Il peint la guerre telle qu'il l'a vue.

— Non, répondit Archie dont les inquiétudes prenaient un nouveau tour.

— Je songe à m'y rendre un jour prochain. On prétend que ces tableaux sont remarquables et valent le détour.

En face, de l'autre côté des pois de senteur, Kit croisa le regard troublé de Daisy. Je suis à un bout du tunnel, semblait-elle dire. Et je veux que vous me retrouviez à l'autre bout. Tenez bon, disaient ses yeux à lui. Je ne puis vous aider, mais tenez bon.

Il faisait si chaud que les convives furent invités à prendre le café sur la terrasse. Certains choisirent de demeurer au salon à l'abri des moucherons, d'autres optèrent pour les fauteuils d'osier installés dehors. Quelques-uns se promenèrent sur la pelouse en direction de la rivière. Le café était fort et amer, comme Kit l'aimait, et Mrs. Dawes fit apporter d'excellents *petits fours*.

Chaude, immobile, la nuit s'étendait mystérieusement sur le jardin, à l'instar des nuits d'été indien. La lumière s'infiltrait au-dehors par les fenêtres du salon, brisant l'obscurité. Depuis le jardin, montaient l'arôme du tabac, le murmure des conversations, le bruissement rapide d'un animal, et un splash occasionnel dans l'eau.

Daisy s'assit à côté de Kit. Elle prit une pomme en pâte d'amande. Kit la regarda mordre dedans. Ses dents étaient encore plus blanches contre le colorant rouge.

— Daisy, pouvons-nous parler cinq minutes ?

Elle s'appuya au dossier de son fauteuil. Ses bracelets cliquetèrent. La lumière venue du salon joua sur son visage. Kit se détesta en s'apercevant qu'elle souffrait :

— Daisy?

— J'arrive.

Une fois de l'autre côté de la pelouse, Kit glissa son bras sous le coude de Daisy et l'attira plus près. Ils marchèrent en silence, l'if dessinait comme un croissant noir. Daisy frissonna :

— Le jardin est bizarre, ce soir. Je crois que je ne l'aime pas.

— Qu'est-ce qui ne va pas? Il y a quelque chose, j'en suis sûr.

Elle secoua la tête :

— Rien, c'est seulement le jardin.

— Vous mentez, Daisy.

— Je ne mens jamais.

— Bien sûr que si.

Les souvenirs se déroulèrent comme un film : les draps froissés, le foulard orange, le pot de crème roulant par terre, et la preuve que Daisy était encore vierge ce soir-là.

— Allons par ici, dit Daisy en passant devant lui pour descendre en courant l'escalier de pierre.

— Daisy!

Sa robe blanche et chatoyante se prit dans un rayon de lune.

— Par ici!

Elle entrait dans le cercle d'ifs.

Ils croisèrent Marcus et Flora qui revenaient de la rivière. Daisy leur fit un signe de la main. Kit était en sueur; il ôta sa veste.

— Pas par là! lança-t-il à Daisy alors qu'elle arrivait aux broussailles. Personne n'y a touché depuis des années.

Mais il se trompait. Daisy désigna le chemin :

— On l'a emprunté il y a peu. Regardez.

— Non, protesta-t-il en tenant de la saisir. Je vous en prie, chérie, n'y allez pas. Non.

Mais Daisy n'écoutait pas. Elle franchit la brèche pratiquée dans les buissons qui avaient dissimulé l'allée et longea l'allée de bouleaux.

— Revenez! cria-t-il en vain.

Alors il la suivit.

Les hauts talons de Daisy étaient encore plus mal commodes que les chaussures de Kit; elle parvint néanmoins au bord du jardin. Elle dévala la pente vers la femme de pierre qui protégeait pour l'éternité son enfant de pierre.

— Daisy, au nom du ciel, où êtes-vous?

Kit courait dans la clairière. Il s'arrêta soudain :

— Mon Dieu, murmura-t-il tandis que le clair de lune révélait les roses, les clématites, les digitales et les trompettes flamboyantes de deux lys tardifs. Mon Dieu.

Daisy dégagea son ourlet d'une branche d'herbe à chats :

— Je croyais que personne n'y venait jamais.

— Matty! s'exclama Kit, les yeux fixés sur le jardin retrouvé. Ce doit être l'œuvre de Matty. J'aurais dû m'en douter. C'est exactement le genre de choses qu'elle ferait.

Il fouilla dans sa poche, en sortit son étui à cigarettes et Daisy, prise de pitié de le voir sous un tel choc, posa une main sur la sienne. Kit tremblait. Elle attendit un moment avant de se décider à ouvrir l'étui à sa place :

— Dites-moi ce qui ne va pas.

— Merci, répondit Kit en fumant avec force.

L'odeur de tabac fit mal au cœur à Daisy; elle s'éloigna :

— Auriez-vous un mouchoir, par hasard?

Elle se moucha bruyamment et réprima des nausées dans le mouchoir. Mais Kit était trop préoccupé pour remarquer quoi que ce fût. Au bout d'un moment, il jeta sa cigarette :

— Daisy, Daisy, je suis désolé.

Il l'entoura de ses bras. Elle sentit qu'il tremblait de tous ses membres.

— Aucun de nous ne venait ici. Un jour, je vous expliquerai.

Interloquée, elle ne fit aucun geste pour se libérer :

— Quand êtes-vous venu ici pour la dernière fois?

Il la serra de plus près et respira son odeur :

— Des lustres.

— Combien de temps?

Il posa le menton sur son épaule, sans répondre.

— Combien de temps, Kit?

Il répondit presque malgré lui.

— J'avais onze ans.

— Pourquoi? murmura-t-elle en levant les yeux sur les fleurs que recouvrait le linceul de la nuit.

Sa seule réponse fut une profonde inspiration. Daisy

posa la main sur le visage de la statue. Elle était froide et grumeleuse sous ses doigts. Elle s'attarda sur ses courbes maternelles et ses propres désirs refirent surface. Elle pivota dans les bras de Kit pour le dévisager :

— Kit. Il faut que je vous parle.

Mais son regard allait au-delà, sur la statue. L'angoisse et l'horreur luttaient en lui. Daisy en eut conscience et sentit que sa propre déception était visible :

— Oh, Kit! soupira-t-elle, certaine qu'il s'apprêtait à l'abandonner pour la seconde fois.

Mais l'abnégation de l'amour la rendit oublieuse d'elle-même. Quelle importance? se demanda-t-elle.

— Je vous aime, Kit, dit-elle avant de l'attirer à elle. Dites-moi ce qui ne va pas.

Mi grognement, mi-soupir, Kit enfouit son visage dans l'épaule de Daisy :

— Rien, Daisy. Rien. Une idée qui me vient, comme cela.

Il marmonna autre chose à la base de son cou, qu'elle n'entendit pas, et la serra si fort que ses seins lui firent mal. Il avait décidé de ne plus l'approcher. Mais le choc, l'obscurité et les fleurs lui avaient fait baisser sa garde. Au bout d'une minute, il s'arracha à son étreinte :

— Tout est fini, nous l'avons décidé. Il le faut.

— Vraiment? murmura-t-elle.

— Je ne puis m'obliger à le formuler.

— Pourtant, tout est fini.

Paniquée, exaltée, déçue, Daisy voyait mourir tout espoir.

Kit déplaça la bretelle, repoussa la petite chemise de soie au-dessous, et se pencha pour embrasser le sein dénudé qui luisait au clair de lune comme un lys pâle.

— Excellent café, remarqua Archie qui avait oublié toute réserve en ce qui concernait Matty. A vrai dire, il avait passé une charmante soirée : Matty s'était montrée prête à approuver toutes ses opinions.

— Je ne saurais me passer de café.

— Comme je vous comprends, approuva Archie.

Matty fourra son mouchoir dans son petit sac.

— Vous ne ressemblez pas du tout à votre cousine, Mrs. Dysart.

— Non, dit-elle d'un ton plus sec qu'elle ne l'aurait souhaité. Pas du tout.

Où était Daisy? Matty leva les yeux et s'aperçut que Kit non plus n'était pas là. Recevant des signes d'avertissement, elle se leva et lissa sa robe. Une poupée, se dit Archie distraitement, mais quand elle posa les yeux sur lui, il s'aperçut que ses yeux croisaient ceux d'une femme, une femme en colère.

— Je vais voir s'il reste de ce délicieux café.

Est-ce ainsi que les choses se passent? songea Archie qui avait saisi que son hôte et cette fille de Londres manquaient à l'appel. La vie est décidément bien prévisible.

Tenant sa jupe d'une main, Matty courut dans le couloir et passa devant l'Echiquier. La porte entrebâillée révélait des piles de papiers sur le bureau ainsi qu'une tasse à thé oubliée sur le rebord de la fenêtre.

Tout cela aurait dû être rangé, se dit-elle.

Dans la cuisine, Mrs. Dawes triait les restes du repas. Elle semblait fatiguée. Matty savait qu'elle devrait entrer et dire un mot gentil. Mais pas maintenant. Pas maintenant.

Elle sortit par la porte de derrière. Loin de la terrasse, la cour de la cuisine était plongée dans le calme. Matty perçut l'odeur aiguë et sauvage d'un renard qui avait fouiné dans les seaux de compost. Quelque chose, quelqu'un bougea. Matty tourna vivement la tête. La lune éclairait directement le chemin menant au jardin. Vêtue d'une robe de cotonnade bleue, les cheveux brillants, la petite fille courait devant Matty.

Et Matty, sachant qu'elle se devait à ses invités, qu'elle flirtait avec le désastre, qu'elle ferait mieux d'oublier, sachant tout cela, Matty suivit la silhouette, le cœur amolli de peur.

— Attends-moi, appela-t-elle en dévalant l'allée dégagée qui conduisait au jardin, son jardin. Attends-moi.

La lune éclairait l'endroit, sous les bouleaux, où Matty s'était agenouillée pour dégager les racines de laurier de ses mains nues. L'endroit où elle avait gratté jusqu'à avoir affreusement mal au dos, où elle avait rempli le trou de compost, ajusté une racine de féverole et enfoncé le tuteur. L'endroit où elle avait fauché, coupé, piétiné les orties et les mauvaises herbes. L'endroit où elle avait planté des anémones, des jonquilles et un *viburnum fragrans*.

Au bord du jardin, la petite fille s'arrêta et se retourna. Matty réprima un cri. La lumière rendait le petit visage quasi transparent : il était étrange, exsangue, sans vie et Matty éprouvait un sentiment de vide indicible.

— Qui es-tu ? demanda-t-elle, désespérée.

L'angoisse fonçait les yeux bleus, rétrécissait la bouche enfantine et dessinait des lignes entre le petit nez et les cheveux blonds. Apparemment irrésolue, ou cherchant au fond d'elle-même, l'enfant hésita au bord du jardin. Puis elle descendit la pente avec ses petits pieds chaussés de bottines et dans un bruissement de coton bleu.

Les parties sexuelles d'un lys sont évidentes. Enormes, turgescentes, poisseuses de pollen, elles attendent l'attention de l'abeille ou le pinceau à pollen du jardinier. Le lys de la Vierge — *Lilium candidum* — s'enorgueillit d'avoir été la première fleur domestiquée, et la plus belle. On le trouve sur les vases crétois ; il était connu des Assyriens et les Phéniciens l'ont apporté à l'ouest. Il n'est pas exclu que les Romains l'aient introduit en Angleterre, ni que le poète Virgile lui ait donné son nom de lys. Bède le Vénérable a fait du lys le symbole de la résurrection de la Vierge, mais les bulbes étaient également utilisés dans les maladies les plus terre à terre : furoncles, calvitie, hydropisie, érésypèle et amygdalite purulente.

Blanc immaculé au travers duquel brille l'apparence de l'or. Pur, et pourtant charnel. Beau et fruste. Obéissant à la culture, et filant entre les doigts du cultivateur — car jamais on n'a pu capturer le parfum du lys. Il meurt avec la fleur.

Comme la limace qui se jette sur le sable pour se nourrir de blanc et d'or et souffre, pour ce faire, mille coupures de rasoir, Matty, qui avait creusé leur lit, les avait soignés, tutorisés, choyés et nourris, était attirée par l'enfant vers les lys mourants et leur parfum entêtant et égoïste.

L'enfant tournoya autour de la statue. Et disparut.

Sous Kit, le long corps mince de Daisy semblait encore plus somptueux que dans le souvenir de Matty. Sa robe était tire-bouchonnée sur l'herbe, ses longs bras s'enroulaient autour du cou de Kit et ses jambes étaient relevées pour mieux absorber son corps.

Le visage de Kit était caché, mais celui de Daisy était rejeté en arrière. Etourdie de chaleur et d'épuisement, Matty vit néanmoins nettement la bouche entrouverte et le beau visage où se mêlaient la passion, la honte et le triomphe.

HARRY

J'aime à penser qu'aux cuspides, pointes aiguës entre deux saisons, le temps marque une pause : rien ne change, une plante est un mort en sursis, une autre prend sa place. Tel est le moment entre le plein été et ce frais déplacement d'air, le soir, qui avertit que la roue a tourné d'un rochet vers l'automne.

Afin d'illustrer l'anatomie du pouvoir, Shakespeare, qui s'y connaissait, choisit l'image de deux seaux qui se croisent. D'abord un roi est en haut, puis l'autre. On peut en dire autant du jardin.

Les fraîches nuits de septembre et les jardins gorgés de rosée suggèrent l'hiver — seulement pour chambouler nos préjugés par une succession de journées chaudes et voluptueuses. Je n'y vois pas d'objection. Les lys sont morts, les mûres noircissent dans les haies, l'odeur des pommes tombées dans le verger remplit l'air, et le soleil chaud cogne sur mon dos tandis que je ramasse les fruits et m'affaire sur les massifs avec mon sécateur.

En septembre, j'envoie Thomas dehors pour planter les bulbes dans le jardin du cottage, ce qu'il fait de relativement bonne grâce. Satisfait, avec le souvenir des bonnes années que nous avons partagées, je le regarde suivre son petit train-train dans l'allée et je remercie le ciel que la vie m'ait si généreusement traité.

Depuis la maison, je contemple les vedettes du jardin de septembre. Nérines roses, crocus d'automne, agapanthe couleur de poudre bleue. Je sors mon carnet et note que nous devrions déplacer tel hosta (nom savant du funkia) ou tel iris, tenter telle expérience... faire pousser la clématite « Etoile Violette » dans un arbre d'un vert triste... arracher les soucis... J'inscris tout parce que la mémoire est loin d'avoir la précision que vous imaginez. La mienne, en tout cas.

L'an dernier, j'ai oublié de planter les asters, si essentiels pour prolonger la floraison automnale. Le spectre de l'automne tend vers le rouge et l'or, mais avec leurs blancs, roses, lavande et mauves, les asters vivaces (introduits d'Amérique au XVIIe siècle) constituent de jolies exceptions à la règle. Ce sont des plantes serviables, qui se trouvent en différentes hauteurs, poussent à l'ombre ou à la lumière — et Thomas vous dira que jamais je ne néglige une fleur complaisante.

Mes dernières pensées concernant l'automne vont à l'orpin. La variété la plus généreuse et la plus voyante en est « Autumn Joy », qui appartient aux *Sedum Spectabile* et dont les fleurs plates et roses en forme d'assiette agissent comme un fanal sur les abeilles. (Si vous laissez les fleurs mortes jusqu'aux premières gelées, une pluie magique saupoudrera votre massif.) J'aime regarder les abeilles obscurcir la fleur, affairées, pleines de pollen. Le jeune orpin ne donne aucun mal, mais en vieillissant, il a tendance à s'étaler — un peu comme moi, ai-je toujours pensé.

4

Après, Matty ne sut jamais comment elle s'était retrouvée allongée sur la rive. Elle était trempée, ses cheveux lui collaient au visage et sa bouche avait un goût de pourri, de graviers et de vomi. Ses yeux et ses oreilles étaient maculés de boue.

Elle se rappelait seulement le chaud parfum des lys, le cri soudain de Daisy découvrant Matty, la tête penchée de Kit absorbé, et elle courait. Elle fuyait. Elle courait en chaussures à talons sur le chemin de la rivière qui menait à la jetée. Elle se rappelait le crissement d'un caillou, un clapotis, le cri perçant d'un oiseau dérangé, l'odeur de végétation mouillée, l'eau claquant sur sa peau, la boue soyeuse entre ses doigts. Puis elle avait tourné, tourné sur elle-même, la robe de chez Dove s'enroulant et plongeant dans un camaïeu de noir.

Par-dessus tout, Matty se rappelait les cailloux qui lui blessaient le visage tandis que quelqu'un lui appuyait sur le dos avec régularité et fort, si fort. Danny hurlait :

— Allez chercher du secours ! Il y a eu un accident !

Elle se rappelait avoir hésité sans surprise entre la vie et la mort, et cette envie ridicule de demander si on avait reproposé du café aux invités.

Matty savait depuis le début qu'elle ne méritait pas d'être heureuse.

— Doux Jésus, vous nous avez fait peur, commenta Robbie en tapotant les oreillers avant de redresser Matty. Ouvrez la bouche, s'il vous plaît, ordonna-t-elle en lui glissant une cuiller entre les lèvres avant de lui refermer la mâchoire. Et avalez, s'il vous plaît.

Si j'ai jamais commis un péché, songea Matty en s'extirpant douloureusement d'un sommeil abruti de médicaments, ce doit être ma pénitence. Robbie et ses potions doivent être ma pénitence.

— L'heure ? demanda-t-elle.

Elle avait horriblement mal à la gorge.

— Quatre heures de l'après-midi. Vous avez beaucoup dormi. Bien naturel, si l'on y pense.

Robbie ne fit aucune allusion à l'atroce affaire de réanimation, de bassines, de tuyaux, de bruits et de mouvements en tous sens pendant la première demi-heure.

— Que s'est-il passé ? demanda-t-elle.

Robbie baissa ses manches, boutonna les poignets et s'installa lourdement sur le lit avec la détermination d'un enquêteur professionnel investi de la mission de réunir des renseignements.

— Racontez-moi, Mrs. Kit, pressa-t-elle en se penchant sur Matty. Avez-vous trébuché dans le noir ? A cause de vos hauts talons ? Vous pouvez me dire, Mrs. Kit.

Matty ferma les yeux et passa la langue sur ses lèvres desséchées :

— Je ne sais pas.

Des souvenirs épars restaient en suspens dans son esprit, comme de la poussière.

— Mr. Kit n'arrive pas à comprendre ce que vous faisiez de ce côté de la rivière.

— Qui m'a trouvée ?

Robbie fit la moue :

— Ce Danny. Dieu sait ce qu'il fabriquait là. Il prétend avoir entendu du bruit et être venu jeter un coup d'œil. Il vous a trouvée en train de flotter dans la rivière près de l'abri à bateaux.

Trompeur, incomplet, le premier souvenir pénétra au cœur de Matty. C'est plus que je n'en puis supporter, se dit-elle. Puis, tandis que les autres images prenaient corps — la chaude nuit, la petite fille... Kit et Daisy mêlés l'un à l'autre — l'aiguillon du souvenir se mua en épée. Matty ferma les yeux : elle devait l'endurer, elle n'avait pas le choix. Robbie prit le pouls de Matty en vérifiant les battements avec la montre accrochée à sa poitrine, ainsi qu'elle l'avait observé chez miss Binns.

— Là, là, dit-elle avec un mélange de curiosité et d'excitation face au drame. Pensez donc. Me voilà avec deux invalides sur les bras. Jamais je n'ai été aussi occupée depuis que Mr. Kit et les filles étaient enfants. Je me demande comment je vais m'en sortir.

Elle pensait exactement le contraire.

Sachant combien il était important que les choses fussent bien claires, Matty fit appel à un sursaut d'énergie :

— J'ai dû tomber, dit-elle en s'obligeant à le croire.

Elle ouvrit les yeux et contraignit Robbie à affronter son regard :

— Quelle sotte je fais, n'est-ce pas ?... N'est-ce pas, miss Robson ?

La gouvernante céda :

— Oui, dit-elle, répugnant à contourner le drame, mais consciente qu'il était de son devoir de préserver la réputation des Dysart. C'est ce qui a dû se passer. La jetée est dans un état épouvantable. Il y a des années que j'en ai averti sir Rupert.

Une demi-heure plus tard, lorsque Robbie descendit prendre son thé, Flora entra et s'assit près du lit de Matty.

— Ma pauvre chérie, commença-t-elle d'un ton faussement désinvolte. Père vous envoie toutes ses pensées et vous prie de vous remettre bien vite car vous lisez comme personne. Il dit que vous êtes tous deux de la même sale race des négligents. Comment vous sentez-vous ? ajouta-t-elle en prenant la main de Matty.

— Ma gorge me fait atrocement mal.

— Ah. Ce doit être le tuyau que le Dr Lofts y a inséré. Robin devait s'assurer que vous n'aviez rien ingurgité de dangereux dans la rivière. C'est horrible, Matty. Vous auriez pu mourir.

— Le Dr Lofts ? Mais comment... je croyais que...

— Eh bien...

Flora avait beau faire, elle ne put empêcher ses yeux de briller. Elle réussit à avoir l'air à la fois honteuse et rebelle :

— C'était un cas d'urgence et c'est le médecin le plus proche. En outre, je croyais que vous l'aimiez bien. Non ?

— Si. C'est vrai.

Flora piqua un fard et baissa la tête :

— Je veux dire, il est si bon avec les gens, vous ne trouvez pas ? Non que cela me regarde. Mais il est si doux.

Trop préoccupée par la réapparition de Robin pour poser des questions, Flora aurait continué dans la même veine si Matty ne l'avait interrompue :

— Flora. Ecoutez-moi s'il vous plaît.

Flora rapprocha sa chaise.

— Qu'y a-t-il, ma grande? Je ne crois pas que vous devriez parler autant.

Matty respira profondément :

— Daisy? Tante Susan et oncle Ambrose? Sont-ils encore là?

Les cheveux de Flora faisaient un halo dans le soleil du soir; ses yeux bleus étaient perplexes et pleins d'affection :

— Ils sont partis ce matin. Daisy trouvait qu'ils ne devaient pas nous encombrer. D'ailleurs, elle ne se sentait pas très bien. C'était la meilleure des solutions et, franchement, ils nous cassaient les pieds. Souhaitiez-vous... Vous ne souhaitiez pas la voir, n'est-ce pas?

— Non.

— Alors c'est parfait. C'est bien ce que je pensais. Et Daisy avait vraiment l'air bizarre. Elle couve peut-être quelque chose.

— Et les autres invités?

— Ils sont repartis dès que possible. Tous étaient sous le choc. Je dois avouer, Matty, que tout cela était extrêmement spectaculaire et dramatique. Imaginez la scène. Kit vous portait dans ses bras. Vous dégouliniez sur la terrasse comme une vraie Ophélie. Kit était blanc comme un linge. Votre tante Susan hurlait, Daisy choisit cet instant pour s'évanouir et Danny tanguait de tous côtés, laissant des traces de pas mouillés sur tous les tapis, parce qu'il avait bu trop de whisky... Naturellement... ajouta Flora qui ne put s'empêcher de mentionner son nom, nous avons téléphoné à Robin, au Dr Lofts, veux-je dire. La seule chose à faire.

— Kit?

— Il passait son temps à entrer et à sortir pendant que vous dormiez. Je crois qu'il va bien. Mais comment savoir avec lui? Aimeriez-vous le voir?

— A votre avis, que disent les gens, Flora?

Flora hésita entre l'honnêteté et ce que lui avait enseigné Robin quant à la façon de s'occuper d'un patient :

— Rien de trop grave. Après tout, c'était un accident.

— Oui.

— Souhaitez-vous voir Kit ?

Matty tourna le visage vers la fenêtre et ne répondit pas. Troublée par ses émotions sous-jacentes, Flora l'observa un moment puis s'éloigna sur la pointe des pieds.

Au cours de la nuit, Matty eut beaucoup de fièvre. On rappela Robin. Il diagnostiqua un choc aigu, peut-être une pneumonie, peut-être un nouvelle crise de rhumatismes articulaires ; c'était trop tôt pour se prononcer. Le lendemain ne vit aucune amélioration et Robin commença à évoquer une hospitalisation.

Dans les premières heures de la deuxième nuit, Robbie fut tirée de son fauteuil par les gémissements et les murmures de Matty. Elle lui épongea le front et lui fit boire de la limonade. Matty souleva avec difficulté sa tête de l'oreiller, en proie à la peur des cauchemars.

— Là, là, dit Robbie, presque tendrement. C'est bien.

Matty était si malade, si seule, si triste, qu'elle en oublia qu'elle n'aimait pas Robbie et n'avait aucune confiance en elle. Elle saisit ses mains dans l'espoir d'être réconfortée :

— Robbie..., murmura-t-elle.

La gouvernante triompha intérieurement car c'était la première fois qu'elle ne l'appelait pas miss Robson.

— Robbie. Je ne trouverai pas le sommeil si je ne sais pas.

— Que voulez-vous savoir ?

— Pourquoi personne ne va-t-il dans le jardin de lady Dysart ?

— Vous ne le savez donc pas, Mrs. Kit ? Sûrement si, voyons. Il ne vous l'a pas dit ?

— Non.

— C'est là que lady Dysart est morte.

— Mère, dit Daisy en s'agenouillant près du fauteuil de chintz. Mère.

Susan posa son stylo plume, leva les yeux de son livre de comptes et, alertée par le ton de Daisy qui ne suggérait rien de bon, se raidit :

— Qu'y a-t-il, Daisy ? demanda-t-elle, soucieuse d'éviter tout désagrément.

Daisy s'agrippa au dossier du fauteuil :

— Mère, je vais avoir un enfant. Il naîtra au printemps. En mai, je pense.

Oh mon Dieu, pensa Susan, atterrée. Voilà le résultat de tous mes efforts. Elle s'effondra sur les coussins.

— Espèce de petite idiote, dit-elle doucement. Petite ingrate. Et moi qui croyais pouvoir te faire confiance. Si tu n'étais pas capable de te contrôler, tu aurais au moins pu faire attention.

— Il faut que vous m'aidiez.

— Evidemment, voyons. Que faire d'autre ?

— Je ne savais pas, dit Daisy avec sincérité.

Elle poussa un soupir et appuya sur son ventre qui, ces derniers temps, lui avait déclaré une guerre ouverte. Elle se hissa dans le fauteuil puis se releva car c'était encore pire.

— Je ne savais pas ce que c'était d'avoir mal au cœur en permanence. On n'arrive pas à penser à autre chose qu'à son corps.

— Je me disais bien que tu étais bizarre, commenta Susan en s'emparant de son carnet d'adresses pour le feuilleter.

Daisy prit la boîte d'allumettes posée à côté d'une reproduction de la statuette des *Trois Grâces* de Canova et la fit rouler entre ses doigts :

— N'allez-vous pas me poser la question rituelle ?

— Du calme, Daisy. Il faut que je réfléchisse, ordonna sa mère sans lever les yeux.

— N'avez-vous pas envie de savoir qui est le père ?

Daisy eut cette pensée hystérique qu'elle jouait dans une pièce moderne où les personnages n'ont aucun lien entre eux.

— Peu importe qui est le père. Tu n'auras pas cet enfant. Mais j'imagine que Kit Dysart n'est pas à des millions de kilomètres du problème. Et je suppose que cette ridicule affaire de Matilda dans la rivière n'y est pas étrangère. Ç'aurait été trop demander que Tim fût un coupable qui aurait pu t'épouser. Voyons, je suis certaine que Brayfield exerce toujours.

— Exerce ?

— Pour l'amour du ciel, cesse de faire le perroquet ! Harley Street, Daisy. Ne sois pas stupide. Tu dois savoir ce que cela signifie.

Soulagée après sa confession, Daisy se redressa :

— Je ne suis pas stupide, mère, et je n'ai nullement l'intention de rendre visite à cet homme.

Susan mit bien deux minutes à comprendre.

— Ma parole, Daisy, tu es devenue folle ! s'exclama Susan dont le visage s'était défait à la perspective d'affronter la ruine sociale.

— Non, je ne crois pas. Mais j'ai peur. Peur d'affronter. Peur d'avoir l'enfant.

— Jamais je n'ai entendu pareille énormité. Il est hors de question que tu gardes un enfant. On te traitera de traînée, surtout des femmes qui ne valent pas mieux que toi, mais qui du moins savent agir avec discrétion.

Susan paraissait rarement agitée — en fait, Daisy ne pouvait trouver un exemple où la carapace luisante de sa mère avait craquelé — mais la nouvelle avait réussi à faire trembler les mains manucurées qui cherchaient une cigarette.

— Tu n'as aucun droit de nous exposer ainsi aux regards de tous.

— Je ne peux pas le tuer, rétorqua Daisy d'une voir morne.

— Ma chère Daisy, tu ne seras ni la première, ni la dernière.

Daisy fit les cent pas dans le salon.

— Vous aimiez beaucoup père quand vous l'avez épousé ?

— Beaucoup.

Susan était une experte en mensonges mais en l'occurrence elle sentit qu'elle n'était pas convaincante, aussi répéta-t-elle :

— Beaucoup.

— Racontez ce que vous éprouviez.

Susan lança à sa fille un regard qui disait, « Si cela peut te faire plaisir » :

— Soit. Ton père était un parti convenable. Il a promis de veiller sur moi. Il était charmant et d'un commerce agréable et je voulais me marier. De plus, il était plein d'égards.

Daisy songea à son père au col raide, à son front éternellement plissé, et aux conversations du petit déjeuner, concession à la paternité qui manquait de conviction. Oui, Ambrose avait fait de son mieux en tant que père, et Daisy n'était pas ingrate.

— Vous sentiez-vous aussi mal en point quand vous nous avez attendus, Marcus et moi ?

— Oui, répondit Susan qui, détestant les choses intimes, ne s'étendit pas davantage.

— Les nausées arrivent par vagues. Comme sur un bateau.

Comme sur un bateau.

— Veux-tu te taire, Daisy.

Daisy fuma une cigarette devant la fenêtre ouverte.

— Matty n'est pas au courant pour l'enfant.

— Daisy..., fit Susan dont le discours froid et artificiellement acquis tourna à la supplique... je suis extrêmement sérieuse. Tu dois être raisonnable. Ecoute-moi. Je suis ta mère et je connais le monde. Cela tuera ton père, il aura une crise cardiaque ou Dieu sait quoi, et le scandale rejaillira sur ses affaires. Tu ne peux garder ce bébé, insista Susan qui percevait que les choses n'avançaient guère. Tu ne peux être aussi irréfléchie.

— Savez-vous ce qui se passe quand je vois Kit ? Quand je le vois dans une pièce, à Ascot, au bal, n'importe où, j'en perds le souffle, mère. C'est comme ça, avec moi.

— Oh Daisy ! supplia Susan qui faillit éclater en sanglots. C'est du suicide. C'est égoïste. Est-il au courant ? demanda-t-elle en s'accrochant à ce fétu de paille.

— Non.

— Alors dis-le-lui, pour l'amour du ciel. Il te fera redescendre sur terre.

— Non.

Daisy se sentait exaltée et nauséeuse ; la tête lui tournait à l'idée de se sacrifier et de perdre le monde par amour.

— Je crois que tomber amoureuse m'a libérée. Libérée de moi-même. Et tous les tourments et les angoisses que j'éprouve depuis ne m'enlèveront pas ça. Je ne ferai aucun mal à son enfant. Et j'ai également décidé de ne rien lui dire.

— Pense à Marcus. Cela détruira son avenir dans l'armée.

Daisy releva la tête et Susan songea à une sainte en extase sur un vitrail — passionnée, en proie à une vision, résolue, obstinée.

— Débarrasse-t'en. Epouse Tim et fais-en un autre rapidement.

Daisy secoua la tête. Elle eut pitié de sa mère. Lentement, le carnet d'adresse s'échappa de ses mains et tomba sur le tapis.

— Je finirai peut-être par épouser Tim, dit-elle, songeuse. Mais je ne tuerai pas l'enfant de Kit. C'est là que vous allez devoir m'aider.

— Alors tu es une imbécile, une faible et une égocentrique, dit Susan avec amertume.

Emoustillée, épouvantée par sa propre audace, Daisy repartit :

— Ne comprenez-vous pas ? Ce n'est pas de la faiblesse, au contraire. En prenant cette décision, en me donnant le choix, je deviens forte.

— Non, je ne comprends pas.

La culpabilité a plusieurs effets et l'un conduit à l'autre. Chacune des longues journées où Matty gisait, brûlante de pneumonie, laissait Kit instable et désemparé. Sa première réaction fut la fuite en avant, l'espoir ténu : peut-être Matty ne les avait-elle pas vus dans le jardin, peut-être était-ce vraiment un accident. Sa deuxième réaction fut la colère. Comment Matty osait-elle poser un acte aussi public — aussi destructeur ? Sa troisième réaction fut la reconnaissance désespérée que certains événements se recyclent, se reproduisent, refont surface et qu'on ne peut y échapper.

Sa quatrième réaction fut de mettre autant de distance que possible entre lui, Matty et la maison. Naturellement, c'était impossible, aussi les rêves de Kit étaient-ils truffés d'images d'arbres de gomme arabique aux branches lisses, de sable et de soif inextinguible.

Au lieu de cela, la culpabilité le poussa dans la chambre de Matty ; il partagea les nuits de garde avec Robbie. Laissé à lui-même pendant ces heures troublées, il lisait en buvant du whisky. Plus souvent qu'à son tour, il se retrouva à fixer le néant. Des détails de la chambre — rideaux de chintz rose, édredon de soie, draps bordés de dentelle — se gravaient dans sa mémoire pour toujours.

Ainsi Kit connut-il le tourment purificateur de veiller sur une malade cependant que toutes les priorités s'enfuyaient sauf une. Dans l'ombre de la nuit, il revivait le passé, comprenant à quel point la passion l'avait aveuglé et rendu égoïste. Mais pourquoi, pourquoi n'avait-il pas épousé Daisy ? se demandait-il inlassablement.

Referait-il la même chose ? Les yeux sur son verre, il essayait de faire jaillir la vérité du chaos, de comprendre les motivations qui l'avaient poussé. Naturellement, le whisky ne donnait pas les bonnes réponses. Il ne le fait jamais.

— Robbie ?

Matty se réveillait souvent parce qu'elle avait soif. Kit posa son verre et se leva de son fauteuil. Matty ne le réclamait jamais lorsqu'elle s'éveillait. Pourquoi le ferait-elle ? Mais il se surprenait parfois à l'espérer — cela l'aiderait à se sentir mieux.

— C'est Kit, Matty. Un instant. J'arrive.

Kit versa de la tisane d'orge dans un verre et lui humidifia les lèvres du bout du doigt.

— Bois. C'est bien. Encore un peu. Voilà.

Il reposa doucement la tête de Matty sur l'oreiller et baissa les draps. La chemise de nuit était remontée autour des cuisses, il la rajusta avec une infinie douceur.

— Tu ne devrais pas, dit Matty d'une voix rauque. Mais merci.

— Pourquoi ? demanda Kit en repoussant de son visage les cheveux mouillés. Veux-tu encore à boire ?

Matty secoua la tête en ferma les yeux. Kit reposa la gaze sur la cruche et alla laver le verre dans la salle de bains. Matty était si menue entre ses mains. Si légère, si fragile — il avait tout fait pour la briser. Il s'assura que Matty était calme, et se rassit, prit *Les Sept Piliers de la sagesse* dont il ne lui restait qu'un passage. Mais fut incapable de lire.

— Je suis désolé, Daisy, avait-il dit quand les Chudleigh étaient repartis en hâte au matin après tous ces remous. Je suis désolé pour tout ce gâchis.

Ils étaient dans le hall de Hinton Dysart et elle leva les yeux de son nécessaire de toilette, avec ce petit regard en coin qui l'envoûtait. Elle était affreusement pâle :

— C'est fini, n'est-ce pas, Kit ? Nous ne devons pas nous revoir.

— Non. Oui. Enfin, c'est bien cela.

Il dut avoir l'air désespéré car elle lui effleura le bras et dit :

— Il ne faut pas vous inquiéter pour ça.

Il s'offrit un dernier regard sur ce visage magnifique, un peu mystérieux sous un de ses chapeaux, il ne savait plus lequel. Elle lui rendit son regard puis se retourna.

— Au revoir, Kit, dit-elle avec détachement...

— Pourquoi n'es-tu pas couché, Kit ? N'y a-t-il personne pour te relayer ? murmura Matty.

Kit posa son livre sur la table et se leva.

— Je croyais que tu dormais.

— Je te distingue mal, fit Matty, agitée. Ne peut-on avoir un peu de lumière ?

Il alluma la lampe de chevet. Matty soupira et eut l'air soulagée :

— Je n'aime pas le noir.

— Te sens-tu mieux ?

Elle remua sous les draps et grimaça de douleur.

— Pas tellement. Tout me fait mal. Surtout mes mains.

— Attends une seconde.

Il disparut par la porte de communication avec sa chambre et revint avec un pot d'onguent.

— Il y a longtemps que j'aurais dû t'en donner mais je n'y pensais pas. Te rappelles-tu le prince Abdullah dont je t'ai parlé ? C'est son médecin particulier qui m'a donné cela.

Il dévissa le couvercle et commença à masser doucement Matty.

— Cela devrait te soulager.

L'ironie de ce geste n'échappa pas à Kit, qui s'en voulut plus encore : tout ce qu'il donnait à Matty était de seconde main.

Mais Matty était contente ; elle tendit l'autre main. Quand il eut achevé, Kit tira le fauteuil et lui proposa de lui faire la lecture. Mais Matty avait quelque chose à régler :

— Est-ce que tu vas me quitter pour Daisy ?

Le Dr Lofts avait prévenu qu'il ne fallait ni fatigue ni sujet d'excitation. Kit se pencha sur Matty :

— Non, je ne vais pas te quitter.

— J'ai besoin de savoir afin de fixer mon esprit sur ce pourquoi je vais guérir.

— Matty, je t'en prie.

— La vérité ?

Matty dévisageait Kit de ses yeux enfiévrés. Oubliant les consignes de Robin, Kit tomba à genoux :

— Matty, je suis désolé, tellement désolé.

Il prit le visage de Matty dans ses mains et le caressa du pouce.

Le sang battit en elle, répandant du poison dans tout son être. La sueur coula sous ses bras et entre ses jambes, disparaissant avant d'avoir rafraîchi sa peau brûlante. Ses poumons se soulevèrent. La chambre tangua entre ses paupières trop lourdes. Le visage de Kit s'attarda au-dessus du sien. Malgré la fièvre, le chagrin et l'injure refusaient de disparaître.

— Je suis désolé, répétait Kit. Désolé de t'avoir fait tant de mal.

Matty ferma les yeux.

— Je ne veux plus en parler.

Au bout d'un moment, elle respira plus profondément. Maladroitement, Kit remonta le drap sur ses bras et se mit debout. Raide, glacé, il alla à la fenêtre et souleva le rideau. L'aube se levait et le jardin couvert de rosée avait un parfum d'automne. Kit se mordit la lèvre inférieure : il avait causé tant de dégâts..

Curieusement, quand sa mère était morte, de tout ce qu'il avait éprouvé c'est la sensation que son corps n'appartenait plus à son esprit qui avait été la plus forte, que l'un et l'autre opéraient à distance. En ce moment, c'est ce qu'il ressentait. Le sentiment de perte était si fort qu'il avait l'impression que jamais il ne s'en remettrait.

Matty entendait un enfant pleurer, c'était à fendre l'âme mais Matty ne comprenait pas pourquoi. Décidée à trouver la raison de tant de chagrin, elle se dirigea vers le jardin, son jardin — pour s'apercevoir qu'il avait disparu. Le jardin n'était plus là, et où il y avait eu paix et beauté, il ne restait rien.

Les sanglots se poursuivaient tant et plus.

— Chut, c'est fini, dit Robbie. Mrs. Kit, voilà que vous pleurez encore en dormant. Ça ne va pas. Vous me donnez bien du souci avec ça, et Mr. Kit est ici.

Matty s'éveilla en sursaut et regarda le plafond, interdite. C'était l'après-midi, l'heure du thé. Chaque fois qu'elle se réveillait, elle devait faire l'effort de se souvenir. Elle avait été très malade; cela avait duré six semaines mais son état s'était amélioré. Pour être précis, sans savoir comment ni pourquoi, Matty s'était contrainte à la guérison. Hier, pour la première fois, on lui avait permis de s'asseoir un moment au coin du feu.

— Le thé, fit Robbie d'une voix ferme. Et Mr. Kit est là pour vous faire la lecture.

Dans le dos de Robbie, Kit leva un sourcil à l'adresse de sa femme :

— Tu ferais bien d'obéir et manger toutes tes tartines beurrées.

Matty sourit.

— Sinon j'irai au coin, c'est cela ?

Elle se redressa et laissa Robbie l'aider à enfiler sa robe de chambre. Robbie arrangea pudiquement les plis autour des jambes de Matty puis ouvrit le lit. Matty tendit les bras et Kit la souleva pour la déposer dans le fauteuil près de l'âtre. Robbie enroula autour d'elle suffisamment de couvertures pour réchauffer un régiment puis alla refaire le lit qui semblait exiger une série incroyable de tapes sur les oreillers.

Kit prit un exemplaire de *Temps et Marée* qui publiait en ce moment en feuilleton le *Journal d'une dame de province.*

— Je continue ?

— Oui, oui, s'il te plaît.

— « Visite de lady Boxe qui me dit partir la semaine prochaine pour le sud de la France car il doit y avoir du soleil. Elle me demande pourquoi je n'y vais pas aussi... »

Kit lisait remarquablement. Matty soupira de plaisir.

— « Pourquoi ne pas sauter dans un train, s'enquiert lady B., traverser la France en un clin d'œil et plonger dans le ciel bleu, la mer bleue et le soleil estival ? J'ai à cela une réponse parfaitement simple, mais je me tais, la question des dépenses encourues n'ayant manifestement pas traversé l'horizon de Mrs. B... »

Pas la France, songea Kit. Ce n'est pas un sujet approprié.

— « ...Réponse à Mrs. B. avec mille protestations mensongères que je préfère de loin l'Angleterre en hiver ; elle me supplie de ne pas avoir l'esprit de clocher... »

Kit poursuivit sa lecture, en appréciant la satire autant que Matty. Aucun observateur n'imaginerait que la scène dissimulait une faille. Pas même Robin Lofts, qui passa la tête et vit les jambes de Kit étendues devant le feu. Matty buvait son thé à petites gorgées dans le plus beau service — Mrs. Dawes insistait sur ce point — « Comme si ça allait l'aider à guérir », protestait Robbie.

— Ah, Lofts, fit Kit et se levant et en époussetant les miettes sur ses genoux. Je crois que ma femme va mieux, à en juger par ses fous rires. C'est excellent, ajouta-t-il en levant le magazine. Je reviendrai lorsque vous en aurez terminé.

Pour la vingtième fois, dans le refuge de l'Echiquier, Kit relut la lettre parvenue au courrier deux jours plus tôt et dont l'adresse était rédigée de la main de Marcus :

> Kit chéri, Kit très cher,
>
> Je ne puis m'éclipser sans mettre les points sur les I. En d'autres termes, je ne puis vous dire adieu sans donner forme à ce qui s'est passé entre nous. Si vous préférez, je veux mettre tout cela dans un cadre afin de pouvoir le regarder comme il faut — après quoi ce sera réglé.
>
> Or donc, Kit chéri, tous deux comprenons qu'une phase est achevée. Nous avons pris des risques que nous n'aurions pas dû prendre. Je suis profondément désolée qu'il en soit résulté un tel désastre, et je suis désolée que Matty soit au courant. Mais, et c'est un gros, un énorme mais, mon amour ne s'arrête pas là. Il continue de pousser comme le jardin de Matty. Il grandit à travers moi. Je respire avec. Je dors avec. Il me donne une joie que je n'aurais jamais crue possible, et une peine trop intense pour être décrite.
>
> Je ne voudrais pas qu'il en allât autrement, fût-ce d'une once. Je n'ai rien d'une martyre et je souhaite désespérément que les choses aient tourné autrement. Malgré mon angoisse, je ne voudrais pas revenir en arrière, même si je ne peux vous avoir à moi, même si je sais que j'ai fait mal à des gens, même à Matty. Car tomber amoureuse de vous, Kit, m'a sauvée du vide et de la bêtise. Je le crois. Du fond du cœur.
>
> Lorsque j'étais avec vous, Kit, et apprenais à vous aimer, je ne savais jamais où je finissais et où vous commenciez. Ce n'est pas rien dans une vie et maintenant que j'ai le temps de réfléchir, je sais à quel point cela est précieux.
>
> Ecoutez, Kit. Je pars en France afin de repartir de zéro. Je ne sais combien de temps j'y resterai et je ne vous dirai pas où. Vous savez comme j'aime la France. J'y serai parfaitement en sécurité et satisfaite.
>
> Pour jamais, Daisy.

Kit replia la lettre et la glissa dans le dossier étiqueté « Clôture ». Puis il alluma une cigarette.

En haut, Robin tourna le dos tandis que Matty ajustait sa robe de chambre :

— Il y a du progrès, dit-il gaiement. Avez-vous mangé votre déjeuner ?

— D'énormes portions.

— Vous vous en sortez bien, Mrs. Dysart. Je suis fier de vous.

Elle le regarda droit dans le yeux, ce qui était inhabituel.

— Si j'arrive à traverser cette crise-là, je serai capable de traverser presque tout.

— Oui, je le crois.

Robin ne lui fit pas l'insulte de prétendre qu'il n'avait pas entendu les commérages.

— Certains souvenirs vous sont-ils revenus ? demanda-t-il prudemment.

— Non.

— C'est sans importance. Ces choses prennent du temps.

— Le plus drôle c'est que... Vous allez sans doute trouver que j'ai de drôles d'idées, mais j'ai l'impression que, curieusement, cette maladie m'a nettoyée.

Robin ne comprenait pas ce qu'elle voulait dire, mais il engrangea la remarque dans sa mémoire. Une fois dans le corridor, il croisa Kit :

— Votre femme se remet. Je crois que nous ne saurons jamais ce qui s'est passé la nuit de l'accident, et peut-être est-ce aussi bien ainsi. Inutile de raviver les souvenirs s'ils apportent l'affliction. C'est ce que font les gens, vous savez.

— Vraiment ?

— Oui, ils effacent ce à quoi ils refusent de penser. Néanmoins, Mrs. Dysart semble très calme.

Les deux hommes se mesurèrent. Kit lut dans le regard de Robin une interrogation et un soupçon de désapprobation, mais il n'était pas prêt à répondre aux questions.

— Je vois, fit-il d'un ton bref.

— Compte tenu des circonstances vous n'aurez plus

besoin de mes services. Je suis sûre que Mrs. Dysart pourra faire appel au médecin de sir Rupert.

— Je lui en parlerai. Je pense que c'est à elle de décider.

— Cela va de soi.

Ils se séparèrent, pas exactement en accord, bien qu'ils fussent presque devenus amis au cours des dernières semaines.

Matty tirait l'aiguille quand Kit la rejoignit. On venait de la coiffer et ses cheveux étaient retenus par des peignes. Elle s'était parfumée à la rose. Le thé était débarrassé et le feu attisé. Elle profitait de la solitude. Avec son esprit de contradiction typiquement britannique, le temps avait tourné ; il était dur et froid et on avait du mal à imaginer que six semaines plus tôt on étouffait de chaleur.

Matty tenait son canevas sur lequel elle faisait des fruits et des fleurs au *petit point*.

— Tu vois, j'ai placé une coccinelle sur la rose trémière.

Kit sourit :

— Quand tu auras fini, tu devrais broder le jardin.

Elle posa son canevas.

— Kit, dit-elle de ce ton léger qu'elle adoptait désormais avec lui. Maintenant je sais pourquoi tu ne voulais pas que je m'occupe de cette partie du jardin, alors peut-être aimerais-tu tout me raconter. J'ai fini par trouver, comme j'ai fini par trouver pour Daisy et toi.

Kit s'assit en face d'elle et joua avec la frange d'un châle en cachemire posé sur le dossier. Matty ne se laissa pas démonter :

— Tu me le dois, Kit. En fait, j'insiste.

Kit hésita, mais elle s'y attendait. Elle lui tendit l'étui à cigarettes en écaille et le briquet :

— Allez.

— Mon père a épousé ma mère en 1900. Elle était américaine, et riche, et mon père l'avait rencontrée quand elle était venue pour la Saison. Lady Foxton l'avait présentée à la Cour. Moyennant finances, bien sûr. Lady Foxton vivait en présentant des jeunes filles qui étaient loin de l'être, ou qui venaient des colonies ou d'Amérique. C'est une pratique courante. Son père avait amassé une fortune en important du coton du Sud pour manufacturer du tissu. Mes grands-parents se montraient généreux avec leurs enfants. Oncle

Edwin est allé à Harvard et ils pensaient que, si ma mère accomplissait sa Saison en Angleterre, cela ajouterait à son standing. C'est ainsi qu'elle a rencontré mon père. A Ascot. Ils ont dû partager un parapluie sous l'orage.

Kit repoussa son fauteuil et se leva :

— Comme tu le sais, Matty, les choses ne sont pas toujours simples. Peut-être les espérances étaient-elles différentes à l'époque. Les gens voulaient d'autres choses. Je ne sais pas.

Il se tourna vers elle, le sourcil levé, comme si elle connaissait la réponse. Mais elle ne la connaissait pas.

— Ma mère et mon oncle s'adoraient. Ils n'aimaient pas être séparés. Ma mère faisait constamment allusion à oncle Edwin et ils se voyaient fréquemment. Il venait souvent et ils s'écrivaient presque toutes les semaines. Je pense que cela agaçait mon père. Ils se comprenaient si bien, tu vois, que je crois qu'il se sentait à l'écart.

Matty ne bougeait pas.

— Leur mariage ne fut pas heureux.

Oui. Elle aimait un autre homme, se dit Matty. Son propre frère. Un homme qui lui avait dit que les choses ne seraient plus les mêmes après la guerre. Et il n'est pas revenu. Matty avait envie de raconter à Kit ce qu'elle savait — mais ce secret ne lui appartenait pas.

Kit essaya d'expliquer ce qu'il entendait par un mariage pas heureux. Comment l'irritation et le malaise entre ses parents l'avaient contaminé quand il était enfant. Comment il en reconnaissait la présence mais croyait cela normal.

— Ils se caressaient à rebrousse-poil, encore que leur comportement en public ne le laissât pas soupçonner. Puis la guerre a éclaté et, quand père est revenu, c'était un autre homme. C'était après la mort d'oncle Edwin.

Kit s'interrompit et demeura silencieux. Il reprit au bout d'un moment :

— Savais-tu qu'ils avaient quatre enfants ?

— Quatre ?

— Oui. Nous avions une autre sœur. Elle s'appelait Rose.

Le soir tombait. Kit s'éloigna de la fenêtre. Il parlait d'une voix blanche :

— Si cela ne t'ennuie pas, Matty, je ne crois pas souhaiter en parler plus avant.

D'un ton détaché, Matty laissa tomber :

— S'il te plaît, s'il te plaît. Si tu as une once d'affection pour moi, essaie... Tu le dois, Kit.

— Rose s'est noyée, dit-il après une minute interminable. Dans la rivière, près de l'abri à bateaux, comme ça a failli t'arriver. Elle jouait toute seule sur la jetée et mère avait dit à Robbie qu'elle surveillerait Rose pendant environ une demi-heure. Mais elle ne l'a pas fait. Elle est allée au jardin et a laissé Rose toute seule.

— Oh, s'écria Matty dont le cœur battait à tout rompre. Oui ?

— Cela s'est passé après que mon oncle s'est fait tuer dans la Somme. J'ai toujours pensé que ces deux morts l'avaient rendue folle. Elle se croyait responsable des deux. D'abord d'avoir harcelé mon père pour qu'il procurât un ordre de mission à oncle Edwin. Il n'aurait pas dû, tu comprends, mais il y a toujours moyen d'arranger les choses quand on sait à qui s'adresser. Et puis il y a eu Rose.

— Dans le jardin ? murmura Matty. Ce jardin-là ?

— Dans le jardin... Près de la statue.

— Comment ?

— Elle a pris un couteau dans la cuisine. Elle avait tellement envie de mourir qu'elle s'est donné plus de vingt coups.

Kit se tut, plus longtemps encore. Il passa la main dans ses cheveux. Ses épaules se voûtèrent. Il semblait rassembler ses forces pour ce qu'il s'apprêtait à dire. Il plongea ses yeux dans ceux de sa femme :

— Matty, elle avait tellement hâte de nous quitter qu'elle s'est même lacéré le visage.

5

— Pourquoi ne m'as-tu rien dit ? demanda Matty, toujours immobile, horrifiée. Je viens de commander de nouveaux rosiers, ajouta-t-elle, se raccrochant aux détails.

Kit regarda Matty comme s'il ne comprenait pas un traître mot de ce qu'elle disait :

— Ce n'est pas important, dit-il. Vraiment.

— Mais si, au contraire.

Matty avait pris l'habitude de protéger ses mains entre ses genoux. C'est ce qu'elle faisait en ce moment.

— Nous nous approchions l'un de l'autre depuis les deux extrémités d'une perche. Tu aurais dû m'en parler, Kit. J'aurais compris, quoi qu'il puisse exister entre nous.

Kit se détendit :

— Il m'est extrêmement difficile d'en parler, dit-il en ouvrant les mains comme pour se faire pardonner. Et je n'y tiens pas. Il en va de même pour Polly et Flora. Nous n'y avons jamais fait allusion, mais il y avait entre nous comme une entente tacite de n'en souffler mot. Je n'avais que onze ans à la mort de mère, Polly était un peu plus jeune et Flora avait quatre ans. Elles savaient que mère s'était suicidée, mais jamais je ne leur ai donné de détails. Je trouvais cela trop injuste... C'est la réaction classique à ce genre de chose, je suppose. Je me suis dit que si je faisais comme si rien ne s'était passé, je finirais par oublier.

— Je sais ce que c'est que de perdre un parent, ses parents. Mais je ne comprends pas... l'autre chose. Je n'arrive pas à l'imaginer.

Elle commençait en fait à réunir les pièces du puzzle; les blessures des enfants privés de leur mère de cette épouvantable façon.

— Et ton père ?

— Tu as vu comment nous sommes avec lui, et lui avec nous, dit Kit d'une voix morne. Il n'a plus jamais été le même après son retour de France — il a été déclaré invalide en 1916 et envoyé à l'hôpital de Craiglockhart, en Ecosse. A son retour, Rose était morte. L'oncle Edwin était mort. Mais je crois qu'il nous a abandonnés, ainsi que mère. Il a renoncé à la vie.

Il frappa du poing la paume de sa main et reprit :

— Comment ose-t-on s'ériger en juge quand on connaît ses propres défaillances ? Pourtant, c'est ce que je fais. Je sais que c'est injuste, Matty, mais je sentais que père n'aurait pas dû se comporter ainsi. Il aurait dû se donner un peu plus de mal pour nous au lieu de se retirer dans sa coquille. Il aurait dû essayer mieux que cela avec mère... Je lui en veux.

Tout cela ne se digérait pas d'un coup, Matty en avait conscience et entendait y repenser plus tard.

— Après la mort de mère, enchaîna Kit, mes grands-parents ont rompu toute relation, ce qui a laissé la propriété dans une situation financière plus que délicate. Mais tu sais tout cela.

— En connais-tu les raisons ?

— Non, je ne l'ai jamais découvert. Ils sont morts peu après et ont laissé leur fortune à un cousin au deuxième degré. Je crois que mon grand-père n'aimait pas beaucoup père. Il regrettait sans doute d'avoir vendu sa fille comme une jument pur-sang, ajouta-t-il en regardant Matty du coin de l'œil.

Moi, je crois savoir, se dit Matty. Ils ont dû trouver à propos de Hesther et Edwin.

— Dès lors, mon père s'est comporté comme si nous n'existions pas. Nous étions encombrants et synonymes de mauvais souvenirs. C'est drôle. Il avait une sacrée allure, à l'époque, je voulais qu'il fût fier de moi. Mais ce n'était pas le cas. Il nous préférait Danny, et il ne fait pas de doute qu'il s'entend mieux avec lui qu'avec nous. Tu as dû le remarquer.

Matty acquiesça d'un signe de tête.

— Ils ont fait la guerre ensemble, vois-tu, et il a sauvé Danny de l'hôpital ou Dieu sait quoi, puis il l'a ramené avec lui à Hinton Dysart.

Kit alluma une nouvelle cigarette. La tension causée par les souvenirs ravivés s'affichait sur son visage.

En se suicidant, songeant Matty, Hesther avait commis plus qu'une autodestruction. Elle avait abandonné les survivants, ses enfants, avec la certitude qu'elle ne les avait pas aimés assez pour vivre. Elle repensa à sa fuite du jardin — chassée de l'Eden — après avoir surpris Kit et Daisy, et rougit en comprenant qu'elle aurait pu, elle aussi, faire quelque chose de semblable.

— Pauvre Hesther, murmura-t-elle. Je crois qu'elle a eu tort.

Kit lui lança un regard qu'elle prit pour de l'aversion, et se rendit compte qu'elle mettait en péril cette nouvelle intimité entre eux.

— Je ne crois pas que tu devrais reprocher quoi que ce soit à ma mère.

— Elle a eu tort, l'interrompit Matty avec force. Tu ne comprends pas ? Quoi qu'elle ait pu éprouver. Quoi qu'elle ait pu souffrir. Parce qu'elle avait des enfants, Kit. Ne comprends-tu pas ?

La conviction de Matty s'infiltra en Kit dont la susceptibilité recula. Il se tourna vers la fenêtre et regarda au-dehors :

— Je ferais aussi bien de te dire que c'est moi qui l'ai trouvée.

— Oh, mon Dieu !

Matty repoussa les couvertures et se mit debout. Les genoux tremblant sous l'effort, elle s'approcha de son mari.

— Oh, Kit ! Je suis désolée, tellement désolée.

Il appuyait les bras contre la fenêtre. Matty le tira par la manche et l'obligea à se retourner. Faible, maladroite, elle l'attira dans ses bras.

— Dis-moi.

— Je l'avais cherchée toute la matinée. Plus tôt, il y avait eu un désaccord avec père, et je devais aller séjourner chez un ami après l'école et je voulais savoir si c'était entendu. Depuis la mort de Rose, elle allait mal... et nous étions inquiets. La maison était remplie d'officiers convalescents parce que mère voulait apporter sa contribution. D'une certaine façon, je crois que cela n'a pas arrangé les choses. Où que nous nous tournions, il y avait un homme qui boitait ou couvert de bandages. Certains étaient aveugles, pleins de cicatrices ou mutilés. Cela donnait des cauchemars à Polly. Ceux qui étaient en plus mauvais état passaient des journées sans bouger et des infirmières les poussaient dans des petites voitures comme des tas de viande. L'un d'eux est devenu fou et a commencé à pousser des hurlements et à s'agiter en tous sens ; personne n'arrivait à le calmer. On l'a expédié ailleurs, à Craiglockart, je crois, là où était mon père...

Kit, Polly et Flora étaient assis dans le grand escalier et pressaient régulièrement le visage contre les barreaux pour mieux entendre. La porte de la pièce du matin était ouverte et leurs parents se querellaient.

Polly avait réfléchi.

— Est-ce que mère ne pourrait pas avoir un autre bébé ? demanda-t-elle à Kit. Elle serait à nouveau heureuse.

— Oui, je suppose, répondit Kit, qui n'en était pas si sûr.

Kit et Polly y songeaient tandis que Flora chantait au-dessus d'eux. Rose leur manquait, bien sûr, mais la mort n'était qu'une chose étrange qu'ils traitaient par le silence.

— Comment est-ce que les bébés arrivent? s'enquit Polly, consciente de sa grande ignorance.

— Ils arrivent, c'est tout, répondit Kit qui ne voulait pas perdre la face, surtout devant sa sœur. Par le ventre.

Il tira avec impatience sur le brassard noir de sa veste.

— Oh, dit Polly. Ça n'a pas l'air épatant. Pauvre Maman, ajouta-t-elle en mordillant sa natte.

Les infirmières entraient et sortaient avec les patients de la salle à manger pour le petit déjeuner. Kit observa Maggie, la femme de charge, porter un seau d'eau chaude sur le perron et entreprendre de frotter les marches. Cela semblait inutile car elles étaient déjà toutes blanches.

— Je crois que je devrais fermer la porte du salon du matin, remarqua Kit. Il ne faut pas que les gens entendent.

Les sanglots de sa mère s'élevèrent au-dessus du brouhaha. Avant qu'il n'eût le temps d'agir, Hesther émergea dans un tourbillon de mousseline et de dentelle noire, un mouchoir bordé de noir pressé contre ses joues. Elle s'arrêta et baissa la main, révélant le visage que Matty allait découvrir sur les photographies, ravagé, mouillé de larmes.

— Je sais que c'est ma faute, Rupert, dit-elle dans l'encadrement de la porte. Je sais, je sais, je sais...

— Mère! murmura Kit.

Mais Hesther n'entendit pas son fils et disparut dans le corridor qui menait aux cuisines. Rupert sortit derrière elle, version plus jeune et plus légère de l'homme costaud qu'il allait devenir. Il avait le visage coloré, signe qu'il était en colère, et même la petite Flora, du haut de ses quatre ans, savait qu'elle n'avait pas intérêt à signaler sa présence. Pendant une trentaine de secondes, Rupert resta planté au pied de l'escalier, ses enfants figés comme des statues au-dessus de lui. Il reprit contenance, puis disparut.

Aussi précisément qu'une frontière tracée sur une carte, cet instant marqua la fin de l'enfance de Kit. Et lorsque, plus tard dans la matinée, il découvrit sa mère mourante qui, malgré l'acharnement dont elle avait fait preuve avec le couteau, n'avait pas fait un boulot propre, il se pencha, prit sa main ensanglantée dans la sienne et hurla d'horreur face au monde des adultes.

— Elle était déjà trop loin pour me parler. Je tenais sa main et je la suppliais, je la suppliais de ne pas nous quitter. Mais elle l'a fait. C'était la première fois que je voyais quelqu'un de mort, mais j'étais sûr qu'elle l'était. Elle s'est comme évanouie de l'intérieur et son corps a cessé de lutter contre les horribles blessures. Après, j'ai couru et je l'ai laissée là, près de la statue. Je n'ai jamais dit à personne que je l'avais trouvée le premier.

Pas même à Daisy? voulut demander Matty. Elle serra Kit contre elle jusqu'à ce qu'il eût fini de parler puis elle leva la main et osa essuyer ses larmes.

— Ça va mieux?

Il baissa les yeux sur Matty et réussit, mi-honteux, mi-défiant, à lui offrir un faible sourire en coin.

— Matty, je ne sais pas ce que tu as réussi à me faire dire. Mais oui, je me sens bien mieux.

— Kit...

— Oui?

— Kit, il vaudrait mieux que je m'assoie.

— Bon sang! Mais où ai-je la tête?

Il la prit dans ses bras, la porta dans son fauteuil puis la cajola.

Kit s'agenouilla devant elle :

— Je n'aurais pas dû t'inquiéter avec cela, Matty.

Et il posa sa tête sur les genoux de sa femme ahurie. Elle respirait presque joyeusement tout en passant la main dans ses cheveux dont la beauté la ravissait toujours. Il releva la tête :

— Cela suffit, je crois.

Ses cheveux étaient doux sous les doigts de Matty.

— Juste une dernière question, Kit. Je t'en prie.

— Si tu veux.

Elle rejeta nerveusement la tête en arrière :

— Tu aimes profondément Daisy, n'est-ce pas?

— Veux-tu vraiment que je réponde à cette question? s'enquit-il, étonné qu'elle se montrât aussi directe.

Matty hocha la tête.

— Oui, dit Kit. Je ne peux le nier.

— Et moi ?

Il la dévisagea avant de répondre :

— Toi, c'est différent, Matty.

Dans un soupir, elle s'affaissa sur son fauteuil et des parties de son cœur qu'elle croyait mortes s'ébranlèrent. Mais c'étaient des sentiments par trop épuisants. Elle ferma les paupières, satisfaite d'en être arrivée là.

— Je vais te poser une question à mon tour, dit Kit. Je ne le ferais pas maintenant si la réponse ne m'importait pas énormément.

Elle attendit, tendue, sachant ce qu'elle serait.

— T'es-tu jetée délibérément dans la rivière ou bien as-tu glissé ?

Matty écarquilla les yeux puis regarda son mari, toujours agenouillé devant elle. Le regard de Matty était plus fort et plus assuré que dans le souvenir de Kit.

— Pardonne-moi, mais j'ai besoin de savoir.

— Kit, je dois être honnête avec toi. En fait, je ne sais pas. Après vous avoir découverts dans le jardin, toi et Daisy, je ne sais pas ce qui s'est passé.

Plus tard, une fois Kit reparti, alors que Matty prenait son dîner sur un plateau près du feu, elle s'aperçut qu'elle avait compris quelque chose de travers. Charles Kennedy, le grand-père de Kit, n'avait pas coupé toute relation avec les Dysart parce qu'il avait découvert la vérité concernant Edwin et Hesther. Cela n'aurait eu aucun sens.

Non. Il était beaucoup plus probable qu'après la mort d'Hesther Rupert avait écrit à ses beaux-parents pour leur faire part de ses soupçons au sujet de leurs enfants et eux — croyants, pratiquants, piliers d'une communauté qui vivait dans la crainte de Dieu — avaient été si outrés par une telle accusation qu'ils avaient coupé les ponts avec leur gendre.

C'était là une version possible de la vérité.

Matty était persuadée que Rupert avait lu les lettres d'Edwin à Hesther et qu'il les avait fourrées en vrac dans la malle avec les effets d'Hesther et que ce qu'il en avait lu l'avait poussé à écrire à Boston. Peut-être en avait-il conclu que le pire s'était produit entre sa femme et son beau-frère. Ce qui n'était pas nécessairement exact. On pouvait s'adorer sans jamais s'effleurer.

A moins que Charles et Euphemia Kennedy n'eussent envoyé Hesther à l'étranger précisément pour cette raison.

Matty ne le saurait jamais.

6

En novembre, la saison de chasse battait son plein et à Redfields, Itchel et Eastbridge, les gardes-chasse étaient déchaînés. Presque toutes les terres de la région étaient arables et regorgeaient de perdrix, lièvres et faisans. Itchel Manor et Redfields élevaient leur gibier — que l'on gavait de blé noir. Cette année, les faisans étaient si gras qu'ils avaient l'outrecuidance de s'asseoir en ligne sur les murs de la ferme et de trottiner dans les sentiers devant les chevaux.

C'était le petit matin et une brise soufflait dans la vallée entre Alton et le village. A Clifton Cottage, Ned inspectait au jardin ses pommes rouges enfin mûres. Ces pommes-là étaient une race curieuse : elles donnaient un an sur deux et elles étaient plutôt petites. N'empêche, on pouvait en avoir jusqu'à Noël — contrairement aux Rhymer, jolies pommes rayées à cuire, qu'il soupçonnait d'avoir attrapé la gangrène.

Les rideaux de la fenêtre de leur chambre se gonflaient à cause d'un courant d'air. Ned leva les yeux. Sous la courtepointe en patchwork, Ellen essayait de dormir. Il détourna le regard en soupirant.

Ce fichu genou leur avait apporté la poisse. D'abord, il avait fallu l'emmener à l'hôpital pour l'opérer; ça l'avait tracassée même si elle s'était remise très vite dès qu'elle avait su qu'il s'agissait d'un simple kyste. Mais leur union avait reçu un avertissement. Ned caressa le tronc du pommier. Si l'on veut, de ce jour Ellen et lui avaient été la proie de la tache noire, du mildiou et de la rouille. Et de la gangrène.

Il y a de cela huit jours, dans le jardin, Ellen s'était pris les pieds dans sa fourche et s'était ouvert le genou sur le transplantoir juste à côté. Du coup, elle était de nouveau allongée avec de l'infection à la jambe et de la température.

Un rouge-gorge sautilla jusqu'à la porte de derrière et bondit sur la marche.

— Gare à toi si tu entres, l'oiseau, bougonna Ned automatiquement.

Les rouges-gorges apportaient le malheur s'ils entraient dans la maison. Le volatile se rengorgea puis sautilla à l'intérieur.

Ned soupira de nouveau et s'assit sur la pierre près du seuil pour lacer ses bottes. De bons outils étaient indispensable à sa vie, et il prenait soin des siens.

— Tu me vendrais contre une bonne paire de bottes, lui disait déjà Ellen au début de leur mariage.

— Ma fille, laisse-moi tomber et tu verras de quoi je suis capable.

Les bottes étaient faites de cuir épais et souple. Elles collaient juste ce qu'il fallait. Il les cirait constamment ; mais histoire d'être sûr, Ned trempa un chiffon dans le pot de graisse près de la porte et leur donna un petit coup.

La montre de gousset de son père indiquait huit heures moins cinq. Ned leva le nez pour respirer l'air. Les oiseaux descendaient de leur perchoir, il était temps d'y aller.

Il se leva et cria en direction de l'escalier :

— Je vais m'arrêter chez le docteur pour lui laisser un message !

Ellen s'ébroua et cria :

— Prends garde aux balles perdues.

— T'en fais pas, ma grande. Et repose-toi.

Ned s'empara d'un tas de vieux journaux, s'assura qu'il avait un mouchoir dans sa poche et prit le chemin du jardin.

Il faisait encore assez sombre mais la lumière qui parvenait de Jackall's Hill se dessinait à l'est. Il se rendait à Redfields pour travailler comme rabatteur à la chasse et, à la fin de la journée, il mettrait une nouvelle pièce de six *pence* dans la boîte en fer du Couronnement.

L'astuce consistait à empêcher les oiseaux de sortir du bois pour courir à travers champ, surtout celui des Redfields qui bordait directement celui des Eastbridge. Et vice versa.

Comme tout un chacun à Nether Hinton, Ned avait appris dès le berceau que chasser le gibier du voisin équivalait à un meurtre.

A travers le champ labouré, une aube hivernale s'attardait au-dessus des ormes. La lumière perlait, l'air était humide et frais et les arbres nimbés de brume. Ned aimait ces journées-là, si discrètement belles.

— 'jour.

Jo Fisher, le chasseur de rats, avec son chien, son furet et son fusil, salua Ned. L'hiver arrivait, les rats se réfugiaient dans les granges; Jo avait de quoi faire.

— 'jour, Jo.

A neuf heures et demie, les chasseurs, presque tous des messieurs d'un certain âge, douze rabatteurs et Ned, quittaient le terrain de la grande maison en direction des champs. Le sol mouillé collait aux bottes et éclaboussait les guêtres. Le monde sentait le froid et des toiles d'araignée mouillées scintillaient entre les branches, éclairées par un faible soleil.

Au bord de Falkner's Copse, le chef garde-chasse tendit les sacs de cartouches aux hommes choisis pour gagner leurs six *pence* de mieux et les rabatteurs se répartirent pour prendre position derrière les chasseurs.

— A vos bâtons, ordonna le garde-chasse.

— Hé, hé...

Les bouts de bois tambourinèrent contre les troncs d'arbre et, dans un battement d'ailes, trois faisans surgirent.

— Hé, hé...

— Devant à gauche, s'écria Ned tandis qu'un quatrième faisan prenait son envol.

— Hé, hé...

Deux fusils claquèrent à l'unisson. Un faisan s'écroula en décrivant un arc de cercle. L'œil accusateur, il tomba aux pieds de Ned, petit tas brun-rouge strié d'écarlate. Le nez au sol, les épagneuls foncèrent sur lui.

— Allez trouver les autres, dit Ned en ramassant l'animal

Pour la première fois de sa vie, il détesta cette tuerie. Bizarrement, cela lui rappela Ellen. La cicatrice sur sa jambe sous le bas de fil d'Ecosse. La façon dont elle ne l'avait pas quitté des yeux, ce matin, cherchant à être rassurée. Ned fourra l'oiseau dans la gibecière.

A l'heure du déjeuner, le garde-chasse fit faire la pause près de la maison. Ned et les rabatteurs mangèrent leurs sandwiches dans la cabane et burent de la boisson au gingembre de chez Blane et de la bière au tonneau. La cabane sentait la sciure et le velours humide; les chiens, boueux et sales, s'agglutinaient par terre. Mr. Brandon avait fait envoyer des cigarettes Blue Prior; les hommes fumaient et bavardaient à propos des prochaines élections générales, la bagarre sur les logements sociaux de Croft et le tournoi de whist qui devait avoir lieu dans les salles paroissiales. Ned but sa bière, oublia Ellen et profita du temps présent.

Alors qu'elle se dirigeait vers le Horns (qui offrait, au dire de Danny, la meilleure bière du village), Flora entendit les fusils. Mais avant d'arriver au pub, elle tourna à droite dans Bawling Alley pour se rendre Pankridge Street. Minerve trottinait derrière elle.

Flora espérait que les grandes promenades à cheval et à pied, ainsi que tout ce qui prenait du temps réussiraient à l'épuiser. Mais non. Elle dormait mal, pensait de travers et — seul avantage de cette histoire d'amour gâchée — elle mangeait peu.

A sa droite, avec ses grands arbres et un champ majestueux, se trouvait Eastbridge House. Plus loin, la rue montrait moins de respect pour les constructions et courait tout près du mur des cottages. Flora s'arrêta pour regarder la grande maison. Puis elle tourna les yeux vers Vine Cottage, en face, flanqué de dahlias et d'un grossier chemin de pierre. Le plâtre s'écaillait sur la façade et, sur le mur latéral, il y avait une tache d'humidité et des mauvaises herbes poussaient dans la gouttière de plomb.

Flora ne put s'empêcher de remarquer le contraste saisissant entre Eastbridge — ou Hinton Dysart — et Vine Cottage.

Qu'elle le voulût ou non, Robin était de retour dans sa vie, c'était ainsi. Il n'était pas revenu éperonnant son destrier tout en faisant tournoyer son épée, mais dans une Ford, un tuyau en caoutchouc à la main qu'il allait enfoncer dans la gorge de Matty. Si Flora s'était imaginé qu'elle capitulerait d'amour avec romantisme, le spectacle de Matty luttant contre l'eau de la rivière qui lui avait empli les poumons, les vomissements et les étouffements l'avaient débarrassée de toute émotion.

Cette lutte pour la vie n'avait pas été une plaisanterie; elle avait été menée dans une chambre où l'odeur de désinfectant le disputait à celle d'eau croupie. Les rêves — romantiques ou non — demeuraient des rêves. Les bruits émis par Matty qu'on arrachait à la mort — les pleurs à vous fendre l'âme. Horrifiée, Flora avait, cette fois, été confrontée à la vraie vie. Dure. Difficile à accepter. Elle avait voulu fuir. Robin, lui, s'était, montré responsable, apaisant et concentré. Il l'avait ancrée à la réalité.

Flairant quelque chose, Minerve coupa la route à Flora avant de s'arrêter.

— Du calme, ma fille.

Non que Robin eût particulièrement fait attention à Flora ou qu'il eût cherché à lui parler plus que nécessaire.

Il semblait à Flora qu'une éternité s'était écoulée depuis qu'elle s'était tenue dans la salle du Trône à Buckingham Palace dans un roulement de tambours, qu'elle avait fait la révérence devant leurs Majestés, et qu'elle s'était restaurée dans un tourbillon de plumes d'autruche, buvant du café glacé dans de la porcelaine au chiffre de « G.R.IV » et dégusté des délices dans des assiettes où était inscrite la célèbre devise *Honni Soit Qui Mal Y Pense*. Dix ans semblaient s'être écoulés depuis qu'en robe verte elle avait dansé avec Marcus au Londonderry House et qu'elle avait senti sur sa peau les picotements de l'excitation et du désir.

C'était du temps de son enfance. Désormais, une mauvaise herbe dans une gouttière avait plus de signification que la plus belle des robes de soie verte.

Flora regarda ses chaussures boueuses et sa jupe de tweed.

Le claquement des fusils et les cris des rabatteurs montaient faiblement de la vallée. Au bas de Redlands Lane, le soleil éclairait directement les fenêtres de la fabrique de paniers qu'elle teintait d'or. Les rayons léchaient les piles de paniers entassés près de l'entrée et le toit de la chapelle wesleyenne au bout de la route.

Flora eut la brusque envie d'aller voir Ellen qui, d'après Robbie, n'était pas venue travailler de la semaine.

Une fois à Clifton Cottage, un « Qui est-ce ? » ténu

répondit quand elle toqua à la porte. Flora laissa Minerve gémir au bas des marches et entra.

— C'est moi, Ellen, Flora Dysart. Je viens prendre de vos nouvelles.

De la poussière recouvrait les meubles, ce qui surprit Flora qui connaissait la maniaquerie proverbiale d'Ellen. Les reliefs du petit déjeuner de Ned étaient encore sur la table et le poêle était presque froid. Flora posa la main sur la rambarde et commença de monter.

La chambre était minuscule. Installée dans un fauteuil près de la fenêtre, Ellen regardait le soir tomber. Elle avait le teint jaune et terreux et les yeux brûlants de fièvre. Flora oublia toute idée de bavarder tranquillement avec elle.

Visiblement, Ellen était très malade. L'odeur régnant dans la pièce en disait assez. Elle se pencha, prit la main d'Ellen dans la sienne et fut complètement paniquée :

— Hello, Ellen.

Ellen se détourna avec effort de l'endroit où Bill et elle se promenaient dans Redlands Lane pour inspecter la nouvelle tranchée. Bill se penchait régulièrement pour ramasser une vieille boîte de sardines ou une cartouche vide. Betty était là, elle aussi, jeune, les cheveux brillants, pleine d'anecdotes sur sa nouvelle vie à Winchester.

Ellen n'eut pas honte, elle n'avait aucune raison de l'être. Elle n'était pas inquiète non plus car elle savait qu'il était possible d'aimer ses deux hommes. Ellen observait Bill et ses hommes marcher dans le chemin, le soleil baignant leur visage, leurs gamelles tintant au rythme de leurs pas.

On lui parlait :

— Comment allez-vous, Ellen ? Cela fait longtemps que vous êtes dans cet état ? Ned a-t-il demandé au Dr Lofts de passer ?

On lui caressait la main. Elle fit un effort considérable pour se concentrer.

— Miss Flora.

— Depuis quand êtes-vous malade, Ellen ?

— Trois jours. Quatre. Je suis tombée sur mon genou, vous voyez, et ça s'est rouvert. Sur la cicatrice. Ça fait à peu près huit jours. Je me sens toute drôle.

Les rideaux se soulevèrent sous l'effet de la brise et Flora alla fermer le loquet. Ellen la suivit du regard.

— Je n'aime pas que vous voyiez la chambre dans cet état. Ned a toujours adoré vivre dans une porcherie.

— Cela n'a vraiment aucune importance.

— Ça en a pour moi, miss Flora, répliqua Ellen en levant les yeux.

— Voulez-vous que je mette un peu d'ordre ?

— Certainement pas.

— Avez-vous pris quelque chose, aujourd'hui ?

— On ne peut pas dire ça, miss Flora. Je croyais que je réussirais à me lever, ce matin, mais je me trompais. Alors je me suis dit qu'il valait mieux rester assise là à attendre que ça aille mieux.

— Je vais peut-être réussir à vous préparer un peu de potage.

Flora se pencha pour rattraper le coussin dans le dos d'Ellen, mais elle lui cogna le genou. Ellen poussa un gémissement :

— Attention, miss.

— Je suis désolée.

Flora recula et retapa la courtepointe pour compenser sa maladresse.

Ellen observait ses efforts :

— Vous avez oublié un coin, miss Flora.

Flora retapa les oreillers.

— Miss Flora, laissez, s'il vous plaît. Je crois que je ne supporterai pas de vous voir faire une nouvelle bêtise. Si je puis me permettre.

Puis elle se tut.

Flora ne savait où se mettre :

— Dites-moi. Le Dr Lofts va-t-il vous rendre visite ?

Ellen marmonna quelque chose sur le coût supplémentaire, mais Ned avait promis de passer à la consultation.

— Ellen, qu'ont-ils dit à propos de votre genou, à l'hôpital ? Ont-ils réussi à vous débarrasser de ce problème ?

— Oh, oui.

Flora rangea en bas avec plus de succès. Il s'agissait uniquement de bourrer le poêle, de passer un chiffon sur la desserte et de débarrasser la table. Et de faire bouillir de l'eau. Puis elle entreprit de couper un oignon et une carotte qu'elle découvrit dans le garde-manger.

Elle monta le potage dans un des bols de porcelaine aux

étonnants boutons de rose et s'assit sur le lit à côté d'Ellen. Elle trempa la cuiller dans le bol.

— Pouvez-vous avaler, Ellen?

Ellen soupira et laissa tomber le masque. Sa lèvre inférieure tremblait :

— A quoi bon, miss Flora? Je dis que plus vite ma carcasse sera sur le tas de fumier, plus vite on sera débarrassé.

— Vous dites cela uniquement parce que vous ne vous sentez pas bien.

— Oui. C'est encore cette satanée grippe qui me joue des tours.

Ellen essaya de manger. Flora dut lui essuyer le menton. A un moment donné, Ellen renvoya tout et il fallut recommencer.

Puis Ellen s'appuya sur le coussin et ferma les yeux :

— Ça ne me dit trop rien.

Il eût été cruel d'insister. Flora reposa la cuiller.

Ellen rouvrit les yeux qu'elle planta dans ceux de Flora. Des idées de mort surgissaient; elle saisit celle qui la tracassait le plus :

— Il ne faut pas vous en faire, dit Ellen en interprétant l'expression de Flora. Ça m'est égal de partir... Non, c'est pas tout à fait juste. Je n'ai pas envie de quitter la fête, mais si c'est l'heure, je le ferai comme il faut... C'est ça l'embêtant.

Flora la pria de ne pas parler, mais d'autres pensées la taraudaient :

— Ned ne saura jamais se débrouiller tout seul. Il a l'air faraud, mais faut pas s'y tromper. Il faut que je lui trouve une poulette avant de partir les pieds devant.

Flora aurait pu objecter bien des platitudes, mais Robin et elle avaient souvent évoqué la façon de s'occuper des malades.

— Voyons, Ellen, dit-elle. Vous n'allez pas mourir.

Ellen arbora un vrai sourire :

— C'est un vieux bouc, que mon Ned. Un vieux bouc borné, dans de gros godillots.

— Votre fille ne pourrait-elle venir s'occuper de vous?

— Possible. Un petit moment.

Ellen sembla se lasser du sujet. La pièce s'assombrit. Ellen était assoupie et Flora la regardait tout en écoutant sa chienne. Ellen s'agita :

— J'ai peur, dit-elle..

Flora se demanda si Ellen la croyait encore là ou non. Puis Ellen ouvrit grand les yeux. Flora y lut une terreur qu'elle n'aurait jamais crue possible.

— Miss Flora, pourquoi ça se remet à pas aller?

Flora caressa la main d'Ellen.

Flora entendit la Ford dans l'allée et dévala l'escalier, le cœur battant.

Robin s'arrêta net quand il la vit dans l'encadrement de la porte mais ne fit aucun commentaire sur sa présence.

— Ellen ne va pas bien du tout, Robin. Je ne m'en étais pas rendu compte. Je crois qu'il faut quelqu'un auprès d'elle.

Il balança sa sacoche sur la table, évitant soigneusement le regard bleu des Dysart. La journée avait été longue : une attaque, une jambe cassée et une mauvaise coupure. Sans compter ses consultations au cabinet avant le dîner. Il ne pensait pas que son humeur terne durerait éternellement, mais ces jours derniers, il avait l'impression qu'on entamait son optimisme et il détestait ce changement, habitué qu'il était à se sentir gai et en forme.

Il était en manque. En manque de cheveux de lin, de larges hanches, de rectitude et d'amitié. En grave manque.

— Pourrons-nous nous appeler, après? demanda Flora en s'acharnant sur une casserole sous le robinet.

— Si vous voulez, dit-il avec indifférence, loin d'imaginer le moindre changement possible. Mais je vous préviens, je ne suis pas d'humeur à jouer. J'ai accepté la situation en ce qui nous concerne vous, votre père et moi. Pas question de revenir là-dessus.

L'idée que Robin se remettait fut assez pour l'affoler. En une fraction de seconde, elle passa à l'action.

— Je vous en prie, Robin, ce n'est pas un jeu.

— Flora! Vous choisissez curieusement votre moment.

Sans sourire, Robin s'empara de son sac. Puis elle vit à quel point elle l'avait blessé.

— Je vous en supplie.

Il haussa les épaules. Il avait de la teinture d'iode sur le doigt et la pièce de cuir à son coude était déchirée :

— D'accord.

Flora nettoya le bol de soupe. Puis, tout en sachant

qu'elle outrepassait son rôle, elle dressa le couvert pour Ned et couvrit le pain d'un linge propre. Après quoi elle mit la bouilloire sur le feu et prépara du thé.

En haut, Robin parla avec Ellen. La conversation était suffisamment étouffée pour qu'on n'entendît rien d'en bas. Enfin les chaussures crissèrent ; il descendait. Flora versa du thé dans une chope qu'elle lui tendit.

— Elle n'est pas mourante ?

— Jamais de la vie. Mais son genou est infecté et je vais l'envoyer à l'hôpital de Fleet.

Flora s'écroula sur la chaise.

— A votre avis, Robin, les Sheppey ont-ils payé leur assurance ? L'opération d'Ellen a dû sérieusement entamer leurs économies.

Robin prit place dans la chaise d'ébéniste de Ned et but son thé :

— Excellente question. Je n'ai pas la moindre idée de leur situation financière.

— S'ils n'ont plus d'économies, je paierai l'hospitalisation d'Ellen.

— Cela passerait pour de la charité, commenta Robin en lui prenant la théière pour se resservir.

— C'est bien ce que c'est, rétorqua-t-elle, déchaînée tout en lui versant du lait. Ecoutez, on nous rebat les oreilles toutes les semaines avec cela, à l'église.

— Chut, fit Robin en désignant le plafond d'un signe de tête. Vous ne voulez tout de même pas qu'Ellen nous entende. Réfléchissez, Flora. Chaque fois que quelqu'un dans le village tombera malade, on se souviendra que vous avez aidé les Sheppey. Etes-vous prête à être ainsi désignée du doigt ?

Elle se brûla la langue. Robin ne l'aidait guère et n'avait pas l'air d'humeur bavarde. Oubliant toute charité, sous le coup de la déception, Flora faillit s'énerver :

— Par tous les saints, Robin, dit-elle en bondissant sur ses pieds. Je propose cela du fond du cœur et vous chipotez parce que... parce que.

Elle prit son manteau à la patère derrière la porte et l'enfila en hâte :

— Personne n'a besoin de savoir d'où vient l'argent. Vous n'avez qu'à prétendre qu'il y a un fonds de secours à l'hôpital ou je ne sais quoi.

Elle noua sa ceinture en se maîtrisant tant bien que mal mais gâcha tout en enfonçant son béret sur sa tête comme une damnée :

— Je suis profondément désolée que les choses aient mal tourné entre nous, mais ce n'est pas une raison pour qu'Ellen doive en souffrir.

— Vous n'avez pas tant d'argent en ce qui vous concerne, Flora.

Elle fut glaciale :

— C'est vrai, Robin. Mais j'en ai suffisamment.

Elle fut tentée de verser dans sa chope toutes les feuilles de thé, mais se ravisa, ouvrit la porte et lâcha sa dernière salve :

— Au fait, votre veste est déchirée au coude. Anna Tillyard pourrait peut-être la raccommoder.

Robin tourna sa manche pour regarder.

— Je vais le lui demander, répondit-il, blanc de rage. Merci.

— Alors au revoir.

Une fois dans le chemin, Flora espéra de toute son âme qu'il allait la rappeler. Mais ce fut le silence.

Minerve ne cessait de se faufiler entre ses jambes, elle finit par lui intimer l'ordre de la laisser tranquille. La pluie, qui avait menacé tout l'après-midi, se décida à tomber. Elle s'infiltra dans son col et mouilla ses cheveux rebelles. Une vraie algue jaune, se dit Flora, et tout aussi séduisante.

Dix-neuf ans n'était pas si vieux pour tout recommencer, se dit-elle, ce n'était pas si horrible et somme toute assez courant. Après tout, elle avait trouvé tous les arguments pour ne pas l'épouser.

Premier point. Epouser Robin déclencherait un tollé familial. Deuxième point. Flora elle-même n'était pas certaine que ce fût la chose à faire. Troisième point. Robin et elle se tapaient manifestement sur les nerfs et cela ne faisait qu'empirer.

Tout était donc pour le mieux.

Vidée, raidie à l'idée de jouer les filles martyres et obéissantes, Flora avança dans la pluie et le vent. Elle n'entendit pas la voiture arriver à son niveau.

— Montez.

A la vue de Robin bien au chaud et bien au sec, tous les atouts en main, les émotions de Flora firent volte-face :

— Non, dit-elle, furieuse avant de poursuivre son chemin.

Robin leva les yeux au ciel et rapprocha sa voiture de la silhouette obstinée qui pataugeait dans l'obscurité :

— Ne soyez pas ridicule, lança-t-il par la vitre abaissée.

— Je serai ridicule si je veux.

A cause de la pluie et du moteur, Robin n'entendit pas. Il était fatigué, affamé, las et seul :

— Pour l'amour du ciel, arrêtez-vous ! Je ne vais quand même pas passer ma vie à vous parler par les vitres de ma voiture !

Pas de réponse. Nouvelle tentative :

— Flora, hurla-t-il. Soyez raisonnable. Ecoutez-moi. Ne gaspillons pas notre vie.

Là, elle s'arrêta.

— Est-ce la politique du gouvernement travailliste ?

— Par pitié !

Robin stoppa sa voiture, sortit et saisit Flora par le bras. Hors d'elle, elle résista.

— Flora, petite idiote adorée.

Il l'attira contre lui si rudement qu'elle en eut le souffle coupé.

— Ecoutez-moi, fille stupide. Je vous aime. Vous m'aimez.

Elle leva la main pour le repousser mais il s'en empara :

— Dites oui, ordonna-t-il. Dites oui, et au diable le reste.

Il se pencha et embrassa son poignet à l'endroit si tendre où bat le pouls.

Elle sentit ses lèvres prendre possession de sa chair. Son cœur battait à tout rompre, elle en retrouvait le rythme familier. Robin l'embrassa de nouveau puis, relevant la tête, arbora ce sourire si doux, si las.

Les points un, deux et trois furent balayés au vent avec une indécente rapidité. Incohérente, soulagée, Flora tourna le visage vers Robin et s'accrocha à son veston. Robin embrassa le bout du nez aristocratique de Flora avant de s'en prendre à sa bouche. La pluie inondait leurs joues.

— Oh oui ! balbutia-t-elle entre les baisers, les larmes se mêlant à la pluie. Oh oui ! Robin.

Ils parlaient tous deux en même temps.

— Vous n'êtes jamais revenu, dit-elle. Pas une fois.

— Je suis désolé, s'excusa-t-il en repoussant une mèche de cheveux. Vous m'avez fait tant de mal.

— Je sais. Je ne me le pardonnerai jamais.

— Je vous avertis, commença-t-il en reculant pour poser ses mains sur les épaules de Flora, c'est à mes conditions. Vous viendrez à moi, vous entrerez dans ma vie, pour vivre et travailler avec moi. Je n'essaierai pas de singer la vôtre...

— Si seulement vous arrêtiez de parler. Vous pourriez continuer de m'embrasser.

Plus tard, elle lui demanda :

— Qu'est-ce qui vous a fait changer d'avis pour me rattraper?

— Vous tenez à le savoir?

Elle s'appuya contre lui :

— Oui.

— Vraiment?

— Vraiment.

— La vision d'Anna Tillyard en train de faire mon raccommodage.

Il empêcha Flora de hurler en la bâillonnant de sa bouche.

> Comme c'est étrange [écrivit Matty à Susan le lendemain matin dans son boudoir]. Comme c'est surprenant. Pourquoi diable Daisy a-t-elle envie de passer un an en France? Cela lui ressemble si peu de manquer la Saison. Peut-être reviendra-t-elle de temps en temps. Tim Coats a-t-il quitté la scène?...
>
> Oui, je vais mieux, beaucoup mieux. Je me sens gaie et je m'occupe à dessiner les plans de rénovation du jardin principal, prévue l'année prochaine. Kit est d'accord.
>
> Maintenant que me voilà remise, il a décidé de partir en Irak avec Max Longborough à la Nouvelle Année. Il pensait ne pas devoir y aller, mais je l'ai persuadé que s'échapper un peu lui ferait le plus grand bien. J'aurai beaucoup à faire...

Ecrire à sa tante était toujours une corvée — à laquelle s'ajoutait maintenant l'ennui. Matty savait que ses lettres étaient guindées et que sa tante les jetait à la corbeille à la première occasion.

Elle lança un coup d'œil aux plans du jardin principal qui jonchaient son bureau. Elle avait prévu de planter une tonnelle de glycine et d'y mêler du mauve au blanc...

Quoi qu'il en soit, tante Susan, j'espère que cette missive vous trouvera en bonne santé...

Elle acheva sa lettre, griffonna rapidement sa signature car elle venait de s'apercevoir qu'elle avait omis de dire à Ned qu'elle voulait des primevères dans l'allée de tilleuls.

Un cri résonna dans le corridor. Matty lâcha sa plume. Le cri se répéta. Cette fois elle alla voir. Kit grimpait l'escalier en courant.

— Que se passe-t-il ?

— Je ne sais pas.

Une porte s'ouvrit brusquement et Robbie apparut, sortant de la chambre de Rupert, tenant Flora par le poignet.

— Faites quelque chose, dit-elle à Kit. C'est une méchante fille.

— Lâchez immédiatement Flora, Robbie, ordonna Kit en libérant sa sœur. Raconte-moi ce qui s'est passé.

Flora était toute défi :

— Inutile de chercher à m'intimider, annonça-t-elle. Je vais épouser Robin Lofts.

Kit se détendit un moment.

— C'est tout ? Je croyais qu'il était advenu quelque chose d'épouvantable. J'imagine que père annonce sa désapprobation ? ajouta-t-il en se passant la main dans les cheveux. Sérieusement, Flora, avant d'engager la bataille, es-tu tout à fait sûre de toi ?

Rapide comme l'éclair, elle rétorqua :

— Tu as promis de me soutenir, tu te rappelles ?

Il lui pressa gentiment le bras :

— Naturellement. Je l'ai dit et je le ferai.

Flora soupira de soulagement et sourit à son frère malgré sa frayeur.

— Au secours, dit-elle. J'ai mal au cœur. Peux-tu t'occuper de Robbie ?

Kit chercha du secours auprès de sa femme :

— Matty, veux-tu emmener Flora ?

En chemin, Flora expliqua à Matty qu'elle n'allait pas changer d'avis et que ce n'était même pas la peine d'essayer. Pourquoi le ferait-elle ? demanda Matty.

Robbie interdisait la porte de Rupert :

— Comment ose-t-elle? Allez l'avertir que vous ne le permettrez pas!

Kit reposa sa main.

— Robbie, je suis navré d'avoir à vous le dire, mais qui ma sœur choisit d'épouser ne vous regarde en rien.

Robbie réprima un cri et rejeta la tête en arrière, soulignant ainsi sa gorge blanche et épaisse, sa taille et ses seins. Dans la semi-obscurité du palier, son corps était fluide, presque séduisant. Pour la première fois, Kit vit en Robbie une femme.

— C'est l'affaire de Flora, répéta-t-il, pas la vôtre.

La réponse de Robbie le saisit tant qu'il ne sut que répondre :

— Oh! si, c'est mon affaire. Votre père est très contrarié. Il l'a prévenue qu'il l'interdirait et Flora lui a répondu qu'elle se moquait de ce qu'il pensait. Sa vie lui appartenait et elle en ferait ce qu'elle voudrait. Alors il lui a déclaré qu'elle n'aurait pas un sou de son héritage et Flora a rétorqué que de toute façon il avait déjà tout perdu. Elle est restée là, devant le lit, ses yeux lançant des étincelles comme une chatte.

— Robbie?

Quand il était petit, Robbie l'avait bercé sur ses genoux et nourri au gâteau de riz pour qu'il grandît. Elle avait écouté ses plaintes, pansé ses genoux et ses bleus à l'âme. Elle lui avait écrit à l'école, l'avait grondé pendant les vacances et avait veillé près de son lit après la mort d'Hesther.

Au nom du vieux temps, il lui parla avec douceur :

— Je crois que vous vous oubliez.

— Votre mère, votre sotte, impuissante et méchante mère, vous a laissés à moi, afin que je vous élève, dit Robbie. Et j'ai fait ce qu'elle m'avait demandé; pourtant je n'avais rien demandé et je ne l'ai pas fait pour elle, expliqua Robbie en insistant sur le « elle » afin de marquer ses années d'amour perdu pour sir Rupert. Vous ne pouvez m'évincer maintenant, Mr. Kit.

Kit s'apprêtait à répliquer quand un bruit rauque parvint de la chambre. Il fut suivi d'un autre.

Robbie écarquilla les yeux :

— Oh! mon Dieu, dit-elle en pâlissant.

Ils se ruèrent dans la chambre.

HARRY Thomas et moi nous sommes rencontrés deux ans après la mort de ma mère. Je voyageais en Italie et j'avais été prié à dîner avec une célébrité du monde des arts. Thomas était assis en face de moi et me regardait à travers les chandeliers. J'ai su immédiatement qu'il remplirait le gouffre dans ma vie. Après ce dîner, il m'a téléphoné : il écrivait un ouvrage sur la décoration d'intérieur en Angleterre à travers les âges et il avait envie de voir Hinton Dysart. Le reste, comme on dit, appartient à l'histoire.

Il a apporté avec lui sa connaissance du porphyre, de la fluorine bleue, du marbre, de l'or moulu et du bois doré. Il connaissait tout sur les tuiles émaillées et les vitraux, sur les peintres, les meubles et les choses qu'on trouve dans les grandes maisons. C'est Thomas qui m'a persuadé de la céder.

— Elle ne survivra pas autrement, mon cher, me répétait-il à l'envi. Je ne l'ai que trop constaté.

Quand je protestais, il répondait :

— Vous êtes le dernier survivant : un peu de sens pratique. Qu'adviendra-t-il après votre mort ?

C'est ainsi que, le 7 novembre 1980, j'ai abandonné la maison aux mains de la Fondation. Quand j'ai remis les clefs au cours d'une cérémonie officielle, un petit attroupement s'est rassemblé depuis le village pour me souhaiter bonne chance. Puis j'ai pris le chemin qui menait à Dippenhall Street où nous avions choisi de vivre.

Certaines choses sont difficiles à évoquer, presque à

écrire. Cela en fait partie. Il en aurait peut-être été autrement si le fils de Polly avait vécu, ou si Flora avait eu des fils. Mais ce ne fut pas le cas et, comme disait Thomas, il faut avoir un peu de sens pratique. J'en accepte maintenant la nécessité comme j'ai été persuadé de l'accepter autrefois, et c'est de cette décision que j'ai fait ma vie.

J'ai quitté la maison entouré des braises mourantes des plantes d'automne; cynorrohdons racornis, restes fragiles des crocus d'automne, graines tourbillonnantes, masses sombres et ombreuses des ifs et des arbres à feuilles persistantes. Mes enfants...

Mais la nuit, je retrouve les pièces silencieuses et le magnifique jardin, pour rejoindre les fantômes du passé.

7

Rupert survécut à l'attaque causée par le choc de la nouvelle concernant Flora, mais il resta privé de parole et paralysé du côté droit. Après avoir consulté le Dr Williams, qui avait remplacé Robin, et un spécialiste de Harley Street, il fut décidé que le mieux était encore de le laisser chez lui puisque une hospitalisation n'apporterait aucune amélioration. Ce fut pour Robbie le signal d'un redoublement d'efforts; elle assura désormais la garde vingt-quatre heures sur vingt-quatre. On rappela miss Binns qui se retrouva, terrorisée et torturée, sous la férule de Robbie.

Pendant les difficiles semaines qui suivirent, jusqu'à ce qu'enfin l'état de Rupert parût stable et relativement confortable, Robbie n'adressa pas la parole à Flora et fit comme si elle ne la voyait pas lorsqu'elle la croisait dans le couloir.

— C'est horrible, confia Flora à Matty, hésitant entre l'hystérie et l'hilarité. Comme si j'étais un assassin. Le pire est que j'ai toujours été sa préférée et que je m'en fichais comme d'une guigne. Maintenant, ça ne m'est plus égal.

— Je me charge de Robbie, dit Matty en bâtissant l'ourlet de la robe de mariage de Flora. Je vais essayer de lui en parler. Occupez-vous de votre mariage. Si Robbie fait des difficultés, je lui coupe sa natte, ajouta-t-elle en faisant claquer sa paire de ciseaux.

— Lady Foxton a téléphoné après avoir lu l'annonce dans *The Times*, dit Flora en s'asseyant à côté de Matty. Elle a proféré des horreurs, me vouant aux gémonies d'oser abandonner ma famille.

— Oh non!

— J'ai failli lui rétorquer qu'elle devrait m'être reconnaissante de ne pas vous avoir infligé un James.

Flora subissait la pression de tous : les critiques muettes des parents pleins de tact en disaient autant que les opinions clairement exprimées. Marcus fut particulièrement sec dans ses compliments et Susan Chudleigh avait écrit un chef-d'œuvre de *Schadenfreude*, se régalant discrètement mais visiblement du malheur d'autrui. Ce n'était pas, songeait Flora en cousant rageusement sa robe, comme si Polly avait fait un bon mariage — ou comme si son père avait suivi les règles qu'il imposait. Après tout, il avait passé le plus clair de son temps avec un cockney.

Les camions de livraison remontaient la grande allée avec des plats à beurre, des ouvre-lettres et divers objets exotiques dont un porte-parapluie en peau de lézard et une console en laque de Chine. Flora regardait, affolée, le butin exposé dans la bibliothèque. Tout cela ne rentrerait jamais dans le cottage de Dippenhall Street — et, d'une certaine façon, le côté précipité et brouillon du mariage lui semblait une erreur. Elle supplia Robin d'attendre le rétablissement de Rupert.

Elle l'avait emmené en haut pour lui montrer la vieille nursery. Là, Robin lui expliqua avec le plus de ménagements possibles que Rupert ne guérirait jamais.

— Il est plus que probable qu'il aurait eu une attaque de toute façon, ajouta Robin qui tenait à se montrer d'une parfaite honnêteté. Il est possible qu'un caillot ait attendu l'occasion de boucher une artère.

— Nous — je — c'est moi qui lui en ai donné l'occasion, dit Flora faiblement.

— Merci, lança Robin avec une ironie non voilée. Flora, nous ne pouvons assumer la responsabilité pour votre père. Vous ne le devez pas.

— Non, fit-elle, incertaine, voyant bien que rien ne la délivrerait de son sentiment de culpabilité.

— Regardez-moi, Flora. Il ne suffit pas de le dire, il faut le penser.

Avec un petit cri, Flora se jeta dans ses bras.

— Cela aurait pu être causé par n'importe quoi. C'est arrivé, voilà tout. Il faut avancer à partir de là, reprit-il en se libérant de l'étreinte de Flora. Vous voyez ce que je veux dire ?

— Oui et non.

— Je croyais que vous n'aimiez pas tellement votre père.

— Même si je le détestais, je ne voudrais pas être la cause de sa mort. D'une certaine façon, l'amour ou la haine n'a rien à voir dans l'histoire. Je suis attachée à père en dépit de ces sentiments. Maintenant qu'il est si malade et que j'ai franchi le pas de la rupture, je me sens plus ou moins liée. Cela tient-il debout ?

— Parfaitement, dit Robin en posant un baiser sur sa tempe. Et cela apporte de l'eau à mon moulin : nous devons nous marier dès que la décence nous le permettra, ainsi chacun pourra mener sa vie. Nous, compris.

Quinze jours plus tard, Flora et Robin s'épousèrent dans le calme de la petite église. Elle remonta l'allée de tilleuls comme sa sœur l'avait fait avant elle, mais au bras de Kit. Son voile se soulevait au vent et l'ourlet de sa robe glissait sur les pierres mouillées. A l'exception des cierges qui brûlaient dans l'allée centrale et sur l'autel — Matty avait insisté pour les fournir — il faisait sombre dans l'église. L'odeur de cire chaude se mêlait à celle des freesias blancs et des narcisses que Matty avait fait venir du sud de la France.

Les invités étaient rassemblés sur les premiers bancs — famille Dysart d'un côté, grande, élancée, famille Loft de l'autre, plus petite, cheveux blonds. Rolly avait mis son plus beau costume et Ada avait cousu de fausses cerises sur un chapeau cloche de velours vert.

Dans son chapeau de deuil, outragée, l'œil glacial, Robbie s'était assise aussi loin possible, près de la crèche en carton-pâte et cure-pipes que les enfants avaient confectionnée pour l'Avent. Puant le chien et l'alcool, Danny se glissa sur un banc en face et son regard demeura fixé droit devant lui tout le temps de la cérémonie. Seule Matty, douce, le teint hâlé, toute de soie vieux rose, semblait parée pour un mariage — au vrai, elle était plus radieuse qu'au sien. Elle souriait tendrement sous son chapeau.

Flora était heureuse. La lumière qui filtrait du chœur était teintée de l'obscurité de décembre, l'église était froide et le tapis élimé, mais Flora s'abritait dans sa vétusté, elle se sentait appartenir à une chaîne d'hommes et de femmes qui s'étaient tenus au même endroit, prononçant les mêmes paroles, remplis d'espoir pour le voyage à venir. Pour le changement.

Mrs. Pengeally touchait les jeux de l'orgue essoufflé et Flora se tourna vers son mari, la ceinture de sa robe enserrant sa robuste silhouette. Robin plissa les yeux en souriant à son épouse, dont les cheveux retenus en arrière sous le voile de dentelle Honiton cherchaient à s'échapper. Tout ira bien, lui disait-il en silence. Flora était en paix.

— Danny ! Danny !

Revenue de Bath où ils avaient passé trois jours de lune de miel, Flora courut jusqu'au cottage à Jonathan's Kilns et cogna à la porte.

— J'arrive, miss Flora. J'arrive.

Danny parut sur le seuil, clignant les yeux, un verre à la main.

C'était un sombre après-midi de la semaine précédant Noël. Au loin, les becs de gaz du village diffusaient une lumière jaune et brumeuse. Il faisait froid et la température chutait encore. Flora agita sa lampe torche sous le nez de Danny :

— Il faut venir, Danny. Le Dr Williams dit que père va de plus en plus mal. Vous avez promis.

— Il est mourant ?

Danny posa les yeux sur l'anneau d'or au doigt de Flora. Elle rougit.

— Vite, Danny. Il n'y a pas une seconde à perdre.

— Attendez, alors.

Il avala du gin d'un trait, prit sa veste de velours au clou et claqua la porte derrière lui :

— Cette femme sera là ?

— Mon frère promet qu'il n'y aura pas d'histoires.

Matty veillait dans la chambre de Rupert tandis que Robbie prenait un peu de repos. Rupert semblait dormir. Elle en profita pour passer en revue les livres sur la table — *Batailles décisives sur le front occidental*, *Mr. Britling s'en va-t'en guerre*. Rupert avait annoté les marges de ce dernier à l'encre noire. « Les jeunes et les gens du peuple rayonnaient, lut-elle. Car les fils de toutes les classes sociales partaient combattre et mourir, le cœur plein d'un rêve magnifique sur cette guerre. » Plus loin, il avait souligné avec force : « C'est une guerre sans but, une guerre qui a perdu son âme... »

Elle reposa l'ouvrage. Si la guerre n'avait pas achevé le corps de ce soldat, elle s'était trop bien occupée de son esprit.

Plus tôt, Matty avait aidé Robbie à laver ce corps qui ne s'obéissait plus. Elles l'avaient frotté à l'alcool pour éviter les escarres, faisant leur possible pour lui procurer un peu de bien-être. Robbie avait posé ses mains sur le drap — comme des mains de marbre, ces mains sans corps, que les Victoriens prisaient tant. Rupert paraissait momifié et inerte de l'intérieur comme de l'extérieur mais Matty se demandait, paniquant pour lui, s'il était vrai que lorsqu'on était dans le coma on devait supporter de surcroît un cerveau en pleine activité.

Flora passa la tête par l'entrebâillement de la porte :

— Il est là.

Elle fit entrer Danny et alla prendre le flacon sur la table :

— Tenez, buvez, dit-elle après lui avoir servi un whisky.

Danny le but rapidement. Matty, qui ne l'avait pas vu depuis un certain temps, le trouva plus ridé et les yeux plus rouges que dans son souvenir.

— J'ai téléphoné à Polly, dit-elle à Flora. Elle va essayer de venir ce soir, au plus tard dès demain matin. Apparemment, elle est à nouveau enceinte et ne se sent pas bien.

— Encore ! Tenez, Danny, ajouta-t-elle en lui approchant une chaise. Parlez à Père.

Danny prit la main inerte de Rupert :

— Sir ?

Pas de réponse, naturellement.

— Il réagit d'ordinaire un peu plus, expliqua Flora. Voilà pourquoi le Dr Williams assure que nous devrions lui dire au revoir. Il s'en va doucement.

Danny se tut, mais caressa la paume de Rupert de ses doigts. Matty fut touchée par la tendresse de ce geste.

— Combien de temps lui donne le médecin ? demanda enfin Danny.

— Il ne saurait être affirmatif, répondit Flora en servant deux whiskies, dont un pour Matty. Ce pourrait être une longue nuit.

Le téléphone sonna dans le hall et Flora alla répondre. Elle revint pour dire qu'il y avait eu un accident de voiture de l'autre côté d'Odiham et que le Dr Williams ne pourrait passer comme prévu. D'un regard elle défia Matty de la contredire et ajouta qu'elle avait appelé Robin.

— Naturellement, acquiesça Matty.

Soudain, Flora se cacha les yeux dans ses mains et s'assit. Matty s'approcha de Danny :

— Vous avez certainement bien connu sir Rupert.

— Ça, il n'y a pas de doute, Mrs. Dysart. Nous en avons vu, tous les deux.

Au-dessus de la tête de Danny, Matty et Flora échangèrent un regard, conscientes d'être exclues de leur monde — un monde réduit à une tranchée ou à un sentier boueux à travers un bois, un sifflet à deux sous sonnant au crépuscule, une cigarette humide, le crissement d'un harnais de cuir, l'odeur des documents humides dans une sacoche en toile. A des mouches bleues grasses et repues.

— Oui. Nous en avons vu, sir Rupert et moi. Je l'ai sauvé et il m'a sauvé. Après, quand je n'ai eu nulle part où aller, il m'a amené ici et il m'a donné un toit.

— Pourquoi ne m'en avoir jamais parlé ? s'étonna Flora.

Danny haussa les épaules.

Plus tard, alors qu'il faisait presque nuit, Kit entra et remplit à nouveau les verres. Parce qu'elle aimait attraper la dernière goutte de lumière, et parce qu'elle ne voulait pas être de trop, Matty demeura près de la fenêtre. Kit s'approcha d'elle et glissa son bras autour d'elle :

— Pas trop fatiguée ?

Elle secoua la tête en signe de dénégation jouissant de sa main sur ses épaules.

— Tu me préviendras, n'est-ce pas, quand tu ne tiendras plus le coup.

Matty dut bientôt tirer les rideaux sur la nuit, jetant sur la chambre un manteau de velours rouge. Kit fit un feu. Danny était toujours au chevet de Rupert. Flora faisait une réussite en face de lui sur une petite table pliante. Le whisky commençait à agir sur eux tous.

Peu après vingt heures — Flora leva les yeux sur la pendule — la forme sur le lit sembla se tordre. Rupert émit un son et ouvrit les yeux. La table à jouer s'écroula dans un craquement.

— Si seulement Robin était là, regretta Flora.

Lentement, avec un effort visible, Rupert tourna les yeux et émit du coin de la bouche un son qui pouvait être « Danny ». Ce dernier rapprocha sa chaise du lit.

— Parlez-lui, Danny, demanda Flora. Il veut que vous lui parliez.

— Vous vous rappelez, sir..., commença Danny qui bredouillait sous l'effet de l'émotion et du whisky. Sur la Somme, sir? Nous étions vingt compagnies, épaule contre épaule. Vous vous rappelez Plugstreet Wood, Tram Car Cottage, Kansas Cross? Et la bière et comme les gens du cru n'ont jamais réussi à nous servir du thé digne de ce nom?

Flora l'encouragea de la main.

— ... La tranchée Marguerite où ces foutus mangeurs de grenouilles avaient laissé pousser les fleurs parce qu'ils ne franchissaient jamais le sommet? Nom de Dieu, on se serait cru chez un fleuriste. Et comment nous avons marché, sir, à travers les ruisseaux, les caniveaux et les bois. Je me souviens que vous disiez que c'était un bon terrain de chasse.

— Continuez de lui parler, Danny, intervint Kit.

— Ils nous en ont collé sur le dos, y'a pas à dire. Y nous prenaient pour des chameaux, ou quoi? Des sacs de sable vides, des pelles, des grenades, des fusées, du câble, des paniers pour pigeons, et des putains de pigeons. Le matin où ça a commencé, on s'est réveillé et il pleuvait à travers la brume. On s'est mis debout et on a regardé la brume onduler à cause des obus. On aurait dit qu'on faisait des ricochets sur un lac. Pas vrai, sir?

Rupert émit à nouveau un drôle de bruit. Kit se pencha sur lui :

— Père?

— Les canons de 180 et ceux de 280, qu'est-ce qu'ils nous en faisaient voir, hein, sir? C'est comme pour les obusiers de 150 qui tombaient sur le bois de Gommecourt. Tous les arbres se sont envolés et les foutus Boches attendaient là, dans leurs tranchées.

Mon Dieu, pensa Matty, épargnez-nous que cela recommence. Elle alluma une deuxième lampe et le lit fut illuminé comme un immense tableau.

— Plutôt imbibés, qu'on était, hein sir? A cause du rhum, vu qu'on n'allait jamais au combat l'estomac plein.

La voix douce de Danny coulait comme un ruisseau, marquant une pause de temps en temps. Kit regardait cet autre homme aider son père à quitter la vie.

— On s'en est bien sortis, sir. Hein?

La voix de Danny se fit plus aiguë.

Matty ne quittait pas Kit des yeux, souffrant pour lui.

Flora avait les yeux rivés sur la main de son père. Lentement, avec un indicible effort, un doigt se déplia, cherchant un point d'ancrage.

— Il remue, dit-elle dans un souffle.

Danny prit de nouveau la main de Rupert qui, cette fois, le reconnut, car ses yeux s'agrandirent et s'adoucirent.

— « Nous sommes les morts », dit Danny d'un ton léger. Vous vous souvenez? On se moquait du type qui nous lisait ce poème. Je l'aimais bien, moi, ce poème. Mais j'ai toujours aimé la poésie, hein que c'est vrai, sir? Celui-là était un vrai poète épique, même si je me moquais de lui. N'empêche, c'est un bon et il est mort pas longtemps après. Sir, vous avez toujours trouvé que j'avais un goût de chiotte en poésie.

« De nos mains affaiblies nous te lançons
Le flambeau : à toi de le porter bien haut
Si tu rompts le pacte, nous qui mourons,
Ne dormirons pas, même si les coquelicots
Poussent dans les Flandres... »

— Danny, non, je vous en prie, supplia Flora, trop fière pour essuyer les larmes qui roulaient sur ses joues.

A minuit, Danny était soûl, Kit n'en était pas loin et les autres étaient raidies et glacées.

« Si tu rompts le pacte... » Ce vers était taillé sur mesure pour la culpabilité croissante de Flora. La présence réconfortante de Robin lui manquait. Il avait promis de passer dès que Violet Girdler, qui habitait Croft Lane, aurait mis son enfant au monde. Les images que Danny conjurait s'engluaient dans son esprit, et elle voulait hurler à tous d'oublier ces souvenirs. Cette terrible guerre ne devait plus mener la vie — leur vie.

Robin arriva enfin. Il semblait épuisé. Des cernes se dessinaient sous ses yeux. Flora alla lui chercher du thé et des sandwiches.

Dans le couloir, elle sursauta violemment et s'arrêta. Quelqu'un apparut dans l'ombre entre deux fenêtres. Elle comprit de qui il s'agissait :

— Robbie, dit-elle d'une voix sèche. Que diable faites-vous ici ? Il est inutile d'attendre sur le palier.

Elle tâtonna sur le mur et finit par trouver l'interrupteur.

Robbie avait beaucoup pleuré. Pour la première fois depuis des semaines, elle s'adressa à Flora :

— Je veille à ma façon.

Pendant un instant atroce, Flora crut que Robbie était devenue folle — le froid, l'obscurité, le parquet qui craquait, tout cela en accentuait la sensation. Puis elle se reprit :

— Je vous en prie, Robbie. Il ne faut pas vous mettre dans des états pareils. Pas à cause de Danny.

L'exil qu'elle s'était imposé et la situation extrême poussèrent Robbie à l'attaque :

— Je n'ai aucune confiance en lui. Il a du pouvoir sur sir Rupert, il sait des choses sur lui. Je sais ce que c'était, miss Flora. Et vous ? ajouta-t-elle en la prenant par le bras.

Robbie était si malheureuse que Flora se garda de la repousser :

— Non, Robbie, bien sûr que non. Je ne vois pas ce dont vous voulez parler.

Flora trouvait ridicule que Robbie fît une scène dans un moment pareil. D'autant qu'elle ne songeait qu'à sustenter son mari épuisé. D'ailleurs, Danny et Robbie n'auraient qu'à vider leur querelle eux-mêmes.

— Ne soyez pas sinistre, Robbie, dit-elle, énervée. Ce sont deux compagnons de guerre, plutôt bizarres, je l'admets volontiers, qui aiment boire et ont conservé leur amitié, c'est tout. Allons, je vous propose de descendre avec moi et de prendre un peu de thé.

Robbie longea le couloir et la lumière électrique saisit son visage au passage. Sachant depuis peu ce qu'était l'amour physique, Flora fut soudain alertée par l'expression des yeux de la femme plus âgée. Je n'ai rien, disaient-ils. Et je voulais ce qu'ont la plupart des femmes.

Doux Jésus, songea Flora. Et moi, j'ai tout.

— Robbie, dit-elle en glissant un bras autour de sa taille. Ne vous mettez pas en lambeaux. Nous comptons sur vous pour nous aider à tenir.

Robbie se tut un moment avant de répondre :
— Oui, mon bébé.

— Tu devrais aller te coucher, suggéra Kit à Matty en se penchant pour la relever.
— Je vais bien.
— Non, protesta Kit, terriblement sérieux. Ce serait très délicat si tu te surmenais et rechutais.
Elle regarda ce visage dont elle avait tant de fois cherché à percer le mystère et vit qu'il s'était refermé. La mort de Rupert était quelque chose de privé. Kit ne souhaitait pas sa présence. Les vieux démons l'assaillirent une fraction de seconde puis elle murmura :
— Comme tu voudras.
Et elle s'en alla.
— Danny, réussit à balbutier Rupert.
— Sir.
Kit prit position près de la fenêtre. Enveloppée dans une couverture écossaise d'Ardtornish, Flora s'agenouilla au pied du lit et Robin but son thé près du feu.
Les bûches sifflaient. Flora devrait tenir un cierge allumé, songea Kit avec l'irrévérence souvent caractéristique de ces moments-là. Elle ressemblerait alors à une de ces bourgeoises replètes des peintures hollandaises du Moyen Age, qui s'agenouillent pour adorer l'enfant Jésus au milieu du fatras des biens de la maison.
Il faisait froid près de la fenêtre, les pensées de Kit s'évadèrent. Il rassembla ses souvenirs : échappées de cette maison qu'il trouvait souvent intolérable, chevauchées dans Damas avec Max sous une chaleur écrasante, ciel d'un bleu pur, pêchers et amandiers en fleurs, eau en rigole dans les cours. Et Daisy.
Il se rappelait aussi, jusqu'à il n'y a pas si longtemps, son manque d'amour et de confiance envers son père... qu'il le tenait responsable du suicide d'Hesther... son angoisse que Rupert n'eût jamais fait attention à lui, n'eût jamais paru se soucier de lui. Tout cela s'effaçait, maintenant.
— Vous vous rappelez quand nous sommes arrivés sur le front. Dans la boue. Les pieds tout mous à cause des tranchées. Dans Tin Pan Alley. « Ne regardez pas, vous nous avez dit, sir. Contentez-vous d'avancer. » On savait qu'on n'allait

pas rigoler, mais vous avez dit « Si on passe, il y aura une omelette pour chacun au ravitaillement. » Et des cigarettes. Et peut-être des lettres. « Ecoutez, les gars, vous nous avez dit, on a franchi la Marne et le Câteau. Ypres. Il faut franchir celle-là, bordel... » Et on a réussi, sir.

En juin, la nouvelle armée de Kitchener se rassembla pour se lancer contre une armée allemande déjà depuis deux ans dans les tranchées en sol français — une première, une deuxième, parfois une troisième ligne qui avait pris chaque saillie, chaque crête crayeuse de la Somme pour ses avantages et disparu dans un labyrinthe de bunkers souterrains.

Les hommes de Kitchener n'avaient qu'à se débrouiller avec le terrain qu'ils avaient.

Mêlés à la nouvelle armée, les restes de ceux qui s'étaient battus au nord et à l'est. Les « anciens ». Soldats expérimentés et ensanglantés, pas comme les nouvelles recrues qui ne connaissaient rien à rien. Parmi eux, le lieutenant-colonel, ex-major, Rupert Dysart, Danny Ovens, Bill Cranstone et Jack Oakley, des Hampshires. Les « anciens », qui savaient une chose ou deux, se reposaient et attendaient, rassemblaient leur matériel et leurs idées, écrivaient chez eux et observaient les bleus s'agiter en tout sens. Rupert luttait pour maîtriser ses nerfs instables.

En ces jours-là, Danny ne quittait pas Rupert. Ils avaient conclu un arrangement. Danny faisait le thé de Rupert, astiquait ses bottes et le rasait. Il aimait s'occuper d'un officier et Rupert voulait une ordonnance. Au cours d'une longue soirée, Danny confia à Rupert qu'il était de Londres. Je ne l'aurais jamais deviné, commenta Rupert dans un rare éclair d'humour. Danny expliqua qu'il avait rejoint les Hampshires après quelques bières alors qu'il était à Farnham pour voir sa sœur, et qu'un régiment en valait un autre. De toute façon, il pensait s'installer à la campagne.

— C'est vrai qu'il n'y a plus beaucoup de Hampshires, hein, sir?

— Non, répondit Rupert, livide, la tête dans les mains. Il n'y en a plus beaucoup, Danny.

Le 1er juillet, le 19e Wiltshires — les Papillons —, qu'on avait gardé en réserve, arriva à gauche des survivants, creusa dans les positions dominant le village de La Boisselle. Près de mille hommes longèrent péniblement la ligne en direction du front et les Allemands, à l'abri de leur poste d'observation le plus élevé, les tirèrent comme des lapins. Une fois à la tranchée d'assaut, les hommes tremblaient sous l'effort et la peur.

— Je vais avoir besoin de ma putain de chance de cockney, aujourd'hui, remarqua Danny.

Accroupis dans la boue au milieu des câbles téléphoniques, les soldats s'installèrent dans l'attente. Une rangée interminable. Mitrailleurs. Tireurs. Nettoyeurs. Signaleurs. Sapeurs. Mais tous chair à canon.

Rupert courut le long du haut de la tranchée et ordonna :

— Baïonnette au canon, préparez-vous à grimper au premier coup de sifflet.

Une mitrailleuse allemande crépita, il y eut une volée de balles et la gourde de Rupert fut touchée.

— Redescendez, sir ! hurla Danny.

Rupert se jeta dans la tranchée.

— Je ne crois pas que vous recommencerez ça, sir.

— La ferme, répliqua Rupert, qui était d'accord.

Dans la tranchée d'assaut, le pire de l'attente était les mitrailleuses dont les balles décrivaient des arcs, faisant sauter les sacs de sable sur les parapets. Passer par-dessus était drôle, y aller avec le nez et les yeux pleins de sable était hilarant.

C'était midi. Il faisait chaud. Les hommes durent rationner leur eau et la langue de Danny avait doublé de volume.

— Je vais vous dire, fit Rupert et ôtant le mousqueton de sa gourde. Prenez des bouts de sacs à sable, mettez-les dans cette gamelle avec de la paraffine à chandelle et voyez si vous pouvez faire bouillir ce qu'il reste d'eau. Nous allons prendre le thé.

Une heure plus tard, ils obtenaient un liquide chaud, mais guère plus.

Un colonel arriva du 19e et demanda à Rupert un soldat chargé de la signalisation pour longer la ligne et aider les troupes à prendre position. Rupert désigna son homme. Allongé par terre, Danny regarda le drapeau du signaleur s'abaisser puis s'agiter et les compagnies s'ébranler, baïonnette au canon. L'affaire ne traîna pas.

Les armes allemandes s'en donnèrent à cœur joie.

La bande de terrain que les Hampshires et le 19e Wiltshire devaient traverser s'étendait face à un immense cratère de mine. Au-delà, la deuxième ligne allemande, qu'on leur avait ordonné de prendre.

Quand le sifflet retentit, Danny jeta son fusil par-dessus la tranchée, se hissa, reprit son arme et fonça. Le sol était constellé de trous d'obus et dangereux. Il trébucha, tomba, se releva, courut, tomba, sans jamais être sûr s'il s'écroulait avec une balle dans le corps ou non.

Depuis la troisième ligne allemande, sur un terrain plus élevé, les mitrailleuses lâchaient rafale après rafale, les fusils déchiraient le ciel et les obus éclataient comme des étoiles incandescentes.

Courant, courant toujours, en zig zag. Rupert était derrière lui, aidant les arrières à remonter. Puis Danny se prit le pied, tomba, et Rupert le dépassa. Danny se jeta sur le côté et aperçut le visage de Rupert vide de toute émotion.

Il se redressa tant bien que mal. Courut. Atteignit ce qu'il crut être le parapet de la tranchée allemande, hésita au bord et, un obus éclata. Pendant une seconde, le monde se colora de noir. Danny sentit son âme quitter son corps et se vit rouler et retomber à plus de dix mètres, une douzaine d'hommes à sa suite.

— Putain de bordel d'obus !

Il cracha de la craie et de la terre et essaya de s'asseoir.

— C'est un putain de cratère de mine.

Ce fut la dernière parole qu'il proféra avant de s'évanouir. Quand il reprit conscience, tout était calme hormis un fort bourdonnement. Puis les armes remirent ça.

— Putain de nom de Dieu d'enfer !

Un des hommes s'était hissé de l'autre côté du cratère et surveillait à couvert. Bill Gunstone rampa sur le ventre jusqu'à Danny, lui envoyant de la craie sur le visage :

— Ça va, fils ?

— Où est-ce que je suis touché ?

— A la cuisse, on dirait.

Bill fouilla dans son sac et trouva un pansement. Il nettoya de son mieux la blessure qui saignait abondamment.

— C'est pas comme Jack, là-bas.

Danny plissa les yeux. Jack Oakley gisait dans une mare

de sang séché. Une de ses jambes était écrabouillée et, à l'air que ça avait, son épaule avait disparu. Bill colla le goulot de sa gourde dans la bouche de Danny :

— Tenez. On dirait qu'on est coincés là pour un bon bout de temps. Va falloir attendre la nuit.

— Sympathique, cet hôtel, remarqua Danny, qui sentit dans sa jambe une douleur fulgurante.

Les obus continuaient de pleuvoir. Par intervalles, le cratère était touché et un homme hurlait. Le soleil d'été cognait comme au Jugement Dernier. Un à un, les hommes isolés, étouffant de chaleur, furent abattus. Bill d'abord, puis les autres. Alors, Jack se mit à crier.

— *Est-ce que quelqu'un veut bien m'achever ?*

Ses cris mirent les nerfs de Danny à bout. Bientôt, il cria intérieurement, lui aussi. Seuls ses yeux étaient capables de mouvement ; ils allaient de droite à gauche, regardant le ciel s'obscurcir tandis qu'on entendait Jack mourir. Au bout du compte, Danny sut qu'il devait s'obliger à bouger. Si c'était la dernière chose qu'il ferait jamais, il allait bouger. Il ne pouvait pas s'en aller comme ça sans rien tenter.

Centimètre par centimètre, Danny se hissa sur le flanc du cratère qu'il espérait être du côté britannique. Un corps gisait au sommet, et il entendit la mitrailleuse s'acharner sur lui. Ça faisait le bruit des sacs de sable qu'on déchirait.

Le pauvre bougre, il s'en fichait, maintenant.

Dans un dernier effort, Danny leva la tête au-dessus du bord du cratère pour tenter d'apercevoir quelque chose à travers la fumée. Il distingua des hommes qui trébuchaient en tout sens tandis que la bataille faisait rage, vacillant sous l'effet des fumées s'échappant de la terre gorgée de gaz.

Mais Danny ne comprit qu'une chose : le bourdonnement de centaines de millions de mouches voletant au-dessus des corps qui gisaient entre les lignes dans les champs des Flandres.

C'était ça que Danny redoutait le plus, de mourir en terre abandonnée, dans l'eau d'un cratère infecté de gaz, en ayant mal. Seul. Avec personne pour l'accompagner.

Danny pleura dans la terre à l'odeur repoussante, puis il s'évanouit.

Quand il s'éveilla, il faisait nuit. Le clair de lune jouait sur le paysage brûlé. Dieu merci, tout était calme, trêve pendant qu'on amenait des réserves supplémentaires. On voyait un infime rayon de lune dans le ciel et, de temps en temps, une lumière soudaine envoyait un rayon jaune. Je suis peut-être mort, se dit-il.

Crapahutant avec d'infinies précautions, des pilules de morphine dans sa veste, épuisé, douloureux, Rupert quitta la tranchée dans la ligne britannique où lui et ses hommes s'étaient réfugiés et se glissa en direction du cratère après avoir ordonné à ses hommes de rester à couvert.

Il réussit à se hisser en haut.

Il était redevable à Danny. Il savait que certains diraient que le carnage annulait la dette : d'un côté ou de l'autre, peu importait, désormais. Le temps n'était plus aux subtilités. Mais Rupert ne voyait pas les choses ainsi. Il ne pouvait pas, ne voulait pas, abandonner l'idée qu'il était capable de faire quelque chose correctement, qu'il était important pour lui d'essayer. Qu'il devait à un homme l'honneur d'être enterré avec les siens. Il ne pouvait pas abandonner. En dépit de ses nerfs ébranlés, en dépit des échecs, il paierait sa dette, et si pour cela il devait ramper jusqu'en enfer, eh bien soit.

Rupert rampa donc, la poussière couvrant ses cheveux, se figeant à terre tous les cinquante centimètres, s'obligeant à avancer. Un fusil claqua. Des mots d'allemand vite réduits au silence. La flamme d'une allumette. Puis le silence et le noir.

En haut du cratère où Rupert, se tournant pour jeter un regard à la bataille, avait vu Danny lancer ses bras et tomber, il roula son corps et dévala jusqu'au fond. Quelques secondes plus tard, les mitrailleuses envoyaient crépiter des balles à l'endroit précis où il était.

— Ovens.

Rupert craqua une allumette qu'il protégea de ses mains.

— Ovens. Danny Ovens ?

Et Danny sortit de son cauchemar de douleur et de peur pour entendre l'ange de la délivrance.

— Ici, sir. Par ici.

Rupert remonta le flanc du cratère en s'agrippant à la craie. Quand il atteignit Danny, il avait de la terre plein les narines et la tête lui tournait d'épuisement.

— Sir. Vous êtes fou...

Rupert saisit la main de Danny.

— Jamais je ne vous aurais laissé mourir tout seul, Danny.

Danny serrait son whisky entre les mains :

— Dieu sait comment, il a réussi à me faire traverser ce bout de terrain. Il m'a bourré de pilules de morphine et m'a chargé sur son dos, je crois.

Dans l'âtre, une bûche se brisa.

— Votre père gardait confiance. Traversons cette foutue bataille, Danny, il m'a dit. Et on l'a fait. Il sait que je ne le laisserai pas s'en aller tout seul. Il sait que je suis là.

Tandis que Danny parlait, Rupert ouvrit les yeux et, sans un regard pour ses enfants, plongea les yeux, clairs et lucides, dans ceux de Danny. Il regarda Danny bien en face, et au-delà. Puis il mourut.

Après que Kit fut venu lui annoncer la nouvelle puis reparti, Matty lut toute la nuit, son livre éclairé par un cône de lumière. *Papaver* — le pavot —, lut-elle, fleur du sommeil et de l'oubli. Dans la mythologie, on prétend qu'elle a été crée par Somnus, le dieu du sommeil, son suc étant le chemin le long duquel s'enfuient les rêves fous, si séduisant que jamais le rêveur ne s'en lasse. Là résident sa fascination et son danger.

Matty repoussa ses cheveux et étudia les illustrations : le pavot lilas... le pavot incarnat... le pavot à pétales doubles... le pavot à pétales laciniés. Les Français appellent le pavot sauvage coquelicot parce que cet importun écarlate et persistant revient sans cesse entrelacer le blé de ses pointillés scintillants — le blé que Rupert et Danny, et ces centaines de milliers d'hommes, ces Tommy Atkins, morts désormais, avaient piétiné de leurs bottes pourrissantes.

« Le pavot procure le sommeil, écrivait Gérard en 1567, il adoucit toutes sortes de maux. »

C'est ce qu'il faisait, c'est ce qu'il fait, songea Matty. Laudanum. Opium. Chemins qui mènent aux eaux du fleuve Léthé où Rupert voguait, désormais.

Il était en paix, elle n'en doutait pas, libéré de cette enveloppe charnelle qui ne fonctionnait plus, libéré du passé.

Elle referma le livre et pensa à son jardin. Lui aussi contenait le passé, elle avait eu peur d'y retourner. Car Hesther s'y trouvait, Rose aussi, et elle avait peur que Kit et Daisy n'eussent laissé leur empreinte sur les fleurs.

Mais finalement, les souvenirs n'avaient plus eu d'importance. Ce qui tracassait Matty c'était la négligence de ces dernières semaines. Elle voulait être sûre de pouvoir y remédier.

Matty repoussa les draps, posa les pieds sur le sol glacé et, étourdie par le manque de sommeil, frissonna. La maison était tranquille et la voiture de Robin était repartie.

Elle ouvrit la porte de sa garde-robe. Pendus au fond étaient les vêtements qui étaient devenus une seconde peau, un peu poussiéreux de n'avoir pas été utilisés. Soupirant d'aise, Matty les sortit — audacieux pantalon, chemisier, veste de velours vert — et elle s'habilla, enfilant deux chemises de corps sous son chemisier à cause du froid. Puis elle chaussa ses bottines.

Quand elle portait un pantalon, Matty se sentait libre et sans inhibitions — comme si elle revêtait une autre Matty. La Matty qui en était arrivée à accepter certaines choses sur sa vie et sur elle : qui voyait des fantômes ; dont le mari continuerait d'aimer une autre femme ; qui n'avait pas d'enfants.

Elle noua un foulard autour de son cou et consulta la pendulette dans son écrin en chagrin. Sept heures trente. Il faisait à peine jour, mais suffisamment.

Rupert était mort ; elle était heureuse pour lui — et elle, qui était vivante et maintenant en bonne santé, sortait à l'aube pour s'adonner à une passion qui ne la lâcherait jamais.

Triste et exaltée, Matty sourit à son reflet dans le miroir.

Alors qu'elle remplissait la bouilloire dans la cuisine, Matty se souvint qu'elle devait annuler les invitations de Noël et s'occuper des funérailles de Rupert. Elle mit la bouilloire sur le feu, sortit la boîte de thé et remua les tisons. Quand elle reviendrait, l'eau serait en train de bouillir.

— Lève-toi, grosse paresseuse, dit-elle à Minerve dans son panier.

Elle sortit de la maison dans l'air glacé. Respirant à grandes goulées, elle traversa la pelouse gelée en direction du jardin.

HARRY Aux premiers jours de l'année, le temps nous octroie parfois la faveur de jours chauds et ensoleillés où se mêlent l'odeur de givre et de baies gelées. Je réprime ma furieuse envie de tailler et de nettoyer, car le givre ne doit pas se mettre dans les blessures ouvertes.

Autrefois, l'hiver me déprimait. Novembre et décembre, mélancoliques et plombés de brouillard, janvier, nu, février, blafard. Quand on regarde les couleurs mortes chamois et bruns et le squelette grinçant du jardin, on est tenté de conclure qu'il n'y a rien, rien.

Mais c'est faux, vous savez. La vie s'ébranle de façon ténue. Des bourgeons qui jaillissent de façon inattendue, des senteurs somptueuses. Ah! quand elles surviennent... J'attends les fleurs roses du *Prunus automnalis* avec une impatience d'enfant, ou le chèvrefeuille si parfumé, les poussières d'étoiles des daphnés, les premiers perce-neige, les premiers crocus... En bien des manières, ils me procurent des joies plus intenses que la profusion qui suivra.

C'est le temps où vous savez si vous avez bien choisi vos feuillages persistants, où le lierre a sa vie en propre, où le plaisir d'un massif bordé de buis prend tout son sens, où l'euphorbe, *Euphorbia characias wulfenii*, vous rendra au centuple le mal qu'il vous a donné.

C'est le temps de creuser profond en vous-même et de vous jurer de faire les choses que vous avez omis de faire l'année précédente. Car l'hiver dénude l'âme du jardinier comme celle du jardin. Dans sa retraite, il est possible de distinguer les pièges tendus à tout jardinier, si prudent soit-il.

Voilà pourquoi c'est un si grand égalisateur.

8

Quand Ellen rentra de l'hôpital, elle ne rêva plus — exception faite d'un étrange exemple. Après, elle se demanda toujours s'il s'agissait véritablement d'un songe ou d'une sorte de rêve éveillé provoqué par les médicaments. Dans ce rêve, elle luttait avec un monstre informe et noir qui se pressait contre elle où qu'elle se tournât, étouffant, implacable. Ellen reconnut ce monstre. C'était la peur. La peur ne lui était plus étrangère ; au cours de ces derniers mois, elle lui était même devenue familière. Agitée, Ellen se tournait en tous sens dans les draps rêches de l'hôpital.

Puis Bill se tenait près d'elle, clair comme le jour où elle s'était retournée près du tourniquet et lui avait souri, droit dans les yeux.

— Ne t'enfuis pas, ma belle. Il faut l'affronter.

— Non, répondit-elle. C'est trop pour moi.

— Pas du tout, ma belle. Allez.

— Je veux juste qu'on me laisse tranquille, Bill.

— Allez, ma belle.

Toujours dans son rêve, Ellen se tourna à demi, ouvrit grands les bras et regarda au cœur du monstre.

Après cela, les rêves cessèrent. Ellen réagissait bien aux sulfamides ; la fièvre tomba et Ellen se remit progressivement.

Matty et Ned la découvrirent un matin dans le service de chirurgie de l'hôpital de Fleet, chez les femmes, en train de pousser le chariot de thé. Une infirmière les accompagnait dans l'espace vide et impeccable entre les lits. Matty portait une veste de couleur sable agrémentée d'une rangée de perles; les occupants des lits, en chemise d'hôpital, se redressèrent pour mieux voir. Le standing d'Ellen fit un sacré bond.

— Hello, ma grande, dit Ned, mal à l'aise.

— Mrs. Sheppey nous donne un coup de main, intervint l'infirmière comme si Ellen n'était pas là. Elle fait des merveilles.

— Mrs. Lofts est désolée de ne pouvoir passer aujourd'hui, dit Matty tandis que l'infirmière la guidait vers une chaise. Comment va ce genou?

— Mr. Staine s'en est occupé, lady Dysart glissa l'infirmière. Il se porte comme un charme. Et voici qu'en un clin d'œil, Mrs. Sheppey dispense thé et sympathie.

Ellen attendit que l'infirmière se fût éloignée et, retrouvant sa virulence, lança :

— Ned, si tu ne m'emmènes pas dare-dare, je l'assassine.

— Ellen, ne dis pas des choses comme ça, voyons, fit Ned, affolé, qui appelait du regard Matty au secours.

Matty raconta à Ellen les obsèques de Rupert et le thé qu'on avait servi à la maison après, parla de l'annonce parue dans la rubrique nécrologique du *Times* et comment la famille, Flora en particulier, avait été obligée de surveiller de près Danny, qui avait décidé de se soûler à mort. Heureusement, la chasse battait son plein et il avait bien dû se reprendre.

— Comment va votre fille, Mrs. Sheppey? demanda enfin Matty. Ned m'a dit qu'elle était venue vous voir comme prévu.

Ellen arbora un sourire détendu :

— Elle allait bien, hein, Ned? D'ailleurs je voulais vous remercier d'avoir envoyé Tyson la chercher. C'était bien aimable. Il suffit que je voie Betty pour que tout aille mieux, et c'est pareil pour Ned.

— C'était l'idée de Mrs. Lofts, répondit Matty en cherchant son mouchoir.

Ned était visiblement mal à l'aise : les parquets cirés et l'odeur de désinfectant le rendaient malade. Il ne pouvait s'empêcher de regarder autour de lui et de poser les yeux sur des choses qu'il aurait préféré ne pas voir — des patients très mal en point, par exemple.

— Quand est-ce que tu sors, ma fille? Ils te l'ont dit?

— Lundi prochain, si je me tiens tranquille. Je leur suis reconnaissante de ce qu'ils ont fait, c'est sûr, mais je vous le dis, Mrs. Dysart, les femmes qui dirigent ce service réussiraient à faire damner un saint. Je vous en donnerais, moi, des coups de main, non mais!

— Elle avait l'air si indignée, raconta Matty à Kit plus tard, que j'ai failli la ramener chez elle sur-le-champ.

Elle était au lit en train d'annoter son livre de jardinage quand Kit avait frappé à la porte de sa chambre.

— Puis-je entrer? Je sais qu'il est tard.

« Quand on dresse les plans d'un jardin, avait-elle écrit, il faut faire un chemin le long de la ligne que les gens empruntent toujours. Autrement dit, le chemin le plus court, à moins de les désorienter en plantant des buissons. » Puis elle ajouta : « Toutes les jeunes plantes (et arbres?) nécessitent nourriture et arrosage pendant les deux premières années. N.B. En tenir compte dans les plans... »

— Puis-je? demanda Kit en s'asseyant au bord du lit.

Il portait sa robe de chambre rayée et ses mules, et paraissait inquiet, préoccupé. Il jeta un regard à son carnet :

— Tiens-tu ton journal?

Matty dévisagea son mari. Il fut un temps où son cœur aurait battu la chamade rien qu'à le voir entrer, mais il s'était lassé — ou peut-être Matty avait-elle abandonné tout espoir d'être aimée.

— Veux-tu une aspirine, ou autre chose?

— Non. Je suis venu te dire bonsoir.

Alors elle lui parla d'Ellen. Puis le silence tomba entre eux. Matty demanda à Kit s'il avait eu Max pour mettre au point les deniers détails concernant son départ en Irak, prévu pour la semaine suivante. Kit répondit que tout était organisé.

Nouveau silence.

— Tu comprends bien pourquoi je pars, n'est-ce pas? demanda-t-il sans préambule.

— Max t'a invité.

Il se pencha, posa ses coudes sur ses genoux :

— Juste une dernière fois, Matty. C'est tout. Pour extirper cela de mon sang. L'odeur du cuir, le soleil sur mon dos, l'odeur que ça a. La propreté.

— Oui.

Soudain, il tendit la main et caressa le col de sa chemise de nuit :

— J'aime que tu ne portes pas des falbalas qui glissent. Tu es si douce, si agréable.

Matty songea en un éclair qu'il était en train de lui dire qu'elle était comme une maman, et peut-être était-ce ce qu'il avait toujours désiré — il est vrai qu'elle savait maintenant qu'Hesther était la clef qui menait à Kit. Elle ne répondit rien, mais ne le repoussa pas lorsqu'il défit le premier bouton. Un bouton de corne, comme en portent les enfants, cousu solidement. Kit défit le deuxième.

— Arrête-moi, si tu préfères, dit-il en glissant sa main pour entourer le sein de Matty.

Sous ses doigts, ses sentiments s'éveillèrent, vifs, étonnamment forts, et elle retint son souffle quand Kit fit glisser sa chemise de nuit par-dessus ses épaules.

— Je n'espère rien après ce qui est arrivé, chuchota Kit.

Il ôta les peignes qui retenaient sa chevelure. Puis il libéra ses cheveux, désormais longs, qui vinrent encadrer le visage de Matty.

— Tu es très jolie, dit-il.

Et il le pensait. Il se leva, une main à sa ceinture de robe de chambre et posa les yeux sur Matty :

— Puis-je continuer ?

Tandis qu'il embrassait et caressait ce corps si menu, Kit parut à la recherche de quelque chose. Matty eut peur d'avoir de la peine. Mais, finalement, l'habitude d'aimer Kit l'emporta, et elle voulut lui donner ce qu'il cherchait. Pourtant, quelque chose manquait, s'aperçut Kit en bougeant au-dessus d'elle, la confiance ? Qui pourrait blâmer Matty ?

Après, ils restèrent allongés dans le noir, chacun à ses pensées.

Il entoura Matty de ses bras et elle se détendit contre son épaule.

— Qu'étais-tu en train d'écrire quand je suis arrivé ?

— Des notes pour le jardin.

La peau de Kit était douce, lisse et musclée sous sa joue. Les lèvres de Matty en goûtèrent le sel. Brusquement, elle se dressa sur les coudes :

— Kit, je comptais attendre mais peut-être devrions-nous en parler maintenant. Nous savons l'un et l'autre que notre mariage est un contrat d'affaires...

Elle le sentit se raidir.

— Continue.

Elle se libéra et s'assit :

— Ce que j'essaie de dire, c'est que j'aimerais, pendant ce voyage, que tu réfléchisses si nous devions continuer ou non. Ne ferions-nous pas mieux de mettre un terme à notre union ?

— Pourquoi maintenant, Matty ?

Il alluma la lumière. Selon leurs vieilles habitudes, Matty chercha sa chemise de nuit et Kit prit une cigarette dans la poche de sa robe de chambre.

— A cause de ce que nous venons de faire. L'un comme l'autre voulons davantage que ne prévoyait le contrat original. Ne vois-tu pas ?

— Matty, où veux-tu en venir ?

Matty s'était coincé la tête dans sa chemise, Kit l'aida à se libérer.

— Tu aimes Daisy, répondit-elle, et tu aurais dû l'épouser. Tout ce que tu as fait depuis m'en a convaincue. Ton prochain voyage avec Max est un exemple. Je pensais que j'en serais contrariée, mais je me trompais. Tu sais que je t'aime et il est inutile de faire semblant. J'en ai assez des demi-mesures.

— Je vois.

Kit était très calme. Il regarda intensément le visage de sa femme et s'aperçut avec étonnement que s'il ne l'avait plus près de lui, il en serait désemparé.

Inconsciente d'avoir opté pour la meilleure tactique — menacer de supprimer quelque chose — Matty poursuivit :

— Si nous nous séparons bons amis, les choses s'apaiseront d'elles-mêmes et tu pourras épouser Daisy. Tu n'as pas à t'inquiéter, il y a un tas de choses que j'ai envie de faire.

— Quelles choses ?

Elle réfléchit un moment comme si, pensa-t-il avec une ironie désabusée, elle se demandait si elle allait lui ouvrir son cœur.

— J'aimerais faire pousser des rosiers et créer un jardin. J'achèterais une maison quelque part, peut-être du côté de Winchester. J'aime la campagne et la vie à la campagne.

Kit sortit du lit, s'empara de sa robe de chambre et prit sa position préférée face à la fenêtre. Lasse et assoiffée, Matty planta les yeux sur lui :

— Si le divorce est inconcevable, dit-elle, peut-être pourrions-nous obtenir l'annulation. Puisque nous n'avons pas d'enfants, ajouta-t-elle, douloureuse.

— Veux-tu vraiment divorcer?

— Je crois que ce serait la meilleure solution. Mais ce que je veux, Kit, c'est connaître tes sentiments. Je ne sais jamais. Tu ne me dis rien. J'ai l'impression de vivre dans un monde unilatéral. Ou avec une pierre.

Il lui parla, le dos tourné :

— Nous n'en n'avons jamais discuté, Matty, mais as-tu jamais pensé que si nous n'avions pas d'enfants c'était peut-être ma faute?

— Non. Le Dr Hurley s'est montré ferme sur ce point.

Kit noua sa ceinture.

— Ne crois pas que cela me laisse indifférent, Matty.

— Oh, Kit. Je ne savais pas.

— Je croyais que cela m'était égal, mais je me surprends à regarder dans les landaus.

Les larmes lui montaient aux yeux, de tristesse et de rage mêlées, songeant combien il était typique de Kit de ne lui avoir jamais rien avoué :

— Et moi, je passais mon temps à éviter de regarder les landaus tant leur vision était insoutenable.

Kit nouait et dénouait sa ceinture de robe de chambre. Il dit :

— Je suis navré de ne jamais m'ouvrir à toi. C'est si difficile, pour toi... Pourtant, je t'ai confié des choses, Matty.

Il s'excusait, sans s'apercevoir qu'il cherchait aussi à se justifier, ce qui fit rougir Matty. Elle frappa l'oreiller de son poing :

— Tu trouves peut-être cela difficile, mais tu ne sais pas ce que c'est que de te réveiller chaque matin en sachant que ton mari aimerait avoir une autre femme sous son toit. Tu n'en as pas la moindre idée. Tu ne peux pas comprendre. Tu n'aimes rien recevoir de moi. Pas même un oreiller. Encore que je note que tu finis par le prendre.

Matty remarqua, avec détachement, qu'elle opérait à deux niveaux : le niveau supérieur qui détestait les scènes, le niveau inférieur où des émotions décapantes faisaient le ménage dans son esprit.

— Le pire c'est que je n'ai que ce que je mérite. C'est moi qui ai arrangé ce mariage.

Elle se cloua littéralement le bec. Kit, lui, était d'une immobilité absolue. Il alluma une autre cigarette.

La colère ayant temporairement ravivé sa blessure, Matty se trouva soulagée d'avoir enfin exprimé le fond de sa pensée. Mais, avant de retrouver pleinement son calme, elle décocha une dernière flèche :

— Par-dessus le marché, Kit, tu restes là, debout, alors je vais bientôt te dire que je suis désolée, pourtant je m'étais promis de n'en rien faire. Je n'ai pas à m'excuser. C'est une sale habitude que j'ai, hélas. Alors va-t'en, je t'en prie.

Il haussa les épaules et dit tranquillement :

— J'étais persuadé que cet arrangement te satisfaisait. Tu semblais si maîtresse de toi-même, Matty. Je ne me rendais pas compte.

— Eh bien sache que tu es aveugle et indifférent, jamais tu n'as pris la peine de me poser la question. Maintenant va-t'en, s'il te plaît.

— Ce n'est pas très gentil, Matty.

C'était vrai. Mais Matty fit appel à toute l'angoisse qui l'habitait depuis deux ans et lui balança à la figure :

— Cela m'est complètement égal.

Si incroyable que cela pût paraître, Kit éclata de rire. Puis il se reprit :

— Matty, ce n'est pas drôle, pardonne-moi. Mais tu avais l'air si furieuse... ça te va bien, en fait. Désolé, ajouta-t-il, conscient d'avoir été trop loin.

— Tu es impardonnable, s'exclama Matty qui bouillait de rage. Comment oses-tu ?

Kit reprit son sérieux. Il écrasa sa cigarette et dit :

— Tu as tout à fait raison, Matty, certaines choses doivent être réglées. Et je suis coupable, j'en conviens. Tu aimes ce jardin, n'est-ce pas ? demanda-t-il en ouvrant le rideau d'un coup sec.

— Oui. Plus que tout.

Il remit le rideau en place.

— Dors, Matty. Dors.

A sa grande surprise, c'est exactement ce qu'elle fit. Elle se réveilla le lendemain matin quand Kit se glissa entre ses draps. Il tremblait de froid et ses mains traçaient un chemin glacé sur le corps de Matty tandis qu'il remontait sa chemise de nuit.

— Ne t'en va pas, Matty, murmura-t-il au creux de son épaule avant d'embrasser ses yeux noisette. Je sais que je t'ai fait du mal et je viens de découvrir à quel point. Attends un peu. Je vais faire ce voyage et à mon retour, tout sera différent.

— Kit, dit-elle, endormie et ahurie. Pourquoi ? Pourquoi fais-tu cela ?

— Parce que...

Glacé, pressé, Kit fit l'amour à Matty avec une passion qu'elle n'avait jamais perçue auparavant. Puis il l'attira contre lui et embrassa ses cheveux. Elle le berça contre sa poitrine comme un enfant.

— Ecoute, Matty. Promets-moi de ne rien décider jusqu'à mon retour. Je ne t'ai jamais rien demandé, et je n'en ai pas le droit, mais tant pis, je te le demande.

Avait-elle confiance en Kit ? Tout cela avait-il encore de l'importance pour elle ? Matty était-elle devenue si lasse de son grand amour lourd et brûlant qu'elle ne rêvait que de tranquillité ?

— Matty ?

— D'accord.

Dans un gémissement, Kit se tourna sur le côté et s'endormit.

Les lettres de Kit arrivaient à intervalles irréguliers. De Basrah, après leur retour d'une expédition dans les territoires marécageux arabes. De Bagdad, où ils avaient acheté des chevaux de charge et un âne, ainsi qu'un guide, Bédouin capricieux et indocile appelé Kiaszim. De villes entre Bagdad et Damas où, écrivait Kit, les tempêtes de sable allaient et venaient comme des giboulées de mars et où leur logement était truffé d'insectes gros comme des requins.

Fin mars, il écrivit de Ghaymin, après une crise de fièvre et la mort du petit âne :

> Etrangement, je me sens lavé. Peut-être est-ce d'avoir connu la soif et l'épuisement.

Il ajouta en P.S. :

> Je crois que jamais plus je ne mangerai d'œufs durs.

Le 20 avril, il écrivit de Damas :

> Voilà, Matty... c'est fait. Les impressions sont écrasantes, presque trop, après la nudité du désert : fleurs d'amandiers et gazouillis des fontaines. Café brûlant dans de minuscules tasses, loukoums aux noix, odeur d'épices filtrant du souk. Misère noire mêlée aux délices exquises de la civilisation. Paix et brouhaha. Confort et horrible pauvreté. Luxe d'abandonner mon corps douloureux et plein d'ampoules à l'eau chaude et au lit moelleux. Kiaszim a le cœur serré à l'idée qu'il devra nous faire ses adieux, même si Max envisage de s'attarder encore un peu.
>
> Je rentre via Marseille. Câble-moi ou écris-moi là-bas, *poste restante*.
>
> Ma très chère Matty, il est temps que je rentre du désert.

Dix jours plus tard, par un bel après-midi de printemps, obéissant aux instructions de Matty, Ivy prépara la nouvelle robe portefeuille de crêpe bleu marine. L'ourlet lui effleurait la cheville et la jupe froufroutait gracieusement. Matty scruta son reflet dans le miroir — elle ne voulait pas avoir l'air noyée dans la nouvelle longueur à la mode.

— Ravissant, lady Dysart, observa Mrs. Pengeally en jetant un coup d'œil évaluateur à la robe quand on la fit entrer dans le salon pour le thé. Peut-être pas du dernier pratique, cependant.

Tandis que Mrs. Dawes étendait une nappe et dressait des assiettes de scones, de la confiture de framboises et du quatre-quarts, Matty et Mrs. Pengeally évoquaient l'Espagne, l'épouvantable rapt du bébé Lindbergh, l'incident de la réunion des scouts de Odiham-Nether-Hinton où ils s'étaient jeté des petits pains à la figure, et la mésaventure de Mr. Sparrow Wilkinson dont tous les poussins White Wyandotte d'un jour s'étaient sauvés.

Une vague rumeur était arrivée aux oreilles de Mrs. Pengeally concernant le couple Dysart, et elle mourait de curiosité. Elle avala deux scones et demanda :

— Sir Christopher sera-t-il bientôt de retour?

Matty eut un sourire poli :

— Il rentre dans une quinzaine de jours. Il adore voyager. Il n'est pas exclu que je l'accompagne un des ces jours. J'aimerais beaucoup aller au Moyen-Orient. J'y ai vécu quand j'étais petite, vous savez.

Matty se demandait pourquoi diable elle avait dit cela. Sans doute l'habitude de songer au mariage comme à une association soudée, malgré les accrocs, était-elle plus ancrée qu'elle ne l'imaginait.

Ivy frappa et entra :

— Un télégramme pour le maître, madame. Je pensais que vous souhaiteriez l'avoir sans tarder.

— Merci.

Matty retourna l'enveloppe dans ses mains.

— Je vous en prie, lady Dysart. Oubliez que je suis là.

— Merci, Mrs. Pengeally.

Elle se dirigea vers le bureau près de la fenêtre et prit un coupe-papier.

Le télégramme portait le cachet du cap d'Antibes, en Provence :

VENEZ STOP DEMANDEZ LE BUREAU DE LA POSTE STOP DAISY STOP

Quand elle revécut ce moment, Matty se félicita d'avoir conservé son sang-froid. Elle ne cria pas, ne réprima pas même un cri, ne froissa pas le papier. Elle plissa simplement les yeux, plaça le télégramme sous le coin du buvard et dit :

— Un ami d'ami souhaite nous rendre visite. Un ami de longue date, ajouta-t-elle avec un sourire vague pour Mrs. Pengeally qui lui lançait un regard inquisiteur.

Quand elle fut partie, Matty se rua au premier étage pour changer de robe et courir au jardin.

Il l'attendait.

Si c'était la seule chose, du moins son jardin avait-il besoin d'elle. Quand elle avait été malade, à l'automne, ses plans avaient reculé d'autant. C'était le printemps, le jardin étouffait sous l'abondance.

Il avait besoin de Matty.

S'attendant à moitié à voir Rose, elle hésita près de la statue et, pendant une horrible seconde, s'imagina voir Hesther mourante. Elle se tourna et posa les yeux sur la pelouse, la rivière, le bleu pâle et le blanc des chionodoxa et des anémones qu'elle avait plantées, le pont et l'eau, où flottaient des herbes d'un vert acide et grinçant. Elle franchit le trou entre les ifs, traversa la pelouse circulaire en direction de Ned qui taillait les buis bordant le massif sous les marches de la terrasse.

Il avait posé ses outils dans l'allée à côté de lui : transplantoir lisse et brillant d'avoir été trop utilisé, plateau à graines en ardoise avec un plantoir, une corbeille en bois éclaté, un arrosoir galvanisé et un sac puant la créosote.

Au-dessus de Ned, le ciel était d'un bleu délavé, et la brise apportait une odeur de vie nouvelle et de croissance. Le soleil pâle ne chauffait pas encore, mais du moins était-il là.

La note aiguë cognait dans les oreilles de Matty, stridente, menaçante.

Ned ne la remarqua pas d'emblée. Il était absorbé par son travail, économisant ses gestes, frêle silhouette aux mains ravinées. Matty voulait se jeter dans ses bras et pleurer contre sa veste rugueuse.

— Je vais vous aider, Mr. Sheppey, dit-elle à la place.

Et elle s'agenouilla sur le chemin de graviers.

Trouvant la vie aisée et confortable maintenant qu'Ellen allait mieux, Ned dit sans lever les yeux :

— Faites donc, lady Dysart. Un petit coup de main n'est pas de refus.

Les fantômes était multiples dans le jardin. Matty voulut arracher au transplantoir un pissenlit qui sortait entre les dalles; mais elle n'y parvint pas et prit ses mains. Les fantômes des soldats blessés qui essayaient de recoller leur vie bout à bout. Le pissenlit céda, mais une partie de la racine demeura fichée dans le sol, prête à resurgir.

Puis Matty s'en prit à un autre, entre le chemin et le mur.

Le fantôme de Hesther, qui autrefois avait écrit « Magnifique, magnifique » à propos d'une rose, et s'était suicidée. De la petite Rose, ombre qui taquinait et tourmentait Matty qu'elle savait stérile et brûlant du désir d'enfant. Cette fois, le pissenlit céda, tête et racine. Fantôme d'un petit garçon de onze ans qui avait découvert sa mère mourante et, d'un coup, perdu son enfance, qu'il cherchait depuis. Fantôme d'elle-même, arrivée à Hinton Dysart blessée et affolée, pour découvrir une motivation et une âme.

— Doucement, fit Ned en levant les yeux. Ne gaspillez pas votre énergie.

La note enfla, vrilla l'oreille de Matty qui voulait hurler quand, soudain, aussi vite qu'elle était venue, mourut.

— Matty, tu m'entends? La ligne est très mauvaise.

— Je t'entends à peine, Kit. Où es-tu?

— A Marseille... Merci de m'avoir fait suivre le télégramme. Extrêmement généreux de ta part.

— Bien sûr que je te l'ai fait suivre, Kit, fit-elle d'une voix sèche. Que crois-tu que j'allais en faire?

Le ton de sa voix inquiéta manifestement Kit :

— Matty, écoute-moi. Daisy doit avoir des ennuis, autrement elle ne m'enverrait pas chercher. Je dois y aller... Matty. Tu es toujours là?

— Oui. Je suis toujours là.

— Comprends-tu ce que je dis?

Matty passait le doigt sur le fil du téléphone, en haut, en bas, en haut, en bas. Elle avait les yeux posés sur la flambée. Elle faillit raccrocher.

— Que puis-je dire, Kit? Je ne veux pas que tu voies Daisy, mais je ne puis t'en empêcher et je n'ai aucune raison de le faire. Mais si tu vas la retrouver, je crois que je vais être obligée de faire mes valises.

— C'est pour cela que je t'appelle, Matty.

La chambre d'hôtel de Kit, sur le *vieux port*, donnait sur le front de mer. Une saute de vent ébranla les palmiers et fouetta la mer qui devint crémeuse.

— Je t'en supplie, ne fais rien avant mon retour. Attends, je t'en prie. Ecoute, je t'ai rapporté un rosier. Une vraie splendeur. Il s'appelle « Blanchefleur » et il a été créé par un certain Vibert au début du siècle dernier.

— Bonté divine!

Matty était ahurie. Kit devait l'aimer un tout petit peu s'il lui avait trouvé un rosier.

— Comprends-tu pourquoi je dois voir Daisy?

L'électricité statique rendit ses paroles inintelligibles.

— Que dis-tu, Kit?

— Comprends-tu pour Daisy? Si elle a des ennuis, il faut que j'y aille.

— Non, je ne comprends pas, fit Matty en serrant le combiné. D'accord, je comprends, mais toi, tu dois comprendre ce que j'éprouve.

Exaspéré, Kit aurait voulu marteler la table du poing. Il se contenta de jouer avec son étui à cigarettes.

La ligne était de plus en plus détestable et une opératrice parlait d'une voix monocorde. Quelqu'un intervint sur la ligne dans un français rapide.

— Pour l'amour du ciel, tout cela est ridicule ! hurla Kit. Attends mon retour, Matty, nous parlerons de tout cela. Si alors tu veux partir, je ne te retiendrai pas.

Matty ne put en entendre davantage. Elle lâcha le combiné comme s'il lui brûlait la main.

9

A tout hasard, Kit s'arma d'une carte et d'argent liquide en quantité, au cas où. Il lui fallut un certain temps pour trouver dans Marseille un garage qui acceptât de lui louer une voiture mais il finit par dénicher une de Dion Bouton, lourde mais spacieuse, dont le moteur semblait tourner raisonnablement bien. Il s'installa au volant et retrouva la Provence aux senteurs si caractéristiques.

Il s'arrêta à Brignolles pour déjeuner et commanda une omelette aux truffes. A mi-chemin du repas, il le regretta, repoussa son assiette et alluma sa énième cigarette de la journée.

Kit réfléchissait à la nature et à la complexité de ses sentiments. Il avait conscience de mettre en péril la relation que Matty et lui avaient si difficilement, si douloureusement commencé de construire. Qu'il tenait absolument à construire. D'un autre côté, Daisy l'avait appelé, et il répondait à cet appel. Sans l'ombre d'un doute, sans la moindre hésitation.

Il écrasa sa cigarette et se leva.

La voiture fonçait, bondissant parfois sur un nid-de-poule. Une brise soufflait, avec ce goût de pluie qu'ont souvent les vents du printemps. Elle lui rafraîchissait les joues. Tout en conduisant, Kit réfléchissait aux étapes qui l'avaient amené là : les hésitations, les épiphanies, les détours inutiles, les moments d'extase et de désespoir et les motivations, pour le moins très floues.

Une fois à Antibes, il se rendit au bureau de poste où il se procura l'adresse qu'on avait laissée pour lui. Connaissant mal la ville et ses rues étroites, il eut du mal à trouver. Ce n'est qu'en fin de soirée qu'il arriva devant une maison de pays, dans un état pitoyable, avec des balcons en fer forgé.

La concierge était grasse et de mauvaise humeur. Elle maugréa davantage encore lorsque Kit demanda miss Chudleigh. Elle souleva sa carcasse et sortit de sa minuscule loge où s'entassaient tricot, journaux et grands tableaux à clefs, soupirant déjà d'avoir à monter l'escalier.

— Très mauvais, cette *mam'zelle*. Et malade, en plus. Elle doit de l'argent.

— A-t-elle vu un médecin ?

— On a dû en quérir un, et sa note n'est pas payée.

La concierge jaugea l'Anglais en costume de lin froissé. Combien paierait-il ? Quelle était sa place dans l'histoire d'en haut ? Elle ne saurait pas qu'un regard de Kit sur elle avait suffi à le réduire au silence, atterré.

Que s'était-il passé ?

A chaque étage cela sentait davantage le renfermé. Aux entresols, les *cabinets* disaient assez ce que ce devait être en pleine canicule.

Kit pinça les lèvres. Que faisait donc Daisy — Daisy, si exigeante — dans ce logement délabré et puant ?

Une faible odeur d'anis domina toutes les autres impressions tandis que Kit entrait dans la chambre 2 du dernier étage. L'endroit était petit et sous les combles ; Kit se pencha. La concierge traînait derrière Kit, le voyant pâlir à vue d'œil tandis qu'il regardait... quoi ?

Une chambre avec un lit à une place, une chaise et une lourde commode, plutôt belle, venue de temps meilleurs. Pas de miroir, aucune décoration. Pas de tapis. Rien, excepté Daisy, endormie sur le lit dans un kimono aux couleurs criardes.

Elle avait une joue sur l'oreiller et ses cheveux, moins châtains que dans son souvenir, étaient collés en mèches sur l'oreiller. Une cuvette en fer-blanc et une serviette de toilette froissée étaient sur le lit, près d'elle.

A ce spectacle, Kit se sentit pris d'amour pour Daisy, de pitié et d'un sentiment de perte inéluctable.

— Laissez-moi, dit-il à la concierge en la poussant dehors avant de refermer la porte.

Il resta là une trentaine de secondes puis alla à la fenêtre et tira l'*étincelette*. Une pluie de rouille tomba du balcon supérieur. De l'air salé entra dans la pièce. Daisy s'éveilla en sursaut.

— Kit ! Vous en avez mis du temps.

— Si vous m'envoyez des télégrammes quand je suis à l'autre bout du monde.

— Je plaisante, dit-elle avec effort.

— Je sais.

Il s'assit au bord du lit et lui prit la main.

— Daisy, qu'avez-vous fait ? Tout cela est-il ma faute ? Dites-moi. Pourquoi ici ? ajouta-t-il en désignant la pièce.

— Pourquoi pas ? C'est une expérience.

Daisy semblait léthargique et peu encline à parler. Elle repoussa ses cheveux :

— Mais si vous insistez pour avoir des explications, sachez que j'ai mené ma vie en dépit du bon sens. Cela arrive à beaucoup de gens.

Daisy parut soulagée malgré son visage terne et las. Elle serra son kimono autour de ses seins :

— Le journal de miss Daisy Chudleigh, rejetée par la société. Elle a quitté le 5 Upper Brook Street pour se retrouver à Antibes, rue de la Coin. Où étiez-vous passé ? s'enquit-elle soudain.

Kit s'obligea à regarder le kimono parce que toute autre vision lui était insoutenable :

— En Irak.

— Et Matty ? Sait-elle que vous êtes ici ?

— Elle m'a fait suivre le télégramme. Cela vous étonne-t-il ?

Un sourire éclaira les lèvres pâles :

— La vie est décidément bien étrange, n'est-ce pas, mon Kit ? Pouvez-vous m'aider à me redresser, s'il vous plaît ?

Il se pencha et glissa une main sous les épaules de Daisy. Visiblement affaiblie, sa tête retomba et Kit fut obligé de la soutenir. Sa main trouva automatiquement la petite bosse à la base de la nuque :

— Me direz-vous ce qui s'est passé ?

— Comme vous voyez, je suis tombée malade, dit Daisy, soupirant de plaisir contre son épaule. Pour diverses raisons. Le manque de nourriture et peut-être... ces derniers temps, un peu trop d'alcool.

— Ça se sent. Daisy. L'anis, dit-il en choisissant ses mots avec soin, tout alcool extrait de cette matière — est terriblement nocif. Il réduit le foie en bouillie. Si vous avez envie de boire, choisissez quelque chose de moins dangereux.

— C'est dans la Kasbah que vous avez appris cela ?

— Si vous voulez.

— Pas de sermon, mon chéri. Cela ne vous va pas.

Les doigts de Kit se refermèrent sur l'épaule de Daisy :

— Pourquoi êtes-vous ici ? Vos parents sont-ils au courant ? Pourquoi ne pas m'avoir fait signe plus tôt ?

— Quoi ? Et être tirée d'affaire grâce à l'argent de Matty ? Vraiment, Kit, ce serait le comble.

Daisy avança prudemment la main jusqu'à celle de Kit.

— Ne détournez pas le sujet, objecta-t-il tout en reconnaissant intérieurement qu'elle avait raison. J'ai des actions américaines. Raby m'a câblé que j'en tirais quelque profit.

Il la serra si fort qu'elle poussa un petit cri.

— Pourquoi, Daisy ? Que se passe-t-il ?

— Après avoir été expulsée de mon respectable logement niçois, je me suis trouvée à court d'argent. Ça forme le caractère, ajouta-t-elle doucement.

— Bon sang, Daisy.

— Par pitié, Kit. Je n'ai pas la force de supporter des récriminations et des pourquoi. Ce sont des choses qui arrivent. Contentez-vous d'être là.

Alors Kit prit Daisy contre lui, frêle, blanche, malade, et enfouit son visage dans ses cheveux. Outre son extrême fatigue, ce qui l'étonnait le plus était la saleté du kimono. Plus que tout le reste, cela ramena ses pensées à ce qui avait existé — et à ce qui aurait pu exister.

Kit reposa Daisy sur l'oreiller et caressa ses cheveux. Il aurait juré qu'elle n'avait pas vu un coiffeur depuis des lustres. Il y avait une petite ligne de crasse sur sa nuque et ses ongles étaient taillés trop courts... toutes ces preuves qu'elle était malade réveillaient en Kit un désir qui allait bien au-delà du désir physique.

Il comprit que Daisy avait libéré en lui, une fois et une seule, sa capacité d'aimer et qu'elle avait ainsi pansé les blessures causées par Hesther.

Il voulait le lui dire. Il voulait la remercier.

Mais au lieu de cela, il la serra si fort qu'elle protesta. Il desserra son étreinte :

— Pourquoi ne pas m'avoir appelé plus tôt ?

— Je ne sais pas, dit-elle, l'air las. J'y ai songé, mais pour quelque obscure raison je ne l'ai pas fait. Je ne saurais l'expliquer. Peut-être mon goût pour les extrêmes. Peut-être ai-je besoin de cela.

Les jours — et plus encore les nuits — n'en finissaient plus : Daisy sommeillait à demi, des rêves traversant un paysage intérieur où menaçait une ombre.

— Je ne saurais expliquer, Kit. Si, en fait, je peux. Du moins, je peux vous en montrer la raison.

Elle s'agrippa à la manche de sa veste :

— Kit, j'ai un cadeau pour vous. Il est par là.

Il fronça les sourcils. Daisy sourit d'un de ses petits sourires taquins teintés de tendresse :

— Avant de vous le donner, juste une chose. Vous devez bien réfléchir avant de l'accepter.

Interloqué, Kit lui sourit, comme autrefois :

— Un cadeau ?

Il alla regarder dans le tiroir ouvert de la commode — et il comprit tout.

— Votre fils, dit Daisy. Il est né avec deux semaines d'avance.

— *Trente secondes, monsieur. Attendez, s'il vous plaît*, dit à la porte la sœur tourière en robe noire.

Elle referma la grille d'un claquement sec et disparut un long moment. Puis l'énorme porte cloutée s'entrebâilla pour le laisser passer. Il suivit la silhouette qui glissait en silence, s'arrêtait tous les quelques mètres et lui faisait signe d'avancer.

La sainteté du couvent était quasi palpable, se posant sur les voûtes romanes et les dalles usées. Malgré son impatience, Kit ne put s'empêcher d'être à la fois curieux et impressionné. En ce lieu, rien n'arrivait jamais, en apparence, mais sous le tissu empesé aux plis religieuses, il sentait battre des pulsations, sans doute vers Dieu. Cette notion l'intriguait.

Ils s'arrêtèrent devant une porte :

— Si vous voulez bien attendre, ici, Monsieur.

La nonne s'exprimait en anglais avec un fort accent. Elle disparut et Kit resta seul dans le couloir.

Il n'avait pas vu Daisy depuis huit jours, pas depuis qu'il avait vu son fils et vacillé sous le choc de cette rencontre. Alors qu'il était là à contempler l'enfant, Daisy avait perdu conscience ; après, plus le temps de réfléchir.

Arrivé dans l'heure, le médecin diagnostiqua la malnutrition et la faiblesse post-natale et ordonna que Daisy fût ramenée au couvent où elle avait accouché et y demeurât jusqu'à ce qu'elle fût parfaitement remise. On téléphona. Kit porta Daisy dans ses bras jusqu'à l'ambulance qui attendait en bas. Derrière lui, la concierge traînait ses pieds enflés, souriant d'avance à la perspective de l'argent qui allait rentrer.

On interdit à Kit l'entrée du couvent, parce que Daisy était trop malade pour recevoir des visites — et parce qu'on avait immédiatement flairé dans leur relation un parfum de scandale.

Respirant les odeurs citadines d'ail, de tabac, de pain frais et de poussière mouillée, Kit passa le plus clair de la semaine au café Oriance, dans le centre d'Antibes, à boire du vin et du cognac, à s'habituer à l'idée qu'il avait un fils et à réfléchir à la suite des événements. Deux fois par jour, à midi et à dix-huit heures, il quittait sa table pour aller prendre des nouvelles de Daisy. Pendant huit jours, la réponse fut invariable : cela va mieux, mais pas encore, Monsieur.

Ce fut une longue attente, en bien des façons, et Kit voyageait à l'intérieur de lui-même comme jamais il ne l'avait fait en aucun pays.

La sœur tourière reparut et se tint sur le côté pour laisser entrer Kit. Il cligna les yeux après l'obscurité du corridor : la chambre était d'un blanc sévère et impeccable. Il y avait une chaise, une reproduction de la sainte Vierge tenant un bouquet de lys, un lit, un berceau, une table en bois avec un crucifix, mais cette nudité n'avait rien à voir avec la pauvreté de la rue de la Coin.

Au bruit de la porte, Daisy tourna la tête. Visiblement, elle se portait mieux, mais était encore d'une pâleur inquiétante.

— Hello, Kit.

Il lui offrit un bouquet de mimosas dont le lourd parfum les enveloppa.

— Kit, dit-elle avec un petit rire qu'elle cacha derrière sa main. Excusez-moi, mais cette odeur me rend malade. Ne vous en faites pas, c'est le cas de beaucoup de choses en ce moment.

Kit jeta les fleurs dans le cloître par la fenêtre et Daisy rit carrément.

— Oh! Ce bouquet était si beau. Les sœurs vont être horrifiées.

— Tant pis. J'adore vous entendre rire.

Elle tendit les mains qu'il prit pour les caresser tendrement.

— J'ai eu vos parents au téléphone, reprit-il. Votre mère est en route.

Kit ne s'attarda pas sur la conversation, certain que Susan Chudleigh et lui ne s'adresseraient plus jamais la parole s'ils pouvaient l'éviter.

— Nous lui avons donné de l'argent, avait protesté Susan, et elle ne nous a jamais fait signe. Bien sûr, nous étions inquiets. Très inquiets, mais Daisy n'est pas folle, et ce n'est plus une enfant.

Kit mit fin à cette conversation en informant Susan qu'elle était méprisable et que, si elle ne se décidait pas à aller voir sa fille, elle aurait au moins pu s'assurer que quelqu'un d'autre s'en chargeait.

— Cela ne vous regarde pas, rétorqua Susan, acerbe, amère.

— Bien au contraire. Je ne savais pas, c'est tout.

— La seule chose qui vous regarde, repartit Susan, fustigeant Kit de l'avoir prise en faute, c'est de payer. Daisy va en avoir besoin.

Kit raccrocha. Il n'était pas tant choqué par la vulgarité de Susan que parce qu'une fois encore, ses relations avec Daisy se réduisaient à des questions d'argent.

Daisy cherchait à déchiffrer le visage de Kit.

— Tout va bien, mon chéri. Je survivrai.

— Racontez.
— Voulez-vous vraiment savoir?
— Ne soyez pas stupide, voyons.

Alors Daisy raconta. Pas tout, mais suffisamment. Le séjour chez des amis respectables, contactés par Susan, aux abords de Nice. Ils avaient, prétendaient-ils, l'esprit large et étaient prêts à l'aider. Hélas, la largeur d'esprit de Mme Fauconnier ne s'étendait pas à son mari, qui avait poursuivi Daisy de sa logique: puisque le bateau était déjà au port, pourquoi trouvait-elle à redire? Mise à la porte, Daisy répugnait à faire appel à des amis — en partie parce qu'elle prenait maintenant la juste mesure de l'amitié, qui s'arrêtait là où commençaient les filles-mères, et en partie parce qu'une voix intérieure la poussait à vivre seule son calvaire.

Daisy écrivit à sa mère pour lui dire qu'elle se portait bien, que l'argent durerait. Ce ne fut évidemment pas le cas, mais elle ne fit pas l'effort d'en redemander à Ambrose.

— Toujours les extrêmes, je suppose, dit-elle. Je me suis mise à l'épreuve.

— Comment vous êtes-vous nourrie? Où habitiez-vous?

— J'ai repensé à Antibes. J'aimais beaucoup cette ville. C'est modeste, mais avec tout ce que j'aime. La couleur, la chaleur. Les bons petits plats. J'ai fait des progrès en français, vous savez, pas le français de Versailles, mais celui de la rue. J'ai travaillé une quinzaine de jours dans une *boulangerie*, puis dans un café, jusqu'au moment où j'ai été trop grosse. Je me faisais de bons pourboires.

Pour l'amour du ciel, se dit Kit.

— La grossesse ne m'allait pas. Encore un mauvais tour que Dieu joue aux femmes. Je me sentais horriblement mal presque tout le temps, alors j'ai contracté l'habitude de prendre un verre l'après-midi, ce qui était un tort. Et le soir, ajouta-t-elle lui jetant un regard en coulisse. Vous savez quoi, Kit? Et je dis cela uniquement parce que je sais que vous êtes le seul à me comprendre.

— Quoi?

— J'aimais la sensation de dégringoler. De glisser. De tout abandonner derrière moi. De m'en ficher un peu.

Complètement, se dit-elle en pensant à cet après-midi où, assoiffée d'argent et de contact humain, elle était montée dans une chambre d'hôtel avec un beau pêcheur. Donner son corps épaissi, peu accoutumé à se dévêtir, faire l'amour, prendre l'argent qui lui revenait en échange, tout cela lui parut ridiculement facile.

Comme Daisy n'avait pas la force de protéger Kit, et comme ses épreuves la rendaient vaniteuse et exaltée, elle lui raconta cela aussi.

— Ne m'en dites pas davantage, protesta-t-il, tapant du poing sur sa cuisse. Je ne veux pas savoir.

— Mais cela n'avait aucune importance, Kit. Je vous assure. Cela a pris un quart d'heure tout au plus et ce soir-là j'ai pu manger. J'ai fait un excellent dîner. Du *coq au vin*, précisa-t-elle.

Kit crut entendre Susan. Il était atterré.

— Est-ce censé être drôle ? dit-il, amer.

Le soleil s'infiltrait dans la chambre. Deux nonnes marchaient dans le cloître, leur rosaire battant au rythme de leurs pas.

— J'ai fini par avoir de quoi louer rue de la Coin. Les sœurs ont été gentilles ; elles m'ont permis d'avoir le bébé ici, mais je ne voulais pas rester car je voyais bien qu'elles n'approuvaient pas, alors je suis retournée dans la chambre. Malheureusement je me remettais mal.

Daisy passa sur la naissance cauchemardesque, l'hémorragie qui suivit, l'expression glacée de la religieuse qui s'occupait d'elle, le docteur impatient, la peur, et la sensation atroce d'être seule.

— Il y a combien de temps ?

— Un peu plus de deux semaines.

La pensée traversa Kit qu'il était père depuis tout ce temps.

— Alors vous voyez, mon chéri, si je vous ai appelé, c'est que c'est bien joli d'agir à ma guise quand je n'ai qu'à penser à moi, mais maintenant il y a votre fils, mon fils.

Kit ne répondit pas tout de suite. Songeant à la lettre dans laquelle elle lui avait écrit qu'elle l'aimerait toujours, Daisy se fit la réflexion que de telles promesses avaient le don de gâcher les existences — et que c'était la raison pour laquelle l'épisode du pêcheur ne comptait pas.

Le bébé remua dans son berceau, plissa le visage et tourna la tête de tous côtés. Daisy le regardait, un peu comme elle l'aurait fait pour un petit animal dans un zoo.

— Il a sans doute faim, dit-elle. Pouvez-vous me le donner, s'il vous plaît?

Le petit se nicha en vain au sein de sa mère. Ne trouvant pas ce qu'il voulait, il se mit à hurler. Daisy essaya de l'aider, mais elle était encore trop faible.

— Je n'aime pas cette partie de l'affaire, dit-elle. Je ne crois pas être une mère née, mais les sœurs disent que c'est préférable de cette façon. Cela ne me ressemble guère de ne pas être à la mode, plaisanta-t-elle pitoyablement.

N'aimant pas entendre pleurer l'enfant, Kit aida à placer la tête du bébé contre la poitrine de Daisy. Les pleurs cessèrent. Le silence se fit radieux. Daisy leva les yeux sur Kit :

— Votre fils est un sacré gourmand.

Plus tard, la religieuse vint prier Kit de sortir :

— *Vous pouvez revenir demain, monsieur.*

— Puis-je rester, ma sœur?

— *Monsieur, je suis désolée...*

Kit grimpa dans la de Dion Bouton, et roula jusqu'au cap d'Antibes où il marcha le long de la falaise surplombant la mer, jusqu'à la nuit. La brise se leva, il ôta son chapeau pour passer la main dans ses cheveux.

Il se tourna vers la ville. Les lumières d'Antibes scintillaient au loin, comme par enchantement. L'une d'elles marquait la chambre de Daisy. L'amour qu'il avait pour elle rayonnait en lui, passionné, impatient, l'habitant corps et âme, généreux, total.

L'amour avait donné à Kit plénitude et transcendance; mais il avait aussi apporté la menace de la rupture, de la folie. Et cela, il fallait l'éviter. Daisy semblait comprendre cela d'instinct. Kit, lui, avait appris plus lentement.

Et Matty? Que pouvait-il attendre d'elle — sachant que par son comportement il ne pouvait rien espérer?

— Kit, chéri.

Daisy était assise sur son lit et se sentait mieux. Les religieuses lui avaient lavé les cheveux et ses joues avaient retrouvé quelque couleur.

— Vous allez être fier de moi. J'ai mangé tout mon potage et un peu de pain.

Il posa deux romans et une bouteille de cognac sur la table au crucifix.

— Vous avez sérieusement négligé votre santé, Daisy.

Daisy essaya de se souvenir de ce qu'elle avait fait exactement, mais ne réussit pas :

— Je crois que je me contentais de boire.

Le bébé se mit à pleurer. Daisy montra un biberon dans une petite cruche.

— Si vous lui donniez son biberon? J'ai abandonné l'autre système.

— Moi?

— N'ayez pas l'air aussi surpris. J'imagine qu'il y a quelque part dans le monde des pères qui donnent le biberon à leurs enfants. Prenez le petit, Kit chéri, et asseyez-vous. C'est le vôtre, après tout.

Le nourrisson était étonnamment léger et, expertement emmailloté par les nonnes, facile à tenir.

— Allez!

Daisy se cala sur l'oreiller et observa Kit se débattre avec le biberon et le bébé, tâchant de trouver le meilleur angle. Bientôt, l'enfant tétait et du lait lui dégoulinait sur le menton. Daisy s'amusait.

— Je n'aurais jamais pensé que je vous dirais ce que je m'apprête à vous dire pendant que vous donnez le biberon. J'imaginais une conversation très grave avec un homme de loi, ou quelque chose de ce genre.

Du lait coulait dans la manche de Kit. Le bébé tétait, ravi, satisfait.

— Quel nom lui avez-vous donné?

Daisy roula le bout du drap entre ses doigts et répondit prudemment :

— Je pensais que vous voudriez choisir le nom vous-même puisque j'aimerais vous le confier.

Kit se raidit, le bébé perdit la tétine, et Kit répondit après une demi-minute :

— Je ne pensais pas que vous étiez sérieuse la première fois que vous en avez parlé.

— Si, si, au contraire. Je vous le donne pour que vous en fassiez ce que vous jugez le mieux. A vous de décider. C'est à la fois ma punition et la vôtre... Tout se paie, n'est-ce pas?

— Et vous, Daisy?

Le drap continuait de rouler sous les doigts de Daisy.

— Moi ? Je vais rester ici quelque temps. Vous savez à quel point j'aime la France. La nourriture, le soleil, les gens. Qui sait, peut-être trouverai-je un homme riche dans un hôtel ?

— Voilà qui suffit, Daisy !

— Ne vous inquiétez donc pas. Peut-être qu'après un intervalle décent je rentrerai à la maison pour voir si Tim veut toujours m'épouser. Je ne sais pas. Je ne vois pas encore les choses nettement. Mais ne vous inquiétez pas.

La manche de Kit était trempée. Coincé avec le bébé, il ne pouvait que fixer Daisy du regard.

— Je vais m'inquiéter, naturellement, enfin !

— Cette femme que nous avions rencontrée à la *boîte*, qui portait une frange et un pull rayé — vous ne l'aimiez pas mais je pense souvent à elle et je me demande si elle et moi n'avons pas quelque chose en commun. Elle avait jeté l'ancre, si vous préférez.

— Daisy, cessez de débiter des âneries, je vous prie !

Exaspéré, Kit se leva et remit bébé et biberon entre les mains de Daisy :

— Je ne puis supporter ce genre de propos dans votre bouche.

L'enfant pleura et Daisy protesta quand il quitta la chambre et sortit du couvent. Il entra au bar Leduc sur le front de mer et commanda un double cognac. Après trois verres, Kit tituba jusqu'à son hôtel et se jeta sur son lit.

Il s'éveilla à vingt-deux heures, la bouche sèche et la gorge douloureuse. Mais ce n'était rien comparé à la douleur qui lui martelait le crâne. Comme un vieillard, il trouva la salle de bains et se plongea la tête sous l'eau froide. Quand il leva les yeux, un étranger le considérait du miroir au cadre de cuivre. La voix de Daisy résonnait à son oreille. « Les extrêmes. » Kit frissonna. Les extrêmes, il connaissait. Il se replongea la tête dans l'eau froide et se cogna le nez au robinet. Il avait mal partout. Il s'habilla le plus vite possible et prit son chapeau.

Le couvent était plongé dans l'obscurité lorsqu'il gara sa de Dion Bouton. Kit martela la porte et redoubla de violence quand personne n'ouvrit. La lumière se fit dans la maison d'en face et un homme passa la tête par les volets entrouverts.

— Rentrez chez vous, *salud*. C'est la maison des *religieuses*, ici, pas des *poulettes*.

Quand la porte s'ouvrit enfin la nonne était si choquée par la présence de Kit qu'elle en bégaya :

— Monsieur. *Allez-vous-en*. C'est une heure indue. Laissez-nous en paix. C'est la maison de Dieu.

— Pardonnez-moi, ma sœur, dit-il en la poussant délicatement sur le côté.

Elle s'affaissa contre le mur. Mais Kit n'en avait cure. Il courut dans le corridor avec ses espaces obscurs et ses saints de plâtre, dans le murmure des femmes endormies et les gémissements des patientes. Il arriva à la chambre :

— Daisy.

Elle était réveillée, le regard sur la lune, le visage à moitié éclairé, à moitié dans l'ombre. Comme autrefois dans le jardin de la Villa Lafayette, la lune éclairait ses cheveux et sa peau. Elle semblait appartenir à un autre monde. Kit eut peur.

— Daisy.

Il s'agenouilla près du lit.

— M'avez-vous pardonné ?

— Oh, Kit ! dit-elle en se tournant vers lui. Il n'y a que vous pour forcer la porte d'un couvent au beau milieu de la nuit. Bien sûr que je vous ai pardonné. Nous avons peu de temps avant qu'elles viennent fourrer leur nez ici, ajouta-t-elle avec un regard en direction de la porte... Peut-être est-ce le moment des adieux.

— Daisy...

— Quand je vous ai laissé dans le jardin de la villa, j'ai fait un choix, Kit, même si à l'époque je ne le savais pas. Rappelez-vous. Le jour où vous avez décidé d'épouser Matty, c'est vous qui avez fait un choix. Je ne dis pas que c'était un mauvais choix, car je suis persuadée que Matty vous donne quelque chose dont vous avez besoin, Kit. D'une certaine façon, vous le saviez.

Il pressa la main de Daisy contre ses lèvres et embrassa ses doigts, l'un après l'autre.

— Pour le bébé, vous devez faire ce que vous pensez juste.

— C'est aussi le vôtre. Vous n'en voulez pas ?

— Si, je le veux, énormément. Plus que je ne saurais le

dire. Mais comment pourrais-je m'en occuper ? Pensez aux murmures, aux doigts pointés. Aux sous-entendus qui le suivront toute sa vie. Sur le terrain de jeux. A l'école. Je ne m'en débarrasserai jamais. Les gens sont fouineurs et les enfants, cruels... Je me suis montrée cruelle avec Matty, alors je sais de quoi je parle. Vous voyez, lorsque j'ai refusé d'aller voir ce médecin si arrangeant dans Harley Street, je n'avais pas envisagé cette partie de l'histoire. Mais maintenant que j'ai cet enfant et que je l'aime, je ne veux pas que cela lui arrive.

Kit était silencieux. Daisy lui caressait la tête.

— S'il vous plaît, chéri. Prenez-le. Faites-le pour moi. Je vous en prie. Je m'en tiendrai à votre décision, quelle qu'elle soit.

Elle tira les cheveux de Kit, l'obligeant à relever le visage — un visage plus vieux, hanté. Elle passa le doigt sur un sourcil, puis sur son nez, puis sur sa bouche.

— Quelle qu'elle soit, dit Kit.

On entendit des pas précipités dans le couloir. Kit enfouit son visage dans les seins de Daisy, gonflés de lait.

— Je vous aimerai toujours.

— Oui, bien sûr. Mais une partie de cela s'achève, Kit. Et je me suis promis de ne pas me transformer en monstre de regrets, sinon cela n'en vaut pas la peine. Il en va de même pour vous.

On entendit des murmures excités en français.

— J'ai fait un beau gâchis, n'est-ce pas ?

— Moi aussi.

Avec la passion et l'esprit de possession de celui qui connaît l'interdit, il pressa ses lèvres contre le sein de Daisy, brûlant d'imprimer la marque de sa chair sur la sienne.

— Monsieur ! Je dois exiger que vous partiez dans l'instant.

Flanquée de son troupeau, la Mère Supérieure tenait une lampe à huile au-dessus d'elle. Elle projetait une ombre allongée sur la pièce.

— Vous avez offensé notre confiance et notre hospitalité et je veux croire que vous allez partir immédiatement. Votre conduite n'est pas celle d'un gentilhomme.

Kit se releva lentement et posa les yeux sur la silhouette dans le lit. Les formes noires se refermèrent sur lui.

Daisy leva la main et murmura :

— Emmenez-le, d'accord? Je vous en prie. J'ai confiance en vous, Kit. Vous saurez que faire. N'ayez aucune crainte, je ne vous demanderai pas de me le rendre... Au revoir, Kit.

— Daisy.

Il se pencha pour l'embrasser sur la bouche. Pour la dernière fois, elle enroula ses bras autour de sa nuque.

Puis il prit ses mains, les tint un instant et les reposa délicatement sur le drap.

— Daisy. Daisy je ne vous aimais peut-être pas comme il fallait, mais je vous aimais. Quoi qu'il advienne, je n'oublierai pas.

— Je sais.

— Monsieur! Sur-le-champ! fit la Supérieure dont la voix tremblait de colère. Vous êtes dans la chambre d'une malade. Vous allez me contraindre à appeler la police si vous ne partez pas tout de suite.

Tandis qu'il se dirigeait vers la porte, Kit se tourna vers les visages accusateurs. Sous la reproduction de la Madone aux lys, Daisy était allongée, immobile. La main où il l'avait posée, elle le regardait. Elle était pâle, les larmes roulaient sur ses joues.

— Souriez, mon chéri, dit-elle. Autrement je ne pourrai pas le supporter.

10

La troisième semaine de mai, l'ouragan Betsy largua les amarres de son lieu de naissance aux Caraïbes et se jeta, hurlant, plein de poussière, dans l'atmosphère. S'amplifiant, fonçant de minute en minute, il finit par déchaîner sa fureur sur la terre au-dessous.

Après quoi, grondant comme un animal, laissant de graves blessures dans son sillage, il tourbillonna au-dessus de l'Atlantique et fit route vers l'est.

Portant un bouquet de muguet parsemé de rosée et un sac en ficelle, Matty remontait l'allée de tilleuls dans le cimetière. Gorgées de sève et de fraîcheur, les fleurs sentaient bon le printemps et trempaient ses gants de coton. Elle les laissa sur l'étroit banc de bois sous l'auvent le long d'une collection de tambours et de clairons de la fanfare scoute d'Odiham-Nether Hinton qui avait répété pour la parade de juin. (Matty oubliait toujours de demander au curé à quoi servaient ces petits bancs — pêcheurs à qui on refusait l'accès, retardataires ?) et entra dire bonjour à Mr. Pengeally dont elle avait repéré la bicyclette.

Plus poilu et plus raide que jamais, il inspectait le bois du grand porche.

— Saperlipopette, il y a toujours quelque chose à réparer, dit-il après avoir salué Matty.

Il évita soigneusement son regard et inscrivit quelque chose dans son carnet. Matty considéra à juste titre ce silence poli comme un préambule.

— Nous en sommes également arrivés au point, lady Dysart, où il nous faut songer aux pierres de cette voûte, dit-il avec une expression dramatique outrée. Et là... Quel délabrement, lady Dysart, c'est épouvantable, vraiment.

Tout en dégageant une forte odeur d'antimites, il se tourna vers la voûte au-dessus du vitrail principal et désigna de la main le mur du transept sud qui, il faut le dire, était branlant.

Matty observa que Mr. Pengeally avait du poil sur les mains comme dans les oreilles.

— Absolument, Mr. Pengeally.

Fascinée, dégoûtée, elle se demandait si elle donnait l'impression de ce qu'elle éprouvait : parodie de la dame des lieux, appartenant à la longue lignée des dames patronesses qui présentaient un front uni, endimanché et anglican, dissimulant sous leurs grands chapeaux attentes et chagrins.

— Il faut que nous en parlions. Peut-être devrions-nous définir un plan d'action. Je suis certaine que mon mari aura une idée.

— Ce ne sont pas tant les idées, lady Dysart, risqua Mr. Pengeally.

Il faisait preuve d'audace, mais après tout, Dieu en valait la peine.

Ayant donné son accord pour prendre contact avec Mrs. Pengeally au sujet du concours de gâteaux, Matty marmonna des platitudes et le laissa traîtreusement à son église. Eût-elle trouvé le curé un peu plus compatissant, peut-être Matty aurait-elle été tentée de lui confier une partie de ses troubles concernant son mariage.

Le muguet avait taché le petit banc. Matty prit le bouquet et se rendit sur la tombe de Rupert, ramassant au passage une carte de cigarette que collectionnaient les garçons de l'école d'en face. Elle représentait la nouvelle voiture Sunbeam. Ne supportant pas l'idée de la perdre, Matty la fourra dans sa poche avec l'intention de la faire sécher avant de la renvoyer à l'école pour y être épinglée au tableau d'affichage.

La tombe de Rupert se trouvait dans la section sud du cimetière. La terre était encore fraîche. Kit avait choisi une pierre tombale grise où il avait fait simplement graver le nom et les dates.

Mrs. Pengeally s'était étonnée de tant de simplicité — ce cher sir Rupert avait tant fait, ne pouvait-on suggérer sa position, son rang ? — mais Kit s'était montré étonnamment obstiné. Matty avait pensé, quant à elle, que Rupert aurait désapprouvé que l'on ne mentionnât pas son grade ; mais nulle inscription ne pouvait compenser... pas tant la perte que le vide laissé par Rupert.

Quelqu'un était venu récemment, qui avait ôté les mauvaises herbes, mis un bouquet de muguet dans un pot et planté une petite croix de bois comme on en trouve dans les cimetières militaires. On y lisait en lettres majuscules : « LA BOISSELLE, JUILLET 1916. IL GARDA CONFIANCE. » Matty s'accroupit et caressa un pétale fané.

Danny.

Elle disposa les fleurs dans le vase qu'elle avait apporté et le remplit d'eau de pluie au tonneau. Puis elle recula pour en saisir l'effet. La tombe était propre et ordonnée, à la différence de son beau-père, qui avait essayé de mener une vie bien réglée, seulement pour s'apercevoir que, embrouillée, imprévisible, elle échappait à l'inscription au-dessus. Maintenant que la présence inconfortable de Rupert avait disparu, Matty le comprenait.

Les scouts jouaient à chat dans le champ près de l'église, poussant des cris, martelant le sol comme de jeunes chevaux. Les sons qui parvenaient aux oreilles de Matty étaient aigus, excités, jeunes.

Après un dernier regard à la tombe, elle reprit son sac de ficelle et s'éloigna.

Chez elle, dans son salon du matin fraîchement repeint, Flora tenait les comptes de la maison. Elle avait passé une vieille jupe de tweed et un tablier acheté au marché de Farnham. Matty lui jeta un regard désapprobateur, mais le manque d'élégance ne pouvait dissimuler le bonheur de Flora.

— Doux Jésus, s'exclama-t-elle en se débarrassant vite de son tablier. Je n'attendais personne, ce matin.

— J'ai pensé que vous ne m'en voudriez pas. Je reviens du cimetière.

— Non, au contraire. Vous êtes de la famille. Un café ? proposa Flora en sonnant.

Tandis qu'elles bavardaient, les petits mots « Vous êtes de la famille » carillonnaient joyeusement dans la tête de Matty. C'était une phrase si simple pour décrire un arrangement et des associations bien compliquées. Flora avait prononcé ces mots avec tant de naturel que Matty s'attrista à l'idée que cela ne s'appliquerait bientôt plus. Elle allait partir, évidemment qu'elle allait partir. Après le dernier coup de fil de Kit, la question ne se posait même plus.

— Daisy a des ennuis, avait-il dit. Essaie de comprendre, Matty, je t'en prie. Je dois l'aider. Je rentre dès que j'ai tout réglé.

Comme elle se taisait, il ajouta :

— Il faut que tu comprennes.

C'est le vieux démon qui lui fit répondre :

— Il n'y a pas de « il faut », Kit.

— Je t'en prie, Matty.

Je ne comprends pas...

— Vous ai-je dit que Kit était passé par la France et qu'il est sur le chemin du retour ?

— Sacré veinard, commenta Flora en mordant dans son deuxième biscuit.

Matty s'adossa au fauteuil de coton glacé et renifla l'odeur tenace de peinture :

— Avez-vous écrit à Polly pour le nouveau bébé ?

— Par tous les diables ! Non. Et Polly en boule est au-dessus de mes forces. Quant à ses enfants... Si j'ai des enfants, je suppose que Polly viendra plus souvent. Cette seule idée me panique complètement.

Trop tard, elle vit Matty tressaillir :

— Oh, Matty ! Quel manque de tact de ma part.

— Mais non, voyons. C'est moi qui ai abordé le sujet.

Flora reprit du thé :

— Puis-je vous poser une question indiscrète, Matty ? Cela vous contrarie beaucoup... de ne pas avoir d'enfants ?

— Cela me contrarie-t-il ?

Matty croisa les doigts sur son ventre :

— Je ne sais comment l'expliquer, mais si je vous disais que cela me contrarie comme un fleuve privé d'eau ou un jardin privé de pluie, cela vous semble-t-il avoir un sens ? Ou cela vous paraît-il ridicule ?

Flora ressemblait étonnamment à son frère quand, au pied du mur, elle se réfugiait derrière ses paupières baissées, gênée, cherchant à saisir :

— Pardonnez-moi, Matty. N'en parlons plus.

— Curieusement, Flora, dit Matty que sa lèvre inférieure faisait paraître très jeune, ce m'est un soulagement d'en parler. J'ai enfermé cela trop longtemps.

— C'est vrai ?

— Parfois, je me surprenais à détester les femmes qui avaient des enfants, et j'avais peur de devenir folle. Un jour que j'étais chez un marchand de chaussures à Farnham, il y avait une femme avec des jumeaux. Je l'ai haïe avec tant de violence que j'ai dû quitter la boutique. Grotesque, vraiment.

Flora examina le visage délicat en face d'elle — moins délicat aujourd'hui que la vie à la campagne lui avait donné de la fraîcheur et empli ses joues :

— Matty, je vais vous paraître brutale et osée, mais ceci pourrait vous plaire.

— Allez-y.

— Vous connaissez ce projet auquel je tiens d'une consultation de planning familial au village.

— Oui.

Matty fit une courageuse tentative pour paraître à l'aise avec cette idée. Les deux femmes se dévisagèrent avec gravité. Soudain, Matty éclata de rire :

— A nous voir, on pourrait croire que nous préparons un meurtre !

— Je veux en lancer un à Nether Hinton. Je sais que c'est une bonne idée.

— Continuez.

— Il est essentiel que la consultation soit à la fois facile d'accès mais à l'abri des regards. J'ai besoin d'aide pour que ça tourne et pour en faire quelque chose de respectable, afin que les épouses n'hésitent pas à venir demander conseil. C'est là que vous pourriez quelque chose.

— Je vois.

— En outre, il n'y a pas beaucoup de gens avec qui j'ose en discuter.

Décidément, c'était la journée : voûtes de pierre, diaphragmes. Quelle serait la prochaine requête ? Cependant, Matty aimait qu'on fît appel à elle.

— Ce sera une lutte continuelle, sans l'ombre d'un doute. Nous pourrions même devenir très impopulaires. Des Jézabel en jupe de tweed.

— Qu'en pense le Dr Lofts ?

— Appelez-le donc Robin, suggéra Flora tendre, heureuse et soulagée. Lui et moi sommes du même avis.

Pendant qu'elles devisaient, l'ouragan Betsy arrivait au milieu de l'Atlantique, prenant des forces et de la vitesse. Il envoya en éclaireur des nuages noirs qui obscurcirent le ciel matinal et se figèrent en épaisse bouillie. Peu à peu, sous le vent qui s'affolait, les jeunes feuilles sur les arbres tournèrent leur dos d'argent du côté des badauds.

Ned était dans le jardin clos à vérifier les cloches. Il leva les yeux au ciel et nota d'attacher les plantes qui risquaient de souffrir du vent. Fais-le tout de suite, mon garçon, se dit-il en se redressant péniblement.

— Je trouve le temps bizarre, lady Dysart, déclara-t-il plus tard, quand il la vit. On n'a jamais vu le ciel de cette couleur-là sans que ça nous mijote quelque chose.

— J'espère que vous vous trompez, Mr. Sheppey, répondit-elle en suivant son regard.

— Non, j'ai raison... Ça rend Ellen folle de voir que j'ai toujours raison.

Du temps qu'Ellen était malade, Ned n'y faisait jamais la moindre allusion. Mais maintenant qu'elle était rétablie, Ned mentionnait souvent son nom. Matty aida Ned à remettre les lourdes cloches en place.

Ned ramassa ses outils. Matty lui tendit son plantoir et son transplantoir.

— Je suis si heureuse de savoir Mrs. Sheppey en bonne forme.

Ned soupira fortement.

A l'heure du thé, le ciel avait encore plus sale aspect et le vent se leva. Ravie de ne pas avoir de visites, Matty se retira au salon et se restaura près d'une flambée de pommier. Mrs. Dawes reprit son cérémonial, dressa la nappe et plaça une assiette de scones recouverte d'une serviette.

A sa grande surprise, Matty en mangea trois, qu'elle accompagna de Lapsang Souchong. Rassasiée, alanguie, pleine de contentement, elle regardait le feu et écoutait la maison craquer sous le vent. Elle entendait de curieux claquements quand il s'en prenait à des objets non fixés. Elle faillit téléphoner à Tyson, aux écuries, afin qu'il s'assurât que les chevaux allaient bien. Mais elle était trop paresseuse.

A l'avenir, rien de cela ne serait plus de son ressort.

Minerve avait pris l'habitude de la suivre partout; elle gémit dans le panier que Matty lui avait mis dans la pièce. Matty claqua des doigts et la chienne vint s'installer près d'elle. Un peu plus tard, elle conclut dans un demi-sommeil que le temps ressemblait à ce qu'elle éprouvait à propos d'elle et de Kit, déchaîné, turbulent. Elle l'imaginait comme il était il y a trois mois — pâle et irritable parce qu'il était cinq heures du matin, une estafilade au menton parce qu'il s'était rasé trop vite, et entouré d'une montagne de bagages. Mais il tremblait d'impatience à l'idée de partir pour le Moyen-Orient.

Puis, mettant du sel sur sa plaie, Matty se demanda pourquoi Daisy avait appelé Kit. Peut-être avait-elle des ennuis ou s'était-elle querellée avec Susan... Possible. Peut-être Daisy voulait-elle persuader Kit de vive voix de quitter Matty. Si Matty songeait précisément à quitter son mari, cela ne l'empêchait pas d'être outrée, indignée.

Les flammes se rabattirent sur les bûches. Dans un état second, Matty se rendit compte du changement. Elle eut la chair de poule et sentit le sang lui monter au visage. Elle eut l'impression de voir la pièce et elle-même de l'intérieur. Lourd et inerte, son corps était vissé au fauteuil, mais son esprit tournoyait.

Aux pieds de Matty, Minerve semblait inquiète.

L'air paraissait chargé d'électricité. Matty ne comprenait pas. Elle regarda ses pieds et eut soudain très froid. Arrivant d'une autre dimension, une note familière retentit, aiguë, lourde de prémonitions.

Dans le jardin, le vent se gonfla et s'enroula autour de la maison. Les branches claquaient les unes contre les autres.

Un éclair de couleur, un mouvement, quelque chose, captura le regard de Matty et s'arrêta, figé. Comme mue par un montreur de marionnettes, Matty se détourna de l'âtre et écarquilla les yeux. Le vent hurlait dans la cheminée et elle s'entendit crier, désespérée :

— Je sais qui tu es !

La petite fille était assise tranquillement dans le fauteuil en tapisserie près de la chaise. Elle leva les yeux de son ouvrage et Matty dévisagea une version du visage de Kit. Nez long et fin, yeux châtain clair, cheveux de lin attachés en une tresse sévère. Le genre de nattes que font les nounous.

— Tu es Rose, n'est-ce pas ? Pourquoi viens-tu tout le temps ?

Rose pencha la tête et tira à moitié sur l'aiguille de son canevas. L'acier luisait et faisait un drôle de bruit quand il perçait le tissu. Chaque mouvement faisait ressortit les petits os de Rose sous sa peau. Matty déglutit. Son visage disait l'innocence — et suggérait une beauté à venir que ne possédaient ni Flora ni Polly. Absorbée dans sa tâche, Rose tirait l'aiguille, la tête légèrement inclinée sur le côté.

— Je ne te verrai plus, Rose, dit Matty, se forçant à parler. Je vais probablement quitter cette maison. Mais j'aimerais tant penser que tu es en paix.

L'enfant leva les yeux et Matty déchiffra les lettres R O S et la moitié d'un E en soie rose. Oh ! Rose, songea-t-elle douloureusement, tu n'as jamais pu l'achever. Elle ferma les yeux, éprouvant le chagrin d'Hesther, et la folie qui s'y était tapie, et comprit pourquoi le couteau était la solution la plus facile.

Les fantômes restaient-ils dans leur époque ? Ou bien opéraient-ils à une échelle différente du temps, immunisés contre le passé, le présent et le futur ? L'enfant en face de Matty souffrait-elle un cycle éternel de reconnaissance, à la recherche de sa mère, incapable de se libérer de ce fardeau ?

Matty rouvrit brusquement les yeux. Rose la dévisageait, une main sur l'aiguillée, mais Matty sentait que l'enfant regardait à travers elle, et au-delà. Et tandis que Rose regardait fixement dans cet autrefois, les iris dans les yeux bleus se rétrécirent, les lèvres se serrèrent et elle lança une main en l'air, terrorisée.

— Tout va bien, Rose.

Matty voulut se lever de son fauteuil mais ses jambes refusèrent de lui obéir.

— Rose, je t'en prie.

Le froid s'intensifia. Matty était en pleine confusion. Vinrent la panique, et le sentiment désespéré qu'elle était piégée dans quelque chose qui la dominait :

— Où es-tu, Rose ? Que veux-tu de moi ? Comment puis-je t'aider ?

Un brouillard humide tourbillonna devant les yeux de Matty, effaçant la pièce. L'humidité coulait jusqu'à ses lèvres.

— Qu'y a-t-il, Rose ? Dis-moi.

Elle entendait sa voix monter.

Il n'y eut pas de réponse, seulement le bruit de pas précipités s'éloignant de la vision de la chair absorbée par la chair sous les lys mourants. Pas résonnant sur la terre desséchée avec le craquement d'un squelette de brindilles et de feuilles, et un souffle pénible et court. Il y avait l'obscurité, la vision fulgurante d'une enfant qui court, l'odeur sauvage d'un renard, la nuit chaude, de la décrépitude qui couve, le craquement sur la jetée de bois — et Matty qui tournoyait sur la rivière gorgée d'herbes. Elle descend, descend. Elle se noie dans l'angoisse. Sa robe noire de chez Dove s'ouvre comme un parachute, ses poumons s'emplissent. Douleur atroce dans la poitrine, qui jaillit à travers son corps comme un rosier grimpant et monstrueux, ancré avec des épines profondément enfoncées dans sa chair.

— C'est toi, Rose ! hurlait-elle. C'est toi qui m'as conduite.

Matty dégringolait. L'eau noyait ses poumons. Pétale après pétale, la rose déployait sa fleur, emplissant sa vision de couches étouffantes et de cœur d'étamines scintillant comme une étoile, insondable. Non, dit-elle au poids pesant sur son corps. Non, dit-elle au noir. Je ne peux pas abandonner déjà. Pas encore.

A côté d'elle, Rose tourbillonnait... et hurlait son cri de douleur et de mort.

Pas encore. Matty commença à lutter pour remonter à la surface.

Quand Matty s'éveilla, le feu était presque éteint et Mrs. Dawes entrait pour débarrasser la table. Elle jeta un regard à Matty :

— Vous êtes un peu pâle, madame.

Matty cacha ses mains sous sa jupe de tweed et secoua la tête :

— Ça va, Mrs. Dawes, je vous remercie. Vous devriez sortir Minerve.

Mrs. Dawes referma la porte un peu sèchement, laissant ainsi entendre qu'elle n'en croyait pas un mot. Matty étendit les mains : elles tremblaient beaucoup. Elle se sentait glacée, vide et nauséeuse.

S'aidant des accoudoirs, elle se leva et alla au bureau pour y prendre un trousseau de clefs dans le tiroir de droite. Puis elle quitta la pièce.

Le vent redoublait dans le grenier, sauvage, plus intime avec la maison, pourtant. Matty tourna le commutateur et le couloir s'éclaira de jaune. Se frayant un chemin entre les boîtes désormais étiquetées et les piles de béquilles dont elle faisait progressivement don à l'hôpital de Fleet, elle ouvrit le grenier le plus petit.

White Surrey était dans son berceau de fer. La maison de poupée aux fenêtres aveugles était posée sur la table. L'horloge de la nursery était silencieuse et le reps sur la cage à oiseaux en cachait le vide. Malgré le fouillis, le grenier était nu, plein d'objets qui avaient survécu à leur inutilité. Nulle paix, nul sentiment de tranquillité.

Tremblant encore, Matty avança parmi l'amas de cette autre vie — pare-feu en tapisserie, gravures représentant des scènes de chasse, tire-bottes, immense vase chinois — pour arriver à la malle d'Hesther.

Un goût amer à la bouche, Matty s'agenouilla. On avait, suivant ses instructions, huilé la serrure dont le pêne céda sans résistance. Elle souleva le couvercle, se disant qu'elle devait bien cela à Rose.

— Quelle honte, lady Dysart, avait lancé Mrs. Dawes tandis qu'elle s'occupait de la serrure. Ce n'est pas bien. Je me demande qui a pu laisser les choses dans cet état.

Mrs. Dawes avait passé la main sur le fouillis et mis un ordre irréprochable dans les affaires d'Hesther, enrobant tout de papier de soie, rangeant les gants dans leurs boîtes et les plumes dans leurs coffrets de satin.

Matty souleva le tiroir du haut qu'elle posa par terre. Puis elle chercha parmi les objets dessous. Elle n'eut aucun mal à trouver le journal. « Magnifique, magnifique », courait l'écriture sous la « général Kléber », mots d'une femme envoûtée par une rose et amoureuse de son frère.

Ce n'était pas sa faute, se dit Matty. On ne choisit pas qui on aime. Pas plus qu'on ne choisissait d'être aimé. Rupert avait-il soupçonné où se portait l'affection d'Hesther avant de griffonner « Garce » en travers de la lettre ? En était-il venu alors à se détourner de ses enfants ? Etait-il innocent de toute complicité ?

Sans doute pas. Matty savait d'expérience que l'homme était doté d'une ahurissante capacité à refuser de voir, à souffrir, à tolérer l'intolérable. A refuser de voir la vérité en face.

Le passé semblait jaillir de la malle. La vie d'une femme — et sa mort — y étaient tout entières contenues. Et Matty s'y introduisait. Elle referma le journal qu'elle mit de côté. Un jour, peut-être, elle en parlerait à Kit. Peut-être.

Sous l'endroit où était rangé le journal, Matty aperçut un paquet enveloppé de papier qu'elle n'avait pas remarqué auparavant. Sur l'étiquette, la lettre « R », autrefois à l'encre noire, avait tourné au sépia. Matty ôta la ficelle, lissa le papier, révélant une mèche de cheveux blonds : brillants, doux et fins comme ceux d'un bébé, bouclant légèrement à la pointe. Un petit mot indiquait « Mèche de cheveux de ma chérie ».

— Oh mon Dieu ! s'écria Matty, qui respira soudain une bouffée d'eau et de roseaux qu'elle sentit claquer sur son corps. Le visage de Rose en train de se noyer apparut soudain, les cils comme des éventails sur ses yeux mourants.

— Rose, murmura Matty avec désespoir. Ne sois pas fâchée, et surtout n'aie pas peur.

Elle referma le papier sur la mèche de cheveux et le posa près du journal. A côté, une boîte avec une étiquette « Choses de la nursery ». Elle trouva un dé à coudre en merisier, un nécessaire de couture enveloppé dans de la feutrine, une bille aux multiples volutes, un bout de ficelle au bout duquel était attaché un marron desséché. Le regard de Matty se perdit dans ce qu'il restait de la vie de Rose, petites babioles si enfantines, si importantes qu'elle serra dans ses mains.

Au fond de la boîte, un canevas. Matty sut sans le déplier ce qu'il représentait. Tacheté, passé, abîmé au bord, avec les lettres R O S, inachevé.

Le canevas aurait été joli, avec son motif de roses grimpant entre les lettres. Les roses déjà brodées l'étaient dans un camaïeu de rose, avec un point de nœud au milieu pour représenter les étamines. Certaines étaient en bouton, d'autres en fleur, certaines près de perdre leurs pétales. Qui avait dessiné le motif était doué et avait du goût. Matty s'imagina Hesther penchée sur sa fille préférée tandis qu'elles travaillaient de concert.

Sous les lettres inachevées, un léger trait de crayon. Matty se releva et alla à la lumière. Pour autant qu'elle arrivait à distinguer elle voyait un château avec des douves et une haute haie.

« Il était une fois un roi et une reine. Ils avaient une fille nommée Eglantine... »

Matty n'avait pas oublié ce conte, dont la signification n'avait rien d'enfantin. Elle retourna dans le grenier et, levant les yeux sur la pendule, se dit que personne ne ramènerait Rose à la vie d'un baiser.

Le paradoxe de la rose. Symbole de division médiévale, la guerre des Deux Roses, mais symbole d'unité pour les Tudor. Fleur associée au cœur, à la suprême extase spirituelle, à la beauté, à l'érotisme, aux blessures et à la guérison, à la douceur, au danger — paradoxe d'innocence et de corruption.

La mort de Rose, le suicide d'Hesther, la découverte d'un rosier rose dans le jardin d'Hesther, la trahison de Kit, Kit qui lui rapportait de voyage un rosier à planter. Le secret enfermé dans le jardin.

Dehors, le vent continuait de hurler autour du jardin et de la maison. Matty écouta quelques minutes et s'inquiéta. Elle replaça soigneusement tous les objets dans la malle.

— Au revoir, Hesther. Vous n'avez plus le pouvoir de me troubler. Au revoir, Rose. Je comprends, maintenant. Je continuerai de penser à toi, mais tu dois partir et me laisser en paix.

Le couvercle lui échappa des mains, elle sursauta. Obéissant à une impulsion subite, elle appuya sur White Surrey qui bascula en crissant. Elle n'avait plus peur de lui. Ce n'était qu'un jouet.

— J'ai survécu, Rose. J'aurais voulu... j'aurais voulu que cela t'arrive, à toi aussi.

Elle quitta le grenier. Derrière elle, la poussière s'installa dans le calme.

Au crépuscule, l'ouragan Betsy s'était jeté sur la côte ouest d'Angleterre, arrachant tout sur son passage, courbant les arbres, abîmant des maisons, aplatissant la végétation. Un homme mourut dans sa ferme alors qu'il se rendait aux étables; une tuile lui était tombée sur la tête. Un autre fut projeté contre un mur de pierre et se fracassa le crâne.

Les arbres tombaient comme des quilles : gisant en travers des routes, ils coupaient les lignes d'électricité et de téléphone.

Matty réunit autour d'elle Tyson, Robbie et Mrs. Dawes.

— Chacun, les prévint-elle, était responsable de la sécurité d'une partie de la maison : portes, fenêtres, volets.

Elle suggéra également à Tyson de demander à Ned de venir pour la nuit donner un coup de main avec les chevaux.

— Dites-lui de ne pas s'inquiéter pour Ellen, ajouta-t-elle. Nous l'abriterons pour la nuit dans l'aile de Mrs. Dawes.

Une demi-heure plus tard, Tyson téléphona sur la ligne intérieure pour annoncer que tout était organisé avec Ned et Ellen. Il précisa que Ivy Prosser avait insisté pour passer la nuit à la maison, « au cas où madame aurait besoin de mes services ».

— Comme c'est aimable à elle, remarqua Matty, qui se

demanda avec une petite *moue* si Ivy témoignerait la même loyauté envers Daisy.

Elle espérait que non.

Allongée sur son lit dans sa nouvelle chemise de nuit bordée de dentelle, elle écoutait l'orchestre des bruits du vent. Le craquement du bois, le claquement des brindilles, le bruissement des feuilles. La maison résistait — il est vrai qu'elle avait déjà vu cela.

Matty s'assoupit puis sombra dans un sommeil profond.

Elle se réveilla quand une lumière inaccoutumée filtra à travers les rideaux, âcre, fluide, impressionnante. Une lumière jaune, flamboyante. Matty rejeta ses couvertures et courut à la fenêtre.

Sous le vent, les arbres avaient l'air de sorcières. Matty dirigea son regard du côté des écuries et, sous le choc, porta sa main à sa bouche. Le feu !

Elle arracha sa chemise de nuit, tendit la main et se rappela juste à temps : ne touche pas à l'électricité. Elle ouvrit sa garde-robe et enfila prestement un pantalon. Mon Dieu, je vous prie, suppliait-elle en passant un pull bleu marine sur ses seins nus. Je vous en prie. Mon Dieu.

11

L'été glissait au-dessus d'Antibes. Le soir était chaud et agité. Un vent s'était levé — queue de la tempête qui dévastait la Grande-Bretagne, disait-on dans les bars. La poussière dévalait le maquis, léchant la ville avec ses senteurs d'herbes et de pin. Les fenêtres grinçaient, les volets claquaient et, dans les gouttières, les débris s'envolaient.

La de Dion Bouton s'arrêta devant le couvent. Kit sortit et, devant la portière du passager, dit :

— *Je ne vous ferai pas attendre très longtemps.*

Il s'adressait à la nurse. Jeune, plus que nerveuse dans son col amidonné, son chapeau démodé et sa cape de lin conçue pour dissimuler toute trace de féminité, elle hocha la tête et tritura les boutons de ses gants.

Cette fois, quand Kit frappa à la porte de bois, on lui ouvrit tout de suite.

— Monsieur Dysart. Si vous voulez bien entrer.

Accompagné fermement mais poliment dans la pièce de la sœur tourière, pas plus loin, Kit comprit qu'il avait trop gravement péché pour être admis dans le bureau de la Mère Supérieure. Sur la table, on avait préparé des papiers et un encrier. Une religieuse au visage sculpté par l'âge et la prière attendait sous la fenêtre. Elle s'avança à l'entrée de Kit :

— Monsieur Dysart. Je suis mandatée par notre Mère Supérieure pour agir en cette affaire. Si vous voulez bien lire les documents avant de signer, je vous prie. Ils certifient que vous consentez à prendre l'enfant, que la mère y consent également...Que vous agissez en tant que père de l'enfant, ajouta-t-elle avec difficulté.

Elle parlait un anglais remarquable.

Kit arbora son petit sourire.

— Veuillez me pardonner, ma sœur. Vous devez trouver tout cela bien éprouvant.

Pendant une seconde, la nonne succomba presque au charme de Kit. Mais elle se durcit bien vite :

— Ne croyez pas cela, monsieur. Ce n'est pas éprouvant. Seulement triste pour l'enfant.

— Je comprends, ma sœur, reprit Kit avec douceur. Cela doit vous répugner, mais puis-je vous demander de faire quelque chose pour moi ?

Il attendit que la religieuse acquiesçât d'un signe de tête tout juste perceptible.

— Cela concerne l'avenir de miss Chudleigh. Elle va rester en France un moment et j'ai acheté à son intention une petite villa au cap d'Antibes. Puis-je vous demander de lui dire que les *notaires* lui rendront visite dès que ce sera raisonnable et qu'elle peut emménager dès qu'elle le souhaite ? Dites-lui aussi que j'ai pris contact avec miss Annabel Morely, qui accompagne Mrs. Chudleigh, sa mère. Je pensais qu'elle aimerait le savoir. Miss Morely est sa grande amie.

— Ce sera fait, monsieur.

Kit hésita :

— Pourriez-vous dire une dernière chose à miss Chudleigh, s'il vous plaît, ma sœur? C'est important. Pouvez-vous lui dire que j'ai acheté la maison avec le produit des actions américaines, et rien d'autre. Elle comprendra.

Il prit la plume des mains de la nonne, se gardant de tout contact physique avec elle.

> Il est entendu par la présente entre sir Christopher Dysart et miss Marguerite Chudleigh que le premier prend possession de son fils à la demande de la seconde. L'enfant lui a été remis de plein gré... le père emmène l'enfant dans un endroit sain et sûr... etc.
> Fait ce 21 mai 1932.

Il y avait trois exemplaires d'une petite écriture nette. La signature de Daisy était apposée au bas de chacun. La mention de son prénom officiel surprit Kit.

Sans perdre plus de temps, il trempa la plume dans l'encrier et signa à côté de Daisy.

— Merci, monsieur, dit la religieuse en passant le buvard. Je suis certaine que vous comprendrez, monsieur, que nous devions être certaines de permettre ce qu'il y a de mieux. L'enfant est ce qu'il y a de plus important à considérer.

— Oui, bien sûr.

— Nous remettrons un exemplaire à Mlle Chudleigh. L'autre demeurera dans nos archives. Voici le vôtre. Et voici... voici le certificat de naissance.

Elle observa Kit sans la moindre trace de sympathie. Tout cela est extraordinaire et fort déplaisant, semblait-elle dire. Mais elle mit les mains dans ses manches et se tourna vers la porte :

— Si vous voulez avoir l'amabilité d'attendre quelques minutes, monsieur, on va vous amener le bébé.

Kit envisagea l'idée de se ruer une fois encore dans la chambre de Daisy. Il y renonça. Ils s'étaient dit adieu. Mais pour Kit, la prison de son enfance s'était ouverte.

Se débarrasser de la passion reconnue à la Villa Lafayette était — avait été — beaucoup plus long et douloureux qu'il ne l'aurait cru. Il avait lu un jour que pour maîtriser une passion il fallait de la place : une dune dans le désert, la courbe d'une montagne, en tout cas, pas la cellule minuscule d'une sœur tourière.

Il songea à Daisy, allongée dans le lit blanc, son moindre souffle, son moindre murmure, le moindre battement de son cœur. Il passa le doigt sur la bouche pleine, le front, les seins gonflés. Chaque douleur de son ventre qui saignait encore, chaque malaise alors que son corps revenait à la normale, ses paupières lourdes de fatigue, tout cela lui appartenait. Ses odeurs, aussi. Alors qu'il attendait son fils, Kit possédait Daisy et lui disait adieu.

On entendait pleurer le bébé. Petit hurlement accompagné d'un bruit de pas dans le couloir.

— Prenez-le, s'il vous plaît, avait dit Daisy, tournant vers lui son visage las. Vous savez, le monde est dur. Je vous fais confiance, Kit. Vous saurez que faire. Ne vous inquiétez pas, je ne vous le réclamerai pas. Jamais.

La surveillante du service était tout sourire sous sa coiffe :

— Voici le petit homme. De l'appréhension, monsieur ? La responsabilité... Ne vous en faites pas, il y a du lait dans le panier et je vous ai noté l'emploi du temps avec les instructions pour le nourrir. La nurse s'en débrouillera très bien.

Kit passait son fils d'un bras dans l'autre, regrettant de n'avoir pas songé à amener Mlle Motte :

— Je vous remercie, ma sœur. Vous êtes la gentillesse personnifiée.

Elle remua la tête comme une hirondelle blanche.

— Le bébé est en bonne santé.

— Et la mère ?

L'hirondelle blanche s'immobilisa brusquement :

— Elle va aussi bien qu'on peut l'espérer, monsieur. Maintenant, si vous voulez bien m'excuser.

Kit ne put en apprendre davantage. C'est tout ce qu'il lui restait de Daisy.

Mlle Motte installa le bébé à l'arrière de la voiture. D'après le bureau de placement de Nice, elle était compétente et avait de l'expérience, et Kit était ravi de lui laisser les détails. L'enfant finit par s'endormir dans le couffin de voyage (acheté pour une fortune). Kit et Mlle Motte grimpèrent dans la de Dion Bouton qui quitta Antibes.

De temps à autre, Kit s'apercevait que la nurse lui coulait un regard furtif sous son chapeau. Elle semblait demander si elle était censée lui faire la conversation pendant la longue nuit à venir. Non, se dit Kit. En aucune manière.

Dans un virage, il dit :

— Essayez de dormir le plus possible, mademoiselle. Je ne sais pas à quel intervalle vous devrez nourrir le bébé.

Elle haussa les épaules et regarda droit devant elle. Elle avait un joli petit nez.

— Peut-être deux biberons de nuit. Je ne le connais pas encore.

Il voyait bien qu'elle trouvait la situation bizarre mais que, généreusement dédommagée, elle était prête à l'accepter.

— Nous nous arrêterons dans près d'une heure pour dîner.

Elle haussa de nouveau les épaules :

— Naturellement, Monsieur.

Ils se restaurèrent au bord de la route, dans un hôtel sans prétention. Sans un mot, Mlle Motte engloutit des *moules farcies*, du *bœuf provençale*, de l'excellent fromage local et une *tarte aux pruneaux*. Elle but également pas mal de vin.

Le soleil se coucha dans un tourbillon de rouge et un drap noir s'étendit sur le paysage. Ils traversèrent broussailles et pinèdes, villages de pierre dont les réverbères à huile envoyaient des cornets jaunes dans l'obscurité. Ils quittèrent Avignon en direction du nord, abandonnant les parfums méridionaux.

Près de Montélimar, Mlle Motte s'agita :

— Monsieur, dit-elle enfin. Je crois... je crois qu'il faudrait vous arrêter. Je ne me sens pas bien.

Kit stoppa la voiture. La nurse sortit en hâte, s'enfonça dans la nuit et vomit beaucoup. Kit soupira, et se retourna pour jeter un coup d'œil au bébé. Au moins, il dormait, lui.

Mlle Motte ne reparut qu'au bout d'un quart d'heure. Kit était appuyé sur la voiture et fumait une cigarette. La nurse était toute tachée.

— Je vous prie de m'excuser, Monsieur. Peut-être était-ce la voiture.

Près de Valence, ils durent s'arrêter de nouveau. Cette fois, elle s'absenta plus longtemps encore et revint en gémissant.

— Eh bien, il semble que vous ayez besoin d'aide, remarqua Kit.

Elle monta dans la voiture, sentant le vomi et l'eau de Cologne, un mouchoir sur la bouche. L'enfant remua et s'éveilla. La nurse dit, d'une voix faible :

— Monsieur, je crains de ne pas être en mesure de lui donner le biberon.

Kit pesta en descendant de voiture pour prendre le panier. Il trouva le biberon enveloppé dans une serviette. Puis il prit l'enfant qu'il serra contre lui et lui mit la tétine dans la bouche.

Mais l'enfant continua de hurler. Kit leva les yeux au ciel constellé d'étoiles. Il avait survécu aux marches dans le désert, à la faim et à la soif. Il avait même été pris de fièvre dans des chambres repoussantes et avait encouru la colère des indigènes. Il devait être capable de donner le biberon à son fils, non ?

Il fit une nouvelle tentative. Le bébé entrouvrit les lèvres et hurla de plus belle. Puis, soudain, il se mit à téter en silence. Kit s'aperçut qu'il transpirait.

— Mademoiselle Motte, est-il censé tout boire ?

Elle s'ébroua et grogna mais ne répondit pas. Le niveau descendait. Au bout de cinq minutes, le biberon était vide. Le bébé remua d'une drôle de façon et Kit se demanda s'il pouvait avoir encore faim. Il tint le bébé bien droit. Il hurlait de nouveau, mais pas de la même façon. Affolé à l'idée de l'avoir trop nourri, Kit fit la seule chose qui lui vint à l'esprit : il le tint contre son épaule et commença à faire les cent pas sur le bord de la route.

— Chut, murmurait-il, chut.

La petite tête remuait tant que Kit mit une main dessous pour la protéger. Le bébé hurlait toujours et Kit commençait à paniquer sérieusement.

Soudain, le bébé émit un rot. Bientôt, il ne pleura plus. La paix qui s'ensuivit fut miraculeuse, malgré l'humidité sur l'épaule de Kit.

Ravi d'avoir réussi, il sourit au ciel :

— Tu es un bon garçon.

— Au feu ! hurlait Matty, sachant que sa voix ne portait pas. Elle dévala l'escalier en hurlant de plus belle :

— Il y a le feu dans les écuries ! Levez-vous tous ! Vite ! Vite ! Levez-vous !

Elle s'arrêta sur le palier. Personne ne répondit. Personne ne bougea.

— Debout ! hurla-t-elle en sonnant le gong.

Elle vit que la porte de l'Echiquier était ouverte et qu'il filtrait une lumière inhabituelle. Elle fonça dans la buanderie et ramassa les draps mis à aérer.

Tyson était aux écuries en train de remplir des seaux au robinet. Il n'avait pas eu le temps d'enfiler ses bottes et ses pieds en chaussette glissaient sur les galets. Le garde-manger au gibier était déjà embrasé ; les flammes se dirigeaient vers l'armurerie.

— Est-ce que cela va atteindre la maison ? hurla Matty au-dessus du vacarme. De quel côté est-ce que cela souffle ?

— De l'ouest. J'ai appelé les pompiers. S'ils se dépêchent, ça devrait aller.

Derrière eux, les chevaux martelaient leurs stalles et hennissaient de peur. Matty lança les draps à Tyson :

— Aidez-moi à les mouiller.

Les bras chargés de caisses de munitions, Ned émergea de l'armurerie. Il traversa la cour et les posa sur la pelouse. Puis il replongea dans la pièce.

— Vite ! s'écria Matty. Les chevaux ! Combien de temps va mettre la voiture de pompiers ?

— Aucune idée, madame, dit Tyson tout en remplissant un autre seau. Il faut que je détrempe ce mur pour essayer d'empêcher les flammes de s'en prendre à la maison.

Les craintes de Matty s'amplifièrent. Elle s'obligea à demander :

— Où sont les licols ?

— Dans les stalles.

— Je m'occupe des chevaux.

Oh, non ! pas les chevaux, pas les chevaux. Matty sentit son sang se glacer malgré l'incendie. Puis elle se dit : Matty Dysart, tu le fais, un point c'est tout.

Etouffant à cause de la fumée et des débris, les chevaux étaient affolés. Matty ouvrit avec difficulté le loquet de la stalle du poney. Tremblant, hennissant, le poney se pressa contre le mur, se rassembla puis fonça, faisant tituber Matty.

— Ho, ho. Ho, ho.

Matty se redressa et courut après le poney terrifié. Il tournoya en un cercle fou avant de disparaître dans le chemin qui conduisait au jardin clos.

Matty sortit de la stalle en trébuchant.

Derrière elle, les flammes remontaient le bloc central en direction du dôme et grondaient en atteignant le toit. Tremblant de frayeur, Matty attrapa un drap, hésita puis entra dans le box de Guenièvre.

— Tout doux, dit-elle, maladroite de peur.

Elle essayait de se rappeler comment Tyson et Flora s'y prenaient avec les chevaux. Guenièvre rejeta la tête en arrière et recula. En désespoir de cause, Matty la saisit d'une main par la crinière tout en essayant d'attraper le licol de l'autre.

— Viens, murmura-t-elle, viens.

Ses doigts grattèrent le nez de velours. Guenièvre donna une secousse. Matty se voyait déjà piétinée.

Pour l'amour du ciel, Emma Goldman, ce n'est pas le moment de me lâcher.

— Ta maîtresse n'aimerait pas te voir faire des caprices, n'est-ce pas ? murmura-t-elle. Je sais que tu as peur, moi aussi, on a peur toutes les deux, mais contente-toi... de faire... ce qu'on te demande.

Guenièvre écouta pendant une fraction de seconde, se demandant si elle devait ou non faire confiance à cette voix. Matty en profita pour lui passer le licol. Guenièvre poussa un cri et rejeta la tête en arrière et commença à tirer au renard, ce qui faillit déboîter l'épaule de Matty. Puis elle botta. Matty fut projetée en avant et alla s'écraser contre le bois. La corde avait arraché la peau de ses mains. Matty ne sut jamais comment elle réussit à entourer la tête de Guenièvre du drap.

— Viens, allez, reprit-elle d'une voix apaisante. Viens.

Si elle ne vient pas... Si elle ne vient pas...

Elle ouvrit la porte d'une main et tira sur la longe de l'autre. La lumière était plus vive et Matty fut saisie par la chaleur. La jument se raidit et Matty crut un instant qu'elle refuserait d'avancer, mais le drap humide lui ôta toute envie de broncher et elle suivit Matty.

Sans cesser de lui parler, Matty conduisit Guenièvre jusqu'au jardin clos où des anneaux de métal étaient scellés au mur. Puis elle s'appuya contre le mur, le souffle court, tremblant sous le choc.

Le bébé dans un bras, Kit frappait à la porte de L'Hôtel des Voyageurs qui ne semblait ni prospère, ni accueillant. Des coquelicots et du lin s'infiltraient entre les lamelles de la barrière de bois et la chaîne de la cloche était rouillée.

Inquiet pour Mlle Motte qui ne répondait plus quand on lui parlait, Kit frappa plus fort. Au creux de son bras, le bébé fit des petits bruits nasillards.

— *Qui est là ?*

Une tête passa apparut à la fenêtre de l'étage. Kit recula et se lança dans des explications sur la présence d'un homme seul avec un bébé au seuil d'un hôtel à une heure du matin.

Mme Régné se révéla la femme des situations de crise. En quelques minutes, Kit était à l'intérieur, le bébé couché dans un berceau d'appoint et Mlle Motte au lit. On appela un médecin.

— Ce pourrait être sérieux, déclara-t-il après l'avoir examinée. Grave intoxication alimentaire. Elle a pris des *moules*, dites-vous ? Elle ne doit pas bouger d'ici.

D'abord, Mme Régné fut horrifiée en apprenant que Kit continuerait le voyage seul avec l'enfant :

— C'est impossible, monsieur, ce serait fort déraisonnable.

Mais Kit, tenaillé par le malaise et le besoin de régler les choses avec Matty, n'entendait pas se rendre aux arguments de l'aubergiste. Il laissa largement de quoi régler les frais médicaux pour la nurse et promit solennellement à l'hôtelière de la prévenir de son arrivée en Angleterre.

Les yeux piquants de fatigue, Kit roula en pleine nuit vers Paris, l'envie de se retrouver chez lui plus forte qu'il ne l'aurait cru.

Il consulta sa montre. D'après la miraculeuse Mme Régné, le bébé aurait faim dans une vingtaine de minutes. Kit prit la carte sur le siège du passager et y jeta un rapide coup d'œil ; providentiellement, il atteindrait Auxerre juste à temps pour le petit déjeuner de son fils, et le sien...

Quand il entra enfin dans Paris, le dos moulu, les tempes battantes, Kit se félicita d'avoir si bien réussi le voyage. A Auxerre, l'enfant avait pris son biberon sans un murmure et s'était rendormi tout de suite, permettant ainsi à Kit de contempler son petit nez à la retrousse et ses paupières translucides.

Il s'habituait à avoir un fils.

Autour de la place de la Concorde, une pensée frappa Kit. Elle n'était pas philosophique et n'aurait pas d'immenses conséquences, mais elle était tout de même importante.

Il avait oublié de changer les couches du bébé.

S'emparant d'un autre drap, Matty se frotta le visage autour des yeux et regarda les flammes. Elles se rapprochaient de la maison. Tyson et Ned soulevaient des seaux d'eau qu'ils jetaient dans le feu avec fièvre.

Matty hésita devant les écuries, s'obligea à y pénétrer et, avec un petit cri, entra dans la stalle de Vindicatif. Le cheval se cabra tout de suite — masse noire et frémissante. Matty se figea sur place et regarda par-dessus son épaule les flammes et les débris embrasés et faillit courir.

C'est le cheval de Kit, dit une voix intérieure. C'est le sien, tu ne vas tout de même pas le laisser griller. Ni sa maison.

C'est ta maison.

Matty jeta le drap humide sur la tête du cheval :

— Viens, Vindicatif, mon garçon, ne m'abandonne pas.

Lentement, beaucoup trop lentement, elle persuada l'animal tremblant de la suivre.

— Allez, mon garçon, viens...

— Sortez, lady Dysart, dit Tyson qui apparut dans l'encadrement de la porte. Il faut vous en aller. C'est beaucoup trop dangereux.

— Aidez-moi, alors, dit-elle dans un souffle en tirant par la longe le cheval terrifié.

Hennissant de détresse, Tyson le tenant par la crinière, Vindicatif se jeta dehors.

— Tenez, dit Matty en tendant la longe à Ned, attachez le au mur du jardin clos. Tyson ! s'écria-t-elle sans attendre. La maison. Il faut faire quelque chose.

Du coin de l'œil, Matty vit que Robbie et Ivy étaient apparues, fantômes trempés en chemises de nuit de coton. Elles remplissaient les seaux à tour de rôle. Ivy était gênée dans ses mouvements par sa chemise qu'elle finit par nouer autour de ses cuisses, révélant deux jambes longues et fines. La chemise de Robbie était encore plus encombrante; la dentelle battait sous la robe de chambre.

— Il faut tenter de sauver la maison! hurla Matty.

Matty tira, porta, jeta et courut, décidée à se battre. C'était comme si le feu avait répandu en elle quelque source secrète et en fusion, une lave d'énergie qui faisait surface. Une étincelle fit un trou dans son pull-over et, à un moment, elle se trouva si près des flammes qu'elle sentit grésiller la pointe de ses cheveux. La chaleur passait à travers ses pantoufles. Ses mains étaient à vif. Mais elle ne faiblissait pas.

— Ils arrivent! s'exclama Robbie. Ils arrivent!

Dans un tintement de cloche, la voiture de pompiers s'arrêta. Une dizaine d'hommes en sortirent.

Ned saisit Matty alors qu'elle vacillait près des flammes et la tira jusqu'au jardin où ils se tinrent serrés l'un contre l'autre à regarder.

Avec un sifflement, le dôme s'écroula dans un tourbillon de cendres.

J'ai sauvé trois chevaux, se dit Matty, époustouflée.

Les pompiers de Nether Hinton avaient peut-être mis du temps, mais ils étaient bougrement efficaces. Dans un brouhaha infernal, ils dirigèrent leurs lances sur la façade ouest et se répartirent, prêts à attaquer tout nouveau foyer d'incendie.

— Allez, suppliait Matty entre ses dents, allez.

Elle pensait au visage de Kit s'il arrivait pour retrouver une coquille vide et calcinée. Elle ferait tout pour empêcher cela. A peine consciente de ses gestes, elle s'agrippa au bras de Ned, qui la calma. Ils virent les étincelles pleuvoir sur le jardin et se répandre comme au ralenti sur le toit de la maison.

Une silhouette émergea des arbres en titubant et traversa la pelouse.

— Je suis venu aider, cria Danny.

— Parfait, dit le chef des pompiers. De ce côté.

Le vent tombait et Matty, Ned, Robbie et Ivy observèrent en silence pendant les minutes qui suivirent.

— A votre avis, comment est-ce arrivé? demanda-t-elle enfin à Ned.

— Tyson pense qu'une lampe s'est renversée. Peut-être

que Jem en a laissé une. Il n'est pas sûr. C'est ça ou le vent qui a sectionné les câbles et provoqué un court-circuit.

Mais Matty n'écoutait pas.

— Que fais-je ici ? Nous devrions sortir les tableaux et les meubles de la maison.

— Du calme, dit Ned en retenant la petite silhouette de ses deux mains. Regardez, ils contrôlent l'incendie, lady Dysart, vous voyez ?

L'eau arrosa le toit et les gouttières débordèrent. Des hommes couraient en tous sens, hurlant des ordres. Graduellement, l'embrasement vira au jaune, puis au rouge, puis plus rien. L'air sentait le foin et le bois brûlé.

Matty percevait sur ses lèvres le goût de brûlé et de sel. S'accrochant à Ned, elle frissonnait sous le choc et le contrecoup — et, parce que c'était une étrange et unique situation, Ned mit son bras autour d'elle et l'attira contre sa poitrine en velours côtelé, comme il l'aurait fait avec Betty.

— Là, là, tout va bien.

— Il faut que je dise aux hommes ce qu'il y a à faire, dit Matty dont les dents s'entrechoquaient.

Ned la laissa aller. Tremblant de partout, le corps douloureux, elle entreprit d'organiser l'épilogue du désastre :

— Ivy, Ellen et vous pourriez faire chauffer de l'eau et préparer du thé ?

Les dents trop blanches sur son visage noirci, Ivy acquiesça d'un signe de tête, dénoua sa chemise de nuit, spectacle qui réjouit les hommes, et disparut.

— Robbie ?

Matty la chercha partout. Une étrangère, ou presque, s'avança :

— Oh, lady Dysart.

Matty dévisagea Robbie. On aurait dit que la lourde silhouette s'était dégonflée :

— Tout va bien, Robbie, l'apaisa-t-elle avec douceur. Pourquoi n'iriez-vous pas au cellier nous trouver deux bouteilles de whisky ? Je crois que nous en aurons tous besoin.

Robbie tortilla la dentelle déchirée et noircie de sa manche de chemise :

— Si vous voulez.

— Qu'est-ce qu'on fait, maintenant, lady Dysart ? s'enquit Tyson qui sortit de l'obscurité.

Tous attendaient quelque chose de Matty — les hommes du village et les gens qui demeuraient chez elle : du courage et une direction, peut-être, toutes choses que Matty ne pensait pas posséder.

Après la tempête, la brume tomba sur Calais et s'attarda sur le port. Les mouettes volaient, piaillaient, montaient vers le soleil. Il faisait frais : Kit remonta son col et tenta d'allumer une cigarette. La pensée de sa maison lui fit du bien et il s'imagina chez lui, dans la lumière du printemps, entouré de champs verts et bruns.

On allait embarquer dans quelques minutes. Il scruta le ferry-boat, puis la mer, rude et crênelée passé l'abri du port, encore secouée après le passage de l'ouragan. Voici presque trois ans, Matty l'avait demandé en mariage sur un ferry et déclenché une série d'événements. Blessé, incertain, embrumé par l'alcool, Kit l'avait suivie.

Ainsi vont les vies, songea-t-il, bâties sur des demi-mesures.

A Paris, l'hôtel s'était chargé de lui réserver une cabine particulière. Au lieu de s'installer, comme toujours lorsqu'il faisait la traversée, dans le salon de première classe, il resta dans sa cabine avec l'enfant. Le nourrisson avait l'air agité et grognon. Se rappelant sa première bévue, Kit soupira et le prit dans ses bras :

— Couches propres, c'est cela ? Tu me mets encore à l'épreuve ?

Kit se bagarra avec les épingles de nourrice. Par manque de soins, le petit derrière était tout rouge. Kit le tamponna avec une serviette humide. Le résultat fut un hurlement aigu. Pour le calmer, Kit posa la main sur son petit ventre rond comme celui d'une grenouille :

— Je vais te mettre de mon onguent magique, tu vas voir.

Le bébé ouvrit ses yeux bleu clair qu'il fixa sur son père. Sa tête était plus grosse que ses membres. Constatant ce curieux déséquilibre, Kit se surprit à caresser le petit être et à lui tendre son doigt pour qu'il s'en saisît.

Apparemment ravi d'avoir les fesses à l'air, le bébé donna un petit coup de pied. Kit prit dans sa main ce petit pied aux orteils quasi transparents, veinés de bleu, avec ses ongles nacrés. Tout cela venait de Daisy. Pendant un moment, Kit ne put quitter des yeux le minuscule pied, haïssant le bébé de ce qu'il avait fait à Daisy. De la souffrance qu'il lui avait causée. Puis l'enfant donna un nouveau coup de pied, le sang battait sous sa peau tendre. Au tréfonds de Kit, une émotion nouvelle surgit, puissante, tenace, à laquelle il s'abandonna. C'était son fils et il l'aimait.

Elle s'accompagna de la peur pour cette vie toute neuve, puis d'une autre terreur, plus profonde encore — celle qu'il serait peut-être obligé d'abandonner son fils. Il en trembla intérieurement.

Matty était au jardin quand Kit arriva. Elle n'entendit pas la voiture faire crisser les graviers et s'arrêter net devant les écuries dévastées par le feu. Elle n'entendit pas non plus son cri d'angoisse devant ce spectacle.

Agenouillée devant le grand massif sous le mur, en partie parce qu'elle avait mal aux pieds, en partie parce qu'elle avait besoin de sentir à nouveau la terre sous ses doigts, elle coupait, taillait, arrachait le chiendent et le liseron. La terre sentait le printemps et s'effritait entre ses doigts en un excellent terreau.

Compost et fumier, se dit-elle.

La queue de l'ouragan souffla sur le jardin depuis le Harroway et fouetta Jonathan's Kilns mais, protégé par le mur, il était calme et en sécurité. Un courlis plongea au-dessus de la tête de Matty et émit son cri. Bientôt, les hirondelles reviendraient d'Afrique. Matty songea qu'à l'avenir elle pourrait noter leurs allées et venues.

Une touffe d'herbe aux chats dégagea son odeur épicée : Matty avait choisi la variété géante pour orner le massif près du chemin. Derrière, se dressaient les pointes de l'iris à barbe blanche et les boutons d'une pivoine « Sarah Bernhardt ». Matty s'assit sur ses talons pour contempler son œuvre. Peut-être faudrait-il un peu plus de verdure ? Du seneçon gris-vert ?

Nécessitait-il davantage de compost ? Elle se frotta les mains l'une contre l'autre et se releva.

Où était Kit ? Le vent réfrigéra sa satisfaction. A part un bref coup de fil de Paris pour dire qu'il arrivait, rien.

Elle devrait retailler la clématite « Perle d'Azur » — elle

aurait dû la couper à ras du sol l'hiver dernier, mais elle n'avait pas osé — elle s'arrêta pour la nettoyer. Elle était tellement affairée qu'elle n'entendit pas Kit.

— Matty... Matty? Es-tu là?

Elle se protégea les yeux. Kit courait dans le chemin entre les saules. Le sécateur tomba à ses pieds et elle faillit courir à lui pour lui montrer combien elle était heureuse de son retour.

— Matty, je suis rentré.

Il s'arrêta un peu avant et, soudain, elle sentit sa joie disparaître. Selon sa manie elle fourragea à la recherche de son mouchoir, incertaine de pouvoir encore souffrir d'amour. Kit s'avança.

— Tu vas bien? s'enquit-il de cette voix qui avait tant manqué à Matty. Je viens d'apprendre la nouvelle. Tu n'es pas blessée.

Après si longtemps, c'était presque un étranger.

— Tout va bien, sauf mes cheveux... et mes mains.

Elle les ouvrit pour lui.

— Dieu soit loué, et je remercie le ciel que personne d'autre ne soit blessé.

— Non. Tout le monde va bien.

Il s'approcha encore.

— Je suis de retour, maintenant, Matty, et je veux te parler. S'il te plaît.

— Oui.

Matty sentit son cœur s'affoler. La terreur d'une nouvelle angoisse donnait à sa voix un ton froid et distant. Kit faiblit, cloué par l'énormité de ce qu'il s'apprêtait à demander. Il ôta son chapeau.

— Matty, je voulais te dire : Daisy, c'est fini.

Il avança encore, les mains tremblantes :

— J'ai quelque chose à te demander.

Pour se donner du temps, Matty ramassa son sécateur qu'elle jeta dans le seau. Malgré ses cheveux brûlés, elle avait l'air en forme, se dit Kit. Il avait oublié à quel point elle était petite et délicieuse et combien ses yeux noisette étaient réconfortants. Une tendresse inhabituelle l'envahit. Il avait envie de prendre les mains de Matty et de les serrer dans les siennes.

Matty se frotta le menton de l'avant-bras et repoussa la

mèche frisottée — exactement comme sur le ferry et des centaines de fois depuis. Elle arborait une expression que Kit aussi connaissait bien, immobile, figée : le regard d'une femme qui a peur du bonheur parce qu'on pourrait le lui arracher. Foudroyé par la culpabilité, il savait que là aussi, c'était sa faute.

— Qu'y a-t-il, Kit ?

Kit fourra dans ses poches ses mains qui en disaient trop, car il savait qu'il allait pousser Matty à la limite — il l'avait fait si souvent, si loin. Le visage baigné de larmes de Daisy surgit ; il ferma les yeux une seconde. Puis il les rouvrit et regarda sa femme :

— Je tomberais à genoux à tes pieds si cela pouvait aider, dit-il en esquissant un sourire.

— Non.

Il sourit carrément devant sa véhémence et attira Matty contre lui. Elle ne résista pas. Il dit :

— Daisy, c'est fini, Matty. Pour toujours. Je suis rentré à la maison pour demander ton pardon, c'est vrai, mais pas uniquement. Je te veux, toi, et notre mariage. Mais avant que tu prennes ta décision, j'ai une autre prière à formuler.

Matty soupira et se libéra, comme si, songea-t-il, elle n'arrivait pas à lui faire confiance. Il chercha des indices sur son visage.

— Ce que je vais te demander est si énorme, et exigera un amour incommensurable...

— Que veux-tu de plus ?

Il frémit.

— C'est immense. Et il n'y a qu'à toi que je puis le demander.

Elle n'osa répondre.

— Veux-tu attendre une minute, le temps que j'aille chercher quelque chose ?

Elle déglutit et sa main battit de l'air :

— Si tu veux.

— Alors, ne bouge pas.

Matty le regarda disparaître dans l'allée et, comme elle ne savait que faire, retourna à la clématite qu'elle tailla avec vigueur.

Elle lui tournait le dos quand il revint avec le petit fardeau blanc.

— Matty. Me permettras-tu encore de te supplier?

Il parlait d'une tellement drôle de voix qu'elle pivota sur elle-même, vit le bébé enroulé dans le châle, et comprit instantanément le mystère du télégramme de Daisy. Elle vacilla sous le choc et l'incrédulité.

— Kit, Kit! Qu'es-tu en train de me demander?

Kit tendit l'enfant endormi :

— Tu n'es pas obligée de l'accepter. Je m'en tiendrai à ta décision. Crois-moi, c'est mon châtiment. Si tu n'en veux pas, si tu ne peux accepter ce que je te demande, je l'emmènerai pour qu'il soit adopté et, quoi qu'il puisse nous arriver par la suite, jamais je ne te le reprocherai.

Matty sentit sa poitrine se soulever et retomber.

— Comprends-tu, Matty?

Une amère colère s'agrippait à sa poitrine. Agonie. Jalousie. Douleur, car ce n'était pas elle, dont le corps avait mis au monde le fils de Kit. Humiliation de se trouver dans la situation où son mari lui offrait l'enfant d'une autre. L'enfant de Daisy. Vraiment, oh, vraiment, elle était à bout.

Kit! hurla-t-elle en silence. Où m'as-tu emmenée? Dans une vallée baignée de cendres. Aveuglée, elle se tourna comme si elle allait se sauver.

— Matty! s'écria Kit, désespéré. Matty. Pardonne-moi.

Matty s'arrêta. La fanfare des scouts répétait et quelqu'un — un des garçons? — jouait la sonnerie aux morts.

Elle s'élevait, pour les Hampshires, les Wiltshires, les sapeurs, les messagers et les bombardiers. Pour Danny et Rupert, Edwin et Hesther, Robbie et son sergent Naylor qui n'était jamais revenu, pour Rose, pour le poumon manquant de Bert Stain, et pour l'esprit manquant de Hal Bister. Pour tous ceux qui avaient perdu.

Avec elle, se levait la multitude sombre, sautillant sur les pieds pourrissants et les poumons gazés à travers les coquelicots écrasés et les églantines dans la brume, la fumée et le grondement de la bataille. Une armée — non, des milliers d'armées d'ombres.

Ils étaient partis. Tous.

— Oh, non, dit Matty.

Elle recula dans le massif et la terre céda sous ses pieds. Le soleil darda un rayon dans le jardin, éclaira les gros boutons de roses et jeta une ombre depuis la statue — si on regardait vite, on pouvait presque y voir une petite fille.

Le sang battait dans les temps de Matty, à ses poignets, dans son bas-ventre.

— Ton fils ? dit-elle.

Elle sentit sa poitrine fondre comme un glacier au soleil, elle faisait plus mal que la colère. Avec une infinie lenteur, elle ouvrit les mains et accepta le poids du bébé que Kit déposait sur elles.

— Un fils ?

Le clairon s'interrompit aussi brutalement qu'il avait commencé et, dans le silence qui suivit, le regard de Matty passa de l'enfant à Kit. Leurs yeux s'accrochèrent, s'interrogèrent.

L'amour est un acte de volonté. Il faut continuer de le vivre. Chaque jour, chaque instant, chaque seconde. Il doit exister sans condition. Il faut le porter, le nourrir, et souffrir pour lui. On aime, voilà tout. Elle posa une fois encore le regard sur le petit être dans ses bras, qui pouvait confirmer cette vérité. Il s'ébroua et elle l'installa plus confortablement quand, ne pouvant résister, elle le serra contre sa poitrine.

— Kit, osa-t-elle tout juste. Je crois... je crois que c'est d'accord.

Kit s'empara de la fourche posée près de la « Naissance de Vénus » et la planta dans la terre. Il pleurait — de soulagement, de perte, de douleur, de savoir qu'on lui donnait plus qu'il ne méritait. Il s'essuya les yeux puis, se retournant, attira dans ses bras Matty et le bébé.

L'ombre de la statue se souleva. Toute ressemblance avec une enfant s'évanouit.

Avec toutes ses saignées, ses passions soudaines et ses silences, avec ses langueurs, ses ententes, ses paix, un couple était né.

HARRY Liées par les vieux événements et les erreurs anciennes, les familles croissent et déclinent. Comme l'année de floraison, elles sont vouées à répéter le cycle immuable — omissions, lacunes, manque d'amour, pardon.

Je le sais, c'est arrivé à ma famille. Les blessures infligées par l'un des membres se répètent à la génération suivante, jusqu'à ce que la chaîne soit complète.

Mon histoire est une histoire très anglaise qui n'a pu survenir qu'à une période bien précise. Pourtant, elle est universelle, je crois. Je l'ai écrite pour illustrer ses bons et ses mauvais aspects, pour montrer comment les graines plantées par une génération fleurissent, encore et toujours. Comment malgré nos bizarreries (Thomas) et nos déceptions (la perte de la maison), l'amour est porteur d'avenir et de sérénité. Il nous confère la grâce d'une longue vie satisfaite, comme la mienne.

Par-dessus tout, il y a le jardin. Eden de pierre et de brique, de brun et de vert, de fourches et de pelles, de plateaux de semis et de tas de compost; paradis transformé, par la magie de la pluie et du soleil, en une beauté dont nous tirons notre nourriture. Le jardin donne la vie. Eternellement changeant, il est toujours là, source indestructible pour l'esprit. Jardin triomphant, dans lequel on trouve le lys et la rose enfermés dans leur spirale de fécondité, de mort, — et de résurrection. Alors vous voyez, tout finit bien.

REMERCIEMENTS

Quelques lecteurs reconnaîtront peut-être la topographie et la description de Nether Hinton ; j'aimerais pourtant leur assurer que Hinton Dysart et son jardin sont imaginaires. Ainsi que la boucle de la rivière que j'ai audacieusement resituée. De la même façon, les personnages du livre sont totalement fictifs.

Plusieurs personnes ont contribué à cet ouvrage. Ursula Buchan, qui a laissé de côté la rédaction pourtant urgente de son propre livre pour m'aider, me conseiller et me corriger quand je me trompais. Fred Stevens, sans qui ce livre n'aurait pu être écrit. La générosité qu'il a témoignée en me donnant de son temps et en me permettant de picorer dans *Crondall Then* (son ouvrage alors disponible dans les boutiques du village) est incommensurable. Tout comme ses dons de jardinier. Kate Chevenix Trench, Sarah Bailey Orme et Caroline Sheldon pour leur confiance, leur professionnalisme et leur énorme travail.

J'aimerais également remercier David Austin de m'avoir adressé des renseignements et des photographies sur ses roses anglaises. Toute erreur est mienne. Merci aussi à mes sœurs, Alison Spouter et Rosie Hobhouse. Elles se sont montrées de remarquables supporters et sont devenues mes principaux critiques. Je n'ai pas oublié nos petits rendez-vous pour déjeuner.

Afin de réunir ma documentation, j'ai dévoré des centaines d'ouvrages. Au premier chef : *An Anthology of Garden Writing*. Mais aussi, *The Lives and Works of Five Great Gardeners*, Ursula Buchan (Croom Helm, 1986), *Flowers and their Histories*, Alice M. Coats (Hulton Press, 1956), *A War Imagi-*

ned : The First World War and English Culture, Samuel Hynes (Bodley Head, 1990), *1939, The Last Season of Peace*, Angela Lambert (Weidenfeld and Nicolson, 1980), *The Private Life of a Country House (1912-1939)*, Lesley Lewis (David and Charles, 1980), *1914* (Michael Joseph, 1987) et *Somme* (Michael Joseph, 1983), deux ouvrages inoubliables de Lynn Macdonald, dont j'ai extrait certains événements et, mot pour mot, certains rapports, *Medieval English Gardens*, Teresa McLean (Barrie and Jenkins, 1989), *The Countryside Remembered*, Sadie War (Century, 1991).

On trouve sur le marché légion de livres de jardinage : j'aimerais toutefois en citer deux en particulier : *Making a White Garden*, Joan Clifton (Weidenfeld and Nicolson, 1990) et *The Flowering Year*, Anna Pavord (Chatto and Windus, 1991). Je ne cache pas m'être largement inspirée de livres tant pour les idées que pour le savoir-faire.

Enfin, je voudrais exprimer ma reconnaissance à ma famille, qui a dû une fois encore se montrer d'une infinie patience. A mes parents, mon mari, Benjamin, et mes enfants, Adam et Eleanor, merci.

TABLE

IMPRIMERIE QUEBECOR
L'ÉCLAIREUR